A REVOLUCIONÁRIA TERAPIA
DO BEM-ESTAR

O livro é a porta que se abre para a realização do homem.

Jair Lot Vieira

DAVID D. BURNS, ph.D.
Autor do *Best-Seller* Internacional

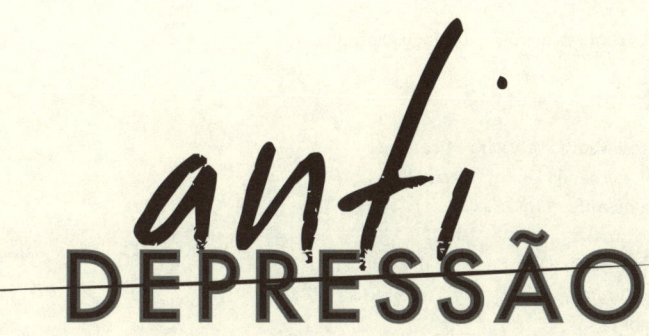
anti
~~DEPRESSÃO~~

A REVOLUCIONÁRIA TERAPIA DO BEM-ESTAR

Tradução
MARIA LUISA DE ABREU LIMA PAZ
Tradutora e editora
Bacharel em Comunicação
pela Universidade Metodista de São Paulo
Especialização em Mercado Editorial pela FIA/USP

Apresentação
ARNALDO VICENTE
Psicólogo Especialista em TCC
Coordenador, Professor e Supervisor
no Centro de Terapia Cognitiva Comportamental de Bauru, desde 2002
Presidente da futura OSCIP – Oficina de Pensamento, desde 2010
Ex-Presidente da Associação Brasileira de Psicoterapia Cognitiva – ABPC

Copyright © 1980 by David D. Burns, M. D.
New material copyright © 1999 by David D. Burns, M. D.
All rights reserved. No part of this book may be used or reproduced in any manner whatsoever without written permission, except in the case of brief quotations embodied in critical articles and reviews. For information address Harper paperbacks, an Imprint for HarperCollins Publishers.

Copyright da tradução e desta edição © 2015 by Edipro Edições Profissionais Ltda.

Título original: *Feeling good: the new mood therapy.*

Todos os direitos reservados. Nenhuma parte deste livro poderá ser reproduzida ou transmitida de qualquer forma ou por quaisquer meios, eletrônicos ou mecânicos, incluindo fotocópia, gravação ou qualquer sistema de armazenamento e recuperação de informações, sem permissão por escrito do editor.

Grafia conforme o novo Acordo Ortográfico da Língua Portuguesa.

1ª edição, 2ª reimpressão 2021.

Editores: Jair Lot Vieira e Maíra Lot Vieira Micales
Coordenação editorial: Fernanda Godoy Tarcinalli
Tradução: Maria Luisa de Abreu Lima Paz
Revisão: Tatiana Yumi Tanaka
Revisão técnica: Sheilla Cristiene Jonson Gonçalves Ducati
Diagramação: Karine Moreto Massoca
Capa: Studio Mandragora

Dados Internacionais de Catalogação na Publicação (CIP)
(Câmara Brasileira do Livro, SP, Brasil)

Burns, David D.
    Antidepressão: a revolucionária terapia do bem-estar / David D. Burns; [tradução Maria Luisa de Abreu Lima Paz]. – São Paulo: Cienbook, 2015.

    Título original: Feeling good: the new mood therapy.
    Bibliografia.
    ISBN 978-85-68224-01-4

    1. Depressão mental 2. Depressão mental – Tratamento 3. Terapia cognitiva I. Título.

15-02886   CDD-158.1

Índice para catálogo sistemático:
1. Depressão : Autoajuda : Psicologia aplicada 158.1

São Paulo: (11) 3107-7050 • Bauru: (14) 3234-4121
www.cienbook.com.br • edipro@edipro.com.br
@editoraedipro   @editoraedipro

Este livro é dedicado ao dr. Aaron T. Beck,
em respeito ao seu conhecimento e coragem
e em reconhecimento a sua paciência,
dedicação e empatia.

SUMÁRIO

APRESENTAÇÃO — 11

AGRADECIMENTOS — 15

PREFÁCIO — 17

INTRODUÇÃO — 19

PARTE I
TEORIA E PESQUISA — 31

CAPÍTULO I
UMA INOVAÇÃO NO TRATAMENTO DOS TRANSTORNOS DE HUMOR — 33

CAPÍTULO II
COMO DIAGNOSTICAR O SEU HUMOR: O PRIMEIRO PASSO PARA A CURA — 41

CAPÍTULO III
ENTENDENDO O SEU HUMOR:
VOCÊ SE SENTE DO MODO COMO PENSA
49

PARTE II
APLICAÇÕES PRÁTICAS
67

CAPÍTULO IV
COMECE DESENVOLVENDO
A AUTOESTIMA
69

CAPÍTULO V
COMO VENCER A VONTADE
DE NÃO FAZER NADA
91

CAPÍTULO VI
JUDÔ VERBAL:
APRENDA A CONTESTAR
QUANDO ESTIVER SENDO ALVO DE CRÍTICAS
127

CAPÍTULO VII
ESTÁ COM RAIVA? QUAL É O SEU QI?
141

CAPÍTULO VIII
FORMAS DE ACABAR
COM O SENTIMENTO DE CULPA
177

PARTE III
DEPRESSÕES "REALISTAS"
201

CAPÍTULO IX
TRISTEZA NÃO É DEPRESSÃO
203

PARTE IV
PREVENÇÃO E CRESCIMENTO PESSOAL
223

CAPÍTULO X
A CAUSA DE TUDO
225

CAPÍTULO XI
O VÍCIO DA APROVAÇÃO
241

CAPÍTULO XII
O VÍCIO DO AMOR
257

CAPÍTULO XIII
SEU VALOR NÃO CONSISTE NO SEU TRABALHO
269

CAPÍTULO XIV
ATREVA-SE A FICAR NA MÉDIA!
COMO SUPERAR O PERFECCIONISMO
287

PARTE V
DERROTAR A FALTA DE ESPERANÇA E O SUICÍDIO
311

CAPÍTULO XV
A VITÓRIA FINAL:
UMA ESCOLHA PELA VIDA
313

PARTE VI
ENFRENTAR O ESTRESSE E AS PRESSÕES DO DIA A DIA
329

CAPÍTULO XVI
COMO PRATICO AQUILO QUE PREGO
331

PARTE VII
A QUÍMICA DO HUMOR
341

CAPÍTULO XVII
A BUSCA PELA "BILE NEGRA"
343

CAPÍTULO XVIII
O PROBLEMA MENTE-CORPO
367

CAPÍTULO XIX
O QUE VOCÊ PRECISA SABER SOBRE OS ANTIDEPRESSIVOS MAIS COMUNS
385

CAPÍTULO XX
GUIA COMPLETO DO CONSUMIDOR PARA A TERAPIA COM DROGAS ANTIDEPRESSIVAS
417

ÍNDICE REMISSIVO
539

PARA SABER MAIS
549

APRESENTAÇÃO

Antes de apresentar o livro *Antidepressão – a revolucionária terapia do bem-estar* do dr. David D. Burns, gostaria de fazer algumas considerações: atualmente, a terapia cognitivo-comportamental tem tido uma grande aceitação pelos profissionais e instituições de ensino no Brasil – certamente pela contribuição ímpar que tem oferecido para a melhoria da saúde mental brasileira; centenas de psicoterapeutas de variadas escolas têm se aprofundado no conhecimento desta abordagem por meio das leituras de obras especializadas, da procura por cursos de introdução, formação e especialização desenvolvidos no Brasil ou no exterior, e de congressos e conferências, com vários experts internacionais, oferecidos por institutos e centros de referência nos vários estados brasileiros; culminando com a divulgação, cada vez mais frequente, pela mídia em geral do paradigma cognitivo, criado por Aaron T. Beck, que enfatiza que "não é uma situação que determina como nos sentimos, mas sim o modo como a construímos".

A população brasileira, aos poucos, está assimilando termos como PAN (pensamento automático negativo), distorções cognitivas, crenças centrais, metas disfuncionais e necessidade de desenvolver habilidade em resolução de problemas, entre outros; nesta mesma linha, desde 2010 temos oferecido palestras a milhares de pessoas sobre este paradigma ao público leigo, em vários locais: universidades, colégios, igrejas, presídios, praças, empresas, hospitais, Rotarys, Lions, principalmente em Bauru (SP), cidade sede do Centro de Terapia Comportamental de Bauru, fundado em 2002.

Várias obras de autores nacionais e internacionais apresentam propostas que visam à autoterapia estendida, ou seja, à promoção do paciente em tornar-se seu autoterapeuta – uma proposta a ser alcançada desde o início do processo terapêutico cognitivo-comportamental, com a colaboração de seu terapeuta, principalmente na fase de gerenciamento de sintomas onde se desenvolve o conceito de metacognição visando a identificar e transformar os pensamentos disfuncionais em funcionais, obtendo-se uma ativação comportamental que promove uma melhora significativa, já nas primeiras sessões, quanto ao transtorno diagnosticado na avaliação inicial.

A evolução na autoterapia estendida continua também na fase de reestruturação cognitiva, onde contemplam-se o trabalho com as crenças centrais e intermediárias, um modo de pensar mais complexo resultante das várias cognições sobre si mesmo, o mundo e o futuro; a primeira fase ajuda-nos a nos sentirmos bem nas situações e a segunda, na vida.

A autoterapia estendida consolida-se na terceira fase da compreensão cognitiva comportamental, quando exploramos as generalizações de ganhos e a prevenção de recaída. Tudo isso com o desenvolvimento da empatia e o fortalecimento na aliança terapêutica.

Todas essas considerações nos levam a aumentar o interesse por esta obra e nos incentiva a conhecer e realizar com mais frequência sua magnífica proposta de autoajuda por meio da biblioterapia. Nas palavras do dr. Beck "uma contribuição importante para aqueles que desejam oferecer a si próprios um ensino 'de primeira' sobre como entender e controlar seu humor".

Os métodos apresentados em *Antidepressão* mostraram-se consistentes e eficazes, confirmando, por meio de estudos científicos, que um livro de autoajuda pode realmente ter um efeito antidepressivo significativo em pacientes que tenham sofrido episódios de depressão maior ao modificarem os seus padrões de pensamentos negativos, além de ajudar a prevenir episódios graves de depressão entre indivíduos com tendência ao pensamento negativo.

Aspectos cognitivos disfuncionais que precipitam a depressão, como procrastinação, desmotivação, depreciação, dependência, perfeccionismo e atitudes compulsivas, são identificados e combatidos com os métodos criativos e eficazes do dr. Burns, como o autodiálogo, a autoinstrução, a autoaceitação, a autoativação, a autovalorização, o autoenfrentamento racional das próprias distorções cognitivas, a avaliação pragmática das estratégias compensatórias utilizadas no dia a dia, como esquiva, dependência, perfeccionismo, entre outras; sempre combinando métodos cognitivos e comportamentais.

Publicado na década de 1990 nos EUA sob o título de *Feeling good* e agora em 2015 no Brasil como *Antidepressão* esta é uma obra que venceu a barreira do tempo, pois os métodos que já beneficiaram milhares de pessoas beneficiarão certamente milhares de brasileiros.

Cada vez mais pessoas estarão convictas de que não é uma situação que determina a depressão, mas que a construímos com o nosso modo negativo de pensar. E se temos o poder disfuncional inconsciente de construí-la, então podemos desenvolver o nosso poder consciente funcional para desconstruí-la.

O dr. Burns nos mostra passo a passo como isso é possível dando uma atenção especial não só aos métodos que promovem uma remissão sintomática a curto prazo, mas também aos que revelam e reestruturam as raízes do transtorno problema.

Este é um livro que recomendarei às pessoas que nunca fizeram, ou mesmo às que fazem, psicoterapia; também aos meus antigos e atuais pacientes; aos meus alunos nos cursos de Introdução, Formação e TCC Avançada; e, claro, aos participantes de nossas palestras e mídia.

Por fim, felicito os organizadores que trouxeram e traduziram esta obra, principalmente pela escolha do título em português: ANTIDEPRESSÃO, por adiantar aos seus leitores o grande benefício que os aguarda depois de lerem e se ajudarem seguindo as sábias orientações do dr. Burns.

Arnaldo Vicente

AGRADECIMENTOS

Sou grato à minha esposa, Melanie, por seu apoio editorial, sua paciência e incentivo nas longas noites e fins de semana que passamos preparando este livro. Gostaria de agradecer também a Mary Lovell por seu entusiasmo e apoio técnico na digitação do manuscrito.

O desenvolvimento da terapia cognitiva consistiu em um esforço de equipe envolvendo muitas pessoas talentosas. Na década de 1930, um médico chamado Abraham Low iniciou um movimento de autoajuda, sem fins lucrativos, para pessoas com dificuldades emocionais, chamado "Recovery Incorporated", o qual existe até hoje. O dr. Low foi um dos primeiros profissionais da saúde a enfatizar a importância de nossos pensamentos e atitudes em nossas emoções e comportamento. Embora muitas pessoas não tenham conhecimento de sua obra, o dr. Low merece grande crédito por ter sido o pioneiro na introdução de muitos conceitos que estão em voga até hoje.

Nos anos 1950, o conhecido psicólogo de Nova York, dr. Albert Ellis, aprimorou esses conceitos e criou uma nova forma de psicoterapia chamada Terapia Racional Emotiva. O dr. Ellis publicou mais de 50 livros que enfatizam o papel do *self-talk* negativo (os diálogos interiores como "eu devia" ou "eu tenho de") e das crenças irracionais (como "eu tenho de ser perfeito") numa grande variedade de problemas emocionais. Assim como as do dr. Low, suas brilhantes contribuições às vezes não recebem o devido reconhecimento dos pesquisadores e estudiosos acadêmicos. Na verdade, quando escrevi a primeira edição de *Antidepressão*, não estava assim tão familiarizado com o trabalho do dr. Ellis nem reconheci devidamente a importância e a magnitude de suas contribuições. Quero deixar isso registrado aqui!

Finalmente, nos anos 1960, meu colega da Escola de Medicina da Universidade da Pensilvânia, o dr. Aaron Beck, adaptou esses conceitos e técnicas de tratamento ao problema da depressão clínica. Ele descreveu a visão negativa que o paciente com depressão tem de si mesmo, do mundo e do futuro e propôs uma nova forma de "terapia do pensamento" para a depressão, nomeada como "terapia cognitiva". O foco da terapia cognitiva era ajudar os pacientes com depressão a modificar esses padrões negativos de pensamento. As contribuições do dr. Beck, assim como as do dr. Low e as do dr. Ellis, foram significativas. O Inventário de Depressão de Beck, publicado em 1964, permitiu pela primeira vez que os clínicos e pesquisadores medissem a depressão. A ideia da possibilidade de medirmos o quanto a depressão de um paciente era grave, bem como acompanharmos suas mudanças em resposta ao tratamento, era revolucionária. O dr. Beck também enfatizou a importância da pesquisa quantitativa sistemática para obter informações objetivas sobre até que ponto os diferentes tipos de terapia realmente funcionam, e o quanto são eficazes comparados à terapia com medicamentos antidepressivos.

Desde a época desses três iniciais pioneiros, várias centenas de pesquisadores e clínicos talentosos do mundo todo contribuíram para esta nova abordagem. Na verdade, provavelmente houve mais pesquisas publicadas a respeito de terapia cognitiva do que sobre qualquer outra forma de psicoterapia já desenvolvida, com possível exceção para a terapia comportamental. Evidentemente, não posso citar todas as pessoas que fizeram contribuições importantes para o desenvolvimento da terapia cognitiva. Em seus primórdios, no início da década de 1970, trabalhei com vários colegas da Escola de Medicina da Universidade da Pensilvânia que ajudaram a criar muitas das técnicas de tratamento usadas até hoje. Entre eles estão os doutores John Rush, Maria Kovacs, Brian Shaw, Gary Emery, Steve Hollon, Rich Bedrosian, Ruth Greenberg, Ira Herman, Jeff Young, Art Freeman, Ron Coleman, Jackie Persons e Robert Leahy.

Diversas pessoas deram-me permissão para fazer referência ao seu trabalho de forma detalhada neste livro, incluindo os doutores Raymond Novaco, Arlene Weissman e Mark K. Goldstein.

Gostaria de fazer uma menção especial a Maria Guarnaschelli, a editora deste livro, por seu entusiasmo e disposição constantes, que foram para mim uma inspiração especial.

Durante o período em que estive envolvido com o treinamento e a pesquisa que levaram à realização deste livro, fiz parte do Foundations' Fund for Research in Psychiatry. Gostaria de agradecê-los por seu apoio, o qual tornou esta experiência possível.

E meus agradecimentos ao dr. Frederick K. Goodwin, ex-dirigente do National Institute of Mental Health, por sua valiosa consultoria sobre o papel dos fatores biológicos e dos remédios antidepressivos no tratamento dos transtornos de humor. Dois colegas de Stanford, os doutores Greg Tarasoff e Joe Belenoff, forneceram opiniões úteis a respeito dos capítulos sobre os novos medicamentos.

Eu gostaria de agradecer a Arthur P. Schwartz por seu incentivo e persistência. Gostaria de agradecer também a Ana McKay Thoromann da Avon Books pelo apoio editorial nos capítulos sobre a nova psicofarmacologia.

Por fim, gostaria de agradecer à minha filha, Signe Burns, pelas sugestões extremamente úteis e pela edição meticulosa do material acrescentado nesta edição de 1999.

PREFÁCIO

Fico feliz que David Burns esteja disponibilizando ao público em geral um método para modificar o humor que despertou tanto interesse e entusiasmo entre os profissionais de saúde mental. O dr. Burns condensou anos de pesquisa na Universidade da Pensilvânia sobre as causas e tratamentos da depressão, e apresenta de forma clara o componente essencial de autoajuda do tratamento especializado que surgiu a partir dessa pesquisa. O livro é uma contribuição importante para aqueles que desejam oferecer a si próprios um ensino "de primeira" sobre como entender e controlar seu humor.

Algumas palavras sobre a evolução da terapia cognitiva podem interessar os leitores de *Antidepressão: a revolucionária terapia do bem-estar*. Logo depois que iniciei minha carreira profissional como um apaixonado estudante e praticante da psiquiatria psicanalítica profissional, comecei a pesquisar o suporte empírico para a terapia freudiana e a terapia da depressão. Embora esse suporte se mostrasse vago, os dados que obtive em minha busca sugeriam uma nova teoria sobre as causas dos transtornos emocionais, a qual poderia ser testada. A pesquisa parecia revelar que o indivíduo deprimido vê-se como um "derrotado", uma pessoa incompetente condenada à frustração, às privações, à humilhação e ao fracasso. Novos experimentos mostraram uma diferença marcante entre a autoavaliação, as expectativas e as aspirações de uma pessoa deprimida, de um lado, e suas verdadeiras realizações – muitas vezes impressionantes – do outro. Concluí que a depressão devia envolver uma perturbação na forma de pensar: a pessoa deprimida pensa de um modo negativo e peculiar a respeito de si mesma, de seu ambiente e de seu futuro. A mentalidade pessimista afeta seu humor, sua motivação e suas relações com os outros, e leva ao amplo espectro de sintomas físicos e psicológicos típicos da depressão.

Atualmente, temos um grande conjunto de dados de pesquisas e experiências clínicas, os quais sugerem que as pessoas podem aprender a controlar as dolorosas oscilações de humor e o comportamento autodestrutivo por meio da aplicação de alguns princípios e técnicas relativamente simples. Os resultados promissores desse estudo despertaram o interesse pela terapia cognitiva entre psiquiatras, psicólogos e outros profissionais de saúde mental. Muitos autores viram nossas descobertas como um progresso importante no estudo científico da psicoterapia e da transformação pessoal. A teoria em desenvolvimento sobre os transtornos emocionais, a qual constitui a base dessa pesquisa, tornou-se tema de estudos exaustivos em centros acadêmicos do mundo todo.

O dr. Burns descreve claramente esse avanço em nosso conhecimento sobre a depressão. Numa linguagem simples, ele apresenta métodos inovadores e eficazes para alterar os estados depressivos dolorosos e reduzir a ansiedade debilitante. Minha expectativa é a de que os leitores deste livro sejam capazes de aplicar em seus próprios problemas os princípios e técnicas desenvolvidos em nosso trabalho com os pacientes. Embora as pessoas com transtornos emocionais mais graves venham a precisar da ajuda de um profissional de saúde mental, as outras podem se beneficiar do uso das novas habilidades descritas pelo dr. Burns para lidar com os problemas por meio do "bom senso". Portanto, *Antidepressão* deve se revelar um guia passo a passo extremamente útil para as pessoas que desejam ajudar a si mesmas.

Por fim, este livro reflete o estilo pessoal único de seu autor, cujo entusiasmo e energia criativa têm sido um presente especial a seus pacientes e colegas.

Dr. Aaron T. Beck
Professor de Psiquiatria da Escola de Medicina
da Universidade da Pensilvânia

INTRODUÇÃO
(EDIÇÃO REVISADA, 1999)

Eu fico impressionado ao ver como cresceu o interesse pela terapia cognitiva comportamental desde a primeira publicação de *Antidepressão*, em 1980. Naquela época, pouquíssimas pessoas haviam ouvido falar em terapia cognitiva. Desde então, a terapia cognitiva vem se tornando muito popular entre os profissionais da saúde mental e junto ao público em geral. Na verdade, a terapia cognitiva tem sido uma das formas de psicoterapia mais praticadas e pesquisadas no mundo todo.

Por que tanto interesse nesse tipo de psicoterapia em particular? Existem pelo menos três motivos. Primeiro, suas ideias básicas são muito realistas e possuem um apelo intuitivo. Segundo, muitos estudos já comprovaram que a terapia cognitiva pode ser muito útil para pessoas que sofrem de depressão, ansiedade e uma série de outros problemas comuns. De fato, a terapia cognitiva parece ser no mínimo tão eficaz quanto os melhores medicamentos antidepressivos (como o Prozac). E, terceiro, muitos livros de sucesso sobre autoajuda, entre eles o próprio *Antidepressão*, despertaram uma grande procura pela terapia cognitiva nos Estados Unidos e no restante do mundo.

Antes de apresentar alguns dos novos progressos interessantes, deixe-me explicar rapidamente o que é terapia cognitiva. A cognição é um pensamento ou percepção. Em outras palavras, suas cognições consistem em seu modo de pensar a respeito das coisas em qualquer momento, inclusive agora. Esses pensamentos passam pela sua cabeça automaticamente e costumam ter um enorme impacto no modo como você se sente.

Por exemplo, neste exato momento, você provavelmente está tendo alguns pensamentos e impressões em relação a este livro. Se você o escolheu porque vem se sentindo deprimido e desanimado, é provável que esteja vendo as coisas de um modo negativo, autocrítico: "Sou um fracassado. O que há de errado comigo? Nunca vou melhorar. Este livro idiota de autoajuda não vai me ajudar em nada. Eu não tenho problema nenhum com meus *pensamentos*. Meus problemas são *reais*.". Se você estiver irritado ou com raiva, é possível que esteja pensando: "Esse tal de Burns é só um vigarista tentando ficar rico. Provavelmente nem sabe do que está falando.". Se você estiver otimista e interessado, talvez esteja pensando: "Ei, isto aqui está interessante. Talvez eu aprenda algo de bom que possa aproveitar.". Em cada um desses casos, seus sentimentos ou impressões são causados pelos seus pensamentos.

Esse exemplo ilustra o princípio essencial da terapia cognitiva: seus sentimentos são resultado das mensagens que você envia a si mesmo. Na verdade, em geral seus pensamentos têm muito mais a ver com o modo como você se sente do que com o que está realmente acontecendo na sua vida.

Essa não é uma ideia nova. Há quase 2 mil anos, o filósofo grego Epiteto afirmou que o que incomoda as pessoas "não são as coisas, mas a imagem que fazemos delas". No *Livro dos Provérbios* do Antigo Testamento (Pv 23:7), podemos encontrar esta passagem: "Porque ele é tal quais são os seus pensamentos.". E até Shakespeare expressou uma ideia semelhante quando disse: "pois o bem ou o mal não existe senão quando assim o julgamos" (*Hamlet*, segundo ato, cena 2).

Embora a ideia já exista há séculos, a maioria das pessoas deprimidas não a compreende de fato. Se você está deprimido, talvez pense que é por causa de coisas ruins que aconteceram com você. Talvez se considere inferior e destinado a ser infeliz porque fracassou no trabalho ou foi rejeitado por alguém que amava. Talvez acredite que essa sensação de incompetência resulta de algum defeito pessoal – você pode estar convencido de que não é suficientemente inteligente, bem-sucedido, atraente ou talentoso para se sentir feliz e realizado. Pode achar que seus sentimentos negativos são resultado de uma infância traumática e sem amor, ou de genes ruins que você herdou, ou de algum tipo de desequilíbrio químico ou hormonal. Ou talvez culpe os outros quando fica chateado: "São esses motoristas malucos que me tiram do sério quando estou indo para o trabalho! Se não fossem esses barbeiros, meu dia seria ótimo!". E quase todas as pessoas deprimidas convencem-se de que estão diante de alguma verdade terrível sobre si mesmas e o mundo, e de que essa horrível sensação é totalmente real e inevitável.

Certamente todas essas ideias têm um fundo de verdade – coisas ruins acontecem, e quase todo mundo leva uma bordoada da vida de vez em quando. Muitas pessoas sofrem perdas desastrosas e enfrentam problemas pessoais devastadores. Nossos genes, hormônios e experiências da infância provavelmente têm algum impacto sobre nossa forma de pensar e sentir. E as outras pessoas podem ser irritantes, cruéis ou indelicadas. Mas todas essas teorias sobre as causas do nosso mau humor tendem a nos fazer de vítimas – por acharmos que as causas resultam de algo que foge ao nosso controle. Afinal, não podemos fazer muita coisa para mudar a forma como as pessoas dirigem na hora do *rush*, o modo como fomos tratados quando éramos crianças, os nossos genes ou a química do nosso corpo (a não ser tomar um comprimido). Por outro lado, você pode aprender a ver as coisas de forma diferente e também pode mudar suas crenças e valores fundamentais. E, quando fizer isso, muitas vezes sentirá mudanças profundas e duradouras em seu humor, em sua aparência e produtividade. Em poucas palavras, é disso que trata a terapia cognitiva.

A teoria é simples e pode até parecer banal demais – mas não a despreze achando que é psicologia barata. Você vai descobrir que a terapia cognitiva pode ser incrivelmente útil – mesmo que se sinta bastante cético (como eu me senti) ao ouvir falar dela pela primeira vez. Já conduzi pessoalmente mais de 30 mil sessões de terapia cognitiva com centenas de indivíduos deprimidos e ansiosos, e sempre me surpreendo com o quanto este método pode ser útil e eficaz.

A eficácia da terapia cognitiva já foi comprovada por vários estudos efetivos feitos por pesquisadores do mundo todo nas últimas duas décadas. Num importante artigo recente intitulado "Psychotherapy *vs.* Medication for Depression: Challenging the Conventional Wisdom with Data", os doutores David O. Antonuccio e William G. Danton, da Universidade de Nevada, e Gurland Y. DeNelsky, da Clínica Cleveland, revisaram vários dos estudos mais rigorosos sobre depressão já publicados em revistas científicas do mundo todo.[1] Os estudos revisados comparavam os medicamentos antidepressivos à psicoterapia no tratamento da depressão e da ansiedade. A conferência envolveu estudos de curta duração e também os de acompanhamento a longo prazo. Os autores chegaram a algumas conclusões surpreendentes que contradizem a visão tradicional:

- Embora a depressão seja vista tradicionalmente como uma doença, pesquisas indicam que os fatores genéticos parecem responder por apenas cerca de 16% da depressão. Para muitas pessoas, as influências ao longo da vida parecem ser as causas mais importantes;
- Os remédios são a forma mais comum de tratamento para a depressão nos Estados Unidos e há uma crença generalizada – popularizada pelos meios de comunicação – de que este é o tratamento mais eficaz. Contudo, essa opinião não condiz com os resultados de vários estudos rigorosos realizados nos últimos 20 anos. Eles demostram que as novas formas de psicoterapia, especialmente a terapia cognitiva, podem ser no mínimo tão eficazes quanto os remédios, e para muitos pacientes parecem ser mais eficazes ainda. Esta

---

1. ANTONUCCIO, D. O.; DANTON, W. G.; DeNELSKY, G. Y. Psychotherapy versus medication for depression: Challenging the conventional wisdom with data. *Professional Psychology: Research and Practice*, 26, 6, p. 574-85, 1995.

é uma boa notícia para as pessoas que preferem tratamentos sem medicação – seja por preferência pessoal ou por questões de saúde. Também é uma ótima novidade para milhões de pessoas que não apresentaram uma resposta adequada aos antidepressivos depois de anos e anos de tratamento e que ainda lutam contra a depressão e a ansiedade;
- Após a recuperação, os pacientes tratados com psicoterapia têm mais probabilidade de se manter livres da depressão e são muito menos propensos a ter uma recaída do que aqueles tratados apenas com antidepressivos. Isso é particularmente importante porque cada vez mais tem-se conhecimento de muitas pessoas que têm recaída após se recuperarem da depressão, especialmente quando são tratadas apenas com medicamentos antidepressivos sem nenhum tipo de terapia verbal.

Com base nessas descobertas, o dr. Antonuccio e seus coautores concluíram que a psicoterapia não deve ser considerada um tratamento de segunda escolha, e sim o inicial para a maioria dos casos de depressão. Além disso, eles enfatizam que a terapia cognitiva parece ser uma das psicoterapias mais eficazes para a depressão, se não a mais eficaz.

É claro, os medicamentos podem ser úteis para algumas pessoas – e até salvar vidas. Eles também podem ser combinados à psicoterapia para um melhor resultado, especialmente em casos de depressão severa. É extremamente importante saber que existem novas armas poderosas para combater a depressão e que tratamentos sem medicação, como a terapia cognitiva, podem ser altamente eficazes.

Estudos recentes indicam que a psicoterapia pode ser útil não apenas para depressões leves, mas também para as severas. Essas descobertas contradizem a crença popular de que a "terapia da conversa" só pode ajudar pessoas com problemas leves e que, se você tem uma depressão grave, precisa ser tratado com remédios.

Embora sejamos informados de que a depressão pode ser causada por um desequilíbrio químico no cérebro, estudos recentes indicam que a terapia cognitiva comportamental pode realmente alterar a química cerebral. Nesses estudos, os doutores Lewis R. Baxter Jr., Jeffrey M. Schwartz, Kenneth S. Bergman e seus colegas da Escola de Medicina da Universidade da Califórnia, em Los Angeles, usaram a tomografia por emissão de pósitrons (PET) para avaliar alterações no metabolismo cerebral em dois grupos de pacientes antes e depois do tratamento.[2] Um dos grupos foi tratado com terapia cognitiva comportamental sem o uso de remédios, e o outro, com medicação antidepressiva sem psicoterapia.

---

2. BAXTER, L. R. et al. Caudate glucose metabolic rate changes with both drug and behavioral therapy for obsessive-compulsive disorders. *Archives of General Psychiatry*, 49, p. 681-9, 1992.

Como era de se esperar, houve alterações químicas cerebrais nos pacientes do grupo de terapia medicamentosa que apresentaram melhora. Essas alterações indicaram que o metabolismo cerebral deles havia ficado mais lento – em outras palavras, os nervos de uma certa região do cérebro pareciam estar mais "relaxados". A grande surpresa foi a ocorrência de alterações semelhantes no cérebro dos pacientes que tiveram êxito no tratamento com a terapia cognitiva comportamental. Só que esses pacientes não ingeriram nenhuma medicação. Além disso, não houve *nenhuma diferença significativa* nas alterações cerebrais observadas em cada um dos grupos, nem na eficácia dos dois tipos de tratamento. Por causa desse e de outros estudos semelhantes, pela primeira vez os pesquisadores estão começando a considerar a possibilidade de que a terapia cognitiva comportamental – os métodos descritos neste livro – possa realmente ajudar as pessoas a alterar a química e a arquitetura do cérebro humano!

Embora nenhum tratamento possa curar todos os males, pesquisas indicam que a terapia cognitiva pode ser útil para uma série de outros transtornos além da depressão. Por exemplo, em diversos estudos, pacientes com crises de pânico reagiram tão bem à terapia cognitiva sem qualquer medicação que hoje muitos especialistas consideram o uso exclusivo da terapia cognitiva como sendo o melhor tratamento para esse transtorno. A terapia cognitiva também pode ser eficaz em muitas outras formas de ansiedade (como a ansiedade generalizada, as fobias, o transtorno obsessivo-compulsivo e o estresse pós-traumático), e ela também tem sido usada com êxito em transtornos de personalidade como o *borderline*.

A terapia cognitiva vem ganhando popularidade no tratamento de muitos outros problemas. Na Conferência de Psicofarmacologia da Universidade de Stanford, em 1998, fiquei intrigado com a apresentação feita por um colega dessa universidade, o dr. Stuart Agras. Agras é um renomado especialista em distúrbios alimentares como a compulsão alimentar, a anorexia nervosa e a bulimia. Ele apresentou os resultados de inúmeros estudos recentes sobre o tratamento de distúrbios alimentares com medicamentos antidepressivos comparados à psicoterapia. Esses estudos indicaram que a terapia cognitiva comportamental é o tratamento mais eficaz para distúrbios alimentares – melhor do que qualquer remédio conhecido ou qualquer outra forma de psicoterapia.[3]

---

3. Nenhum tratamento atual é capaz de resolver todos os problemas, nem a terapia cognitiva. Uma outra terapia de curta duração, chamada terapia interpessoal, tem se mostrado promissora para pacientes com distúrbios alimentares. No futuro, estudos como os conduzidos pelo dr. Agras e seus colegas levarão, sem dúvida, a tratamentos mais específicos e eficazes para os distúrbios alimentares.

Também estamos começando a aprender mais sobre *como* a terapia cognitiva atua. Uma descoberta importante é que a autoajuda parece ser uma parte essencial da recuperação, independentemente do tratamento. Numa série de cinco estudos de destaque publicados na conceituada revista científica *Journal of Consulting and Clinical Psychology* e no periódico *The Gerontologist*, o dr. Forest Scogin e seus colegas da Universidade do Alabama estudaram os efeitos da simples leitura de um bom livro de autoajuda como *Antidepressão* – sem qualquer outra forma de terapia. O nome desse tipo de tratamento é "biblioterapia" (terapia por meio da leitura). Eles descobriram que a biblioterapia com *Antidepressão* pode ser tão eficaz quanto um ciclo completo de psicoterapia ou de tratamento com os melhores remédios antidepressivos.[4-8] Considerando-se a tremenda pressão existente para se reduzirem os gastos com a saúde, esta é uma questão de grande interesse, já que uma edição de *Antidepressão* custa menos que uma caixa de Prozac – e até em que ponto se sabe não tem nenhum efeito colateral desagradável!

Num estudo recente, o dr. Scogin e sua colega, a dra. Christine Jamison, distribuíram, de forma aleatória, em dois grupos 80 pessoas que buscavam tratamento para um episódio depressivo maior. Os pesquisadores deram aos pacientes do primeiro grupo um exemplar de *Antidepressão* e os incentivaram a ler o livro em quatro semanas. Esse grupo foi chamado de Grupo de Biblioterapia Imediata. Esses pacientes também receberam um folheto contendo cópias em branco dos formulários de autoajuda contidos no livro, caso resolvessem fazer alguns dos exercícios sugeridos.

Os pacientes do segundo grupo foram informados de que ficariam numa lista de espera por quatro semanas antes de iniciar o tratamento. Esse grupo foi chamado de Grupo de Biblioterapia Tardia porque esses pacientes só receberam um exemplar de *Antidepressão* no segundo período de quatro semanas do estudo. Os pacientes do Grupo de Biblioterapia Tardia serviram como grupo de controle, para ter certeza de que qualquer melhora na Biblioterapia Imediata não se devia apenas à passagem do tempo.

---

4. SCOGIN, F.; JAMISON, C.; GOCHNEAUT, K. The comparative efficacy of cognitive and behavioral bibliotherapy for mildly and moderately depressed older adults. *Journal of Consulting and Clinical Psychology*, 57, p. 403-7, 1989.

5. SCOGIN, F.; HAMBLIN, D.; BEUTLER, L. Bibliotherapy for depressed older adults: a self-help alternative. *The Gerontologist*, 27, p. 383-7, 1987.

6. SCOGIN, F.; JAMISON, C.; DAVIS, N. A two-year follow-up of the effects of bibliotherapy for depressed older adults. *Journal of Consulting and Clinical Psychology*, 58, p. 665-7, 1990.

7. JAMISON, C.; SCOGIN, F. Outcome of cognitive bibliotherapy with depressed adults. *Journal of Consulting and Clinical Psychology*, 63, p. 644-50, 1995.

8. SMITH, N. M. et al. Three-year follow-up bibliotherapy for depression. *Journal of Consulting and Clinical Psychology*, 65, 2, p. 324-7, 1997.

Na avaliação inicial, os pesquisadores aplicaram dois testes de depressão a todos os pacientes. Um deles foi o Inventário de Depressão de Beck (Beck Depression Inventory, BDI), um questionário de autoavaliação tradicional que os próprios pacientes preenchem; e o outro foi a Escala de Depressão de Hamilton (Hamilton Rating Scale for Depression, HRSD), que é administrado por pesquisadores treinados. Como se pode ver no Gráfico 1, não houve diferença nos níveis de depressão entre os dois grupos na avaliação inicial. Pode-se ver também que, na avaliação inicial, os pacientes de ambos os grupos tiveram uma pontuação média em torno de 20 ou mais nos testes BDI e HRSD. Essa pontuação indica que os níveis de depressão nos dois grupos eram semelhantes aos encontrados na maioria dos estudos publicados sobre antidepressivos ou psicoterapia. Na verdade, a pontuação no BDI foi quase idêntica à pontuação média em testes BDI de aproximadamente 500 pacientes que buscaram tratamento na minha clínica na Filadélfia, no fim da década de 1980.

Toda semana, um assistente ligava para os pacientes dos dois grupos e aplicava o BDI por telefone. O assistente também respondia a qualquer pergunta que os pacientes tivessem sobre o estudo e incentivava os pacientes do Grupo de Biblioterapia Imediata a tentar concluir o livro em quatro semanas. Essas ligações limitavam-se a dez minutos, e não era oferecido nenhum tipo de aconselhamento.

Ao fim das quatro semanas, os dois grupos foram comparados. Podemos ver no Gráfico 1 que os pacientes do Grupo de Biblioterapia Imediata apresentaram uma melhora considerável. De fato, a pontuação média tanto no teste BDI como no HRSD ficou em torno de 10 ou menos, dentro da faixa considerada normal. Essas mudanças no quadro de depressão foram muito significativas. Podemos observar também que os benefícios mantiveram-se na avaliação feita após três meses e não houve recaída. Na verdade, houve uma tendência de melhora constante após a conclusão do tratamento com a biblioterapia; a pontuação nos dois testes de depressão foi efetivamente mais baixa na avaliação após três meses.

Por outro lado, podemos ver no Gráfico 1 que os pacientes do Grupo de Biblioterapia Tardia quase não se alteraram, e sua pontuação continuava em torno de 20 na avaliação após quatro semanas. Isso indica que a melhora a partir da leitura de *Antidepressão* não se devia apenas à passagem do tempo. Mais tarde, os doutores Jamison e Scogin deram aos pacientes do Grupo de Biblioterapia Tardia um exemplar de *Antidepressão* e pediram que lessem durante o segundo período de quatro semanas do estudo. Sua melhora nas quatro semanas seguintes foi equivalente à do Grupo de Biblioterapia Imediata durante as quatro semanas iniciais. Também podemos ver no Gráfico 1 que os pacientes de ambos os grupos não apresentaram recaída, mantendo seus benefícios na avaliação feita após três meses.

GRÁFICO 1

*Os pacientes do **Grupo de Biblioterapia Imediata** receberam o livro* Antidepressão *na avaliação inicial.*

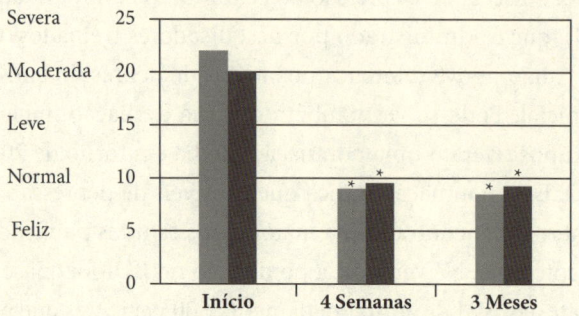

*Os pacientes do **Grupo de Biblioterapia Tardia** receberam o livro na avaliação feita após quatro semanas.*

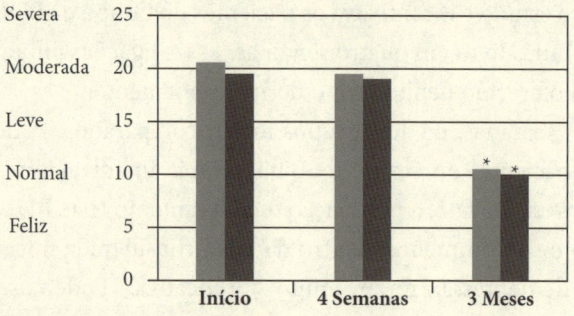

BDI = Inventário de Depressão de Beck
HRSD = Escala de Depressão de Hamilton

Os resultados deste estudo indicaram que *Antidepressão* parece ter um efeito antidepressivo considerável. Ao fim do primeiro período de quatro semanas da biblioterapia, 70% dos pacientes do Grupo de Biblioterapia Imediata já não se enquadravam mais nos critérios de um episódio depressivo maior, segundo os critérios oficiais de diagnóstico descritos no *Manual Diagnóstico e Estatístico* (*Diagnostic and Statistical Manual, DSM*) da Associação Americana de Psiquiatria. Na verdade, a melhora foi tão grande que a maioria desses pacientes não precisou de nenhum outro tratamento no centro médico. Até onde tenho conhecimento, estes são os primeiros estudos científicos publicados a mostrar que um livro de autoajuda pode realmente ter um efeito antidepressivo significativo em pacientes que tenham sofrido episódios de depressão maior.

Por outro lado, apenas 3% dos pacientes do Grupo de Biblioterapia Tardia recuperaram-se durante as primeiras quatro semanas. Em outras palavras, os pacientes que não leram *Antidepressão* não apresentaram melhora. Entretanto, na avaliação feita após três meses, quando os dois grupos já haviam lido o livro, 75% dos pacientes do Grupo de Biblioterapia Imediata e 73% daqueles do Grupo de Biblioterapia Tardia já não se qualificavam para o diagnóstico de episódio depressivo maior segundo os critérios do *DSM*.

Os pesquisadores compararam a intensidade da melhora destes grupos com a apresentada nos estudos publicados sobre o uso de medicamentos antidepressivos, psicoterapia ou ambos. No grande estudo *Collaborative Depression* (*Depressão Colaborativa*), realizado pelo Instituto Nacional de Saúde Mental, houve uma redução média de 11,6 pontos no HRSD em pacientes tratados com terapia cognitiva durante 12 semanas por terapeutas altamente treinados. Isso é muito semelhante à redução de 10,6 pontos no HRSD observada depois de apenas quatro semanas nos pacientes que leram *Antidepressão*. No entanto, o tratamento com a biblioterapia pareceu dar resultado bem mais rápido. Minha própria experiência confirma isso. Em minha clínica particular, pouquíssimos pacientes recuperaram-se durante as primeiras quatro semanas de tratamento.

O percentual de pacientes que abandonaram a biblioterapia também foi muito pequeno, em torno de 10%. Menor do que o da maioria dos estudos publicados sobre o uso de remédios ou psicoterapia, que geralmente apresentam taxas de abandono que variam de 15% a mais de 50%. Por fim, os pacientes desenvolveram um padrão de atitudes e pensamentos bem mais positivo após a leitura de *Antidepressão*. Esse progresso mostrou-se compatível com a premissa do livro, de que é possível vencer a depressão ao modificar o padrão de pensamentos negativos que a causam.

Os pesquisadores concluíram que a biblioterapia foi eficaz para pacientes com depressão e também pode ter um papel importante em programas educativos e de prevenção à depressão. Eles sugeriram ainda que a biblioterapia com *Antidepressão* pode ajudar a prevenir episódios graves de depressão entre indivíduos com tendência ao pensamento negativo.

Por fim, os pesquisadores abordaram outra questão importante: será que os efeitos antidepressivos de *Antidepressão* são duradouros? Os oradores eloquentes que ministram palestras motivacionais conseguem deixar uma multidão empolgada e otimista por breves períodos de tempo – mas esse efeito capaz de levantar o humor não costuma durar muito. O mesmo problema ocorre com o tratamento da depressão. Após um tratamento bem-sucedido com remédios ou psicoterapia, muitos pacientes sentem-se extremamente melhores – mas voltam a cair em depressão algum tempo depois. Essas recaídas podem ser devastadoras porque os pacientes sentem-se muito desmotivados.

Em 1997, os pesquisadores divulgaram os resultados de um acompanhamento realizado depois de três anos com os pacientes do estudo descrito anteriormente.[9] Os autores foram os doutores Nancy Smith, Mark Floyd e Forest Scogin, da Universidade do Alabama, e a dra. Christine Jamison, do Centro Médico dos Veteranos de Tuskegee. Os pesquisadores entraram contato com os pacientes três anos após a leitura de *Antidepressão* e administraram os testes de depressão mais uma vez. Também fizeram várias perguntas aos pacientes sobre como vinham se sentindo desde a conclusão do estudo. Os pesquisadores descobriram que os pacientes não tiveram recaída e mantiveram seus benefícios durante esse período de três anos. Na verdade, nessa avaliação feita após três anos, a pontuação deles nos dois testes de depressão estava ligeiramente melhor do que a obtida na conclusão do tratamento com a biblioterapia. Mais da metade dos pacientes afirmou que seu humor continuou a melhorar após a conclusão do estudo inicial.

Os achados diagnósticos obtidos na avaliação após três anos confirmaram isso – 72% dos pacientes ainda não se enquadravam nos critérios de um episódio depressivo maior, e 70% não procuraram nem fizeram qualquer outro tratamento com medicação ou psicoterapia durante o período de acompanhamento. Embora tenham passado pelos altos e baixos que todos vivenciamos normalmente de vez em quando, cerca de metade deles indicaram que, quando estavam chateados, abriam o livro *Antidepressão* para reler os capítulos mais úteis. Os pesquisadores sugeriram que essas "sessões de reforço" autoadministradas podem ter sido importantes na manutenção de uma atitude positiva após a recuperação. Entre os pacientes, 40% deles declararam que a melhor parte do livro era aquela que os ajudava a mudar seu pensamento negativo, como aprender a ser menos perfeccionista e não pensar em termos de "tudo ou nada".

É claro, como qualquer outro, este estudo também teve limitações. Nem todos os pacientes foram "curados" ao lerem *Antidepressão*. Nenhum tratamento é capaz de resolver todos os problemas. Embora seja animador o fato de que muitos pacientes parecem responder à leitura de *Antidepressão*, é evidente que alguns pacientes com depressões mais severas ou crônicas precisarão da ajuda de um terapeuta e, possivelmente, também de um medicamento antidepressivo. Isso não é motivo para se envergonhar. Cada pessoa reage de um jeito aos diferentes tratamentos. É bom

---

9. Ver nota 8.

que tenhamos agora três tipos de tratamento eficazes para a depressão: medicamentos antidepressivos, psicoterapia individual ou em grupo e biblioterapia.

Lembre-se de que você pode usar a biblioterapia cognitiva entre as sessões de terapia para acelerar sua recuperação, mesmo que esteja em traamento. Na verdade, quando escrevi *Antidepressão* pela primeira vez, imaginei que o livro seria usado assim, como uma ferramenta que meus pacientes pudessem fazer uso entre as sessões de terapia para acelerar o tratamento. Nunca sonhei que algum dia ele pudesse ser empregado sozinho como tratamento para a depressão.

Parece que, cada vez mais, os terapeutas estão começando a indicar a biblioterapia a seus pacientes como uma "lição de casa" entre as sessões de psicoterapia. Em 1994, os resultados de um estudo realizado nos Estados Unidos sobre o uso da biblioterapia pelos profissionais de saúde mental foram publicados no *Authoritative Guide to Self-Help Books* (editado pela Guilford Press, Nova York). O estudo foi conduzido pelos doutores John W. Santrock e Ann M. Minnet, da Universidade do Texas, em Dallas, e Barbara D. Campbell, pesquisadora associada da universidade. Esses três pesquisadores avaliaram 500 profissionais de saúde mental de todos os estados norte-americanos e perguntaram se eles "prescreviam" livros para os pacientes lerem entre as sessões a fim de acelerar a recuperação. Entre os terapeutas consultados, 70% deles afirmaram ter recomendado pelo menos três livros de autoajuda a pacientes durante o ano anterior, e 86% relataram que essas obras trouxeram benefícios a seus pacientes. Perguntou-se também aos terapeutas quais livros, de uma lista de mil, eles recomendavam com mais frequência a seus pacientes. *Antidepressão* foi o livro classificado em primeiro lugar para pacientes com depressão, e *Feeling Good Handbook** (publicado em brochura pela Plume em 1989) ficou em segundo.

Eu não tinha conhecimento de que esse estudo estava sendo conduzido e fiquei impressionado ao saber dos resultados. Um dos meus objetivos quando escrevi *Antidepressão* era oferecer uma leitura para que meus próprios pacientes acelerassem seu aprendizado e recuperação entre as sessões de terapia, mas nunca sonhei que essa ideia pudesse dar tão certo!

Quer saber se terá alguma melhora ou recuperação após a leitura de *Antidepressão*? Seria um exagero afirmar isso. A pesquisa indica claramente que, embora muitas pessoas que leram *Antidepressão* tenham melhorado, outras precisaram do auxílio adicional de um profissional de saúde mental. Já recebi muitas cartas (provavelmente, mais de 10 mil) de pessoas que leram *Antidepressão*. Várias delas descreviam efusivamente como o livro as havia ajudado, muitas vezes após anos e anos de tratamento malsucedido com medicamentos e até com terapia eletroconvulsiva.

---

*. Ainda sem edição em português. (N.E.)

Outras diziam que acharam as ideias de *Antidepressão* interessantes, mas precisaram consultar um bom terapeuta para ajudá-las a colocar essas ideias em prática. Isso é compreensível – as pessoas são diferentes e seria pouco realista achar que algum livro ou formulário de terapia poderia ser a resposta para todo mundo.

A depressão é uma das piores formas de sofrimento, porque a pessoa tem um imenso sentimento de vergonha e desespero, sentindo-se inútil e desmotivada. A depressão pode parecer pior que o câncer terminal, porque a maioria dos pacientes com câncer sente-se amada, possui esperança e autoestima. Muitos pacientes com depressão disseram-me, de fato, que ansiavam pela morte e rezavam todas as noites para contrair câncer, para que pudessem morrer com dignidade sem ter de cometer suicídio.

Mas, por mais terríveis que sua depressão e ansiedade possam parecer, o prognóstico da recuperação é excelente. Você pode estar convencido de que o seu caso é tão grave, tão arrasador e insolúvel, que você é a única pessoa do mundo que nunca vai ficar boa, não importa o que faça. Porém, mais cedo ou mais tarde as nuvens vão embora, o céu de repente abre-se e o sol começa a brilhar outra vez. Quando isso acontece, a sensação de alívio e alegria pode ser incontrolável. E, se você está lutando contra a depressão e a baixa autoestima atualmente, acredito que essa transformação possa acontecer com você também, por mais desanimado ou deprimido que possa se sentir.

Bem, é hora de entrar no Capítulo I para que possamos começar a trabalhar juntos. Desejo a você uma ótima leitura e espero que esses conceitos e métodos sejam muito úteis!

Dr. David Burns
*Professor Clínico Adjunto de Psiquiatria
e Ciências do Comportamento,
Escola de Medicina da Universidade de Stanford*

TEORIA E PESQUISA

CAPÍTULO 1

UMA INOVAÇÃO NO TRATAMENTO DOS TRANSTORNOS DE HUMOR

A depressão já foi chamada de problema de saúde pública número um do mundo. Na verdade, a depressão é tão generalizada que é considerada o resfriado comum dos distúrbios psiquiátricos. Mas há uma triste diferença entre a depressão e um resfriado: a primeira pode matar. Estudos indicam um aumento assustador no índice de suicídios nos últimos anos, até mesmo entre crianças e adolescentes. Esse aumento progressivo da mortalidade ocorreu apesar dos bilhões de antidepressivos e tranquilizantes receitados nas últimas décadas.

Isso pode parecer muito assustador. Antes que você fique ainda *mais* deprimido, deixe-me contar as boas notícias. A depressão é uma doença e não faz parte de uma vida saudável. E o mais importante: ela *pode* ser superada com o uso de métodos simples para melhorar o humor. Um grupo de psiquiatras e psicólogos da Escola de Medicina da Universidade da Pensilvânia relatou um avanço significativo no tratamento e prevenção de transtornos de humor. Insatisfeitos com os métodos tradicionais para tratamento da depressão, os quais consideravam lentos e ineficazes, esses profissionais desenvolveram e testaram de forma sistemática uma abordagem totalmente nova e muito bem-sucedida da depressão e de outros distúrbios emocionais. Uma série de estudos recentes confirma que essas técnicas reduzem bem mais depressa os sintomas da depressão em comparação à psicoterapia ou aos medicamentos convencionais. O nome desse tratamento revolucionário é "terapia cognitiva".

Eu participei diretamente do desenvolvimento da terapia cognitiva, e este livro é o primeiro a descrever esses métodos para o público em geral. A aplicação sistemática e a avaliação científica dessa forma de tratamento da depressão clínica têm suas origens na obra inovadora dos doutores Albert Ellis e Aaron T. Beck, que começaram a aprimorar sua abordagem única para transformação do humor entre meados

dos anos 1950 e o início da década de 1960.¹⁰ Seus esforços pioneiros passaram a ganhar destaque na última década por causa das pesquisas realizadas por vários profissionais de saúde mental em instituições acadêmicas dentro e fora dos Estados Unidos, a fim de aprimorar e avaliar os métodos de terapia cognitiva.

A terapia cognitiva é uma técnica de ação rápida para modificação do humor que você pode aprender a aplicar sozinho. Ela pode ajudá-lo a eliminar os sintomas e passar por um crescimento pessoal, de modo a minimizar futuros transtornos e lidar melhor com a depressão no futuro.

As técnicas simples e eficazes da terapia cognitiva para controle do humor proporcionam:

1. MELHORA RÁPIDA DOS SINTOMAS: Nas depressões mais leves, muitas vezes o alívio dos sintomas pode ser observado num prazo de apenas doze semanas.

2. COMPREENSÃO: Uma explicação clara da razão pela qual você fica deprimido e do que pode fazer para melhorar seu humor. Você vai descobrir o que provoca esses sentimentos tão intensos, saber como distinguir as emoções "normais" das "anormais" e como diagnosticar e avaliar a gravidade dos seus distúrbios.

3. AUTOCONTROLE: Você vai aprender a aplicar estratégias seguras e eficazes para lidar com os problemas, as quais o farão que se sinta melhor toda vez que ficar chateado. Vou ajudá-lo a desenvolver um plano de autoajuda prático e realista para ser realizado passo a passo. À medida que colocá-lo em prática, você passará a controlar melhor o seu humor.

4. PREVENÇÃO E CRESCIMENTO PESSOAL: Uma profilaxia (prevenção) legítima e duradoura contra as oscilações de humor pode basear-se efetivamente na reavaliação de certas atitudes e valores básicos que estão no âmago da sua tendência para depressões dolorosas. Vou mostrar a você como questionar e reavaliar certas premissas sobre o valor das pessoas.

As técnicas apresentadas para resolver e lidar com os problemas abrangem todas as crises da vida moderna, de pequenas irritações a grandes colapsos emocionais. Elas incluem problemas reais, como divórcio, morte ou fracasso, e também aqueles

---

10. A ideia de que nossa maneira de pensar pode influenciar profundamente nosso humor já foi descrita por vários filósofos nos últimos 2.500 anos. Mais recentemente, a visão cognitiva dos distúrbios emocionais foi explorada nos escritos de muitos psiquiatras e psicólogos, entre eles Alfred Adler, Albert Ellis, Karen Horney e Arnold Lazarus, para citar apenas alguns. Uma história desse movimento foi descrita em ELLIS, A. *Reason and Emotion in Psychotherapy*. Nova York: Lyle Stuart, 1962.

problemas vagos e crônicos que parecem não ter uma causa externa óbvia, como insegurança, frustração, sentimento de culpa ou apatia.

Você pode se perguntar: "Será que não é apenas mais uma psicologia de autoajuda barata?". Na verdade, a terapia cognitiva é uma das primeiras formas de psicoterapia cuja eficácia fora demonstrada por meio de rigorosas pesquisas científicas realizadas sob a crítica minuciosa da comunidade acadêmica. Essa forma de terapia é a única a contar com avaliação profissional e validação nos mais elevados níveis acadêmicos. Ela *não* é apenas uma nova moda em matéria de autoajuda, mas sim um grande avanço que se tornou uma parte importante da pesquisa e da clínica psiquiátrica modernas. A base acadêmica da terapia cognitiva contribuiu para o seu impacto e deve fazer que perdure nos próximos anos. Mas não se assuste com o caráter profissional adquirido pela terapia cognitiva. Ao contrário de boa parte da psicoterapia tradicional, ela não atua de forma oculta e anti-intuitiva. Ela é prática, baseia-se no bom senso e pode funcionar com você.

O primeiro princípio da terapia cognitiva é o de que *todos* os nossos estados de humor são produzidos pelas nossas "cognições" ou pensamentos. A cognição está ligada à forma como vemos as coisas – nossas percepções, atitudes mentais e crenças. Inclui também o modo como interpretamos as coisas – o que dizemos a nós mesmos sobre alguma coisa ou alguém. Nós nos *sentimos* assim agora por causa dos *pensamentos que estamos tendo neste momento*.

Deixe-me explicar melhor. Como está se sentindo ao ler isso? É possível que esteja pensando: "Esse negócio de terapia cognitiva parece bom demais para ser verdade. Isso nunca vai dar certo comigo.". Caso seus pensamentos sejam esses, você está se sentindo cético ou desanimado. O que faz que você se sinta assim? Seus *pensamentos*. Você produz esses pensamentos por meio do diálogo que está tendo consigo mesmo sobre este livro!

Ou, pelo contrário, talvez você tenha sentido uma súbita melhora no seu humor porque pensou: "Opa, acho que finalmente encontrei algo que pode me ajudar.". Sua reação emocional é gerada *não* pelas frases que você está lendo, mas pelo modo como está *pensando*. A partir do momento em que tiver um certo pensamento e acreditar nele, você terá uma resposta emocional imediata. Na verdade, é o seu pensamento que *provoca* a emoção.

O segundo princípio é o de que, quando nos sentimos deprimidos, nossos pensamentos são dominados por uma negatividade generalizada. Vemos não só nós mesmos, mas o mundo inteiro, de uma forma escura e sombria. E o que é pior – chegamos a acreditar que as coisas *realmente são* tão ruins como imaginamos que sejam.

Se você estiver muito deprimido, começará a acreditar que as coisas sempre foram e sempre serão negativas. Quando olha para o passado, você lembra-se de todas as coisas ruins que aconteceram. Quando tenta imaginar o futuro, observa apenas um vazio ou angústias e problemas que nunca terminam. Essa visão soturna produz uma sensação de desespero. Esse sentimento não tem a menor lógica, mas parece tão real que você fica convencido de que sua incompetência vai durar para sempre.

O terceiro princípio é o de considerável importância filosófica e terapêutica. Nossa pesquisa documentou que os pensamentos negativos que provocam esse turbilhão de emoções *quase sempre* apresentam graves distorções. Embora esses pensamentos pareçam convincentes, você descobrirá que eles são irracionais ou simplesmente equivocados, e que o pensamento distorcido é uma das principais *causas* do seu sofrimento.

Isso apresenta importantes implicações. Sua depressão provavelmente não se baseia em percepções corretas da realidade; muitas vezes, ela é produto de um deslize mental.

Suponhamos que você considere válido o que estou dizendo. O que vai ganhar com isso? Agora, chegamos ao resultado mais importante de nossa pesquisa clínica. Você pode aprender a lidar melhor com suas oscilações de humor caso domine alguns métodos que o ajudarão a identificar e eliminar as distorções mentais que o fazem sentir-se chateado. Quando começar a pensar mais objetivamente, você passará a se sentir melhor.

Até que ponto a terapia cognitiva é eficaz, comparada a outros métodos aceitos e consagrados para tratamento da depressão? Essa nova terapia permite que pessoas com depressão grave consigam melhorar sem o uso de remédios? Quanto tempo demora para ter resultados? Eles são duradouros?

Há vários anos um grupo de pesquisadores do Centro de Terapia Cognitiva da Escola de Medicina da Universidade da Pensilvânia, entre eles os doutores John Rush, Aaron Beck, Maria Kovacs e Steve Hollow, iniciou um estudo piloto comparando a terapia cognitiva a um dos medicamentos antidepressivos mais utilizados e mais eficazes disponíveis no mercado, o Tofranil (cloridrato de imipramina). Mais de 40 pacientes com depressão grave foram divididos aleatoriamente em dois grupos. Um dos grupos participaria de sessões de terapia cognitiva individuais sem o uso de remédios, enquanto o outro seria tratado com Tofranil sem a terapia. Esse formato de pesquisa com grupos mutuamente excludentes foi escolhido por oferecer maiores oportunidades de comparação dos tratamentos. Até então, ninguém havia demonstrado que alguma forma de psicoterapia pudesse ser tão eficaz contra a depressão quanto o tratamento com um antidepressivo. É por isso que os antidepressivos despertaram tanto interesse da mídia e vieram a ser considerados pela comunidade profissional nas últimas duas décadas como o melhor tratamento para as formas mais graves de depressão.

Os dois grupos de pacientes fizeram tratamento por um período de 12 semanas. Todos eles foram avaliados sistematicamente com extensos testes psicológicos antes da terapia e em vários intervalos mensais durante um ano após sua conclusão. Os profissionais que aplicaram os testes não foram os terapeutas que administraram o tratamento, o que garantiu uma avaliação objetiva dos méritos de cada método.

Os pacientes vinham sofrendo episódios de depressão moderada a grave. A maioria não havia apresentado melhora apesar do tratamento prévio com dois ou mais terapeutas em outras clínicas. Três quartos deles possuíam tendências suicidas na época em que foram encaminhados. Em média, os pacientes vinham sofrendo de depressão crônica ou intermitente havia oito anos. Muitos estavam absolutamente convictos de que seus problemas não tinham solução e não sentiam a menor vontade de viver. Talvez o seu caso não pareça tão complicado como esses. Essa população foi escolhida justamente para que o tratamento pudesse ser testado sob as condições mais difíceis e desafiadoras.

O resultado do estudo foi muito inesperado e animador. A terapia cognitiva foi no mínimo tão eficaz quanto aquela com antidepressivos, se não mais. Como é possível observar (QUADRO 1, a seguir), 15 dos 19 pacientes tratados com terapia cognitiva haviam apresentado uma redução considerável dos sintomas após 12 semanas de tratamento ativo.[11] Outros dois haviam melhorado, mas ainda apresentavam sintomas de transtorno *borderline* ou depressão leve. Apenas um paciente havia abandonado o tratamento, e um ainda não havia apresentado melhoras ao fim desse período. Por outro lado, apenas 5 dos 25 pacientes tratados com medicamentos antidepressivos haviam se mostrado totalmente recuperados ao fim do período de 12 semanas. Desses pacientes, 8 abandonaram a terapia devido aos efeitos colaterais adversos da medicação, e outros 12 não apresentaram melhora alguma, ou somente parcial.

Foi de particular importância descobrir que muitos pacientes tratados com terapia cognitiva melhoraram mais depressa do que os casos bem-sucedidos tratados com remédios. Com apenas uma ou duas semanas de tratamento, já houve uma redução acentuada de pensamentos suicidas entre os pacientes do grupo de terapia cognitiva. A eficácia dessa terapia deve ser animadora para as pessoas que, em vez de depender de remédios para levantar seu ânimo, preferem entender o que está causando os problemas e fazer alguma coisa para resolvê-los.

---

11. O QUADRO 1 foi adaptado de RUSH, A. J. et al. Comparative Efficacy of Cognitive Therapy and Pharmacotherapy in the Treatment of Depressed Outpatients. *Cognitive Therapy and Research*, v. 1, n. 1, p. 17-38, mar. 1977.

QUADRO 1
Situação dos 44 pacientes com depressão grave, 12 semanas após o início do tratamento

Número de pacientes que iniciaram o tratamento	Pacientes tratados apenas com terapia cognitiva	Pacientes tratados apenas com antidepressivos
	19	25
Pacientes que haviam se recuperado totalmente*	5	5
Pacientes que ainda apresentavam sintomas de transtorno *borderline* ou depressão leve	2	7
Pacientes que não apresentavam melhora significativa	1	5
Pacientes que abandonaram o tratamento	1	8

*. A melhora superior dos pacientes tratados com a terapia cognitiva foi estatisticamente significativa.

E quanto aos pacientes que não haviam se recuperado ao fim das 12 semanas? Esse tratamento, assim como qualquer outro, não é infalível. A experiência clínica tem mostrado que nem todas as pessoas apresentam uma resposta tão rápida; no entanto, a maioria pode melhorar se persistir no tratamento por um período maior. Às vezes, isso exige esforço! Um avanço particularmente animador para casos de depressão grave que se mostram refratários ao tratamento é um estudo recente da dra. Ivy Blackburn e seus colaboradores do Conselho de Pesquisa Médica da Universidade de Edimburgo, na Escócia.[12] Esses pesquisadores demonstraram que a combinação de antidepressivos com terapia cognitiva pode ser mais eficaz do que cada uma dessas modalidades isoladamente. Na minha experiência, o fator mais importante para a recuperação é a vontade persistente de fazer algum esforço para ajudar a si mesmo. Se mostrar essa atitude, você terá sucesso.

Que tipo de melhora você pode esperar? Em média, os pacientes tratados de forma cognitiva apresentaram uma redução considerável dos sintomas ao fim do tratamento. Muitos relataram que jamais haviam se sentido tão felizes. Eles enfatizaram que o controle do humor proporcionou uma sensação de autoestima e confiança. Por mais infeliz, deprimido e pessimista que você se sinta agora, estou convencido de que pode ter efeitos benéficos se estiver disposto a aplicar os métodos descritos neste livro com constância e persistência.

---

12. BLACKBURN, I. M. et al. The Efficacy of Cognitive Therapy in Depression. A Treatment Trial Using Cognitive Therapy and Pharmacotherapy, Each Alone and in Combination. *British Journal of Psychiatric*, v. 139, p. 181-9, jan. 1981.

Quanto tempo duram os efeitos? As conclusões obtidas a partir dos estudos de acompanhamento realizados no ano seguinte à conclusão do tratamento são muito interessantes. Embora várias pessoas de ambos os grupos tenham apresentado ocasionais oscilações de humor diversas vezes durante o ano, os dois grupos como um todo continuaram a manter os benefícios que haviam demonstrado ao fim das 12 semanas de tratamento ativo.

Qual foi o grupo que realmente se saiu melhor durante o período de acompanhamento? Os testes psicológicos, assim como os relatos dos próprios pacientes, confirmaram que o grupo de terapia cognitiva continuou a se sentir muito melhor, e essas diferenças foram estatisticamente significativas. Nesse período de um ano, o índice de recaídas no grupo de terapia cognitiva correspondeu a menos da metade do observado nos pacientes que fizeram uso de remédios. Essas são diferenças consideráveis em favor dos pacientes tratados com a nova abordagem.

Isso significa que eu posso garantir que você nunca mais vai ficar triste depois de usar os métodos cognitivos para acabar com a sua depressão atual? É claro que não. Seria o mesmo que dizer que, após adquirir um bom condicionamento físico correndo todos os dias, você nunca mais vai sentir falta de ar. Ficar chateado de vez em quando faz parte da condição humana, portanto posso garantir que você *não* vai alcançar a felicidade eterna! Isso significa que precisará aplicar novamente as técnicas que o ajudam se quiser continuar a controlar seu humor. Há uma diferença entre *sentir-se melhor* – o que pode acontecer naturalmente – e *melhorar* – que é resultado da aplicação e reaplicação sistemática de métodos capazes de levantar seu humor toda vez que houver necessidade.

Como esse trabalho vem sendo recebido pela comunidade acadêmica? O impacto dessas descobertas nos psiquiatras, psicólogos e outros profissionais de saúde mental tem sido grande. Já se passaram 20 anos desde a primeira vez que este capítulo foi escrito. Durante esse período, inúmeros estudos bem controlados sobre a eficácia da terapia cognitiva já foram publicados em revistas científicas. Esses estudos compararam tal eficácia à dos medicamentos antidepressivos e de outras formas de psicoterapia no tratamento da depressão, da ansiedade e de outros distúrbios. Os resultados dos estudos têm sido bastante animadores. Os pesquisadores confirmaram nossas impressões iniciais de que a terapia cognitiva era, no mínimo, tão eficaz quanto os medicamentos, e às vezes até mais eficaz, tanto a curto como a longo prazo.

Qual é a conclusão de tudo isso? Estamos presenciando um avanço crucial na psiquiatria e na psicologia modernas – uma nova abordagem promissora para a compreensão das emoções humanas, baseada numa terapia objetiva que pode ser testada. Hoje em dia, muitos profissionais de saúde mental vêm demonstrando grande interesse por essa abordagem, e esse forte movimento parece estar apenas começando.

Desde a primeira edição de *Antidepressão*, em 1980, milhares de pessoas deprimidas tiveram sucesso no tratamento com a terapia cognitiva. Algumas já haviam perdido a esperança de cura e vieram até nós como uma última tentativa desesperada antes de cometer suicídio. Muitas outras estavam apenas aborrecidas com os constantes problemas do dia a dia e desejavam uma parcela maior de felicidade. Este livro é uma aplicação prática do nosso trabalho e foi desenvolvido cuidadosamente para você. Boa sorte!

CAPÍTULO 11

COMO DIAGNOSTICAR O SEU HUMOR:
O PRIMEIRO PASSO PARA A CURA

Talvez você esteja perguntando a si mesmo se está mesmo sofrendo de depressão. Vamos seguir adiante para ver em que situação você se encontra. O checklist de depressão de Burns (na sigla em inglês, BDC) (ver Quadro 2, a seguir) é um instrumento confiável para medir o humor, capaz de detectar a presença de depressão e classificar sua gravidade de forma precisa.[13] Este questionário simples levará apenas alguns minutos para ser preenchido. Depois que tiver terminado o BDC, vou mostrar-lhe como fazer uma interpretação simples dos resultados, baseada na sua pontuação total. Então, você saberá imediatamente se está ou não sofrendo de uma depressão verdadeira e, se estiver, até que ponto ela é grave. Fornecerei também algumas orientações importantes que o ajudarão a determinar se você pode tratar seu problema de forma segura e eficaz usando este livro como guia, ou se possui um distúrbio emocional mais sério e pode se beneficiar de uma intervenção profissional, além de seus próprios esforços, para ajudar a si mesmo.

Ao responder o questionário, leia cada item cuidadosamente e assinale com um X a alternativa que indica como você vem se sentindo nos últimos anos. É preciso assinalar uma resposta para cada um dos 25 itens.

Se ficar em dúvida, escolha a alternativa que lhe pareça mais adequada. Não deixe nenhuma pergunta sem resposta. Seja qual for o resultado, esse pode ser o primeiro passo para o seu progresso emocional.

---

13. Alguns leitores podem recordar que incluí o Inventário de Depressão de Beck (na sigla em inglês, BDI) na edição de 1980 de *Antidepressão*. O BDI é um instrumento tradicional, que já foi utilizado em centenas de estudos de pesquisa sobre depressão. O dr. Aaron Beck, criador desse teste, merece grande crédito por criar o BDI no início da década de 1960. Este foi um dos primeiros instrumentos empregados para medir a depressão em pesquisas ou clínicas, e sou grato a ele por ter permitido sua reprodução na edição anterior de *Antidepressão*.

QUADRO 2
Checklist de depressão de Burns*

Instruções:
Faça um X para indicar o quanto você vivenciou cada um destes sintomas **na última semana**, incluindo hoje. **Responda todos os 25 itens.**

	0 – Nem um pouco	1 – Um pouco	2 – Mais ou menos	3 – Muito	4 – Extremamente
Pensamentos e emoções					
1. Sentiu-se triste ou chateado					
2. Sentiu-se infeliz ou angustiado					
3. Teve crises de choro ou lágrimas nos olhos					
4. Sentiu-se desanimado					
5. Perdeu as esperanças					
6. Ficou com a autoestima baixa					
7. Sentiu-se inútil ou incompetente					
8. Sentiu culpa ou vergonha					
9. Criticou ou censurou a si mesmo					
10. Teve dificuldade de tomar decisões					
Atividades e relações pessoais					
11. Perdeu o interesse pela família, amigos ou colegas					
12. Sentiu solidão					
13. Passou menos tempo com a família ou os amigos					
14. Perdeu a motivação					
15. Perdeu o interesse pelo trabalho ou outras atividades					
16. Evitou o trabalho ou outras atividades					
17. Perdeu o prazer ou a satisfação pela vida					
Sintomas físicos					
18. Sentiu-se cansado					
19. Teve dificuldade para dormir ou dormiu demais					
20. Teve aumento ou diminuição do apetite					
21. Perdeu o interesse pelo sexo					
22. Ficou preocupado com a sua saúde					
Tendências suicidas*					
23. Você tem pensamentos suicidas?					
24. Você gostaria de acabar com a sua vida?					
25. Você tem planos de fazer mal a si mesmo?					
Some aqui o total dos pontos obtidos nos itens 1 a 25					

*. Copyright © 1984 David D. Burns, M.D. (Revisado, 1996.)
**. Qualquer pessoa com tendências suicidas deve procurar a ajuda de um profissional de saúde mental.

COMO INTERPRETAR O CHECKLIST DE DEPRESSÃO DE BURNS

Agora que já completou o teste, some os pontos obtidos nos 25 itens para saber o total. Como a pontuação mais alta que você pode obter em cada um dos 25 sintomas é 4, o maior valor para o teste completo seria 100. (Isso indicaria a depressão mais grave possível.) Como a pontuação mais baixa para cada item é 0, o menor valor para o teste seria 0. (Isso indicaria ausência total de sintomas de depressão.)

Agora você já pode avaliar sua depressão de acordo com o QUADRO 3. Como é possível ver, quanto mais alta a pontuação total, mais grave é a sua depressão. Por outro lado, quanto mais baixa a pontuação, melhor você está se sentindo.

Embora o BDC[14] não seja difícil nem demorado para preencher e computar, não se deixe enganar pela sua simplicidade. Você acabou de aprender a usar uma ferramenta altamente sofisticada para detectar a depressão e medir sua gravidade. Pesquisas demonstraram que o BDC é extremamente preciso e confiável. Estudos conduzidos em diversos ambientes, como pronto-socorros psiquiátricos, indicaram que instrumentos como esse detectam a presença de sintomas depressivos com muito mais frequência do que entrevistas formais realizadas por clínicos experientes.

QUADRO 3
Como interpretar o checklist de depressão de Burns

Pontuação Total	Nível de Depressão*
0-5	sem depressão
6-10	normal, mas infeliz
11-25	depressão leve
26-50	depressão moderada
51-75	depressão grave
76-100	depressão extrema

*. Qualquer pessoa com uma pontuação constantemente superior a 10 pode beneficiar-se de um tratamento profissional. Qualquer pessoa com tendências suicidas deve consultar imediatamente um profissional de saúde mental.

---

14. Os profissionais de saúde mental talvez tenham interesse em saber que as propriedades psicométricas do BDC são excelentes. A confiabilidade dos 25 itens do BDC foi avaliada num grupo de 90 pacientes que buscaram tratamento no Centro de Terapia Cognitiva de Oklahoma, na Califórnia, e num grupo de 145 pacientes que buscaram tratamento numa unidade do grupo de saúde Kaiser em Atlanta, na Geórgia. A confiabilidade foi extremamente alta e idêntica nos dois grupos (coeficiente alfa de Cronbach = 95%). A elevada correlação $r(68) = .88, p < .01$ entre o BDC e o BDI no grupo de Oklahoma indica que essas duas escalas avaliam um constructo semelhante, se não idêntico. Quando os dois instrumentos foram isentos de erros de medição com o uso de

Você também pode usar o BDC com segurança para monitorar seu progresso. Na minha atividade clínica, tenho insistido para que todos os pacientes completem sozinhos o teste entre as sessões e me informem a pontuação no início da sessão seguinte. As mudanças na pontuação me indicam se o paciente está melhorando, piorando ou se mantém igual.

Enquanto aplica as várias técnicas de autoajuda descritas neste livro, faça o teste BDC a intervalos regulares para avaliar seu progresso de forma objetiva. Sugiro que faça isso no mínimo uma vez por semana. É como se pesar quando está fazendo regime. Você vai notar que cada capítulo deste livro concentra-se num sintoma diferente da depressão. Quando aprender a controlar esses sintomas, irá perceber que sua pontuação total começará a cair. Isso indica que você está melhorando. Quando sua pontuação for inferior a 10, você estará dentro da faixa considerada normal. Quando ficar abaixo de 5, estará se sentindo muito bem. O ideal seria que sua pontuação ficasse abaixo de 5 na maior parte do tempo. Este é um dos objetivos do seu tratamento.

É seguro para as pessoas deprimidas tentar ajudar a si mesmas usando os princípios e métodos descritos neste livro? A resposta é: *com certeza, sim!* Porque a decisão crucial de *tentar se ajudar* é o que lhe permitirá sentir-se melhor o mais breve possível, por mais grave que seu transtorno de humor possa parecer.

Sob quais circunstâncias você deve procurar ajuda profissional? Se a sua pontuação estiver entre 0 e 5, provavelmente você já está se sentindo bem. Está dentro da faixa de normalidade, e a maioria das pessoas com pontuações baixas como essa sentem-se muito felizes e satisfeitas.

Se a sua pontuação ficou entre 6 e 10, ela ainda está na faixa considerada normal, mas você provavelmente anda se sentindo meio "descontente". É possível melhorar

---

técnicas baseadas em modelos de equações estruturais, a correlação entre as escalas não foi significativamente diferente de 1.0. Na amostra de Atlanta, Geórgia, o BDC também foi comparável à subescala de depressão amplamente utilizada, o Checklist de Sintomas de Hopkins-90. A correlação extremamente elevada entre as duas medições $r(131) = .90$, $p < .01$ confirmaram ainda mais a validade do BDC. A vasta experiência clínica com o BDC em diversos ambientes de tratamento indica que ele é bem aceito pelos pacientes. Muitos comentaram que o teste é fácil de preencher e computar, e útil para acompanhar mudanças nos sintomas ao longo do tempo. Um BDC resumido de cinco itens com excelentes propriedades psicométricas também já foi desenvolvido. O BDC resumido é ideal para ser aplicado nos pacientes a cada sessão, porque eles podem completá-lo em menos de um minuto. Ele teve um bom desempenho com adultos e adolescentes em diversos ambientes médicos e psiquiátricos, inclusive com jovens recém-detidos no sistema judiciário da Califórnia. Os profissionais de saúde mental que tiverem interesse em aprender mais sobre esses e muitos outros instrumentos de avaliação que possam ser usados em ambientes clínicos ou de pesquisa (entre eles um sistema eletrônico para teste de pacientes) estão convidados a visitar o meu site: www.feelinggood.com.

isso, dar uma pequena "turbinada" mental, se você quiser. As técnicas de terapia cognitiva deste livro podem ser muito úteis em casos assim. Os problemas do dia a dia sempre nos aborrecem, e uma mudança de perspectiva pode fazer uma grande diferença no modo como se sente.

Se a sua pontuação ficou entre 11 e 25, sua depressão é leve (pelo menos neste momento) e não deve ser motivo de preocupação. É claro que você vai querer melhorar, e pode fazer grandes progressos sozinho. Um esforço sistemático de autoajuda nos moldes propostos neste livro, combinado a algumas conversas francas com um amigo de confiança, pode ajudar bastante. Mas, se a sua pontuação permanecer nessa faixa por mais de algumas semanas, você deve considerar um tratamento profissional. A ajuda de um terapeuta ou de um medicamento antidepressivo pode acelerar bastante a sua recuperação.

Na verdade, alguns dos casos mais difíceis que já tratei envolviam pessoas cuja pontuação se enquadrava na faixa de depressão leve. Muitas delas haviam passado vários anos meio deprimidas, às vezes a maior parte da vida. Hoje em dia, uma depressão crônica leve que dura muito tempo é chamada de distimia ou "transtorno distímico". Embora o nome seja grande e pomposo, seu significado é simples. Quer dizer apenas que "a pessoa é extremamente pessimista e negativa a maior parte do tempo". É provável que você conheça alguém assim, e talvez já tenha passado por fases de pessimismo também. Felizmente, os mesmos métodos deste livro que se mostraram tão úteis para depressões graves também podem ser muito benéficos para tais depressões crônicas leves.

Se você teve uma pontuação entre 26 e 50 no BDC, isso significa que está moderadamente deprimido. Mas não se deixe enganar pelo termo "moderado". Uma pontuação nessa faixa pode indicar um grande sofrimento. Em geral, quase todo mundo fica muito chateado por breves períodos, mas consegue sair dessa. Se a sua pontuação permanecer nessa faixa por mais de duas semanas, com certeza você deve buscar tratamento profissional.

Se a sua pontuação foi superior a 50, isso indica que sua depressão é grave ou até mesmo extrema. Esse grau de sofrimento pode ser quase insuportável, principalmente quando a pontuação ultrapassa os 75. Seu humor tende a se tornar extremamente desagradável e talvez perigoso, pois a sensação de desespero e desilusão pode até desencadear impulsos suicidas.

Felizmente, o prognóstico para um tratamento bem-sucedido é excelente. De fato, às vezes as depressões mais graves são as que respondem mais depressa ao tratamento. Mas não é aconselhável tentar tratar uma depressão grave por conta própria. É imprescindível consultar um profissional. Procure aconselhamento de um especialista confiável e competente.

Mesmo que você faça tratamento com psicoterapia ou antidepressivos, estou convencido de que é possível se beneficiar muito ao aplicar as técnicas que vou lhe ensinar. Minhas pesquisas têm indicado que o espírito de autoajuda acelera muito a recuperação, mesmo quando os pacientes recebem tratamento profissional.

Além de avaliar sua pontuação total no BDC, é importante estar atento especialmente aos itens 23, 24 e 25. Eles perguntam sobre sentimentos, desejos e planos de suicídio. Se você teve pontuação elevada em qualquer um desses itens, recomendo enfaticamente que procure ajuda profissional imediata.

Muitas pessoas deprimidas têm uma pontuação alta no item 23, mas nula nos itens 24 e 25. Em geral, isso significa que elas têm pensamentos suicidas como "Acho que seria melhor morrer", mas nenhuma intenção ou tendência suicida real, nem planos de cometer suicídio. Esse padrão é muito comum. Porém, se a sua pontuação nos itens 24 e 25 for elevada, isso é motivo para se preocupar. Procure tratamento *imediatamente*!

Eu apresento alguns métodos eficazes para avaliar e reverter impulsos suicidas num outro capítulo, mas você deve consultar um profissional quando o suicídio começar a parecer uma opção conveniente e necessária. Estar convicto de que não tem salvação é um motivo para procurar tratamento, não para se suicidar. A maioria das pessoas com depressão grave acredita, sem a menor sombra de dúvida, que o seu caso não tem solução. Essa ilusão destrutiva é apenas um sintoma da doença, e não um fato. O seu sentimento de ter perdido a esperança é uma prova de que não a perdeu!

É importante também observar o item 22, o qual questiona se você esteve mais preocupado com a saúde ultimamente. Você teve alguma dor sem motivo aparente, febre, perda de peso ou outro sintoma de uma possível doença? Em caso positivo, valeria a pena consultar um médico, para levantar um histórico, realizar uma avaliação física completa e exames de laboratório. Seu médico provavelmente irá atestar que você tem boa saúde, o que sugere que seus sintomas físicos desagradáveis relacionam-se ao seu estado emocional. A depressão pode simular muitos problemas de saúde, porque suas oscilações de humor costumam produzir uma grande variedade de sintomas físicos capazes de nos confundir. Entre eles estão prisão de ventre, diarreia, dores, insônia ou tendência a dormir demais, fadiga, perda de interesse sexual, tonturas, tremores e dormência, para citar apenas alguns. À medida que sua depressão melhorar, muito provavelmente esses sintomas vão desaparecer. Porém, não se esqueça de que muitas doenças tratáveis podem surgir disfarçadas de depressão, e um exame médico pode revelar um diagnóstico precoce (capaz de salvar vidas) de um problema orgânico reversível.

Há alguns sintomas que indicam – mas não comprovam – a existência de um distúrbio mental grave, e exigem uma consulta e um possível tratamento com um profissional de saúde mental, *além* do programa de crescimento pessoal autoadministrado contido neste livro. Alguns dos principais sintomas incluem: a crença de que as pessoas estão conspirando e tramando alguma coisa contra você para lhe machucar ou tirar sua vida; uma experiência estranha que as pessoas comuns não conseguem entender; a convicção de que forças externas estão controlando sua mente ou seu corpo; a sensação de que os outros podem ouvir seus pensamentos ou ler a sua mente; ouvir vozes; ver coisas que não existem; e receber mensagens pessoais transmitidas por programas de rádio ou televisão.

Esses sintomas não fazem parte da depressão, mas representam sérios transtornos mentais. O tratamento psiquiátrico é imprescindível. Muitas vezes, pessoas com esses sintomas estão convencidas de que não há nada de errado com elas e podem resistir à sugestão de procurar terapia psiquiátrica com ressentimento e desconfiança. Por outro lado, se você está dominado por um medo profundo de estar enlouquecendo e sofre crises de pânico nas quais sente que está perdendo o controle ou chegando ao fundo do poço, é quase certo que não esteja. Esses sintomas são típicos de ansiedade comum, um distúrbio bem menos grave.

A mania é um tipo especial de transtorno de humor com o qual você deve estar familiarizado. É o contrário da depressão e requer intervenção imediata de um psiquiatra que possa prescrever o uso de lítio. O lítio estabiliza as oscilações excessivas de humor e permite que o paciente leve uma vida normal. Contudo, até que a terapia seja iniciada, a doença pode ser emocionalmente destrutiva. Os sintomas incluem uma euforia ou irritação além do normal, que persiste por dois dias pelo menos e não é causada por drogas nem por álcool. O comportamento do paciente maníaco é caracterizado por atos impulsivos que refletem pouco discernimento (como gastar em excesso, de forma irresponsável), junto a uma enorme sensação de autoconfiança. A mania vem acompanhada de uma maior atividade sexual ou agressividade; movimentação constante e hiperatividade; pensamento acelerado; falar sem parar, com empolgação; e menor necessidade de sono. Os maníacos têm a ilusão de serem incrivelmente fortes e brilhantes, e muitas vezes insistem que estão prestes a fazer alguma importante descoberta filosófica ou científica, ou a realizar algum negócio altamente lucrativo. Muitas pessoas criativas famosas sofrem dessa doença, que conseguem controlar com lítio. Como a doença produz uma *sensação* boa, as pessoas que estão tendo sua primeira crise podem não se convencer a procurar tratamento. Os primeiros sintomas são tão inebriantes que a vítima resiste a aceitar a ideia de que esse acesso repentino de autoconfiança e prazer interior, na verdade, é apenas uma manifestação de uma doença destrutiva.

Após algum tempo, o estado de euforia pode evoluir para um delírio incontrolável que requer internação involuntária, ou transformar-se de repente numa depressão incapacitante com imobilidade e apatia acentuadas. Quero que você conheça os sintomas da mania, porque uma porcentagem significativa das pessoas que passam por um episódio de depressão grave acaba desenvolvendo esses sintomas depois. Quando isso ocorre, a personalidade da pessoa afetada sofre uma transformação profunda num período de dias ou semanas. Embora a psicoterapia e um programa de autoajuda possam ser extremamente úteis, o tratamento concomitante com lítio sob supervisão médica é imprescindível para se obter a resposta ideal. Com esse tratamento, o prognóstico para a doença maníaca é excelente.

Vamos supor que você *não* tenha nenhuma tendência suicida forte, nem alucinações ou sintomas de mania. Em vez de ficar se lamentando e se sentindo péssimo, pode melhorar usando os métodos descritos neste livro. Pode começar a apreciar sua vida e seu trabalho, e usar a energia que gasta ficando deprimido para viver de forma vigorosa e criativa.

CAPÍTULO III
ENTENDENDO O SEU HUMOR:
VOCÊ SE SENTE DO MODO COMO PENSA

Ao ler o capítulo anterior, você aprendeu como os efeitos da depressão podem ser vastos – seu humor despenca, sua autoimagem desmorona, seu corpo não funciona direito, sua força de vontade fica paralisada e suas atitudes o prejudicam. É por isso que você se sente tão arrasado por completo. Qual é a solução para isso?

Como a depressão sempre foi vista como um distúrbio emocional em toda a história da psiquiatria, os terapeutas da maioria das escolas de pensamento enfatizam a importância de "entrar em contato" com seus sentimentos. Nossa pesquisa revela o inesperado: a depressão não é um distúrbio totalmente emocional! A mudança súbita no modo como você se *sente* não tem mais relevância causal do que um nariz escorrendo quando você está resfriado. Todos os seus sentimentos ruins são resultado de seu pensamento negativo distorcido. As atitudes pessimistas sem sentido têm um papel fundamental no desenvolvimento e na continuidade de todos os seus sintomas.

Um intenso pensamento negativo *sempre* acompanha um episódio de depressão, ou qualquer emoção dolorosa quanto a isso. Nessas situações, seus pensamentos costumam ser totalmente diferentes daqueles que você tem quando não está chateado. Uma jovem prestes a receber seu título de PhD expressou isso da seguinte maneira:

> Toda vez que fico deprimida, sinto-me como se tivesse sofrido um abalo cósmico repentino e passo a *enxergar* as coisas de forma diferente. A mudança pode acontecer em menos de uma hora. Meus pensamentos tornam-se negativos e pessimistas. Quando olho para trás, me convenço de que tudo que já fiz foi inútil. Qualquer período de felicidade parece ter sido uma ilusão. Minhas conquistas parecem tão falsas quanto o cenário de um filme de faroeste. Fico convencida de que o meu verdadeiro eu é inútil e incompetente. Não consigo progredir no trabalho porque fico paralisada pela dúvida. Mas não posso ficar parada, porque a angústia é insuportável.

Assim como ela, você vai descobrir que os pensamentos negativos que inundam sua mente são a verdadeira *causa* de suas emoções autodestrutivas. São esses pensamentos que o deixam apático e fazem você se sentir incompetente. Seus pensamentos – ou cognições – negativos são os sintomas mais frequentemente ignorados da sua depressão. Essas cognições contêm a solução para o alívio e, portanto, são seus sintomas mais importantes.

Toda vez que se sentir deprimido com alguma coisa, procure identificar um pensamento negativo correspondente que tenha lhe ocorrido pouco antes e durante a depressão. Como foram esses pensamentos que realmente provocaram o seu mau humor, ao aprender a reestruturá-los você pode modificar seu humor.

Provavelmente, você está cético em relação a tudo isso porque seu pensamento negativo passou a fazer parte da sua vida de tal maneira que já se tornou automático. Por esse motivo, eu chamo os pensamentos negativos de "pensamentos automáticos". Eles passam pela sua cabeça automaticamente, sem o menor esforço da sua parte. São tão óbvios e naturais para você quanto a sua maneira de segurar um garfo.

A relação entre o modo como você *pensa* e o modo como se *sente* está representada no Q<small>UADRO</small> 4. Ela ilustra o primeiro grande segredo para entender o seu humor: suas emoções resultam totalmente do modo como você *enxerga* as coisas. É um fato neurológico evidente que, antes de passar por qualquer experiência, você precisa processá-la em sua cabeça e dar sentido a ela. Precisa *entender* o que está acontecendo com você antes que possa *sentir* isso.

Se a sua compreensão do que está acontecendo for correta, suas emoções serão normais. Se a sua percepção, de alguma maneira, for distorcida e deturpada, sua resposta emocional será anormal. A depressão encaixa-se nessa categoria. Ela é sempre resultado de uma "estática" mental – ou seja, distorções. Seu mau humor pode ser comparado ao som distorcido que vem de uma rádio mal sintonizada. O problema *não* reside na possibilidade de que as válvulas ou transistores estejam queimados ou com defeito, nem de que o sinal da rádio esteja distorcido por causa do mau tempo. Você só precisa sintonizar melhor. Quando aprender a fazer essa sintonia mental, você vai ouvir a música com clareza outra vez e sua depressão irá melhorar.

Alguns leitores – talvez seja o seu caso – vão sentir uma pontada de desespero ao ler este parágrafo. No entanto, ele não tem *nada de mais*. No máximo, o parágrafo deveria trazer esperança. Mas então o que fez seu humor despencar enquanto estava lendo? Foi o seu pensamento: "Para outras pessoas, um pequeno ajuste na sintonia pode resolver. Mas eu sou aquele rádio quebrado que não tem conserto. Minhas válvulas estão queimadas. Não estou nem aí se 10 mil outros pacientes com depressão conseguem melhorar – eu tenho certeza absoluta de que o meu caso não

QUADRO 4

A relação entre o mundo e o modo como você se sente. Não são os fatos reais, mas sim as suas percepções, que provocam as mudanças de humor. Quando você está triste, seus pensamentos constituem uma interpretação realista dos fatos negativos. Quando você está deprimido ou ansioso, seus pensamentos são sempre distorcidos, sem sentido, pouco realistas ou simplesmente equivocados.

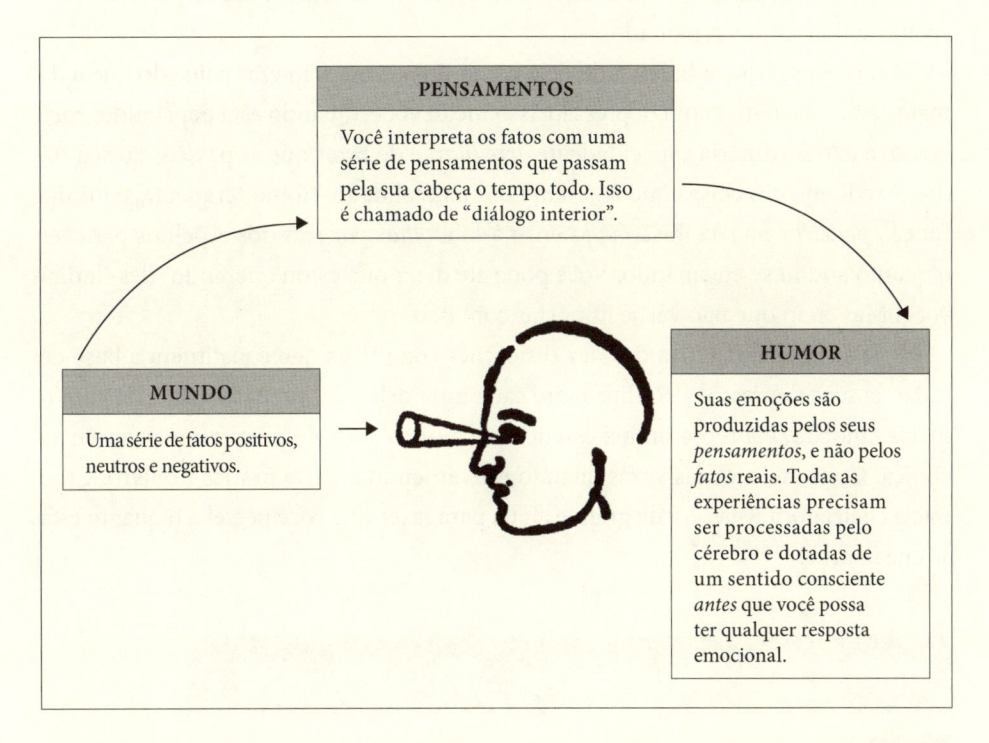

PENSAMENTOS
Você interpreta os fatos com uma série de pensamentos que passam pela sua cabeça o tempo todo. Isso é chamado de "diálogo interior".

MUNDO
Uma série de fatos positivos, neutros e negativos.

HUMOR
Suas emoções são produzidas pelos seus *pensamentos*, e não pelos *fatos* reais. Todas as experiências precisam ser processadas pelo cérebro e dotadas de um sentido consciente *antes* que você possa ter qualquer resposta emocional.

tem solução.". Eu escuto isso 50 vezes por semana! Quase toda pessoa deprimida parece convencida, sem o menor sentido, de ser aquele caso incomum que *realmente* não tem salvação. Essa ilusão reflete o tipo de processamento mental que constitui a verdadeira essência do seu problema!

Sempre fiquei fascinado com a capacidade que certas pessoas têm de criar ilusões. Quando era criança, costumava passar horas na biblioteca lendo livros de mágica. Aos sábados, passava um tempão na frente das lojas de artigos para mágicos, vendo o homem atrás do balcão fazer truques extraordinários com cartas, lenços e esferas prateadas que flutuavam no ar, desafiando todas as regras do bom senso. Uma das lembranças mais felizes da minha infância foi quando eu tinha 8 anos e assisti à apresentação de "Blackstone – O Maior Mágico do Mundo" em Denver, no

Colorado. Junto a várias outras crianças da plateia, fui convidado a subir ao palco. Blackstone mandou que colocássemos as mãos sobre uma gaiola de 60 x 60 cheia de pombas brancas vivas, até que a parte de cima, a de baixo e os quatro lados ficassem totalmente cobertos pelas nossas mãos. Então, ele aproximou-se e disse: "Olhem fixamente para a gaiola!". Obedeci. Meus olhos estavam arregalados e eu nem piscava. Ele exclamou: "Agora vou bater palmas". E assim fez. Naquele instante, a gaiola desapareceu. Minhas mãos ficaram suspensas no ar. Aquilo era impossível! Mas aconteceu! Eu fiquei espantado.

Agora eu sei que a habilidade dele como ilusionista não era maior do que a da maioria dos pacientes com depressão. Isso inclui você. Quando está deprimido, você possui a extraordinária capacidade de *acreditar*, e de fazer que as pessoas ao seu redor acreditem, em coisas que não têm base na realidade. Como terapeuta, é minha função *penetrar* na sua ilusão para ensiná-lo a *olhar por trás* dos espelhos para ver o quanto andou se enganando. Você pode até dizer que estou querendo "des-iludir" você! Mas creio que não vai se importar com isso.

Leia a seguir uma lista das dez distorções cognitivas que constituem a base de todas as suas depressões. Reflita sobre cada uma delas. Eu preparei esta lista com o maior cuidado; ela representa a essência de muitos anos de pesquisa e experiência clínica. Consulte-a várias vezes quando estiver lendo a parte prática do livro. Caso esteja chateado, a lista será de grande ajuda para fazer que você perceba o quanto está se enganando.

DEFINIÇÃO DAS DISTORÇÕES COGNITIVAS

1. PENSAMENTO "TUDO OU NADA"

Refere-se à sua tendência a avaliar suas qualidades pessoais em categorias extremas, ou oito ou oitenta. Por exemplo, um político importante disse-me: "Perdi a eleição para governador, portanto não sirvo para nada.". Um aluno que só tira A e teve um B numa prova concluiu: "Agora, sou um fracasso total.". O pensamento do tipo "tudo ou nada" constitui a base do perfeccionismo. Ele faz que tema qualquer erro ou imperfeição porque, se isso acontecer, você vai se sentir totalmente derrotado, incompetente e inútil.

Essa forma de avaliar as coisas não é realista, porque a vida quase nunca é totalmente de um jeito ou de outro. Ninguém é absolutamente brilhante ou totalmente estúpido, por exemplo. Do mesmo modo, ninguém é completamente atraente ou totalmente feio. Olhe para o chão do local onde está agora. Ele está perfeitamente limpo? Está coberto de sujeira e pó em cada centímetro? Ou está mais ou menos limpo? Não existem verdades absolutas neste universo. Se você tentar enquadrar suas experiências em categorias absolutas, ficará constantemente deprimido porque suas percepções não vão corresponder à realidade. Vai aborrecer-se por ficar menosprezando a si o tempo todo, afinal, por mais que você faça, nunca irá corresponder às suas expectativas exageradas. O nome técnico desse tipo de erro de percepção é "pensamento dicotômico". Você enxerga tudo como sendo preto ou branco – não existem tons de cinza.

2. GENERALIZAÇÃO EXCESSIVA

Quando tinha 11 anos, comprei um baralho especial para fazer truques na Feira Estadual do Arizona. Você já deve ter visto esse truque de ilusionismo simples, mas impressionante: eu mostro um baralho em que todas as cartas são diferentes. Você retira uma carta qualquer, vamos supor que seja um valete de espadas. Sem me dizer qual é, você coloca a carta no monte outra vez. Eu digo as palavras mágicas e, quando viro o baralho, todas as cartas se transformam-se em valetes de espadas.

Quando você generaliza demais, é como se fizesse mentalmente o truque do baralho. Você conclui arbitrariamente que uma coisa que aconteceu uma vez vai ocorrer sempre, irá se multiplicar como o valete de espadas. Como o que aconteceu é sempre desagradável, você fica chateado.

Um vendedor deprimido viu sujeira de passarinho na janela do seu carro e pensou: "Eu sou azarado, mesmo. Os passarinhos sempre fazem sujeira na *minha* janela!". Esse é um exemplo perfeito de generalização excessiva. Quando lhe perguntei sobre essa experiência, ele admitiu que, em 20 anos viajando, não conseguia lembrar-se de outra ocasião em que tivesse encontrado sujeira de passarinho na janela do seu carro.

A dor da rejeição é quase totalmente provocada pela generalização excessiva. Na ausência dela, uma afronta pessoal deixa-nos um pouco desapontados, mas *não consegue* transtornar-nos seriamente. Um jovem tímido tomou coragem e convidou uma garota para sair. Quando ela recusou, educadamente, por causa de um compromisso anterior, ele disse a si mesmo: "Nunca vou ter um encontro. Ninguém quer sair comigo. Vou passar a vida inteira sozinho e infeliz.". Em suas cognições distorcidas, ele concluiu que, como o havia dispensado uma vez, ela faria isso *sempre*, e como todas as mulheres têm gostos 100% idênticos, ele seria eterna e repetidamente rejeitado por qualquer mulher razoável na face da Terra. O truque do baralho!

3. FILTRO MENTAL

Você prende-se a um detalhe negativo de uma situação qualquer e dá tanta atenção àquilo que começa a enxergar a situação toda de forma negativa. Por exemplo, uma universitária deprimida ouviu alguns alunos tirando sarro de sua melhor amiga. Ela ficou furiosa, pensando: "A raça humana é assim mesmo – cruel e insensível!". Ela nem levou em conta o fato de que, nos meses anteriores, poucas pessoas – se é que alguma – haviam sido cruéis ou insensíveis com ela! Numa outra ocasião, ao completar seu primeiro exame intermediário, ela estava certa de que havia errado cerca de 17 das 100 questões. Ela só pensava nessas 17 questões e concluiu que seria reprovada na faculdade. Quando recebeu a prova, havia junto um bilhete em que estava escrito "Você acertou 83 das 100 questões. Essa foi a nota mais alta entre os alunos deste ano. A+".

Quando você está deprimido, usa óculos com lentes especiais que filtram tudo que é positivo. Você só deixa entrar na sua mente consciente as coisas negativas. Como não tem consciência desse "processo de filtragem", você conclui que *tudo* é negativo. O nome técnico desse processo é "abstração seletiva". Trata-se de um mau hábito que pode fazê-lo sofrer muito sem necessidade.

4. DESQUALIFICAR AS COISAS POSITIVAS

Uma ilusão mental ainda mais extraordinária é a tendência constante de algumas pessoas deprimidas a transformar experiências neutras ou até mesmo positivas em coisas negativas. Você não apenas *ignora* as experiências positivas; você transforma-as rapidamente num pesadelo oposto. Chamo isso de "alquimia reversa". Os alquimistas medievais sonhavam encontrar um método de transformar metais comuns em ouro. Se você anda deprimido, pode ter desenvolvido o talento de fazer exatamente o contrário – transformar a alegria de ouro em chumbo emocional. Entretanto, faz isso sem querer –provavelmente nem percebe o que está fazendo consigo mesmo.

Um exemplo cotidiano disso é a forma como a maioria de nós foi condicionada a responder aos elogios. Quando alguém elogia a sua aparência ou o seu trabalho, pode ser que diga automaticamente a si mesmo, "Eles só estão sendo gentis". Na mesma hora, você desqualifica mentalmente o elogio. E faz o mesmo quando diz a eles, "Ah, isso não foi nada". Se você está sempre jogando um balde de água fria nas coisas boas que acontecem, não é de admirar que a vida lhe pareça triste e chata!

Desqualificar as coisas positivas é uma das formas mais destrutivas de distorção cognitiva. Você é como um cientista em busca de evidências para comprovar alguma teoria. Em geral, a teoria que domina seu pensamento depressivo é algo parecido com "Eu não sou grande coisa". Sempre que tem alguma experiência negativa, você fica pensando nela e conclui: "Isso comprova o que eu sempre soube.". Por outro lado, quando tem uma experiência positiva, você diz: "Foi só um golpe de sorte. Não conta.". O preço que se paga por essa tendência é um grande sofrimento e incapacidade de apreciar as coisas boas que acontecem.

Embora esse tipo de distorção cognitiva seja comum, ele é capaz de dar origem a algumas das formas mais severas e complicadas de depressão. Por exemplo, uma jovem hospitalizada durante um episódio de depressão grave me disse: "Ninguém jamais vai se importar comigo porque sou uma pessoa horrível. Vivo na mais completa solidão. Ninguém no mundo dá a mínima para mim.". Quando recebeu alta, muitos pacientes e funcionários do hospital manifestaram grande carinho por ela. Adivinhe como reagiu a isso tudo? "Eles não contam, porque não me conhecem na vida real. Uma pessoa *de verdade*, fora de um hospital, jamais se importaria comigo." Então perguntei-lhe como explicava o fato de ter inúmeros amigos e familiares do lado de fora que *realmente* se importavam com ela. A jovem respondeu: "Eles não contam, porque não me conhecem de verdade. Sabe, dr. Burns, no fundo eu não presto. Sou a pior pessoa do mundo. É impossível alguém gostar de mim de verdade por um instante que seja!". Ao desqualificar as experiências positivas desse jeito, ela mantém uma crença negativa que é totalmente irrealista e incompatível com as suas experiências cotidianas.

Provavelmente o seu pensamento negativo não é tão exagerado quanto o dela, mas, todos os dias, pode haver muitas ocasiões em que você ignora sem querer as coisas verdadeiramente positivas que lhe acontecem. Isso tira grande parte da beleza da vida e faz as coisas parecerem desoladoras sem necessidade.

5. TIRAR CONCLUSÕES PRECIPITADAS

Arbitrariamente, você chega a uma conclusão negativa que não se justifica diante dos fatos. Dois exemplos disso são "ler pensamentos" e "adivinhar o futuro".

LER PENSAMENTOS: Você acha que os outros estão menosprezando-o e fica tão convencido disso que nem se preocupa em se certificar. Vamos supor que você esteja ministrando uma excelente palestra e perceba que um homem na primeira fileira está cochilando. Ele passou quase a noite toda na maior farra, mas é claro que você não sabe disso. Talvez pense, "Essa plateia está me achando um chato". Suponha que um amigo passe por você na rua, mas não o cumprimente, pois está tão distraído com seus pensamentos que nem nota a sua presença. Equivocadamente, você pode concluir, "Ele está me ignorando, portanto não deve mais gostar de mim". Talvez o seu companheiro esteja meio calado numa noite porque foi criticado no trabalho e está aborrecido demais para querer conversar. Você fica com o coração apertado por causa da forma como interpreta o seu silêncio: "Ele está bravo comigo. O que eu fiz de errado?".

Você pode responder a essas reações negativas imaginárias recuando ou contra-atacando. Esse padrão de comportamento autodestrutivo pode agir como uma profecia autorrealizável e criar uma interação negativa no relacionamento que não existia a princípio.

ADIVINHAR O FUTURO: É como se você tivesse uma bola de cristal que só fosse capaz de prever desgraças. Você imagina que algo de ruim está para acontecer e toma isso como um *fato*, mesmo não sendo realista. A bibliotecária de um escola de ensino médio ficava repetindo a si mesma, durante seus ataques de ansiedade: "Eu vou desmaiar ou enlouquecer.". Essas previsões não eram realistas, pois ela nunca havia desmaiado (nem enlouquecido!) em toda a sua vida. Também não tinha nenhum sintoma grave que sugerisse insanidade iminente. Durante uma sessão de terapia, um médico profundamente deprimido explicou-me por que estava abandonando a profissão: "Estou vendo que vou ficar deprimido para sempre. Meu sofrimento nunca vai acabar e tenho certeza absoluta de que esse ou qualquer outro tratamento não vai adiantar nada.". Essa previsão negativa quanto ao seu prognóstico o fazia sentir-se inútil. A melhora dos sintomas logo após o início da sua terapia mostrou que isso não tinha fundamento.

Você já se viu tirando conclusões precipitadas como essas? Suponhamos que telefone para um amigo que não retorne a sua ligação depois de um tempo razoável. Você sente-se deprimido ao se convencer de que o seu amigo provavelmente recebeu o recado, mas não se interessou em ligar de volta. Sua distorção? Ler pensamentos. Você fica ressentido e resolve nem ligar de novo para ter certeza, pois diz a si mesmo: "Ele vai achar que estou sendo irritante se ligar outra vez. Só vou fazer papel de bobo.". Por causa dessas previsões negativas (adivinhar o futuro), você evita o seu amigo e se sente desprezado. Três semanas depois descobre que ele nunca recebeu seu recado. No fim, todo esse aborrecimento não passou uma confusão criada por você mesmo. Mais um doloroso produto da sua magia mental!

6. MAGNIFICAÇÃO E MINIMIZAÇÃO

Outra armadilha do pensamento em que você pode cair chama-se "magnificação" e "minimização", mas gosto de chamá-la de "truque do binóculo" porque você está aumentando as coisas de modo desproporcional, ou diminuindo-as. A magnificação geralmente ocorre quando você olha para os seus próprios erros ou imperfeições e dá importância exagerada a eles: "Meu Deus, cometi um erro. Que coisa terrível! Que horror! A notícia vai se espalhar como rastilho de pólvora! Minha reputação está arruinada!". Você está olhando as suas falhas pelo lado do binóculo que faz que pareçam enormes e grotescas. Isso já foi chamado também de "catastrofização", porque você transforma os fatos negativos comuns em pesadelos.

Quando pensa em seus pontos fortes, talvez você faça o contrário – olha pelo lado errado do binóculo, de modo que as coisas pareçam pequenas e sem importância. Se ampliar suas imperfeições e minimizar seus pontos positivos, com certeza vai se sentir inferior. Mas o problema não é *você* – são essas lentes desengonçadas que você está usando!

7. RACIOCÍNIO EMOCIONAL

Você interpreta suas emoções como se fossem provas da verdade. Sua lógica é: "Eu me sinto um fracasso, portanto *sou* um fracasso.". Esse tipo de raciocínio é enganoso porque seus sentimentos refletem seus pensamentos e crenças. Se eles estiverem distorcidos – como ocorre muitas vezes –, suas emoções não terão fundamento algum. Aqui estão alguns exemplos de raciocínio emocional: "Eu me sinto culpado, portanto devo ter feito alguma coisa errada."; "Eu me sinto arrasado e sem esperanças, portanto meus problemas devem ser impossíveis de resolver."; "Eu me sinto incompetente, portanto não devo servir para nada."; "Não estou a fim de fazer nada, portanto é melhor nem sair da cama."; ou então: "Estou bravo com você. Isso prova que você é um canalha e está tentando aproveitar-se de mim.".

O raciocínio emocional faz parte de quase todas as formas de depressão. Pelo fato de *sentir* as coisas tão negativas, você presume que elas realmente o sejam. Nem passa pela sua cabeça questionar se as percepções que produzem esses sentimentos se justificam.

Um efeito colateral comum do raciocínio emocional é a procrastinação. Você evita arrumar sua mesa porque diz a si mesmo: "Eu me sinto tão mal quanto penso nessa mesa bagunçada, que nem vou conseguir arrumar.". Seis meses depois, você finalmente toma coragem e arruma. Então fica satisfeito e percebe que não foi tão difícil assim. Você estava se enganando o tempo todo porque tem o hábito de deixar seus sentimentos negativos conduzirem suas ações.

8. COBRANÇAS

Você procura se motivar dizendo, "eu *devia* fazer isso" ou "eu *tenho* de fazer aquilo". Essas cobranças fazem-no se sentir pressionado e ressentido. Paradoxalmente, você acaba se sentindo apático e desmotivado. Albert Ellis usou o termo em inglês "*must*urbation" para denominar essa espécie de masturbação mental. Eu chamo isso de encarar a vida como uma "obrigação".

Quando você atribui essas obrigações aos outros, geralmente sente-se frustrado. Certa vez em que uma emergência fez que eu chegasse cinco minutos atrasado para a primeira sessão de terapia, minha nova paciente pensou: "Ele *devia* ter mais consideração e pensar nos outros. Ele *tinha* de estar aqui.". Esse pensamento tornou-a amarga e ressentida.

Essas cobranças geram um turbilhão de emoções desnecessárias em nosso dia a dia. Quando a realidade do seu próprio comportamento fica abaixo dos seus padrões, esses pensamentos fazem-no sentir raiva de si mesmo, além de vergonha e culpa. Toda vez que o desempenho perfeitamente humano das outras pessoas não atingir as suas expectativas (o que fatalmente vai acontecer de vez em quando), você se sentirá amargurado e hipócrita. Terá de mudar suas expectativas para se aproximar da realidade ou ficará sempre decepcionado com o comportamento humano. Se você identificou-se com esse mau hábito de ficar se cobrando o tempo todo, encontrará muitos métodos eficazes de acabar com o *devia* e o *não devia* nos capítulos posteriores sobre raiva e sentimento de culpa.

9. ROTULAGEM

A rotulagem pessoal cria uma autoimagem totalmente negativa baseada nos seus erros. É uma forma extrema de generalização. A filosofia por trás disso é: "Uma pessoa deve ser avaliada pelos erros que ela comete.". Há uma boa chance de você estar se rotulando toda vez que descreve seus erros com frases como "*Eu sou um...*". Por exemplo, quando você erra um chute na cara do gol, talvez diga "*Eu sou um* idiota, mesmo" em vez de "Chutei mal". Do mesmo modo, quando as ações em que você investiu caem ao invés de subir, talvez pense: "*Eu sou um* fracasso" em vez de "Cometi um erro".

Rotular a si mesmo não é apenas autodestrutivo, é irracional. O seu *eu* não pode ser equiparado a *uma* coisa que você tenha feito. Sua vida é um fluxo complexo e inconstante de pensamentos, emoções e ações. Em outras palavras, você parece mais um rio do que uma estátua. Pare de tentar definir-se com rótulos negativos – eles são excessivamente simplistas e incorretos. Você pensaria em si mesmo apenas como um "comedor" só porque você come, ou como um "respirador" só porque respira? Isso é absurdo, mas esse absurdo torna-se doloroso quando você rotula a si mesmo a partir de um sentimento sobre suas próprias fraquezas.

Quando você rotula os outros, invariavelmente gera hostilidade. Um exemplo comum é o chefe que vê sua secretária às vezes mal-humorada como "uma vagabunda preguiçosa". Por causa desse rótulo, ele fica ressentido com ela e não perde a chance de criticá-la. Por sua vez, ela rotula-o de "machista insensível" e reclama dele em todas as oportunidades. Assim, eles atacam-se o tempo todo, usando cada fraqueza ou imperfeição para provar que o outro não presta.

Quando alguém descreve um fato com palavras incorretas e sobrecarregadas de emoção, dizemos que a rotulagem é deturpada. Por exemplo, uma mulher que estava fazendo regime comeu uma tigela de sorvete e pensou: "O que eu fiz foi asqueroso e revoltante. Eu sou uma *porca* gulosa.". Esses pensamentos deixaram-na tão chateada que ela acabou comendo o pote de sorvete inteiro!

10. PERSONALIZAÇÃO

Essa distorção é a mãe do sentimento de culpa! Você assume a responsabilidade por uma coisa negativa mesmo quando isso não tem fundamento. Conclui arbitrariamente que o que aconteceu foi culpa sua ou demonstra a sua incompetência, mesmo que o responsável não tenha sido você. Por exemplo, quando uma paciente não fez uma tarefa de autoajuda que havia sugerido, eu senti-me culpado por causa do meu pensamento: "Devo ser um péssimo terapeuta. A culpa é minha se ela não está se esforçando para ajudar a si mesma. É minha obrigação garantir que ela fique boa.". Quando uma mãe recebeu o boletim do seu filho, viu que havia um bilhete do professor indicando que a criança não estava indo bem. Imediatamente, ela concluiu: "Não devo ser uma boa mãe. Isso mostra o quanto eu errei.".

A personalização provoca um frustrante sentimento de culpa. Você sofre de um senso de responsabilidade paralisante e opressivo que o obriga a carregar o mundo inteiro nas costas. Acaba confundindo *influenciar* com *controlar* os outros. Em seu papel de professor, conselheiro, médico, vendedor, executivo, pai ou mãe, você certamente terá influência sobre as pessoas com quem interage, mas ninguém pode esperar que as controle. O que o outro faz é responsabilidade dele, não sua. Alguns métodos para ajudar a controlar sua tendência a personalizar as coisas e reduzir seu senso de responsabilidade a proporções mais realistas e controláveis serão discutidos mais adiante neste livro.

Essas dez formas de distorções cognitivas causam muitos de seus estados depressivos, se não todos. Elas são resumidas no Quadro 5, a seguir. Estude esse quadro

QUADRO 5
Definições das Distorções Cognitivas

1	PENSAMENTO "TUDO OU NADA": Você enxerga as coisas em categorias nas quais não existe meio-termo, é oito ou oitenta. Se o seu desempenho não atinge a perfeição, você se considera um fracasso total.
2	GENERALIZAÇÃO EXCESSIVA: Você enxerga um fato negativo isolado como uma sucessão interminável de derrotas.
3	FILTRO MENTAL: Você prende-se a um detalhe negativo de uma situação qualquer e dá tanta atenção àquilo que a sua visão da realidade fica turva, como quando uma gota de tinta cai num frasco com água.
4	DESQUALIFICAR AS COISAS POSITIVAS: Você rejeita as experiências positivas, insistindo que elas "não contam" por uma razão ou outra. Dessa forma, acaba mantendo uma crença negativa que não se reflete nas suas experiências cotidianas.

5	TIRAR CONCLUSÕES PRECIPITADAS: Você faz uma interpretação negativa mesmo que não haja nenhum fato concreto para sustentar a sua conclusão de forma convincente.
	   a. *Ler pensamentos*. Você conclui arbitrariamente que alguém está reagindo a você de forma negativa e nem se preocupa em confirmar isso.
	   b. *Adivinhar o futuro*. Você prevê que as coisas vão dar errado e fica convencido de que a sua previsão é um fato consumado.

6	MAGNIFICAÇÃO (CATASTROFIZAÇÃO) OU MINIMIZAÇÃO: Você exagera a importância das coisas (como alguma mancada sua ou uma proeza de outra pessoa), ou as diminui indevidamente até que pareçam insignificantes (suas próprias qualidades ou as imperfeições do outro). Isso também é chamado de "truque do binóculo".
7	RACIOCÍNIO EMOCIONAL: Você pressupõe que as suas emoções negativas refletem necessariamente o modo como as coisas são de fato: "Eu sinto isso, então deve ser verdade."
8	COBRANÇAS: Você procura motivar-se dizendo "eu devia fazer isso" ou "eu não devia fazer aquilo", como se fosse apanhar ou ser castigado se deixasse de fazer alguma coisa. Afirmações como "eu tenho de" ou "eu preciso" também podem fazer mal. A consequência emocional é o sentimento de culpa. Quando você atribui essas obrigações aos outros, sente raiva, frustração e ressentimento.
9	ROTULAGEM. Essa é uma forma extrema de generalização. Em vez de descrever seu erro, você coloca um rótulo negativo em si mesmo: "Eu sou um *fracasso*." Quando o comportamento de alguém o aborrece, você coloca um rótulo negativo nele: "É um imbecil." Quando alguém descreve um fato com uma linguagem extremamente parcial e carregada de emoção, dizemos que a rotulagem é deturpada.
10	PERSONALIZAÇÃO: Você se considera o causador de algum fato negativo externo pelo qual não é, de fato, o principal responsável.

e domine esses conceitos; procure familiarizar-se com eles como faz com o seu número de telefone. Consulte o Quadro 5 várias vezes enquanto aprende sobre os vários métodos de modificar o seu humor. Depois que estiver familiarizado com essas dez formas de distorção, irá beneficiar-se desse conhecimento pelo restante da vida.

Preparei um teste de autoavaliação simples que ajuda a avaliar e reforçar sua compreensão das dez distorções. Ao ler cada uma das situações a seguir, imagine que você é a pessoa que está sendo descrita. Circule uma ou mais respostas que indiquem as distorções contidas nos pensamentos negativos. Eu vou explicar a resposta da primeira questão. As respostas das questões seguintes são fornecidas no final deste capítulo. Mas não vale olhar! Tenho *certeza* de que você conseguirá identificar pelo menos *uma* distorção na primeira questão – e isso vai ser um começo!

1. Você é uma dona de casa e fica desapontada quando seu marido reclama, irritado, que a carne passou do ponto. Você pensa: "Sou um fracasso total. Não aguento mais. *Nunca* faço *nada* direito. Trabalho feito uma escrava e o que eu ganho é isso. Aquele idiota!". Esses pensamentos deixam você triste e com raiva. Suas distorções incluem uma ou mais das seguintes:
   a. pensamento "tudo ou nada"
   b. generalização excessiva
   c. magnificação
   d. rotulagem
   e. todas as anteriores

Agora discutirei as respostas corretas para esta questão, para que você possa ter um retorno imediato. Qualquer resposta que você tenha circulado (sejam quantas forem) está correta. Portanto, se você circulou *alguma coisa*, acertou! E aqui está o motivo. Quando você diz a si mesmo "Sou um fracasso *total*", está exercendo o pensamento *tudo ou nada*. Pare com isso! A carne ficou meio dura, mas isso não faz da sua vida inteira um fracasso total. Quando pensa "*Nunca* faço *nada* direito", está *generalizando excessivamente*. Nunca? *Nada?* Ora, por favor! Quando diz "Não aguento mais", está *magnificando* a dor que está sentindo. Está dando a ela uma dimensão exagerada porque você *está* aguentando, portanto, você *aguenta*. As reclamações do seu marido não são exatamente o que você gostaria de ouvir, mas elas não expressam o seu valor. Por último, quando afirma "Eu trabalho feito uma escrava e o que eu ganho é isso! Aquele idiota!", está *rotulando* vocês dois. Ele não é um *idiota*, só está sendo ranzinza e insensível. Do mesmo modo, rotular-se de *escrava* também é absurdo. Você está apenas deixando seu mau humor estragar sua noite.

Muito bem, vamos continuar com o teste.

2. Você acabou de ler a frase na qual lhe informei que precisaria fazer este teste de autoavaliação. Fica desanimado de repente e pensa: "Ah, não, mais um teste! Eu sempre vou mal em testes. Vou ter de pular esta parte do livro. Isso me deixa nervoso, então não ia adiantar nada, mesmo.". Suas distorções incluem:
   a. tirar conclusões precipitadas (adivinhar o futuro)
   b. generalização excessiva
   c. pensamento "tudo ou nada"
   d. personalização
   e. raciocínio emocional

3. Você é um psiquiatra da Universidade da Pensilvânia. Está tentando revisar seu manuscrito sobre depressão após uma reunião com o seu editor em Nova York. Embora o seu editor parecesse muito entusiasmado, você percebe que está nervoso e se sentindo incapaz devido aos seus pensamentos: "Eles cometeram um erro terrível quando escolheram o meu livro! Não vou ser capaz de fazer um bom trabalho. Nunca vou conseguir fazer que o livro seja inovador, dinâmico e impactante. Meu estilo de escrever é muito monótono e minhas ideias não são tão boas assim.". Suas distorções cognitivas incluem:
   a. pensamento "tudo ou nada"
   b. tirar conclusões precipitadas (previsão negativa)
   c. filtro mental
   d. desqualificar as coisas positivas
   e. magnificação

4. Você está solitário e decide ir a um evento para solteiros. Assim que chega lá, tem vontade de ir embora porque se sente angustiado e retraído. Os seguintes pensamentos passam pela sua cabeça: "Essas pessoas não devem ser muito interessantes. Para que ficar me torturando? É só um bando de encalhados. Sei disso porque me sinto entediado. Essa festa vai ser uma droga.". Seus erros envolvem:
   a. rotulagem
   b. magnificação
   c. tirar conclusões precipitadas (adivinhar o futuro e ler pensamentos)
   d. raciocínio emocional
   e. personalização

5. Você recebe um aviso de demissão da sua empresa. Fica furioso e se sente frustrado. Você pensa: "Isso prova que o mundo não presta. Eu nunca tenho chance.". Suas distorções incluem:
   a. pensamento "tudo ou nada"
   b. desqualificar as coisas positivas
   c. filtro mental
   d. personalização
   e. cobranças

6. Você está prestes a dar uma palestra e sente o coração disparar. Fica tenso e nervoso porque pensa: "Meu Deus, vou esquecer tudo que tenho para dizer. Eu não sei falar bem, mesmo. Vai me dar um branco. Vou fazer papel de bobo.". Seus erros de pensamento incluem:
   a. pensamento "tudo ou nada"
   b. desqualificar as coisas positivas

c. tirar conclusões precipitadas (adivinhar o futuro)
d. minimização
e. rotulagem

7. Você tem um encontro, mas a pessoa liga na última hora para cancelar porque está indisposta. Você fica com raiva e decepcionado porque pensa: "Estou levando um fora. O que foi que eu fiz para estragar tudo?". Seus erros de pensamento incluem:
   a. pensamento "tudo ou nada"
   b. cobranças
   c. tirar conclusões precipitadas (ler pensamentos)
   d. personalização
   e. generalização excessiva

8. Você vem adiando um relatório de trabalho que precisa fazer. Toda noite, quando tenta mexer naquilo, tudo parece tão complicado que você prefere ver televisão. Você começa a se sentir oprimido e culpado. Fica pensando: "Sou tão desleixado que nunca vou terminar isso. Simplesmente não consigo fazer essa porcaria. Isso vai levar uma eternidade. Ah, não vai ficar bom, mesmo.". Seus erros de pensamento incluem:
   a. tirar conclusões precipitadas (adivinhar o futuro)
   b. generalização excessiva
   c. rotulagem
   d. magnificação
   e. raciocínio emocional

9. Você leu este livro inteiro e, depois de aplicar os métodos por várias semanas, começa a se sentir melhor. Sua pontuação no BDC caiu de 26 (depressão moderada) para 11 (depressão leve ou *borderline*). De repente, você começa a piorar e em três dias sua pontuação volta a subir para 28. Você fica desiludido e sem esperança, sentindo amargura e desespero por pensar: "Não está adiantando. Esses métodos não vão me ajudar em nada. Eu já devia estar bem, agora. Essa melhora foi por acaso. Eu estava me enganando ao pensar que estava me sentindo melhor. Nunca vou ficar bom.". Suas distorções cognitivas incluem:
   a. desqualificar as coisas positivas
   b. cobranças
   c. raciocínio emocional
   d. pensamento "tudo ou nada"
   e. tirar conclusões precipitadas (previsão negativa)

10. Você está tentando fazer regime. Essa semana você esteve nervoso e, como não tinha nada para fazer, ficou beliscando o tempo todo. Depois do quarto pedaço de doce, você diz a si mesmo: "Não consigo me controlar. O regime e os exercícios que fiz a semana toda foram por água abaixo. Devo estar parecendo um balão. Eu não devia ter comido isso. Não aguento mais. Vou passar o fim de semana inteiro me empanturrando de comida!". Você começa a se sentir tão culpado que enche a mão de balas e põe tudo na boca, numa tentativa frustrada de se sentir melhor. Suas distorções incluem:
a. pensamento "tudo ou nada"
b. rotulagem
c. previsão negativa
d. cobranças
e. desqualificar as coisas positivas

Respostas				
1	2	3	4	5
A B C D E	A B C E	A B D E	A B C D	A C
6	7	8	9	10
A C D E	C D	A B C D E	A B C D E	A B C D E

SENTIMENTOS NÃO SÃO FATOS

Neste ponto você deve estar se perguntando: "Tudo bem. Já entendi que a minha depressão é resultado dos meus pensamentos negativos porque a minha perspectiva da vida muda totalmente conforme o meu humor. Mas se os meus pensamentos negativos são tão distorcidos, como posso me deixar enganar o tempo todo? Eu consigo pensar de forma clara e realista como qualquer outra pessoa, então, se o que estou dizendo a mim mesmo é absurdo, por que parece tão verdadeiro?".

Embora seus pensamentos depressivos possam estar distorcidos, mesmo assim criam uma forte ilusão de verdade. Vou dizer sem rodeios o que constitui a base da decepção – seus sentimentos não são fatos! Na verdade, seus sentimentos em si não servem para nada – a não ser como um espelho do que você está pensando. Se as suas percepções não fazem sentido, os sentimentos que elas provocam serão tão absurdos quanto as imagens refletidas nos espelhos mágicos de um parque de diversões. Mas a *sensação* produzida por essas emoções anormais é tão convincente e real quanto os sentimentos legítimos criados por pensamentos não distorcidos, então você atribui veracidade a elas automaticamente. É por isso que a depressão é uma forma tão poderosa de magia negra mental.

Uma vez que você abre as portas para a depressão por meio de uma série de distorções cognitivas "automáticas", seus sentimentos e ações vão se reforçar mutuamente num círculo vicioso perpétuo. Como você *acredita* em tudo que o seu cérebro deprimido diz, passa a ter um sentimento negativo sobre quase tudo. Essa reação ocorre numa fração de segundo, rápido demais para que você sequer tenha consciência disso. A emoção negativa produz uma *sensação* real e, por sua vez, confere uma aura de credibilidade ao pensamento distorcido que a provocou. O ciclo prossegue infinitamente e você acaba ficando sem saída. Essa prisão mental é uma ilusão, uma armadilha que você criou sem perceber, mas ela *parece* real porque produz uma *sensação* real.

Qual é o segredo para se libertar dessa prisão emocional? É simples: suas emoções são provocadas pelos seus pensamentos; portanto, elas não podem provar que seus pensamentos estão corretos. Sentimentos desagradáveis indicam apenas que você está pensando negativamente sobre alguma coisa e acreditando nisso. Suas emoções *seguem* seus pensamentos do mesmo jeito que os patinhos seguem a mãe deles. Mas o fato de os patinhos seguirem-na fielmente não prova que a mãe sabe aonde está indo!

Vamos analisar a sua equação: "Sinto, logo existo.". Essa atitude de que as emoções refletem uma espécie de verdade definitiva incontestável não é exclusiva das pessoas deprimidas. Hoje em dia, a maioria dos psicoterapeutas acredita que *conhecer* melhor os seus sentimentos e expressá-los mais abertamente são sinais de maturidade emocional. A conclusão disso é que seus sentimentos representam uma realidade maior, uma integridade pessoal, uma verdade inquestionável.

Minha opinião é bem diferente. Seus sentimentos em si não têm nada de mais. Na verdade, uma vez que suas emoções negativas são baseadas em distorções mentais – como é o caso, muitas vezes –, elas são quase sempre indesejáveis.

Estou querendo dizer que você precisa livrar-se de *todas* as emoções? Virar um robô? Não. Quero ensiná-lo a evitar sentimentos dolorosos baseados em distorções mentais, porque eles não têm fundamento e são indesejáveis. Acredito que, depois que você aprender a enxergar a vida de forma mais realista, vai passar a ter uma vida emocional melhor e dar mais valor à verdadeira tristeza – que não tem distorção – e também à alegria.

À medida que avançar na leitura deste livro, poderá aprender a corrigir as distorções que o enganam quando você fica chateado. Ao mesmo tempo, terá a oportunidade de reavaliar alguns valores e premissas básicos que o deixam vulnerável a oscilações de humor destrutivas. Eu descrevi em detalhes os passos necessários. A modificação dos padrões de pensamento irracionais terá um efeito profundo no seu humor e vai aumentar a sua capacidade de levar uma vida produtiva. Agora, vamos em frente para ver como podemos reverter os seus problemas.

PARTE III

APLICAÇÕES PRÁTICAS

CAPÍTULO IV
COMECE DESENVOLVENDO A AUTOESTIMA

Quando está deprimido, você sempre acredita que não tem valor. Quanto pior a depressão, mais você se sente assim. Você não é o único. Um estudo do dr. Aaron Beck revelou que mais de 80% dos pacientes com depressão afirmavam não gostar de si mesmos.[15] O dr. Beck descobriu também que os pacientes com depressão consideram-se deficientes justamente nas qualidades que mais valorizam: inteligência, sucesso, popularidade, atração, saúde e força. Ele afirmou que uma autoimagem depressiva pode ser caracterizada por esses quatro Ds: você se sente Derrotado, Deficiente, Desamparado e Desprovido.

Quase todas as reações emocionais negativas causam danos *somente* em consequência da baixa autoestima. Uma autoimagem ruim é a lente de aumento que pode transformar uma imperfeição ou erro trivial num símbolo devastador de fracasso pessoal. Por exemplo, Eric, um aluno do primeiro ano de Direito, sente pânico durante as aulas. "Se o professor me chamar, tenho certeza de que vou fazer alguma besteira." Embora esse medo de "fazer besteira" fosse coisa da sua cabeça, meu diálogo com Eric revelou que a verdadeira causa do problema era a sua sensação de incompetência:

DAVID: Suponhamos que você fizesse alguma besteira na aula. Por que isso o incomodaria tanto? Por que isso é tão terrível assim?
ERIC: Porque eu iria fazer papel de bobo.
DAVID: Suponhamos que você realmente fizesse papel de bobo. Por que isso o incomodaria?
ERIC: Porque todos fariam pouco caso de mim.

---

15. BECK, Aaron T. *Depression*: Clinical, Experimental & Theoretical Aspects. Nova York: Hoeber, 1967. (Reeditado como *Depression*: Causes and Treatment. Filadélfia: Universidade da Pensilvânia, 1972. p. 17-23.)

DAVID: Vamos supor que as pessoas fizessem mesmo pouco caso de você. E daí?
ERIC: Eu me sentiria péssimo.
DAVID: Por quê? Por que você precisaria se sentir péssimo se as pessoas fizessem pouco caso de você?
ERIC: Bom, isso significaria que eu não tenho valor. Além disso, pode estragar minha carreira. Eu tiraria notas baixas e talvez nunca conseguisse ser advogado.
DAVID: Suponhamos que você não se tornasse advogado. Vamos supor, a título de discussão, que você fosse reprovado. Por que isso o incomodaria tanto?
ERIC: Isso significaria que fracassei numa coisa que sempre desejei em toda a minha vida.
DAVID: E o que isso representaria para você?
ERIC: A vida perderia a graça. Significaria que eu sou um fracasso. Não sirvo para nada.

Nesse breve diálogo, Eric mostrou que considerava uma coisa terrível ser menosprezado, cometer um erro ou fracassar. Ele parecia convencido de que, se alguém fizesse pouco caso dele, todos fariam o mesmo. Era como se, de repente, a palavra REJEITADO ficasse estampada em sua testa para que todos vissem. Ele parecia não ter o menor senso de autoestima que não estivesse condicionado à aprovação e/ou ao sucesso. Avaliava a si mesmo pela forma como os outros o viam e pelo que havia conquistado. Se os seus anseios de aprovação e realização não fossem satisfeitos, Eric achava que não seria nada, pois não haveria apoio sincero vindo de dentro dele.

Se você acha que a busca perfeccionista de Eric por realização e aprovação é autodestrutiva e pouco realista, tem razão. Mas, para Eric, essa busca era *realista* e *razoável*. Se você está ou já esteve deprimido, pode achar bem mais difícil reconhecer os padrões de pensamento irracionais que fazem-no menosprezar a si mesmo. Na verdade, provavelmente está convencido de que é mesmo inferior ou indigno. E qualquer sugestão do contrário deve soar tola e desonesta.

Infelizmente, quando você está deprimido, pode não ser o único a estar convicto da sua incompetência. Em muitos casos, será tão *persuasivo* e *persistente* em sua crença inadequada de que é deficiente e não tem nada de bom que pode levar seus amigos, sua família e até seu terapeuta a aceitarem essa ideia de si mesmo. Durante muitos anos, os psiquiatras tendiam a "embarcar" no sistema de autoavaliação negativo dos pacientes com depressão sem comprovar a coerência do que esses pacientes diziam sobre si mesmos. Isso é ilustrado nos escritos de um observador atento como Sigmund Freud em seu tratado "Luto e melancolia", que constitui a base da abordagem psicanalítica ortodoxa para o tratamento da depressão. Nesse estudo clássico, Freud declarou que, quando o paciente afirma ser indigno, incapaz e moralmente desprezível, ele *deve ter razão*. Consequentemente, era inútil para o terapeuta discordar do paciente. Freud acreditava que o terapeuta deveria concordar que o paciente é, de fato, desinteressado, incapaz de amar, mesquinho, egocêntrico e desonesto. Essas qualidades descrevem o verdadeiro eu de um ser humano, segundo Freud, e o processo da doença só torna a verdade mais evidente:

> O doente descreve-nos seu ego como indigno, incapaz e moralmente desprezível; ele se recrimina, se insulta e espera ser rejeitado e castigado... Tanto do ponto de vista científico quanto terapêutico seria igualmente infrutífero contradizer o doente que faz tais acusações contra o seu ego. *De algum modo ele certamente deve estar certo* [grifo meu] e descrever algo que se comporta tal como lhe parece. E de fato, logo teremos de confirmar, sem restrições, algumas de suas afirmações. *Ele realmente é tão carente de interesses, tão incapaz para o amor e para o trabalho como afirma* [grifo meu]... Em outras de suas autoacusações, ele nos parece igualmente ter razão e *capta a verdade apenas com mais agudeza do que outros, não melancólicos* [grifo meu]. Quando, em uma exacerbada autocrítica, ele se descreve como um homem mesquinho, egoísta, desonesto e dependente, que sempre só cuidou de ocultar as fraquezas de seu ser, talvez a nosso ver *ele tenha se aproximado bastante do autoconhecimento* [grifo meu], e nos perguntamos por que é preciso adoecer para chegar a uma verdade como essa.
>
> SIGMUND FREUD, *Luto e melancolia*[16]

O modo como um terapeuta lida com o seu sentimento de incompetência é crucial para a sua cura, uma vez que a sua sensação de inutilidade é uma peça fundamental da depressão. A questão também possui uma grande relevância filosófica – será que a deficiência é *inerente* à natureza humana? Os pacientes com depressão, na realidade, estão encarando a verdade definitiva sobre si mesmos? E, em última análise, qual é a fonte da verdadeira autoestima? Na minha opinião, essa é a questão mais importante com a qual você vai se confrontar.

Primeiro, você *não pode ganhar* valor por meio do que faz. As realizações podem trazer-lhe satisfação, mas não felicidade. O valor próprio baseado nas realizações é uma "pseudoestima", que não é autêntica! Todos os meus vários pacientes bem-sucedidos, mas deprimidos, concordariam. Também não se pode ter um valor próprio real baseado na aparência, no talento, na fama ou fortuna. Marilyn Monroe, Mark Rothko, Freddie Prinz e uma infinidade de pessoas famosas vítimas de suicídio atestam essa triste verdade. O amor, a aprovação, a amizade ou a capacidade de manter estreitas relações de afeto também não podem acrescentar um pingo de

---

16. FREUD, S. Mourning and Melancholia. In: FREUD, S. *Collected Papers*, 1917. Trad. Joan Riviere. Londres: Hogarth Press, 1952. v. VI. Cap. 8, 155-6 [Edição em português: FREUD, S. *Luto e melancolia*. Trad. Marilene Carone. São Paulo: Cosac Naify, 2011. (N.T.)]

valor ao que você já possui. Na verdade, a grande maioria das pessoas com depressão são muito amadas, mas isso não ajuda em nada porque estão faltando amor-*próprio* e *auto*estima. No fim das contas, só o valor que você dá a si mesmo determina o modo como se sente.

"Então", você pode estar se perguntando com certa irritação, "*como* faço para adquirir valor próprio? O fato é que me *sinto* muito incompetente e estou convicto de que não sou mesmo tão bom quanto os outros. Não acho que possa fazer nada para mudar esses sentimentos horríveis porque, no fundo, é assim que eu sou.".

Uma das características fundamentais da terapia cognitiva é que ela recusa-se terminantemente a embarcar na sua sensação de inutilidade. Na minha clínica, levo meus pacientes a fazer uma reavaliação sistemática de sua autoimagem negativa. Eu levanto várias vezes a mesma questão: "Você está mesmo *certo* quando insiste que, no fundo, é essencialmente um fracassado?".

O primeiro passo é examinar mais atentamente o que você diz sobre si mesmo quando insiste que não tem nada de bom. As evidências que as pessoas apresentam em defesa de sua inutilidade dificilmente – para não dizer nunca – fazem sentido.

Essa opinião é baseada num estudo dos doutores Aaron Beck e David Braff que indicou que, na verdade, existe um distúrbio formal de pensamento nos pacientes com depressão. Indivíduos deprimidos foram comparados com pacientes esquizofrênicos e com pessoas sem depressão em sua capacidade de interpretar o significado de alguns provérbios, como "É melhor prevenir do que remediar". Tanto os pacientes esquizofrênicos como os deprimidos cometeram vários erros de lógica e tiveram dificuldade para extrair o significado dos provérbios. Eles eram demasiado específicos e não conseguiam fazer generalizações precisas. Embora a gravidade do defeito nos pacientes deprimidos fosse, obviamente, menos grave e grotesca do que no grupo dos esquizofrênicos, os indivíduos com depressão eram claramente anormais comparados às pessoas normais.

Em termos práticos, o estudo indicou que, durante os períodos de depressão, você perde parte de sua capacidade de pensar claramente; tem dificuldade de colocar as coisas na perspectiva correta. Os fatos negativos ganham uma importância cada vez maior até ao ponto de dominarem toda a sua realidade – e você não pode dizer, realmente, que os fatos estão distorcidos. Tudo parece bastante *real* para você. Essa ilusão de inferno que você cria é *muito convincente*.

Quanto mais deprimido e infeliz você se sente, mais distorcido torna-se o seu pensamento. Por outro lado, na ausência da distorção mental, você *não* tem falta de valor próprio nem depressão!

Quais são os erros mentais mais comuns que você comete quando se menospreza? Um bom ponto de partida é a lista de distorções que começou a dominar no

Capítulo III. A distorção mental mais comum a se ter cautela quando você se sente inútil é o pensamento "tudo ou nada". Se enxergar a vida somente em categorias assim tão extremas, você acreditará que o seu desempenho só pode ser ótimo ou péssimo – sem meios-termos. Como me disse um vendedor, "Atingir 95% ou mais da minha meta de vendas mensal é aceitável. Atingir 94% ou menos é equivalente a um fracasso total".

Esse sistema de autoavaliação do tipo "tudo ou nada" não é apenas extremamente irrealista e autodestrutivo; ele gera uma enorme ansiedade e frequente decepção. Um psiquiatra com depressão que me foi encaminhado percebeu uma falta de desejo sexual e dificuldade de manter as ereções durante um período de duas semanas em que estava se sentindo deprimido. Suas tendências perfeccionistas haviam dominado não apenas sua notável carreira profissional, mas também sua vida sexual. Por conseguinte, ele teve relações com sua esposa regularmente dia sim, dia não, durante os 20 anos de vida conjugal. Apesar da diminuição do desejo sexual – um sintoma comum da depressão –, ele dizia a si mesmo, "*Preciso* continuar mantendo relações nas datas marcadas". Esse pensamento gerou uma ansiedade tão grande que ele se tornou cada vez mais incapaz de obter uma ereção satisfatória. Como seu histórico sexual perfeito foi quebrado, ele começou a se associar ao lado negativo de seu sistema "tudo ou nada", e concluiu: "Não sou mais um bom parceiro conjugal. Sou um fracasso como marido. Não sou nem mesmo um homem. Sou um inútil que não serve para nada.". Embora fosse um psiquiatra competente (alguns poderiam até considerá-lo brilhante), ele me confidenciou, aos prantos: "Dr. Burns, nós dois sabemos que jamais conseguirei manter relações sexuais novamente.". Mesmo com tantos anos de experiência como médico, ele conseguia realmente convencer-se disso.

SUPERANDO O SENTIMENTO DE INUTILIDADE

Você deve estar dizendo agora: "Muito bem, vejo que há uma certa falta de lógica por trás do sentimento de inutilidade. Pelo menos para *algumas* pessoas. Mas elas são, basicamente, pessoas vitoriosas; não são como eu. Você parece estar tratando de médicos famosos e empresários bem-sucedidos. Qualquer um poderia dizer que a sua falta de autoestima não tem lógica. Mas eu *sou* mesmo uma pessoa medíocre que não serve para nada. Os outros *são*, realmente, mais atraentes, populares e bem-sucedidos do que eu. Então, o que eu posso fazer? Simplesmente nada! Meu sentimento de inutilidade é perfeitamente justificável. Ele é baseado na realidade, então não adianta dizer-me para *pensar* de forma lógica. Acho que não existe nenhuma maneira de afastar esses sentimentos horríveis, a menos que eu tente me enganar, e nós dois sabemos que isso não vai dar certo." Deixe-me mostrar primeiro duas abordagens populares, usadas por muitos terapeutas, as quais, acredito eu, *não* representam soluções satisfatórias para o seu sentimento de inutilidade. Depois vou mostrar-lhe algumas abordagens que irão fazer sentido e ajudá-lo.

Ao manter a crença de que existe alguma verdade profunda em sua convicção de que você não vale nada, talvez alguns psicoterapeutas permitam-lhe "ventilar" esse sentimento de incompetência durante uma sessão de terapia. Sem dúvida, há algum benefício em trazer esses sentimentos à tona. A liberação catártica pode, às vezes, mas nem sempre, resultar numa melhora temporária do humor. No entanto, se o terapeuta não lhe der um retorno objetivo sobre a validade da sua autoavaliação, é possível concluir que ele concorde com você. E talvez esteja certo! Na verdade, talvez você o tenha enganado tão bem quanto a si mesmo. Por conseguinte, provavelmente vai sentir-se ainda mais incompetente.

Silêncios prolongados durante as sessões de terapia podem deixar você ainda mais chateado e preocupado com sua voz crítica interior – mais ou menos como uma experiência de privação sensorial. Esse tipo de terapia não diretiva, na qual o terapeuta assume um papel passivo, costuma gerar muito mais ansiedade e depressão para o paciente. E mesmo que você se sinta melhor por ter obtido alívio emocional com um terapeuta atencioso e compreensivo, é provável que a sensação de melhora não dure muito se não houver uma transformação significativa na forma como você avalia a si mesmo e sua vida. A menos que reverta consideravelmente os seus padrões de pensamento e comportamento autodestrutivos, é provável que você volte a cair em depressão.

Assim como a ventilação emocional, por si só, não costuma ser suficiente para superar o sentimento de inutilidade, em geral o *insight* e a interpretação psicológica também não ajudam. Por exemplo, Jennifer é uma escritora que veio procurar tratamento contra o pânico que sentia antes da publicação de seu romance. Na primeira sessão, ela me disse:

> Já passei por vários terapeutas. Eles disseram que os meus problemas são o *perfeccionismo*, as expectativas impossíveis e as exigências que imponho a mim mesma. Descobri também que devo ter herdado essa característica da minha mãe, que é compulsiva e perfeccionista. Ela é capaz de achar um monte de coisas erradas num quarto impecavelmente arrumado. Eu sempre tentei agradá-la, mas quase nunca consegui, por melhor que fizesse. Os terapeutas me disseram, 'Pare de enxergar todo mundo como se fosse a sua mãe! Pare de ser tão perfeccionista'. Mas como é que eu *faço* isso? Eu gostaria de fazê-lo, eu quero fazer, mas ninguém jamais foi capaz de me dizer como conseguir.

A queixa de Jennifer é similar às que escuto quase todos os dias na minha clínica. Identificar a natureza ou a origem do seu problema pode dar-lhe um *insight*, mas em geral não consegue mudar a sua maneira de agir. Isso não causa espanto. Há muitos anos você pratica os maus hábitos mentais que contribuíram para sua baixa autoestima. Precisará de um esforço sistemático e constante para reverter o problema. Será que um gago para de gaguejar por causa de sua percepção do fato de não vocalizar bem? Um jogador de tênis passa a jogar melhor só porque o treinador diz-lhe que ele acerta muito a bola na rede?

Uma vez que a ventilação de emoções e o *insight* – os dois pilares da psicoterapia tradicional – não irão ajudar, então o que fará isso? Como terapeuta cognitivo, tenho três objetivos ao tratar o seu sentimento de inutilidade: uma transformação rápida e decisiva do seu modo de *pensar*, *sentir* e se *comportar*. Esses resultados serão atingidos com um programa de treinamento sistemático usando métodos concretos simples que você pode aplicar diariamente. Se estiver disposto a dedicar um pouco de tempo e esforço a esse programa regularmente, você pode esperar um sucesso proporcional ao esforço dedicado.

Está disposto? Se estiver, voltamos ao início. Você está prestes a dar o primeiro passo crucial para melhorar seu humor e sua autoimagem.

Eu desenvolvi muitas técnicas específicas e fáceis de serem aplicadas que podem ajudá-lo a desenvolver seu senso de valor. Ao ler os capítulos a seguir, tenha em mente que a simples leitura deles não garante o aumento da sua autoestima – pelo menos não por muito tempo. Você terá de se empenhar e praticar os vários exercícios. Na verdade, recomendo que reserve algum tempo todos os dias para se dedicar a melhorar sua autoimagem, pois *somente* assim pode vivenciar o crescimento pessoal de forma mais rápida e duradoura.

MÉTODOS ESPECÍFICOS PARA LEVANTAR A AUTOESTIMA

1. RESPONDA AO CRÍTICO QUE EXISTE DENTRO DE VOCÊ!

O sentimento de inutilidade é produzido pelo seu diálogo autocrítico interior. São afirmações autodegradantes, como "Eu não sirvo para nada", "Eu sou um bosta", "Os outros são melhores do que eu" e assim por diante, as quais produzem e alimentam seus sentimentos de desespero e baixa autoestima. Para superar esse mau hábito mental, são necessários três passos:

    a. Aprender a reconhecer e anotar os pensamentos autocríticos que passam pela sua cabeça;

b. Descobrir por que esses pensamentos são distorcidos;
c. Habituar-se a contestá-los para desenvolver um sistema de autoavaliação mais realista.

Um método eficaz para executá-los é a "técnica das três colunas". Basta traçar duas linhas verticais no centro de uma folha de papel para dividi-la em três partes (ver Quadro 6, a seguir). Escreva na coluna à esquerda "Pensamento automático (Autocrítica)", na coluna do meio "Distorção cognitiva" e na coluna à direita "Resposta racional (Autodefesa)". Na coluna à esquerda, anote todas aquelas autocríticas ofensivas que você faz quando se sente inútil e triste consigo mesmo.

Suponhamos, por exemplo, que você perceba de repente que está atrasado para uma reunião importante. Seu coração dispara e você entra em pânico. Agora, pergunte-se: "Que pensamentos estão passando pela minha cabeça neste momento? O que estou dizendo a mim mesmo? Por que isso está me incomodando?". Em seguida, anote esses pensamentos na coluna à esquerda.

É possível que você tenha pensado: "Eu nunca faço nada direito" e "Eu vivo atrasado". Anote esses pensamentos na coluna à esquerda e os numere (ver Quadro 6). Talvez tenha pensado também: "Todos vão me olhar com desprezo. Isso mostra que sou um idiota". No instante em que esses pensamentos passarem pela sua cabeça, anote-os. Por quê? Porque eles são a verdadeira *causa* do seu transtorno emocional. Eles o dilaceram como se fossem facas rasgando sua carne. Tenho certeza de que sabe o que quero dizer, pois você *sente* isso.

Qual é o segundo passo? Você já começou a se preparar para isso quando leu o Capítulo III. Ao usar a lista de dez distorções cognitivas, p. 60, verifique se consegue identificar os erros contidos em cada um dos seus pensamentos automáticos negativos. Por exemplo, "Eu nunca faço nada direito" é um exemplo de generalização excessiva. Anote isso na coluna do meio. Continue a identificar as distorções contidas em seus outros pensamentos automáticos, como mostrou o Quadro 6.

Agora você está pronto para o passo crucial da transformação do humor – substituir cada pensamento por um outro mais racional e menos desagradável na coluna à direita. Não tente se animar racionalizando ou dizendo coisas que você não acredita serem objetivamente válidas. Em vez disso, procure reconhecer *a verdade*. Caso o que você anotou na coluna *Resposta racional* não seja convincente nem realista, isso não ajudará em nada. É importante que você acredite na sua contestação da autocrítica. Essa resposta racional pode levar em conta o que havia de errado e o que não tinha sentido no seu pensamento automático autocrítico.

QUADRO 6

A "técnica das três colunas" pode ser usada para reestruturar sua forma de pensar a seu respeito quando faz alguma coisa errada. O objetivo é substituir as autocríticas severas e sem sentido que inundam sua mente quando ocorre um fato negativo por pensamentos mais objetivos e racionais.

Pensamento automático (AUTOCRÍTICA)	Distorção cognitiva	Resposta racional (AUTODEFESA)
1. Eu nunca faço nada direito.	1. Generalização excessiva.	1. Que absurdo! Eu faço um monte de coisas direito.
2. Eu vivo atrasado.	2. Generalização excessiva.	2. Eu não *vivo* atrasado. Isso é ridículo. Pense quantas vezes já cheguei na hora. Se chego atrasado mais vezes do que gostaria, vou tentar corrigir isso e desenvolver um método para ser mais pontual.
3. Todos vão me olhar com desprezo.	3. Ler pensamentos. Generalização excessiva. Pensamento "tudo ou nada". Adivinhar o futuro.	3. Alguém pode não gostar do meu atraso, mas isso não é o fim do mundo. Talvez a reunião nem comece na hora.
4. Isso mostra que sou um idiota.	4. Rotulagem.	4. Ah, por favor! Eu não sou "um idiota".
5. Vou fazer papel de bobo.	5. Rotulagem. Adivinhar o futuro.	5. Idem. Eu também não sou "bobo". Talvez pareça bobo se chegar atrasado, mas isso não me torna um bobo. Todo mundo se atrasa de vez em quando.

Por exemplo, em resposta a "Eu nunca faço nada direito", você pode escrever: "De jeito nenhum! Eu faço coisas certas e coisas erradas como todo mundo. Não cumpri o meu compromisso, mas não precisamos exagerar.".

Suponhamos que você não consiga pensar numa resposta racional para um determinado pensamento negativo. Nesse caso, esqueça dele por uns dias e volte a pensar nisso depois. Em geral, você conseguirá ver o outro lado da moeda. Se aplicar a técnica das três colunas 15 minutos por dia durante um ou dois meses, você irá achar cada vez mais fácil. Não tenha medo de perguntar aos outros como responderiam a um pensamento desagradável se não conseguir pensar sozinho numa resposta racional apropriada.

OBSERVAÇÃO: *Não* use palavras que descrevam suas reações emocionais na coluna Pensamento Automático. Escreva apenas os pensamentos que causaram a emoção. Vamos supor que você perceba que seu carro está com um pneu furado, por exemplo. Não escreva "Estou me sentindo péssimo", porque você não pode contestar isso com uma resposta racional. É verdade, você está *mesmo* se sentindo péssimo. Mas, em vez disso, anote os pensamentos que automaticamente vieram à sua cabeça quando você viu o pneu. Por exemplo, "Eu sou um imbecil... devia ter comprado um pneu novo no mês passado", ou então "Que inferno! Tudo por causa desse meu maldito azar!". Depois você pode substituí-los por respostas racionais, como "Talvez fosse melhor ter comprado um pneu novo, mas eu não sou um imbecil e ninguém pode prever o futuro com certeza". Esse processo não fará que o pneu fique cheio, mas pelo menos você não vai precisar trocá-lo com o ego vazio.

Embora seja melhor não descrever suas emoções na coluna Pensamento automático, é provável que seja muito útil fazer uma certa "contabilidade emocional" antes e depois de usar a técnica das três colunas para determinar o quanto seus sentimentos estão melhorando. É muito fácil fazer isso: basta registrar o quanto está chateado – entre 0% e 100% – antes de identificar e responder aos seus pensamentos automáticos. No exemplo anterior, talvez você anote que ficou 80% frustrado e irritado quando viu o pneu furado. Depois, ao terminar o exercício por escrito, pode registrar o quanto se sentiu aliviado, digamos em torno de 40%. Se houver uma redução, você saberá que o método está funcionando.

Um formulário um pouco mais elaborado desenvolvido pelo dr. Aaron Beck, chamado *Registro diário de pensamentos disfuncionais*, permite registrar não apenas os seus pensamentos desagradáveis, como também os seus sentimentos e o fato negativo que os desencadeou (ver Quadro 7, a seguir).

Por exemplo, vamos supor que você esteja vendendo seguros e um potencial cliente insulte-o sem motivo algum e desligue o telefone na sua cara. Descreva o fato real na coluna Situação, mas *não* na coluna Pensamentos Automáticos. Depois anote os seus sentimentos e os pensamentos distorcidos negativos que os provocaram na coluna apropriada. Por último, conteste esses pensamentos e faça sua contabilidade emocional. Algumas pessoas preferem usar o Registro diário de pensamentos disfuncionais porque ele permite analisar os fatos, pensamentos e sentimentos negativos de uma forma sistemática. Use sempre a técnica com a qual se sente mais à vontade.

Anotar seus pensamentos negativos e respostas racionais pode parecer simplista, pouco eficaz ou mesmo exagerado. Você pode até se sentir como alguns pacientes que inicialmente se recusaram a fazer isso, dizendo: "Para quê? Não vai adiantar... Não tem jeito, eu sou mesmo um caso perdido, não sirvo para nada.".

Essa atitude só pode servir como uma profecia autorrealizável. Se você não estiver disposto a pegar a ferramenta e usar, não vai conseguir fazer o trabalho. Comece anotando seus pensamentos automáticos e respostas racionais 15 minutos por dia, durante duas semanas, e veja o efeito que isso tem sobre o seu humor, medindo-o com

QUADRO 7
Registro diário de pensamentos disfuncionais*

Situação	Emoções	Pensamentos automáticos	Distorções cognitivas	Respostas racionais	Resultado
Descreva brevemente o fato real que leva à emoção desagradável.	1. Especifique triste/ansioso/com raiva etc. 2. Classifique o grau da emoção de 1% a 100%.	Escreva os pensamentos automáticos que acompanham as emoções.	Identifique as distorções presentes em cada pensamento automático.	Escreva as respostas racionais aos pensamentos automáticos.	Especifique e classifique as emoções subsequentes de 0% a 100%.
Um cliente em potencial desliga o telefone na minha cara quando ligo para descrever nosso novo plano de seguros. Ele disse: "Não me encha o saco!".	Com raiva, 99%. Triste, 50%.	1. Nunca vou vender um seguro. 2. Eu queria estrangular o filho da mãe. 3. Devo ter dito alguma coisa errada.	1. Generalização excessiva. 2. Magnificação; rotulagem. 3. Tirar conclusões precipitadas; personalização.	1. Já vendi um monte de seguros. 2. Ele foi estúpido. Todos nós somos de vez em quando. Para que me abalar? 3. Não fiz nada diferente do modo como costumo abordar um novo cliente. Então, por que me estressar?	Com raiva, 50%. Triste, 10%.

Instruções: Ao sentir alguma emoção desagradável, anote a situação que aparentemente a provocou. Em seguida, descreva o pensamento automático associado a essa emoção. Ao classificar o grau da emoção, 1% = quase nada; 100% = o máximo possível.

*. Copyright 1979, Aaron T. Beck.

o checklist de depressão de Burns. Você pode ficar surpreso ao perceber o início de um período de crescimento pessoal e uma saudável mudança na sua autoimagem.

Essa foi a experiência de Gail, uma jovem secretária com uma autoestima tão baixa que se sentia em risco constante de ser criticada pelos amigos. Ela ficou tão ressentida quando sua colega de quarto pediu-lhe para ajudar a arrumar o apartamento delas, depois de uma festa, que se sentiu rejeitada e sem valor. No início, estava tão pessimista quanto a suas chances de se sentir melhor que quase não consegui convencê-la a experimentar a técnica das três colunas. Quando ela, relutantemente, decidiu tentar, ficou surpresa ao ver como sua autoestima e seu humor passaram a sofrer uma rápida transformação. Ela declarou que *colocar no papel* os vários pensamentos negativos que passavam pela sua cabeça durante o dia ajudava-a a ver as coisas de forma mais objetiva. Parou de levar tão a sério esses pensamentos. Por conseguinte, após os exercícios escritos diários, Gail começou a se sentir melhor e fez um grande progresso suas relações interpessoais. Um trecho de sua tarefa escrita pode ser visto no QUADRO 8.

A experiência de Gail não é incomum. O simples exercício diário de contestar os seus pensamentos negativos com respostas racionais é a essência do método cognitivo. Trata-se de uma das abordagens mais importantes para modificar o seu pensamento. É fundamental *colocar no papel* os seus pensamentos automáticos e respostas racionais; não tente fazer o exercício mentalmente. O ato de escrever obriga você a desenvolver muito mais objetividade do que ficar remoendo as respostas em sua mente. Também auxilia a identificar os erros mentais que o deprimem. A técnica das três colunas não se limita a problemas de deficiência pessoal; ela pode ser aplicada a uma grande variedade de dificuldades emocionais em que o pensamento distorcido desempenha um papel fundamental. Você pode encontrar maior alívio no caso de problemas que normalmente presumiria serem totalmente "realistas", como falta de dinheiro, divórcio ou doença mental grave. Por fim, no capítulo sobre profilaxia e crescimento pessoal, você vai aprender a usar uma pequena variação do método do pensamento automático para penetrar na parte da sua psique na qual se escondem as causas das oscilações de humor. Conseguirá, antes de mais nada, identificar e transformar esses "pontos de pressão" da sua mente que o deixam vulnerável à depressão.

2. BIOFEEDBACK MENTAL

Um segundo método que pode ser muito útil consiste em monitorar seus pensamentos negativos com um contador de pulso, que pode ser comprado em lojas de

QUADRO 8
Trechos da tarefa escrita diária de Gail usando a "técnica das três colunas"

Na coluna à esquerda, ela registrou os pensamentos negativos que lhe vieram à cabeça automaticamente quando sua colega de quarto pediu-lhe para arrumar o apartamento. Na coluna do meio, identificou as distorções, e na coluna à direita, anotou interpretações mais realistas. Esse exercício diário por escrito acelerou bastante o seu crescimento pessoal e trouxe um grande alívio emocional.

Pensamento automático (AUTOCRÍTICA)	Distorção cognitiva	Resposta racional (AUTODEFESA)
1. Todo mundo sabe o quanto sou desorganizada e egoísta.	Tirar conclusões precipitadas (ler pensamentos); generalização excessiva.	1. Sou desorganizada em alguns momentos e organizada em outros. Nem todo mundo tem a mesma opinião a meu respeito.
2. Eu só me preocupo comigo e não ligo para os outros. Não tenho nada de bom.	Pensamento "tudo ou nada".	2. Às vezes sou insensível, mas também posso ser muito atenciosa. Provavelmente sou muito egoísta de vez em quando. Posso tentar melhorar isso. É provável que eu não seja perfeita, mas isso não quer dizer eu que não tenha "nada de bom".
3. Minha colega de quarto deve me odiar. Não tenho nenhum amigo de verdade.	Tirar conclusões precipitadas (ler pensamentos); pensamento "tudo ou nada".	3. Minhas amizades são tão verdadeiras quanto as de qualquer um. Às vezes recebo as críticas como uma rejeição a *mim*, Gail, a pessoa. Mas, em geral, os outros não estão *me* rejeitando. Estão apenas expressando desagrado pelo que eu *fiz* (ou disse) – e continuam me aceitando depois disso.

artigos esportivos. Ele parece um relógio de pulso, é barato e toda vez que você pressiona o botão, o número no mostrador muda. Aperte o botão toda vez que um pensamento negativo sobre si mesmo passar pela sua cabeça; fique sempre alerta a esses pensamentos. Ao fim do dia, observe sua pontuação e anote num diário.

No início, você vai perceber que o número aumenta; isso vai continuar por vários dias, à medida que passar a identificar melhor os seus pensamentos críticos. Logo começará a perceber que o total diário se mantém num determinado patamar por uma semana a dez dias, e depois começará a *cair*. Isso indica que seus pensamentos ruins estão diminuindo e que você está melhorando. Em geral, esse método requer três semanas.

Não se sabe ao certo por que uma técnica tão simples funciona tão bem, mas o automonitoramento sistemático costuma contribuir para aumentar o autocontrole. Quando aprender a parar de se condenar, você começará a se sentir bem melhor.

Caso decida usar um contador de pulso, quero deixar claro que a intenção não é que ele substitua o exercício de reservar 10 a 15 minutos por dia para anotar seus pensamentos negativos e responder conforme descrito nas páginas anteriores. O método por escrito não pode ser ignorado porque traz às claras a natureza irracional dos pensamentos que o incomodam. Depois que estiver fazendo isso regularmente, você pode usar o seu contador de pulso para cortar suas cognições dolorosas pela raiz em outras ocasiões.

3. NÃO SE LAMENTE, ENFRENTE!
A MULHER QUE NÃO SE ACHAVA UMA "BOA MÃE"

Ao ler os capítulos anteriores, pode ter-lhe ocorrido a seguinte objeção: "Isso tudo tem a ver com os meus *pensamentos*. Mas, e se os meus problemas forem concretos? De que vai me adiantar pensar diferente? Eu tenho deficiências reais que precisam ser tratadas.".

Nancy, de 34 anos, é uma mãe de dois filhos que se sentia assim. Há seis anos ela divorciou-se de seu primeiro marido e há pouco tempo casou-se novamente. Está estudando meio período para terminar a faculdade. Nancy é normalmente alegre e animada, e muito dedicada a sua família. Porém, sofre episódios de depressão há muitos anos. Durante esses períodos, ela torna-se extremamente crítica consigo e com os outros, costuma duvidar de si mesma e demonstrar insegurança. Ela foi-me encaminhada durante um desses períodos de depressão.

Fiquei impressionado com a veemência com que Nancy se censurava. Ela havia recebido um bilhete da professora do seu filho afirmando que ele estava tendo uma certa dificuldade na escola. Sua primeira reação foi lamentar-se e se culpar. Leia a seguir um trecho da nossa sessão de terapia:

NANCY: Eu devia ter ajudado mais o Bobby com a lição de casa, porque agora ele é desorganizado e não vai bem na escola. Eu falei com a professora dele, ela disse que o Bobby não tem autoconfiança e não segue direito as orientações. Consequentemente, suas lições estão ficando cada vez piores. Depois do telefonema, fiquei pensando nas minhas atitudes e me senti desanimada de repente. Comecei a pensar que uma boa mãe sempre passa algum tempo fazendo uma atividade com seus filhos toda noite. Eu sou responsável por esse mau comportamento – mentir, ir mal na escola. Simplesmente não sei como lidar com o Bobby. Não sou mesmo uma boa mãe. Comecei a achar que ele não era inteligente e ia ser reprovado, e que tudo isso era culpa minha.

Minha primeira estratégia foi ensiná-la a rebater a afirmação "Eu não sou uma boa mãe", pois senti que essa autocrítica era dolorosa e irrealista, criando uma angústia interior paralisante que não contribuiria em nada para o seu esforço de ajudar o Bobby a superar suas dificuldades.

DAVID: Muito bem. O que há de errado nessa afirmação "Eu não sou uma boa mãe"?
NANCY: Bom...
DAVID: Existe alguma "mãe ruim"?
NANCY: Claro.
DAVID: O que é uma "mãe ruim" para você?
NANCY: Uma mãe ruim é aquela que não cria os filhos direito. Ela não é tão eficiente como as outras, por isso seus filhos acabam indo mal. Isso parece óbvio.
DAVID: Então você diria que uma "mãe ruim" é aquela que não tem muitos dotes maternais? É assim que você definiria?
NANCY: Algumas mães não têm dotes maternais.
DAVID: Mas todas as mães carecem de dotes maternais até certo ponto.
NANCY: Todas?
DAVID: Não há mãe nenhuma neste mundo que seja perfeita em todos os aspectos ligados à maternidade. Portanto, todas elas carecem de algum dote maternal. Segundo essa sua definição, parece que todas as mães são ruins.
NANCY: Eu sinto que *eu* não sou uma boa mãe, mas nem todo mundo é assim.
DAVID: Bem, defina novamente. O que é uma "mãe ruim"?
NANCY: Uma mãe ruim é aquela que não compreende os filhos ou comete erros prejudiciais o tempo todo. Erros que podem fazer mal a eles.
DAVID: Segundo essa nova definição, você não é uma "mãe ruim" e não existem "mães ruins", porque ninguém comete erros prejudiciais o tempo todo.
NANCY: Ninguém...?
DAVID: Você disse que uma "mãe ruim" comete erros prejudiciais *o tempo todo*. Não existe pessoa alguma que cometa erros prejudiciais o tempo todo, 24 horas por dia. Toda mãe é capaz de fazer *algumas* coisas direito.
NANCY: Bom, existem pais que abusam, vivem castigando, batendo – a gente lê sobre isso nos jornais. Os filhos acabam sendo espancados. Com certeza, essa poderia ser uma mãe ruim.
DAVID: Existem pais que recorrem a um comportamento abusivo, é verdade. E essas pessoas poderiam melhorar seu comportamento, o que talvez as fizesse se sentir melhor em relação a si mesmas e aos seus filhos. Mas não

é realista afirmar que esses pais fazem coisas abusivas ou prejudiciais *o tempo todo*, e não vai ajudar em nada pregar neles o rótulo de "maus". Essas pessoas têm um problema com a agressão e precisam treinar o autocontrole, mas se você tentasse convencê-los de que seu problema é maldade, só tornaria as coisas piores. Em geral, eles já se consideram seres humanos degenerados, e isso faz parte do seu problema. Rotular essas mulheres de "mães ruins" seria incorreto e também irresponsável, como tentar apagar um incêndio jogando gasolina.

Nesse ponto, eu estava tentando mostrar a Nancy que ela só estava se prejudicando ao se rotular como uma "mãe ruim". Queria mostrar que, não importava qual fosse a sua definição de uma "mãe ruim", ela não seria realista. Depois que abandonasse a tendência destrutiva de se lamentar e se rotular de incompetente, poderíamos pensar em estratégias para enfrentar a situação e ajudar seu filho com os problemas da escola.

NANCY: Mas eu ainda tenho a sensação de que não sou uma "boa mãe".

DAVID: Bem, mais uma vez, o que é uma "mãe ruim" para você?

NANCY: Alguém que não dá ao seu filho atenção suficiente, uma atenção positiva. Eu fico muito ocupada com a faculdade. E, quando dou-lhe atenção, receio que possa ser uma atenção totalmente negativa. Vai saber... É isso que estou dizendo.

DAVID: Uma "mãe ruim" é aquela que não dá ao seu filho atenção suficiente, você diz? Suficiente para quê?

NANCY: Para o seu filho se dar bem na vida.

DAVID: Se dar bem em *tudo*, ou em algumas coisas?

NANCY: Em algumas coisas. Ninguém pode se dar bem em tudo.

DAVID: O Bobby se dá bem em alguma coisa? Ele tem alguma qualidade?

NANCY: Ah, sim. Há muitas coisas de que ele gosta e que faz muito bem.

DAVID: Então você não pode ser uma "mãe ruim" segundo a sua definição, porque seu filho se dá bem em muitas coisas.

NANCY: Então por que eu não me sinto uma boa mãe?

DAVID: Parece que você está se rotulando como uma "mãe ruim" porque gostaria de passar mais tempo com o seu filho, porque às vezes se sente incompetente e porque existe uma necessidade clara de melhorar a sua comunicação com o Bobby. Mas não adianta resolver esses problemas se você conclui automaticamente que não é uma "boa mãe". Isso faz sentido para você?

NANCY: Se eu desse mais atenção a ele e o ajudasse mais, ele poderia ir melhor na escola e ser muito mais feliz. Eu sinto que a culpa é minha se ele não vai bem.
DAVID: Então está disposta a assumir a culpa pelos erros dele?
NANCY: Sim, a culpa é minha. Logo, eu não sou uma boa mãe.
DAVID: E você também leva o crédito pelas realizações dele? E por sua felicidade?
NANCY: Não – *ele* deve receber o crédito por isso, e não eu.
DAVID: Isso faz sentido? Que você seja responsável pelos seus defeitos e não pelas suas qualidades?
NANCY: Não.
DAVID: Você entende aonde estou querendo chegar?
NANCY: Sim.
DAVID: "Mãe ruim" é uma abstração; não existe nenhuma "mãe ruim" no universo.
NANCY: Está certo. Mas as mães podem fazer coisas ruins.
DAVID: Elas são apenas pessoas, e as pessoas fazem uma grande variedade de coisas – boas, ruins e neutras. "Mãe ruim" é só uma fantasia; isso não existe. A cadeira é uma coisa concreta. Uma "mãe ruim" é uma abstração. Você entende isso?
NANCY: Eu entendo, mas algumas mães têm mais experiência e são mais eficientes do que as outras.
DAVID: Sim, existem todos os níveis de eficiência em relação aos dotes maternais. E quase todo mundo tem espaço de sobra para melhorar. A pergunta importante não é "Sou uma mãe boa ou ruim?", e sim "Quais são minhas qualidades e defeitos relativos, e o que posso fazer para melhorar?".
NANCY: Estou entendendo. Essa abordagem faz mais sentido e parece bem melhor. Quando me rotulo de "mãe ruim", sinto-me incompetente e deprimida, e não faço nada produtivo. Agora entendo o que estava querendo dizer. Quando eu parar de me criticar, vou me sentir melhor e talvez consiga dar mais atenção ao Bobby.
DAVID: Isso mesmo! Ao ver as coisas dessa maneira, você já está pensando em estratégias para enfrentar o problema. Por exemplo, quais são suas qualidades como mãe? Como você pode começar a melhorá-las? Agora, esse é o tipo de coisa que eu gostaria de sugerir em relação ao Bobby. Ver-se como uma "mãe ruim" consome energia emocional e distrai você da tarefa de melhorar seus dotes maternais. É irresponsável.

Nancy: Certo. Se eu parar de me castigar com essa afirmação, as coisas vão melhorar e poderei começar a fazer mais pelo Bobby. A partir do momento em que eu parar de dizer que não sou uma boa mãe, vou começar a me sentir melhor.
David: Isso, agora o que pode dizer a si mesma quando pensar em dizer "Eu não sou uma boa mãe"?
Nancy: Posso dizer que não preciso me odiar completamente só porque há uma determinada coisa em relação ao Bobby que me desagrada, ou porque ele tem um problema na escola. Posso tentar *identificar* esse problema, *enfrent*á-lo e tentar resolvê-lo.
David: Muito bem. Isso, sim, é uma abordagem positiva. Gostei. Você contestou uma afirmação negativa, depois acrescentou uma positiva. Gostei disso.

Depois nos dedicamos a responder vários "pensamentos automáticos" que ela havia anotado após o telefonema da professora do Bobby (ver Quadro 9, a seguir). À medida que Nancy aprendia a contestar seus pensamentos autocríticos, ia sentindo o alívio emocional de que tanto precisava. Foi, então, capaz de desenvolver algumas estratégias de enfrentamento específicas para ajudar Bobby com suas dificuldades.

Seu primeiro passo para enfrentar o problema foi conversar com o Bobby sobre as dificuldades que ele andava tendo para descobrir qual era o verdadeiro problema. Ele estava mesmo tendo dificuldades, como sua professora havia indicado? O que pensava a respeito do problema? Era verdade que andava tenso e tinha pouca confiança? Suas lições de casa têm sido muito difíceis, ultimamente? Nancy percebeu que, depois que conseguisse essas informações e descobrisse o verdadeiro problema, teria condições de buscar uma solução apropriada. Por exemplo, se Bobby dissesse que estava achando algumas das aulas muito difíceis, ela poderia criar um sistema de recompensa para incentivá-lo a estudar mais em casa. Ela também resolveu ler vários livros sobre relacionamento entre pais e filhos. Sua relação com Bobby melhorou, e as notas dele e seu comportamento na escola tiveram uma súbita reviravolta.

O erro de Nancy foi ter tido apenas uma visão geral de si mesma, fazendo o julgamento moralista de que não era uma boa mãe. Esse tipo de crítica a incapacitava, porque criava a impressão de que ela tinha um problema pessoal tão grande e grave que ninguém poderia fazer nada a respeito. O transtorno emocional que essa rotulagem causou impedia-a de *identificar* o verdadeiro problema, *dividi-lo* em suas partes específicas e *encontrar as soluções adequadas*. Se ela continuasse a se lamentar, é bem possível que Bobby continuasse indo mal e ela se tornasse cada vez menos eficiente.

QUADRO 9
Tarefa por escrito de Nancy em relação às dificuldades de Bobby na escola

É semelhante à "técnica das três colunas", exceto pelo fato de que ela não achou necessário anotar as distorções cognitivas contidas em seus pensamentos automáticos.

Pensamento automático (AUTOCRÍTICA)	Resposta racional (AUTODEFESA)
1. Eu não dei atenção suficiente ao Bobby.	1. Na verdade, eu passo *tempo demais* com ele; sou superprotetora.
2. Eu devia ter ajudado ele com a lição de casa, agora ele é desorganizado e vai mal na escola.	2. A lição de casa é responsabilidade dele, e não minha. Eu posso ensiná-lo a ser mais organizado. Quais são as minhas responsabilidades? a. Conferir a lição de casa; b. Insistir que ela seja feita numa determinada hora; c. Perguntar se ele está tendo alguma dificuldade; d. Criar um sistema de recompensas.
3. Uma boa mãe sempre passa algum tempo fazendo uma atividade com seus filhos toda noite.	3. Não é verdade. Eu faço isso quando posso e quero fazer, mas nem sempre é possível. Além disso, ele decide quando quer fazer as coisas.
4. Eu sou responsável pelo seu mau comportamento e por não ir bem na escola.	4. Eu só posso orientar o Bobby. O restante é com ele.
5. Ele não estaria com problemas na escola se eu o tivesse ajudado. Se tivesse supervisionado sua lição de casa antes, isso não teria acontecido.	5. Não é bem assim. Problemas sempre vão ocorrer, mesmo que eu esteja por perto para controlar as coisas.
6. Eu não sou uma boa mãe. Sou a culpada pelos problemas dele.	6. Eu sou uma boa mãe. Tento ser. Não posso controlar tudo que acontece na vida dele. Talvez possa conversar com ele e descobrir como ajudar. Por que me castigar sempre que alguém que eu amo tem algum problema?
7. Todas as outras mães dão-se bem com seus filhos, mas eu não consigo entender-me como o Bobby.	7. Generalização excessiva! Isso não é verdade. Pare de se lamentar e comece a enfrentar.

Como você pode aplicar o que Nancy aprendeu à sua própria situação? Quando estiver triste consigo mesmo, talvez seja bom perguntar o que realmente quer dizer quando tenta definir sua verdadeira identidade com um rótulo negativo como "um idiota", "uma farsa", "um desastre" etc. Quando começar a deixar esses rótulos destrutivos de lado, vai perceber que eles são arbitrários e sem sentido. Na verdade, encobrem o problema, causando confusão e desespero. Depois que você se livra deles, consegue identificar e enfrentar qualquer problema real existente.

EM RESUMO: Quando você está passando por uma fase deprimida, é provável que esteja dizendo a si mesmo que é incompetente por natureza, ou que simplesmente "não tem nada de bom". Vai convencer-se de que, no fundo, você não presta, ou de que não tem valor. Na medida em que acreditar nesses pensamentos, vai sofrer uma forte reação emocional de desespero e raiva de si mesmo. Talvez até pense que seria melhor morrer, porque esse mal-estar é insuportável e autodegradante. Talvez fique inerte e paralisado, com medo e sem vontade de deixar a vida correr normalmente.

Por causa das consequências emocionais e comportamentais negativas do seu pensamento austero, o primeiro passo é parar de dizer a si mesmo que não tem valor. No entanto, provavelmente não conseguirá fazer isso até que esteja absolutamente convencido de que essas afirmações são *incorretas* e *irrealistas*.

Como se faz isso? Primeiro, você deve considerar que a vida humana é um processo dinâmico que envolve um corpo físico em constante mudança, além de um grande número de pensamentos, sensações e comportamentos que se modificam rapidamente. Sua vida, portanto, é uma experiência em evolução, um fluxo contínuo. Você não é um objeto; é por isso que qualquer rótulo será sempre restritivo, genérico e extremamente impreciso. Rótulos abstratos como "inútil" ou "inferior" *não transmitem nada* e *não significam nada*.

Mas talvez você ainda esteja convencido de que é pior do que os outros. Qual é a sua justificativa? Você pode raciocinar: "Eu me sinto incompetente. Portanto, devo *ser* incompetente. Senão, por que estaria tomado por essas emoções tão devastadoras?" Seu erro está no raciocínio emocional. Seus sentimentos não determinam seu valor, apenas seu estado relativo de conforto ou desconforto. O fato de você, internamente, sentir-se um canalha desprezível não prova que é uma pessoa mau-caráter e sem valor, apenas que você pensa que é; como se encontra numa fase deprimida, você está pensando de maneira ilógica e irracional a seu respeito.

Você diria que o fato de estar alegre e de bom humor prova que você é ótimo ou melhor que os outros? Ou significa apenas que está se sentindo bem?

Assim como seus sentimentos não determinam o seu valor, seus pensamentos ou comportamentos também não. Alguns podem ser positivos, criativos e enaltecedores; a grande maioria é neutra. Outros podem ser irracionais, autodestrutivos e inadequados. Eles podem ser modificados se estiver disposto a fazer o esforço necessário, mas certamente não significam que você não tem nada de bom. Não existe no universo inteiro um único ser humano sem valor.

"Então, como posso desenvolver a autoestima?", você pode perguntar. A resposta é – não precisa! Você não precisa fazer nada de especial para gerar ou merecer autoestima; tudo que tem a fazer é calar essa voz interior crítica e reprovadora. Por quê? *Porque essa voz interior crítica está errada!* Sua autocondenação é resultante do pensamento ilógico e distorcido. Seu sentimento de inutilidade não se baseia na realidade, é apenas o abscesso que se encontra no cerne do transtorno depressivo.

Portanto, quando estiver chateado, lembre-se de seguir três passos fundamentais:
1. Identifique os pensamentos automáticos negativos e anote-os. Não deixe que eles fiquem fervilhando dentro da sua cabeça; transfira-os para o papel!
2. Leia a lista das dez distorções cognitivas. Descubra exatamente como está distorcendo as coisas e dando a elas uma dimensão exagerada.
3. Substitua aquele pensamento que o fez se menosprezar por um outro mais objetivo capaz de contradizê-lo. Ao fazer isso, você começará a se sentir melhor. Estará elevando sua autoestima, e seu sentimento de inutilidade (e, claro, sua depressão) vai desaparecer.

CAPÍTULO V
COMO VENCER A VONTADE DE NÃO FAZER NADA

No último capítulo você aprendeu que pode mudar seu humor ao modificar a sua forma de *pensar*. Há uma segunda abordagem importante que é extremamente eficaz para melhorar o humor. As pessoas não apenas pensam, elas também agem, por isso não é de admirar que você possa mudar consideravelmente o modo como se sente modificando a sua forma de agir. Só tem um probleminha – quando está deprimido, você não tem vontade de fazer muita coisa.

Um dos aspectos mais destrutivos da depressão é o modo como ela paralisa sua força de vontade. Na sua forma mais leve, talvez você fique apenas adiando algumas tarefas desagradáveis. Conforme sua falta de motivação se intensifica, praticamente qualquer atividade parece tão difícil que você é dominado pela vontade de não fazer nada. Como conquista muito pouco, vai se sentindo cada vez pior. Você não apenas afasta-se das coisas que normalmente o estimulam e lhe dão prazer, como sua falta de produtividade agrava sua raiva de si mesmo, resultando em maior isolamento e incapacitação.

Se você não reconhecer a prisão emocional em que está encarcerado, essa situação pode se estender por semanas, meses ou até anos. Sua inatividade será ainda mais frustrante se você costumava orgulhar-se de sua energia de viver. Sua vontade de não fazer nada também pode afetar sua família e seus amigos, os quais, assim como você mesmo, não conseguem entender seu comportamento. Eles podem dizer que você está deprimido porque quer, ou então que "precisa se mexer". Um comentário desse tipo só aumenta sua angústia e paralisia.

A vontade de não fazer nada representa um dos grandes paradoxos da natureza humana. Algumas pessoas mergulham na vida com grande entusiasmo naturalmente, enquanto outras sempre ficam para trás, prejudicando-se em cada curva como se fizessem parte de um complô contra si mesmas. Já se perguntou por quê?

Se alguém fosse condenado a passar meses em isolamento, afastado de todas as suas atividades normais e relações interpessoais, entraria numa grande depressão. Até filhotes de macacos entram num estado de retardo e isolamento quando são afastados de seus pares e confinados numa pequena jaula. Por que você impõe voluntariamente a si mesmo um castigo semelhante? Está querendo sofrer? Com o uso de técnicas cognitivas, você pode descobrir os motivos exatos da sua dificuldade de se motivar.

Na minha clínica, percebo que a grande maioria dos pacientes com depressão que são encaminhados a mim apresentam uma melhora considerável quando procuram ajudar a si mesmos. Às vezes, o que você faz mal parece importar, desde que tenha uma atitude de autoajuda. Conheço dois casos supostamente "sem salvação" que encontraram uma grande ajuda simplesmente fazendo riscos numa folha de papel. Um dos pacientes era um artista que passou anos convencido de que não era capaz de desenhar sequer uma linha reta. Consequentemente, nunca tentou desenhar. Quando seu terapeuta sugeriu que pusesse sua convicção à prova tentando efetivamente traçar uma linha, ela saiu tão reta que ele começou a desenhar outra vez e logo se livrou dos sintomas! E, no entanto, muitas pessoas com depressão passam por uma fase em que se *recusam terminantemente* a fazer qualquer coisa para se ajudarem. A partir do momento em que esse problema crucial de motivação é resolvido, a depressão geralmente começa a diminuir. Então você pode entender por que grande parte da nossa pesquisa destinou-se a identificar as causas dessa perda de vontade. Usando esse conhecimento, desenvolvemos alguns métodos específicos para ajudar você a lidar com a procrastinação.

Permita-me descrever dois pacientes que tratei recentemente. Você pode achar que são casos extremos e concluir erroneamente que devem se tratar de dois "malucos" que nada têm a ver com você. Na verdade, acredito que os problemas deles sejam causados por atitudes semelhantes às suas, por isso não os ignore.

O paciente A, uma mulher de 28 anos, fez uma experiência para ver como seu humor reagiria a uma série de atividades. Acontece que ela sente-se muito melhor quando faz praticamente *qualquer coisa*. A lista de coisas que certamente melhoram o seu humor inclui limpar a casa, jogar tênis, trabalhar, praticar violão, fazer compras para o jantar etc. Só tem uma coisa que, com certeza, faz que se sinta pior; essa única atividade quase sempre deixa-a extremamente infeliz. Sabe o que é? NÃO FAZER NADA: ficar na cama o dia inteiro, olhando para o teto e atraindo pensamentos negativos. E adivinhe o que ela faz nos fins de semana? Exatamente! Ela arrasta-se para a cama no sábado de manhã e inicia a descida para o seu inferno interior. Você acha que ela quer mesmo sofrer?

O paciente B, uma médica, deixa uma coisa bem clara no início da sua terapia. Ela afirma compreender que a rapidez na melhora depende de sua disposição para trabalhar entre as sessões e insiste em dizer que seu maior desejo neste mundo é ficar boa, pois vem sendo atormentada pela depressão há mais de 16 anos. Ela enfatiza que ficará feliz em vir às sessões de terapia, mas que eu não lhe peça para mexer um dedo a fim de ajudar a si mesma. Diz que, se eu obrigá-la a gastar cinco minutos em exercícios de autoajuda, ela vai se matar. À medida que descreve em detalhes o horrível método letal de autodestruição que havia planejado cuidadosamente na sala de cirurgia de seu hospital, fica óbvio que ela fatalmente está falando sério. Por que está tão determinada a não se ajudar?

Eu sei que, provavelmente, a sua procrastinação não é tão grave e só envolve coisas menores, como pagar contas, ir ao dentista etc. Ou talvez tenha tido dificuldade para terminar um relatório relativamente simples que é decisivo para a sua carreira. Mas a questão intrigante é a mesma – por que muitas vezes nos comportamos de maneira contrária ao nosso próprio interesse?

A procrastinação e o comportamento autodestrutivo podem parecer engraçados, frustrantes, perturbadores, irritantes ou patéticos, dependendo do seu ponto de vista. Considero isso um traço bastante humano, tão comum que todo mundo depara-se com ele quase todos os dias. Ao longo da história, escritores, filósofos e estudiosos da natureza humana já tentaram formular explicações para o comportamento autodestrutivo, que incluem teorias populares como:

1. Você é essencialmente preguiçoso; é a sua "natureza".
2. Você *quer* machucar a si mesmo e sofrer. Ou gosta de se sentir deprimido ou possui um impulso autodestrutivo, uma "vontade de morrer".
3. Você é passivo-agressivo e quer frustrar as pessoas ao seu redor não fazendo nada.
4. Você deve estar obtendo alguma "vantagem" com a sua procrastinação e sua vontade de não fazer nada. Por exemplo, você gosta de receber toda essa atenção quando está deprimido.

Cada uma dessas famosas explicações representa uma teoria psicológica diferente, e nenhuma delas está correta! A primeira é um modelo de "traço"; sua inatividade é vista como um traço fixo de personalidade e provém de sua "natureza preguiçosa". O problema dessa teoria é que ela apenas rotula o problema, sem explicá-lo. Rotular-se de "preguiçoso" é inútil e autodestrutivo porque cria a falsa impressão de que sua falta de motivação é irreversível, uma parte inata da sua constituição. Esse tipo de pensamento não representa uma teoria científica válida, e sim um exemplo de distorção cognitiva (rotulagem).

O segundo modelo sugere que você quer se machucar e sofrer porque existe algo agradável ou desejável na procrastinação. Essa teoria é tão absurda que hesitei em incluí-la, a não ser pelo fato de ser tão difundida e enfaticamente apoiada por um percentual considerável de psicoterapeutas. Se está com um pressentimento de que você ou outra pessoa gosta de ficar deprimido e não fazer nada, lembre-se de que a depressão é a forma mais angustiante de sofrimento humano. Diga-me: o que há de tão incrível nisso? Eu ainda não conheci um paciente que realmente goste de se sentir infeliz.

Se você não está convencido, mas acredita que realmente gosta de dor e sofrimento, faça o teste do clipe. Entorte a ponta de um clipe para papéis e enfie debaixo da unha. À medida que for enfiando, vai perceber que a dor torna-se cada vez mais insuportável. Agora pergunte-se: isso é mesmo agradável? Eu *realmente* gosto de sofrer?

A terceira hipótese – você é "passivo-agressivo" – representa o pensamento de vários terapeutas, que acreditam que o comportamento depressivo pode ser explicado com base na "raiva internalizada". Sua procrastinação poderia ser vista como uma expressão dessa hostilidade reprimida porque sua inatividade costuma aborrecer as pessoas ao seu redor. Um problema dessa teoria é que a maioria das pessoas com depressão ou procrastinação não se sente particularmente com raiva. Às vezes o ressentimento pode contribuir para a sua falta de motivação, mas, em geral, não é o centro do problema. Embora sua família possa se sentir frustrada com a sua depressão, provavelmente não é sua intenção que eles reajam dessa forma. Na verdade, o mais provável é que você tenha *medo* de desagradá-los. A sugestão de que você não esteja fazendo nada *intencionalmente* a fim de frustrá-los é ofensiva e falsa; uma insinuação como essa só fará que se sinta pior.

A última teoria – a de que você deve estar obtendo alguma "vantagem" com a procrastinação – reflete a psicologia mais recente, de orientação comportamental. Segundo essa visão, seu estados de humor e suas ações são resultado das recompensas e castigos que você recebe do meio em que vive. Se você sente-se deprimido e não está fazendo nada em relação a isso, é porque seu comportamento está sendo recompensado de alguma forma.

Existe um fundo de verdade nisso; às vezes, os indivíduos deprimidos recebem grande apoio e incentivo das pessoas que tentam ajudá-los. No entanto, quem está deprimido raramente desfruta de toda a atenção que recebe por causa de sua forte tendência a depreciá-la. Se estiver deprimido e alguém lhe disser que gosta de você, provavelmente vai pensar: "Ele não sabe como sou desprezível. Não mereço esse elogio.". A depressão e a letargia não trazem nenhuma recompensa real. Assim como as outras, a teoria número quatro também não funciona.

Como podemos descobrir a verdadeira causa da paralisia motivacional? O estudo dos transtornos de humor oferece-nos uma oportunidade única de observar extraordinárias transformações associadas à motivação pessoal em curtos períodos de tempo. O mesmo indivíduo que normalmente esbanja otimismo e energia criativa pode ficar na cama, reduzido a uma imobilidade patética, durante um episódio de depressão. Ao investigar a origem das mudanças drásticas de humor, podemos conseguir pistas valiosas que esclarecem vários mistérios da motivação humana. Basta se perguntar, "Quando penso naquela tarefa não realizada, que pensamentos vêm-me à cabeça?". Anote esses pensamentos num pedaço de papel. O que escrever refletirá uma série de atitudes inadequadas, ideias erradas e falsas suposições. Você descobrirá que os sentimentos que impedem a sua motivação – como apatia, ansiedade ou sensação de estar sobrecarregado – são resultado de distorções no seu pensamento.

O Quadro 10 mostra um Ciclo de letargia típico. Os pensamentos desse paciente são negativos; ele diz a si mesmo: "Não vale a pena fazer nada porque eu nasci para perder, portanto estou condenado ao fracasso.". Um pensamento assim é muito convincente quando se está deprimido; ele o imobiliza e faz que se sinta incompetente, sobrecarregado, impotente e com raiva de si mesmo. Você passa a ver essas emoções negativas como uma prova de que suas atitudes pessimistas são válidas, e começa a mudar sua forma de encarar a vida. Como está convencido de que tudo vai ficar malfeito, você nem sequer tenta; prefere permanecer na cama. Fica ali deitado passivamente, olhando para o teto, com a esperança de cair no sono, dolorosamente consciente de que está deixando sua carreira ir por água abaixo enquanto suas finanças vão de mal a pior. Talvez se recuse a atender o telefone com medo de ouvir más notícias; a vida torna-se uma rotina de tédio, apreensão e sofrimento. Esse círculo vicioso pode continuar indefinidamente, a menos que você saiba vencê-lo.

Como indicado no Quadro 10, a relação entre seus pensamentos, sentimentos e seu comportamento é recíproca – todas as suas ações e emoções são resultado de seus pensamentos e atitudes. Do mesmo modo, seus sentimentos e padrões de comportamento influenciam suas percepções de inúmeras maneiras. A partir desse modelo, conclui-se que toda mudança emocional é ocasionada basicamente por cognições; mudar o seu comportamento o ajudará a se sentir melhor em relação a si mesmo caso isso tenha uma influência positiva na sua forma de *pensar*. Portanto, você pode modificar sua mentalidade autodestrutiva se mudar seu comportamento de forma que esteja, ao mesmo tempo, contradizendo as atitudes autodestrutivas que constituem a essência do seu problema motivacional. Da mesma forma, à medida que mudar sua maneira de pensar, você sentirá mais vontade de fazer as coisas,

QUADRO 10

O Ciclo de letargia. Seus pensamentos negativos autodestrutivos fazem que se sinta péssimo. Suas emoções dolorosas, por sua vez, convencem-no de que seus pensamentos pessimistas distorcidos têm mesmo fundamento. Do mesmo modo, os pensamentos e as ações autodestrutivas reforçam-se mutuamente como um círculo vicioso. As consequências desagradáveis de não fazer nada pioram ainda mais o problema.

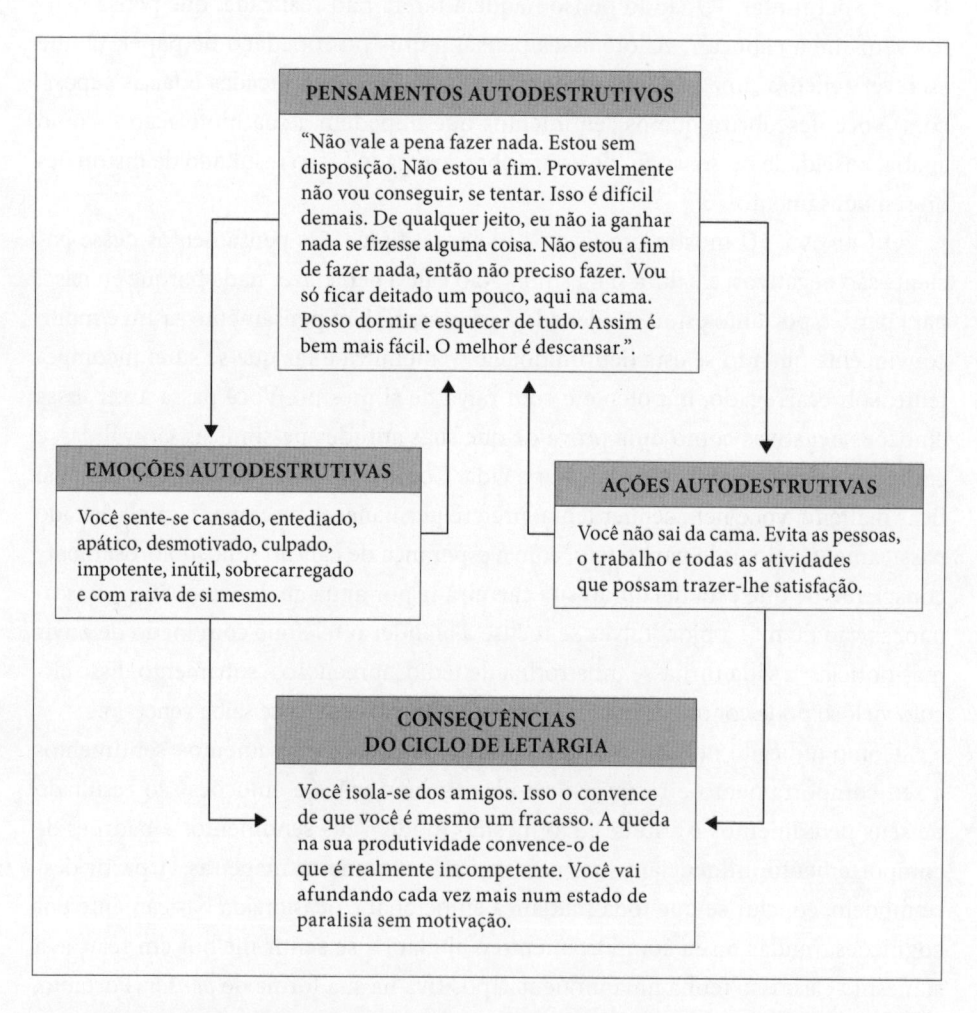

PENSAMENTOS AUTODESTRUTIVOS

"Não vale a pena fazer nada. Estou sem disposição. Não estou a fim. Provavelmente não vou conseguir, se tentar. Isso é difícil demais. De qualquer jeito, eu não ia ganhar nada se fizesse alguma coisa. Não estou a fim de fazer nada, então não preciso fazer. Vou só ficar deitado um pouco, aqui na cama. Posso dormir e esquecer de tudo. Assim é bem mais fácil. O melhor é descansar.".

EMOÇÕES AUTODESTRUTIVAS

Você sente-se cansado, entediado, apático, desmotivado, culpado, impotente, inútil, sobrecarregado e com raiva de si mesmo.

AÇÕES AUTODESTRUTIVAS

Você não sai da cama. Evita as pessoas, o trabalho e todas as atividades que possam trazer-lhe satisfação.

CONSEQUÊNCIAS DO CICLO DE LETARGIA

Você isola-se dos amigos. Isso o convence de que você é mesmo um fracasso. A queda na sua produtividade convence-o de que é realmente incompetente. Você vai afundando cada vez mais num estado de paralisia sem motivação.

e isso terá um efeito positivo ainda mais forte em seus padrões de pensamento. Desse modo, pode transformar seu ciclo de letargia num ciclo de produtividade.

A seguir estão os modelos de pensamento mais comuns associados à procrastinação e à vontade de não fazer nada. Talvez você se identifique com um ou mais deles.

1. DESILUSÃO

Quando está deprimido, você fica tão paralisado pela dor atual que se esquece totalmente de que já se sentiu melhor no passado, e acha inconcebível que possa se sentir mais confiante no futuro. Portanto, nenhuma atividade parece valer a pena, porque você tem absoluta certeza de que sua falta de motivação e sua sensação de opressão são irreversíveis e nunca terão fim. Dessa perspectiva, a sugestão de que você faça algo para "ajudar a si mesmo" pode parecer tão absurda e insensível quanto dizer a alguém que está morrendo para se animar.

2. IMPOTÊNCIA

Você não consegue fazer nada que o faça se sentir melhor, pois está convencido de que seus estados de humor são causados por fatores que estão além do seu controle, como destino, ciclos hormonais, fatores alimentares, sorte e a opinião dos outros sobre você.

3. SOBRECARREGAR-SE

Há várias maneiras pelas quais você pode se sobrecarregar de modo a não fazer nada. Você pode exagerar a importância de uma tarefa a tal ponto que pareça impossível realizá-la. Pode supor que precisa fazer tudo de uma vez só, em vez de desmembrar cada trabalho em partes distintas, menores e mais fáceis de lidar, as quais possa completar uma de cada vez. Sem querer, também pode distrair-se da tarefa que tem em mãos preocupando-se com infinitas outras coisas que nem começou ainda a fazer. Para ilustrar o quanto isso é irracional, imagine que toda vez que sentasse para comer, você pensasse em toda a comida que teria de comer durante a vida inteira. Imagine, por um instante, que bem à sua frente estão empilhadas toneladas de carne, verduras, sorvetes e milhares de litros de líquidos! E você tem de comer cada pedacinho antes de morrer! Agora, vamos supor que, antes de cada refeição, você dissesse a si mesmo: "Esta refeição é apenas uma gota no oceano. Como vou conseguir comer tudo isso? Não adianta nada eu comer um miserável hambúrguer hoje.". Você se sentiria tão enjoado e sobrecarregado que seu apetite desapareceria e lhe daria um nó no estômago. Quando pensa em todas as coisas que está deixando de lado, você faz exatamente a mesma coisa sem perceber.

4. TIRAR CONCLUSÕES PRECIPITADAS

Você sente que não está ao seu alcance tomar medidas eficazes que resultem em satisfação, porque tem o hábito de dizer "Não consigo" ou "Eu gostaria, mas...". Quando sugeri a uma mulher deprimida que fizesse uma torta de maçã, ela respondeu, "Não sei mais cozinhar". O que ela realmente quis dizer foi "Tenho a sensação de que não gostaria de cozinhar e me parece extremamente difícil fazer isso". Quando colocou essas suposições à prova tentando fazer uma torta, por incrível que pareça ficou satisfeita e não achou nem um pouco difícil.

5. AUTORROTULAR-SE

Quanto mais você fica protelando as coisas, mais se condena e se acha inferior. Isso abala ainda mais a sua autoconfiança. O problema é agravado quando você rotula-se de "enrolador" ou "preguiçoso". Isso faz que veja sua falta de atitude como sendo o seu "verdadeiro eu" de modo que, automaticamente, você espere pouco ou nada de si mesmo.

6. MENOSPREZAR AS RECOMPENSAS

Quando está deprimido, você não consegue iniciar nenhuma atividade importante não apenas por imaginar que qualquer tarefa é extremamente difícil, mas também por achar que a recompensa simplesmente não vale o esforço.

"Anedonia" é o nome técnico da perda da capacidade de sentir satisfação e prazer. Um erro de pensamento comum – sua tendência a "desqualificar as coisas positivas" – pode estar na raiz desse problema. Você lembra em que consiste esse erro de pensamento?

Um executivo queixou-se para mim de que nada do que ele fazia todos os dias lhe dava satisfação. Ele explicou que, naquela manhã, havia tentado retornar uma ligação de um cliente, mas o telefone estava ocupado. Ao desligar, disse a si mesmo: "Isso foi uma perda de tempo.". Um pouco mais tarde, conseguiu fechar um negócio importante. Dessa vez, disse: "Qualquer um da empresa poderia ter resolvido isso tão bem quanto eu, ou melhor. Era um problema simples e meu papel não foi tão importante assim.". Sua falta de satisfação resulta do fato de encontrar sempre uma maneira de depreciar seus esforços. Seu mau hábito de dizer "Isso não conta" consegue anular qualquer sentimento de realização.

7. PERFECCIONISMO

Você prejudica a si mesmo com metas e critérios inadequados. Não se contenta com nada inferior a um desempenho magnífico em tudo que faz, por isso muitas vezes acaba tendo de se contentar com isso mesmo – *nada*.

8. MEDO DO FRACASSO

Outro modelo de pensamento que o paralisa é o medo do fracasso. Você imagina que dedicar esforço e não ter êxito seria uma tremenda derrota pessoal, por isso recusa-se a tentar. Vários erros de pensamentos estão envolvidos no medo do fracasso. Um dos mais comuns é a generalização excessiva. Você raciocina "Se eu fracassar nisso, significa que vou fracassar em qualquer coisa". Evidentemente, isso é impossível. Ninguém pode fracassar em tudo. Todos nós temos nossa quota de vitórias e derrotas. Embora seja verdade que o sabor da vitória é doce e a derrota muitas vezes é amarga, fracassar em alguma tarefa não precisa ser um veneno mortal, e o gosto ruim não vai durar para sempre.

Um segundo modelo de pensamento que contribui para o medo da derrota é quando você avalia o seu desempenho exclusivamente com base nos resultados, independentemente de seu esforço individual. Isso não tem lógica e reflete um "foco no produto" em vez de um "foco no processo". Deixe-me explicar isso com um exemplo pessoal. Como psicoterapeuta, só posso controlar o que eu digo e como interajo com cada paciente. Não posso controlar como cada paciente em particular vai reagir aos meus esforços durante uma determinada sessão de terapia. O que eu digo e como interajo é o processo; como cada indivíduo reage é o produto. Num determinado dia, vários pacientes poderão afirmar que se beneficiaram bastante com a sessão daquele dia, enquanto um ou outro me dirá que sua sessão não foi muito útil. Se eu avaliasse meu trabalho exclusivamente pelo resultado ou produto, teria uma sensação de alegria toda vez que um paciente fosse bem, e me sentiria derrotado sempre que um paciente reagisse de forma negativa. Isso transformaria minha vida emocional numa montanha-russa, e minha autoestima ficaria subindo e descendo de forma exaustiva e imprevisível o dia todo. Mas se admitir a mim mesmo que tudo que posso controlar é a minha própria contribuição ao processo terapêutico, posso me orgulhar de fazer um bom trabalho consistente, seja qual for o resultado de uma sessão em particular. Foi uma grande vitória pessoal quando aprendi a avaliar meu trabalho com base no processo, e não no produto. Quando um paciente me dá um retorno negativo, procuro aprender com isso. Se eu cometi um erro, tento corrigi-lo, mas não preciso jogar-me pela janela.

9. MEDO DO SUCESSO

Devido à sua falta de confiança, o sucesso pode parecer até mais perigoso que o fracasso, pois você tem certeza de que ele é fruto do acaso. Portanto, está convencido de que não conseguiria mantê-lo e sente que suas realizações vão criar falsas expectativas nos outros. Então, quando a terrível verdade de que você é "um fracassado" finalmente vier à tona, a decepção, a rejeição e a dor serão ainda mais amargas. Como você tem certeza de que vai acabar caindo do penhasco, parece mais seguro não escalar montanha alguma.

Você também pode ter medo do sucesso por prever que as pessoas exigirão ainda mais de você. Como está convencido de que *precisa* e *não consegue* atingir as expectativas delas, o sucesso o colocaria numa situação perigosa e impossível. Por esse motivo, você tenta manter o controle evitando qualquer compromisso ou envolvimento.

10. MEDO DE DESAPROVAÇÃO OU CRÍTICA

Você imagina que, se tentar algo novo, qualquer erro ou falha será recebido com grande desaprovação e crítica porque as pessoas com quem você se importa não o aceitarão se for humano e imperfeito. O risco de rejeição parece tão perigoso que, para se proteger, você adota uma postura o mais discreta possível. Se não meter-se a fazer nada, não vai fazer nenhuma besteira!

11. COERÇÃO E RESSENTIMENTO

Um inimigo mortal da motivação é a sensação de estar sendo coagido. Você sente-se sob forte pressão – que vem de dentro e de fora – para fazer alguma coisa. Isso acontece quando tenta se motivar com cobranças moralistas do tipo "eu devia" ou "eu tenho de". Você diz a si mesmo, "Eu *devia* fazer isso" e "Eu *tenho* de fazer aquilo". Depois sente-se obrigado, sobrecarregado, tenso, ressentido e culpado. Sente-se como uma criança delinquente sob a disciplina de um oficial tirânico. Cada tarefa ganha tons tão desagradáveis que você não consegue enfrentá-las. Então, quando passa a deixar tudo para depois, você se condena como se fosse um preguiçoso, um vagabundo sem valor. Isso esgota ainda mais suas energias.

12. POUCA TOLERÂNCIA À FRUSTRAÇÃO

Você presume que deveria ser capaz de resolver seus problemas e atingir suas metas de maneira fácil e rápida, por isso entra num estado frenético de pânico e raiva quando a vida apresenta-lhe algum obstáculo. Em vez de persistir pacientemente por algum tempo quando as coisas ficam difíceis, você prefere fazer retaliação contra essa "injustiça" e acaba desistindo completamente. Também chamo isso de "síndrome do direito", porque você sente e age como se tivesse direito a sucesso, amor, aprovação, saúde perfeita, felicidade etc.

Sua frustração resulta do seu hábito de comparar a realidade com um ideal existente na sua cabeça. Quando as duas coisas não batem, você condena a realidade. Não lhe ocorre que pode ser infinitamente mais fácil simplificar suas expectativas do que distorcer a realidade.

Essa frustração, muitas vezes, é gerada por cobranças. Durante uma corrida, você pode se queixar, "Depois de ter corrido tantos quilômetros, eu já devia estar em melhor forma". É mesmo? Por quê? Talvez você tenha a ilusão de que essas cobranças punitivas e exigentes ajudarão a fazer que se empenhe e se esforce mais. Dificilmente isso acontece. A frustração só aumenta sua sensação de inutilidade e sua vontade de desistir e não fazer nada.

13. AUTOACUSAÇÃO E SENTIMENTO DE CULPA

Se você está preso à convicção de que não é bom ou decepcionou alguém, naturalmente vai sentir-se desmotivado para a vida cotidiana. Recentemente, tratei de uma senhora idosa solitária que passava o dia na cama, embora se sentisse melhor quando fazia compras, cozinhava e se encontrava com as amigas. Por quê? Essa amável senhora se considerava responsável pelo divórcio de sua filha, cinco anos antes. Ela explicou: "Quando os visitei, devia ter sentado e conversado com o meu genro. Devia ter perguntado como andavam as coisas. Talvez pudesse ter ajudado. Eu gostaria, mas não aproveitei a oportunidade. Agora sinto que falhei com eles.". Depois de analisarmos o quanto seu pensamento não tinha lógica, ela imediatamente sentiu-se melhor e voltou a ser uma pessoa ativa. Pelo fato de ser humana e não Deus, ela não podia ser capaz de prever o futuro nem saber exatamente como intervir.

A essa altura você pode estar pensando, "E daí? Eu sei que minha vontade de nao fazer nada é meio ilógica e autodestrutiva. Posso reconhecer-me em vários desses modelos de pensamento que você descreveu. Mas me sinto como se estivesse tentando atravessar uma piscina cheia de mel. Não consigo me mexer. Você pode dizer que toda essa opressão resulta apenas das minhas atitudes, mas é como se pesasse uma tonelada. Então, o que posso fazer?".

Você sabe por que praticamente *qualquer* atividade tem uma boa chance de melhorar seu humor? Se não fizer nada, você vai ficar preocupado com a avalanche de pensamentos negativos e destrutivos. Se fizer alguma coisa, irá distrair-se temporariamente daquele diálogo interno de autodepreciação. E, mais importante, a sensação de domínio que isso lhe dará vai contradizer muitos dos pensamentos distorcidos que o deixaram desanimado no início.

Ao ler as técnicas de autoativação a seguir, escolha duas que mais lhe chamarem a atenção e aplique-as por uma ou duas semanas. Lembre-se de que você não precisa dominar todas elas! A salvação para um pode ser a maldição para outro. Use os métodos que lhe parecerem mais adequados ao seu tipo específico de procrastinação.

PROGRAMAÇÃO DO DIA

A Programação do dia (ver Quadro 11, a seguir) é simples, mas eficaz, e pode ajudá-lo a se organizar em sua luta contra a letargia e a apatia. Ela é composta de duas partes. Na coluna Perspectiva, faça uma lista das atividades que você gostaria de realizar a cada hora do dia. Mesmo que você só consiga cumprir uma parte da sua programação, o simples ato de estabelecer um plano de ação todos os dias pode ser imensamente útil. Seus planos não precisam ser elaborados. Basta escrever uma ou duas palavras indicando o que gostaria de fazer em cada horário, como "me vestir", "almoçar", "fazer currículo" etc. Isso não deve levar mais do que cinco minutos.

No fim do dia, complete a coluna Retrospectiva. Registre em cada horário o que realmente fez durante o dia. Isso pode corresponder ou não ao que você havia programado; mesmo assim, ainda que tenha ficado apenas olhando para o teto, anote. Além disso, marque em cada atividade a letra D de domínio ou a letra P de prazer. As atividades de domínio são aquelas que representam algum tipo de realização, como escovar os dentes, preparar o jantar, dirigir até o local de trabalho etc. As de prazer podem incluir ler um livro, comer, ir ao cinema etc. Depois de marcar D ou P em cada atividade, avalie a quantidade real de prazer ou o grau de dificuldade da tarefa numa escala de 0 a 5. Por exemplo, você poderia atribuir uma pontuação D-1 para tarefas particularmente fáceis como se vestir, enquanto D-4 ou D-5 indicariam que você fez algo mais difícil e desafiador, como não comer demais ou candidatar-se a um emprego. As atividades de prazer podem ser avaliadas do mesmo modo. Se alguma atividade era prazerosa no passado, quando você não estava deprimido, mas hoje foi quase ou totalmente desprovida de prazer, atribua um P-½ ou um P-0. Algumas atividades, como preparar o jantar, podem ser classificadas como D e P.

Como essa simples lista de atividades irá ajudar? Primeiro, ela vai cortar pela raiz sua tendência a ficar eternamente obcecado com o valor de muitas atividades e

QUADRO 11
Programação do dia

	PERSPECTIVA	RETROSPECTIVA
	Programe as atividades para cada horário no início do dia.	No fim do dia, registre o que realmente fez e marque cada atividade com D de domínio ou P de prazer.*
HORA	Data _____	
8-9		
9-10		
10-11		
11-12		
12-13		
13-14		
14-15		
15-16		
16-17		
17-18		
18-19		
19-20		
20-21		
21-00		

*. As atividades de domínio e de prazer devem ser avaliadas de 0 a 5: quanto maior o número, maior a sensação de satisfação.

se questionar de forma contraproducente sobre fazer ou não alguma coisa. Realizar pelo menos uma parte da sua lista muito provavelmente lhe dará uma certa satisfação e combaterá a sua depressão.

Ao programar seu dia, faça uma lista equilibrada que proporcione atividades agradáveis de lazer e de trabalho. Caso esteja se sentindo triste, talvez você queira dar mais destaque à diversão, mesmo que duvide ser capaz de apreciar tanto as coisas como de costume. Talvez esteja esgotado por ter exigido demais de si mesmo, causando um desequilíbrio no seu sistema de "dar e receber". Nesse caso, tire uns dias de "férias" e coloque na lista apenas as coisas que você tem *vontade* de fazer.

Se você seguir a programação, vai notar que sua motivação aumenta. À medida que estiver fazendo as coisas, começará a contradizer sua crença de que é incapaz de agir de forma eficaz. Como um paciente procrastinador declarou: "Programando o meu dia e conferindo os resultados, tenho consciência de como gasto meu tempo. Isso está me ajudando a reassumir o controle da minha vida. Percebi que posso fazer isso se quiser.".

Guarde essa Programação do dia por uma semana, pelo menos. Ao recapitular as atividades de que participou na semana anterior, você verá que algumas deram-lhe uma sensação de domínio e prazer maior, indicada pelas pontuações mais altas. Ao fazer a programação de cada novo dia, use essa informação para planejar mais atividades desse tipo e evite as que estiverem associadas a níveis de satisfação mais baixos.

A Programação do dia pode ser especialmente útil para uma síndrome comum que chamo de "melancolia de fim de semana/feriado". É um padrão de depressão mais frequente em pessoas que estão solteiras e têm suas maiores dificuldades emocionais quando se encontram sozinhas. Caso você se encaixe nessa descrição, provavelmente acredita que esses períodos serão sempre insuportáveis, por isso nem se esforça para mudar isso. Você fica olhando para as paredes e se lamentando, ou passa o sábado e o domingo na cama; ou então, para se distrair, assiste a algum programa chato na tevê e janta um sanduíche sem graça de pasta de amendoim com uma xícara de café instantâneo. Não admira que seus fins de semana sejam difíceis! Você não apenas está deprimido e solitário, como trata a si mesmo de uma forma que só pode causar sofrimento. Você trataria outra pessoa dessa maneira tão sádica?

Essa melancolia dos fins de semana pode ser superada usando a Programação do dia. Na sexta à noite, programe algumas atividades para fazer no sábado, de hora em hora. Você pode resistir, dizendo "Para quê? Vou ficar sozinho". O fato de você ficar sozinho é o maior motivo para fazer a programação. Por que achar que você está destinado a ser infeliz? Essa previsão só pode funcionar como uma profecia autorrealizável! Coloque isso à prova adotando uma abordagem mais produtiva. Seus planos não precisam ser complicados para serem úteis. Você pode ir ao cabeleireiro, ao shopping, a um museu de arte, ler um livro ou passear no parque. Vai descobrir que estabelecer e cumprir uma programação simples durante o dia pode fazer muita coisa para melhorar o seu humor. E quem sabe – se estiver disposto a cuidar de si mesmo, você de repente perceba que os outros também se interessam mais por você!

No final do dia, antes de dormir, anote o que realmente fez em cada horário e classifique cada atividade como Domínio ou Prazer. Depois faça uma nova programação para o dia seguinte. Esse procedimento simples pode ser o primeiro passo para adquirir um sentimento de amor-próprio e autoconfiança de verdade.

PLANILHA ANTIPROCRASTINAÇÃO

No Quadro 12 há um formulário que achei eficaz para combater o hábito da procrastinação. Talvez você esteja evitando uma determinada atividade por prever que vai ser difícil e não valerá a pena. Com a Planilha antiprocrastinação, você poderá colocar à prova essas previsões negativas. A cada dia, anote na coluna apropriada uma ou mais tarefas que você vem adiando. Se a tarefa requer um certo tempo e esforço, é melhor desmembrá-la em etapas menores que possam ser completadas em 15 minutos ou menos. Agora, anote na coluna seguinte o grau de dificuldade que você prevê para cada etapa da tarefa, usando uma escala de 0% a 100%. Se imagina que a tarefa será fácil, você pode fazer uma estimativa baixa, entre 10% e 20%; para tarefas mais difíceis, use 80% a 90%. Na coluna seguinte, anote o quanto você acha que será satisfatório e gratificante completar cada etapa da tarefa, novamente usando o sistema de porcentagens. Uma vez que tiver registrado essas previsões, vá em frente e complete a primeira etapa da tarefa. Depois de encerrar cada etapa, anote o grau de dificuldade real apresentado, e também o grau de satisfação obtido

QUADRO 12

*Um professor ficou protelando vários meses para escrever uma carta porque imaginava que seria difícil e não valeria a pena.
Ele resolveu dividir a tarefa em etapas menores e prever,
numa escala de 0% a 100%, qual seria o grau de
dificuldade e satisfação em cada etapa (ver colunas correspondentes).
Após completar cada uma, anotou o quanto ela realmente
foi difícil e satisfatória. Ele ficou impressionado ao ver como
suas expectativas negativas eram equivocadas.*

Planilha antiprocrastinação
(Anote a dificuldade e a satisfação previstas *antes* de tentar fazer a tarefa.
Anote a dificuldade e a satisfação reais *depois* de completar cada etapa.)

Data	Atividade (Divida cada tarefa em etapas menores)	Dificuldade prevista (0-100%)	Satisfação prevista (0-100%)	Dificuldade real (0-100%)	Satisfação real (0-100%)
10/6/1999	1. Anotar pontos principais.	90	10	10	60
	2. Fazer o rascunho da carta.	90	10	10	75
	3. Digitar o texto final.	75	10	5	80
	4. Endereçar o envelope e colocar no correio.	50	5	0	95

ao cumpri-la. Registre essa informação nas duas últimas colunas, usando também o sistema de porcentagens.

O Quadro 12 mostra como esse formulário ajudou um professor universitário que passou vários meses protelando para escrever uma carta a fim de se candidatar a um cargo aberto em outra universidade. Como é possível ver, ele previu que escrever a carta seria difícil e não valeria a pena. Depois de registrar suas previsões pessimistas, ele ficou curioso para anotar os pontos principais da carta e preparar um rascunho, a fim de verificar se seria tão chato e desagradável como pensava. Ficou muito surpreso ao perceber que a tarefa acabou sendo fácil e gratificante, e sentiu-se tão motivado que continuou até terminar a carta. Ele registrou esses dados na duas últimas colunas. A informação obtida a partir dessa experiência o surpreendeu tanto que ele usou a Planilha antiprocrastinação em muitas outras áreas de sua vida. Por conseguinte, sua produtividade e autoconfiança tiveram um aumento drástico, e sua depressão desapareceu.

REGISTRO DIÁRIO DE PENSAMENTOS DISFUNCIONAIS

Esse registro, apresentado no Capítulo IV, pode ser muito útil quando você é dominado pela vontade de não fazer nada. Basta anotar os pensamentos que lhe vêm à cabeça quando você pensa numa determinada tarefa. Isso mostrará imediatamente qual é o seu problema. Depois anote as respostas racionais adequadas que indicam que esses pensamentos não são realistas. Isso o ajudará a mobilizar energia suficiente para dar aquele primeiro passo mais difícil. Depois que tiver feito isso, você vai ganhar impulso e seguir adiante.

Um exemplo dessa abordagem é mostrado no Quadro 13. Annette é uma mulher jovem, solteira e atraente que tem uma próspera butique (ela é o Paciente A, descrito na p. 92). Durante a semana ela fica numa boa, por causa de toda a agitação da loja. Nos fins de semana, costuma ficar na cama o tempo todo, a menos que tenha algum programa marcado. A partir do momento em que se enfia na cama, ela fica desanimada, mas alega que não tem forças para sair de lá. Quando Annette registrou seus pensamentos automáticos num domingo à noite (Quadro 13), ficou claro quais eram os seus problemas: ela ficava esperando até que sentisse vontade, interesse e disposição para fazer alguma coisa; achava que não havia razão para fazer nada, uma vez que estava sozinha; e ficava se cobrando e se insultando por causa de sua inatividade.

Quando contestou seus pensamentos, ela declarou que as nuvens abriram-se um pouco e ela conseguiu se levantar, tomar um banho e se vestir. Depois sentiu-se melhor

QUADRO 13

Registro diário de pensamentos disfuncionais

Data	15/07/1999					
Situação	Fiquei na cama o domingo inteiro – cochilando de vez em quando – sem vontade nem disposição para levantar ou fazer qualquer coisa produtiva.					
Emoções	Deprimida. Exausta. Culpada. Solitária. Com raiva de mim mesma.					
Pensamentos automáticos	Não tenho vontade de fazer nada.	Não tenho forças para sair da cama.	Eu sou um fracasso como pessoa.	Eu não me interesso por nada.	Eu sou egoísta, porque não me importo com nada ao meu redor.	A maioria das pessoas está lá fora se divertindo.	Eu não gosto de nada.	Minha disposição nunca será normal.	Eu não quero ver nem falar com ninguém.
Respostas racionais	É porque não estou fazendo nada. Lembre-se de que a motivação vem depois da ação!	Eu *posso* sair da cama; não estou aleijada.	Eu me saio bem nas coisas quando quero. Não fazer nada me deixa deprimida e entediada, mas não significa que sou "um fracasso como pessoa" porque *isso não existe!*	Eu me interesso, mas não quando estou sem fazer nada. Se eu começar a fazer alguma coisa, provavelmente vou me interessar mais.	Eu me importo com outras coisas quando me sinto bem. É natural ter menos interesse quando se está deprimido.	E o que eu tenho a ver com isso? Sou livre para fazer o que quiser.	Eu gosto das coisas quando me sinto bem. Se fizer alguma coisa, provavelmente vou gostar depois que começar, embora não pareça quando estou deitada na cama.	Não tenho prova nenhuma disso; estou me esforçando para melhorar e vendo alguns resultados. Quando me sinto bem, fico cheia de disposição. Quando me envolvo nas coisas, sinto-me bem mais disposta.	Então, pronto! Ninguém está me obrigando a falar. Vou fazer alguma coisa sozinha. Pelo menos posso sair da cama e começar a fazer.
Resultado	Fiquei um pouco mais aliviada e resolvi tomar um banho, pelo menos.					

e combinou de encontrar uma amiga para jantarem e assistirem a um filme. Como previu na coluna de Respostas Racionais, quanto mais ela fizesse, melhor se sentia.

Caso decida usar esse método, é importante que você anote realmente os pensamentos desagradáveis. Se tentar fazer o exercício mentalmente, é muito provável que não chegue a lugar algum, pois os pensamentos que o atravancam são complexos e traiçoeiros. Quando tentar contestá-los, eles virão para cima de você ainda mais fortes, de todos os lados, tão depressa que você nem saberá o que o atingiu. Mas, quando você coloca-os no papel, eles ficam expostos à luz da razão. Assim você pode refletir sobre eles, identificar as distorções e encontrar as respostas ideais.

PLANILHA DE PREVISÃO DE PRAZER

Um das atitudes autodestrutivas de Annette é sua premissa de que não há razão para fazer nada produtivo quando se está sozinho. Por acreditar nisso, ela não faz nada e se sente péssima, o que apenas confirma sua atitude de que é terrível ficar sozinha.

SOLUÇÃO: teste sua crença de que não vale a pena fazer nada usando a Planilha de previsão de prazer apresentada no QUADRO 14, a seguir. Durante algumas semanas, programe uma série de atividades que possam lhe proporcionar satisfação ou crescimento pessoal. Faça algumas delas sozinho e algumas com outras pessoas, e tente prever o grau de satisfação que obterá em cada uma – entre 0% e 100%. Depois execute-as. Registre com quem você fez cada atividade na coluna indicada. Na coluna Satisfação real, anote o quanto gostou realmente de cada atividade. Você pode ficar surpreso ao descobrir que as coisas que faz sozinho são mais gratificantes do que pensava.

É importante que as coisas que você fizer sozinho tenham a mesma qualidade daquelas que fizer com os outros, para que sua comparação seja válida. Se quiser jantar sozinho comendo comida congelada na frente da tevê, por exemplo, não compare isso ao jantar chique que você vivenciou com um amigo num restaurante francês!

O QUADRO 14 mostra as atividades de um rapaz que descobriu que a sua namorada (que morava a 300 km de distância) o havia trocado por outro. Em vez de ficar se lamentando, com pena de si mesmo, ele resolveu aproveitar a vida. Você vai observar na última coluna que seus níveis de satisfação, sozinho, variaram de 60% a 90%, contra 30% a 90% com outras pessoas. Esse conhecimento fortaleceu a sua autoconfiança, pois ele percebeu que não estava condenado a ser infeliz por ter perdido a namorada.

QUADRO 14
Planilha de previsão de prazer

Data	Atividade para satisfação (sensação de realização ou prazer)	Com quem você fez isso? (Se fez sozinho, especifique)	Satisfação prevista (0-100%). (Escreva isso *antes* da atividade)	Satisfação real (0-100%). (Registre isso *depois* da atividade)
02/08/1999	Ler (1 hora)	sozinho	50%	60%
03/08/1999	Jantar + bar com Ben	Ben	80%	90%
04/08/1999	Festa da Susan	sozinho	80%	85%
05/08/1999	Nova York e tia Helen	pais e avó	40%	30%
05/08/1999	Casa da Nancy	Nancy e Joelle	75%	65%
06/08/1999	Jantar na Nancy	12 pessoas	60%	80%
06/08/1999	Festa da Luci	Luci + 5 pessoas	70%	70%
07/08/1999	Correr	sozinho	60%	90%
08/08/1999	Teatro	Luci	80%	70%
09/08/1999	Casa do Harry	Harry, Jack, Ben e Jim	60%	85%
10/08/1999	Correr	sozinho	70%	80%
10/08/1999	Jogo dos Phillies	Papai	50%	70%
11/08/1999	Jantar	Susan e Ben	70%	70%
12/08/1999	Museu de arte	sozinho	60%	70%
12/08/1999	Peabody's	Fred	80%	85%
13/08/1999	Correr	sozinho	70%	80%

Você pode usar a Planilha de previsão de prazer para colocar à prova uma série de suposições que podem levá-lo à procrastinação, como:
1. Não posso me divertir quando estou sozinho.
2. Não há razão para fazer nada porque fracassei numa coisa importante para mim (por exemplo, não consegui o emprego ou a promoção que desejava).
3. Como não sou rico, bem-sucedido nem famoso, não posso aproveitar as coisas ao máximo.
4. Não posso me divertir se não for o centro das atenções.
5. As coisas nunca ficarão boas o suficiente se eu não puder fazê-las com perfeição (ou com êxito).

6. Eu não ficaria muito satisfeito se fizesse apenas uma parte do meu trabalho. Tenho de terminar *tudo* hoje.

Todas essas atitudes produzirão uma série de profecias autorrealizáveis se você não colocá-las à prova. Porém, se tentar comprová-las usando a Planilha de previsão de prazer, ficará surpreso ao descobrir que a vida pode lhe proporcionar uma enorme satisfação. Basta você se ajudar!

Uma pergunta que costuma surgir acerca da Planilha de previsão de prazer é: "E se eu programar algumas atividades e descobrir que elas são mesmo tão desagradáveis como eu previa?". Isso pode acontecer. Nesse caso, procure observar seus pensamentos negativos e anote-os, contestando-os com o Registro diário de pensamentos disfuncionais. Por exemplo, vamos supor que você vá a um restaurante sozinho e fique tenso. Talvez pense: "Essas pessoas devem achar que sou um fracassado por estar aqui sozinho.".

Como você contestaria isso? Você pode lembrar a si mesmo que os pensamentos dos outros não afetam nem um pouco o seu humor. Já demonstrei isso aos pacientes dizendo que pensaria duas coisas sobre eles durante 15 segundos. Um dos pensamentos seria extremamente positivo, e o outro totalmente negativo e ofensivo. Eles deveriam dizer o quanto cada um dos meus pensamentos os afeta. Eu fecho os olhos e penso, "O Jack, aqui, é uma ótima pessoa e eu gosto dele". Depois penso, "O Jack é a pior pessoa da Pensilvânia". Como o Jack não sabe o que estou pensando, meus pensamentos não têm nenhum efeito sobre ele!

Essa rápida experiência lhe parece banal? Pois não é – porque só os *seus* pensamentos é que podem afetá-lo. Por exemplo, se você está num restaurante se sentindo infeliz por estar sozinho, na verdade não faz nenhuma ideia do que as pessoas estão pensando. São os seus pensamentos, e só eles, que estão fazendo que se sinta tão péssimo; *a única pessoa no mundo que pode realmente persegui-lo é você mesmo*. Por que se rotular de "fracassado" só porque está sozinho num restaurante? Você seria assim tão cruel com outra pessoa? Pare de se insultar dessa maneira! Conteste esse pensamento automático com uma resposta racional: "O fato de ir a um restaurante sozinho não faz de mim um fracassado. Eu tenho o direito de estar aqui como qualquer outra pessoa. Se alguém não gostar, e daí? Contanto que eu mesmo me respeite, não preciso me preocupar com a opinião dos outros.".

COMO SE LIVRAR DO "MAS" – MÉTODO BATE-REBATE

O "mas" pode representar o maior obstáculo para a ação efetiva. No instante em que você pensa em fazer alguma coisa produtiva, começa a inventar desculpas a si mesmo usando "mas". Por exemplo: "Eu podia sair e dar uma corrida hoje, MAS...

1. Estou muito cansado para isso;
2. Estou com preguiça;
3. Não estou muito a fim etc."

QUADRO 15
Método bate-rebate

As setas em zigue-zague indicam seu padrão de pensamento
ao debater mentalmente a questão.

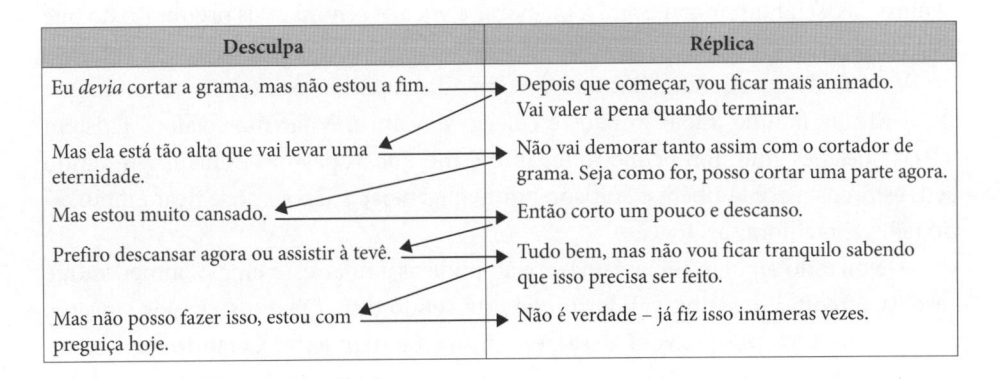

Desculpa	Réplica
Eu *devia* cortar a grama, mas não estou a fim.	Depois que começar, vou ficar mais animado. Vai valer a pena quando terminar.
Mas ela está tão alta que vai levar uma eternidade.	Não vai demorar tanto assim com o cortador de grama. Seja como for, posso cortar uma parte agora.
Mas estou muito cansado.	Então corto um pouco e descanso.
Prefiro descansar agora ou assistir à tevê.	Tudo bem, mas não vou ficar tranquilo sabendo que isso precisa ser feito.
Mas não posso fazer isso, estou com preguiça hoje.	Não é verdade – já fiz isso inúmeras vezes.

Aqui está um outro exemplo: "Eu *podia* parar de fumar, MAS...
1. Não sou tão disciplinado;
2. Não quero parar de uma vez, e reduzir aos poucos seria uma tortura;
3. Ando muito nervoso ultimamente."

Se você quer mesmo se motivar, tem de aprender a se livrar do "mas". Uma forma de fazer isso é usar o "Método Bate-Rebate" mostrado no Quadro 15. Suponhamos que seja sábado e você tenha programado cortar a grama. Está adiando isso há três semanas e o jardim parece uma selva. Você diz a si mesmo, "Eu devia fazer isso, MAS não estou a fim". Registre isso na coluna Desculpa. Agora rebata escrevendo na coluna Réplica: "Depois que começar, vou ficar mais animado. Vai valer a pena quando terminar.". Provavelmente, seu próximo impulso será inventar outra objeção: "MAS ela está tão alta que vai levar uma eternidade.". Agora rebata com uma nova réplica, como apresentado no Quadro 15, e continue até esgotar suas desculpas.

APRENDA A APOIAR A SI MESMO

Você costuma se convencer de que o que faz não tem valor? Se você tem esse mau hábito, é natural pensar que nunca faz nada de bom. Não importa se você é um ganhador do prêmio Nobel ou um jardineiro – sua vida sempre parecerá sem graça, pois sua atitude amargurada vai tirar a alegria de tudo que se dispuser a fazer e derrotá-lo antes mesmo de começar. Não admira que se sinta desmotivado!

Para reverter essa tendência destrutiva, um bom começo seria identificar os pensamentos de autodepreciação que fazem-no se sentir assim. Conteste esses pensamentos e substitua-os por outros de autoaprovação, mais objetivos. Alguns exemplos são mostrados no Quadro 16. Assim que pegar o jeito, procure apoiar as coisas que fizer o dia todo, ainda que pareçam triviais. Talvez isso não levante o seu ânimo logo de cara, mas continue praticando, mesmo que isso pareça mecânico. Depois de alguns dias, seu humor começará a melhorar e você se sentirá mais orgulhoso do que está fazendo.

Você pode questionar, "Por que devo me dar tapinhas nas costas por tudo que faço? Minha família, meus amigos e colegas deviam me dar mais valor". Existem várias questões aqui. Em primeiro lugar, mesmo que as pessoas estejam ignorando seus esforços, você também é culpado por negligenciar a si mesmo, e ficar emburrado não vai melhorar a situação.

Até quando alguém o elogia, você não pode assimilar esse elogio, a menos que resolva acreditar e, assim, validar o que está sendo dito. Quantos elogios sinceros foram ignorados porque você desacreditou-os mentalmente? Quando faz isso, os outros sentem-se frustrados porque você não está reagindo de forma positiva ao que estão dizendo. Eles acabam desistindo naturalmente de tentar combater esse seu hábito autodepreciativo. Definitivamente, só os seus próprios pensamentos acerca do que faz podem afetar o seu humor.

Talvez seja útil fazer uma lista, por escrito ou não, das coisas que você faz a cada dia. Depois, mentalmente, dê um crédito a si mesmo por cada uma delas, por menor que seja. Isso o ajudará a se concentrar no que *fez*, e não no que deixou de fazer. Pode parecer simplista, mas funciona!

QUADRO 16

Pensamento de autodepreciação	Pensamento de autoaprovação
Qualquer um consegue lavar essa louça.	Se é uma tarefa chata, de rotina, mereço um crédito extra por ter feito.
Não há razão para lavar essa louça. Vai sujar tudo de novo.	A razão é exatamente essa. Ela vai estar limpa quando precisar.
Eu podia ter arrumado um pouco mais isso aqui.	Nada no mundo é perfeito, mas consegui diminuir bastante essa bagunça.
Eu só tive sorte com a minha palestra.	Não foi uma questão de sorte. Eu fui bem na minha palestra porque me preparei bastante. Tive um trabalho danado.
Eu encerei o carro, mas não ficou tão bonito como o carro novo do meu vizinho.	O carro ficou muito mais bonito do que antes. Vai ser legal dar uma volta com ele.

TÉCNICA TIC-TAC

Se você está protelando para encarar uma determinada tarefa, anote os seus pensamentos em relação a isso. Esses pensamentos do tipo TIC – em que as Tarefas são Inibidas pelas Cognições – terão bem menos influência sobre você se colocá-los no papel e substituí-los por pensamentos mais adaptáveis do tipo TAC – em que as Tarefas são Auxiliadas pelas Cognições – usando a técnica das duas colunas. Alguns exemplos disso são mostrados no Quadro 17. Ao registrar seus pensamentos TIC-TAC, é importante identificar a distorção cognitiva que o prejudica. Você pode achar, por exemplo, que seu pior inimigo é o pensamento "tudo ou nada", ou desqualificar as coisas positivas, ou talvez tenha o mau hábito de fazer previsões negativas arbitrárias. Depois que tiver consciência do tipo de distorção que mais o atrapalha, você será capaz de corrigi-la. A procrastinação e a perda de tempo vão dar lugar à ação e à criatividade.

Além dos pensamentos, você também pode aplicar esse princípio às imagens mentais e aos devaneios. Quando você evita fazer uma tarefa, é provável que fantasie em relação a ela de uma forma negativa e derrotista automaticamente. Isso cria uma tensão e uma apreensão desnecessárias, que prejudicam o seu desempenho e aumentam a chance de que o seu medo terrível se torne realidade.

Por exemplo, se você precisa dar uma palestra para um grupo de pessoas, talvez fique aflito e preocupado várias semanas antes porque, na sua cabeça, você se *vê* esquecendo o que deve dizer ou reagindo defensivamente a uma pergunta incisiva da plateia. Na hora de ministrar a palestra, você já está programado para se comportar assim, e fica tão nervoso que tudo acaba dando errado como você tinha imaginado!

Se estiver disposto a tentar, aqui está uma solução. Toda noite, antes de dormir, durante dez minutos, você deve fantasiar que tudo ocorre bem na sua palestra. Imagine que parece confiante, que apresenta seu material com entusiasmo, e que responde a todas as perguntas da plateia com habilidade e simpatia. Você vai ficar surpreso como esse exercício simples pode melhorar muito o modo como se sente em relação ao que faz. É claro, nada pode garantir que as coisas sairão exatamente como você imagina, mas não há *nenhuma* dúvida de que suas expectativas e seu humor terão uma enorme *influência* no que de fato acontecer.

UM PASSO DE CADA VEZ

Um método simples e óbvio de autoativação consiste em aprender a desmembrar qualquer tarefa proposta nas pequenas partes que a compõem. Isso irá combater sua tendência a se sobrecarregar pensando em tudo que tem para fazer.

QUADRO 17
Técnica TIC-TAC

Na coluna à esquerda, registre os pensamentos que inibem
sua motivação para uma determinada tarefa.
Na coluna à direita, identifique as distorções e substitua-as
por atitudes mais objetivas e produtivas.

Pensamentos TIC (Tarefas inibidas pelas cognições)	Pensamentos TAC (Tarefas auxiliadas pelas cognições)
Dona de casa	
Nunca vou conseguir arrumar a garagem. Ali tem lixo acumulado há anos.	Generalização excessiva; pensamento (tudo ou nada). Basta começar arrumando uma parte. Não preciso fazer tudo hoje.
Caixa de banco	
Meu trabalho não é muito importante nem interessante.	Desqualificar as coisas positivas. Para mim pode parecer rotina, mas é muito importante para as pessoas que frequentam o banco. Quando não estou deprimido, ele pode ser muito divertido. Muitas pessoas fazem trabalhos de rotina, mas isso não quer dizer que não sejam importantes como seres humanos. Talvez eu possa fazer algo mais interessante no meu tempo livre.
Estudante	
Não tem o menor sentido fazer essa monografia. O assunto é muito chato.	Pensamento tudo ou nada. É só uma tarefa de rotina. Não precisa tornar-se uma obra-prima. Talvez eu aprenda alguma coisa, e vou me sentir melhor quando terminar.
Secretária	
Devo estar digitando tudo errado e provavelmente vou cometer um monte de erros. Meu chefe vai gritar comigo.	Adivinhar o futuro. Não preciso digitar com perfeição. Posso corrigir os erros. Se ele criticar demais, posso desarmá-lo ou dizer que eu poderia fazer melhor se ele me desse mais apoio e fosse menos exigente.
Político	
Se eu perder essa eleição para governador, serei motivo de chacota.	Adivinhar o futuro; rotulagem. Não é vergonha nenhuma perder uma disputa política. Muitas pessoas me respeitam por tentar e por ter uma postura honesta em questões importantes. Infelizmente, nem sempre os melhores vencem, mas posso continuar acreditando em mim, mesmo que não vença.
Vendedor de seguros	
Para que retornar a ligação desse cara? Ele não parecia interessado.	Ler pensamentos. Não tenho como saber. Melhor dar uma chance. Pelo menos ele me pediu para ligar de volta. Algumas pessoas são mesmo interessadas e tenho de separar o joio do trigo. Posso me sentir produtivo mesmo quando alguém me dispensa. Em média, eu vendo um seguro para cada cinco pessoas que me dispensam, então é vantagem para mim conseguir o maior número de dispensas possível! Quanto mais dispensas, mais vendas!

Pensamentos TIC (Tarefas inibidas pelas cognições)	Pensamentos TAC (Tarefas auxiliadas pelas cognições)
\multicolumn{2}{c}{Homem solteiro tímido}	
Se eu ligar para uma garota atraente, ela só vai me desprezar, então de que adianta? É melhor continuar a esperar até alguma deixar claro que gosta de mim. Aí não precisarei correr o risco.	Adivinhar o futuro; generalização excessiva. Nem todas elas podem me dispensar, e não é vergonha nenhuma tentar. Posso aprender alguma coisa se for rejeitado. Tenho de começar a praticar para melhorar meu estilo, e então mergulhar de cabeça! Precisei de coragem para pular do trampolim pela primeira vez, mas pulei e sobrevivi. Posso fazer isso também!
Escritor	
Este capítulo precisa ficar ótimo. Mas não me sinto muito criativo.	Pensamento "tudo ou nada". É só fazer um rascunho bem-feito. Posso melhorar depois.
Atleta	
Não consigo me disciplinar. Não tenho o menor autocontrole. Nunca vou ficar em forma.	Desqualificar as coisas positivas; pensamento "tudo ou nada". Eu devo ter autocontrole porque estou indo bem. Basta treinar um pouco e dar um tempo se ficar muito cansado.

Vamos supor que, em seu trabalho, você precise participar de muitas reuniões, mas tenha dificuldade de se concentrar devido à ansiedade, depressão ou distração. Você não consegue concentrar-se como deveria porque pensa: "Não estou entendendo isso direito. Nossa, que tédio. Preferia estar transando ou pescando agora.".

Veja como você pode vencer o tédio, acabar com a distração e aumentar sua capacidade de se concentrar: divida a tarefa em partes bem pequenas! Por exemplo, decida escutar por apenas três minutos, depois faça uma pausa de um minuto para pensar em outra coisa. Ao fim dessas férias mentais, escute por mais três minutos e não se distraia com nenhum outro pensamento durante esse breve período. Depois faça outra pausa de um minuto para se distrair.

Essa técnica o ajudará a manter um nível mais efetivo de concentração geral. Permitir que se distraia com outros pensamentos por breves períodos irá diminuir a força que eles exercem sobre você. Depois de algum tempo, eles perderão a importância.

Uma maneira extremamente útil de dividir uma tarefa em unidades praticáveis é por meio da limitação de tempo. Decida quanto tempo irá dedicar-se a uma determinada tarefa, depois pare ao fim do tempo estipulado e passe para algo mais agradável, mesmo que não tenha terminado. Por mais simples que pareça, isso pode fazer maravilhas. A esposa de um importante político, por exemplo, passou anos guardando ressentimento em relação ao marido por sua vida glamorosa e bem-sucedida. Achava sua própria vida opressiva, pois se resumia a cuidar das crianças e limpar a casa. Como era compulsiva, acreditava que nunca tinha tempo suficiente para realizar suas tarefas sem graça. A vida era um fardo constante. Ela foi dominada pela depressão e já havia sido tratada, sem sucesso, por uma longa lista de terapeutas famosos durante mais de uma década, enquanto procurava em vão o segredo ilusório da felicidade pessoal.

Após se consultar duas vezes com um de meus colegas (o dr. Aaron T. Beck), ela teve uma rápida melhora em sua depressão (a magia terapêutica do dr. Beck sempre me surpreende). Como ele conseguiu esse aparente milagre? Fácil. Ele sugeriu que sua depressão ocorria, em parte, devido ao fato de não estar tentando atingir nenhuma meta significativa por não acreditar em si mesma. Em vez de admitir e enfrentar seu medo de correr riscos, ela punha a culpa no marido por sua falta de direcionamento e ficava reclamando do trabalho doméstico por fazer.

O primeiro passo era decidir quanto tempo gostaria de gastar com o trabalho doméstico todos os dias; ela não deveria gastar mais tempo do que o necessário, mesmo que a casa não estivesse perfeita, e dedicaria o restante do dia a procurar atividades do seu interesse. Ela decidiu que uma hora de trabalho doméstico estaria razoável e se matriculou num curso de pós-graduação para que pudesse desenvolver sua própria carreira. Isso a fez sentir-se como se tivesse se libertado. Como num passe de mágica, a depressão sumiu, assim como o rancor que ela guardava em relação ao seu marido.

Não quero dar-lhe a impressão de que é fácil acabar com a depressão. Mesmo no caso anterior, essa paciente provavelmente terá de enfrentar uma série de episódios depressivos recorrentes. De vez em quando, talvez ela volte a cair na mesma armadilha de tentar fazer coisas demais, culpar os outros e se sentir sobrecarregada. Então terá de aplicar outra vez a mesma solução. O importante é que encontrou um método que funciona para ela.

A mesma abordagem pode funcionar também para o seu caso. Você costuma assumir mais do que consegue dar conta? *Atreva-se* a colocar limites de tempo modestos sobre o que você faz! *Tenha coragem* de deixar uma tarefa sem terminar! Você pode se surpreender ao notar uma melhora considerável na sua produtividade e no seu humor, e sua procrastinação pode virar coisa do passado.

MOTIVAÇÃO SEM COERÇÃO

A origem da sua procrastinação pode estar num sistema de automotivação inadequado. Sem querer, você pode frustrar suas tentativas se flagelando com tantos "eu devia", "eu tenho de" e "eu preciso", a ponto de ficar sem vontade de fazer nada. Você está sendo derrotado pela *maneira* como se *mata* para fazer as coisas! O dr. Albert Ellis descreve essa armadilha como "*must*erbation" [uma forma de masturbação mental].

Reformule a maneira como diz a si mesmo o que fazer, eliminando essas palavras coercitivas do seu vocabulário. Uma alternativa para estimular-se a levantar de manhã seria dizer: "Vou sentir-me bem quando sair da cama, mesmo que seja difícil no começo. Embora não seja *obrigado* a levantar, talvez fique feliz em fazer isso. Por outro lado, se está sendo bom descansar e relaxar, posso muito bem ficar aqui e aproveitar!". Se começar a trocar "eu devia" por "eu quero", você passará a se tratar com mais respeito. Isso trará uma sensação de liberdade de escolha e dignidade pessoal. Você vai descobrir que um sistema de recompensas funciona melhor e por mais tempo que um chicote. Pergunte a si mesmo: "O que eu *quero* fazer? O que vai ser melhor para mim?". Você deverá perceber que essa forma de ver as coisas irá aumentar a sua motivação.

Se você ainda tem vontade de ficar deitado se lamentando e não tem certeza se quer mesmo sair da cama, faça uma lista das vantagens e desvantagens de passar mais um dia na cama. Por exemplo, um contador que estava com o trabalho muito atrasado perto do vencimento dos impostos tinha dificuldade para se levantar todos os dias. Seus clientes começaram a reclamar do trabalho sem fazer e, para evitar essas situações constrangedoras, ele permaneceu deitado na cama por várias semanas tentando fugir, não atendia nem ao telefone. Muitos clientes o dispensaram e seu negócio começou a fracassar.

Seu erro foi dizer a si mesmo, "Eu sei que *devia* ir trabalhar, mas não quero. E também não preciso ir! Então, não vou!". Basicamente, a palavra "devia" criou a ilusão de que seu único motivo para sair da cama era agradar um bando de clientes zangados e exigentes. Isso era tão desagradável que ele *resistia*. O absurdo que ele estava fazendo consigo mesmo ficou evidente quando ele fez uma lista das vantagens e desvantagens de ficar na cama (Quadro 18, a seguir). Depois de terminar essa lista, percebeu que era vantagem para ele sair da cama. À medida que se envolveu mais com o trabalho, seu humor melhorou rapidamente apesar do fato de ter perdido muitas contas durante seu período de inatividade.

TÉCNICA DE DESARMAR

Sua sensação de paralisia será intensificada se sua família e seus amigos tiverem o hábito de pressioná-lo e fazer chantagem emocional. Essas cobranças irritantes reforçam os pensamentos ofensivos que já ecoam pela sua cabeça. Por que essa abordagem incisiva deles está condenada ao fracasso? Há uma lei básica da física que diz que, para toda ação, existe sempre uma reação contrária equivalente. Toda vez que se sentir pressionado, seja por alguém que está realmente com o dedo na sua cara

QUADRO 18

Vantagens de ficar na cama	Desvantagens de ficar na cama
1. É fácil.	1. Embora pareça fácil, depois de um tempo torna-se horrivelmente chato e doloroso. Na verdade, não é tão fácil ficar sem fazer nada e passar o dia todo aqui deitado me lamentando e me criticando.
2. Não vou ter de fazer nada nem enfrentar meus problemas.	2. Também não sou obrigado a fazer nada se sair da cama, mas pode ser que me sinta melhor. Se eu fugir dos meus problemas, eles não vão desaparecer, só ficarão piores e não terei a satisfação de tentar resolvê-los. O desconforto inicial de enfrentar as coisas deve ser menos deprimente do que a angústia interminável de ficar na cama.
3. Posso dormir e esquecer.	3. Não posso dormir para sempre e, na verdade, nem preciso dormir mais, pois tenho dormido quase 16 horas por dia. Provavelmente vou sentir-me mais disposto se levantar e mexer os braços e as pernas em vez de ficar deitado na cama como um aleijado, esperando meus braços e pernas apodrecerem!

ou por alguém que está tentando controlá-lo, você naturalmente vai endurecer e resistir para manter o seu equilíbrio. Tentará exercer o seu autocontrole e preservar sua dignidade recusando-se a fazer o que estão impondo a você. O paradoxo é que, muitas vezes, você acaba causando sofrimento a si mesmo.

Pode ser bastante embaraçoso quando alguém insiste sem parar para que faça algo que, na verdade, seria vantajoso para você. Isso coloca-o numa situação sem saída porque, se você se recusa a fazer o que a pessoa pede, acaba prejudicando a si mesmo, só para contrariá-la. Por outro lado, se faz o que ela quer, você sente-se manipulado. Por ter cedido à sua insistência, você fica com a sensação de que a pessoa o controla, e isso rouba sua autoestima. Ninguém quer ser coagido.

Por exemplo, Mary é uma jovem no final da adolescência que nos foi encaminhada por seus pais, após muitos anos de depressão. Mary era uma verdadeira "hibernadora" e tinha a capacidade de ficar sozinha em seu quarto assistindo a seriados de tevê durante meses a fio. Isso se devia, em parte, à sua crença irracional de que tinha uma aparência "estranha" e de que as pessoas ficariam olhando para ela se saísse em público, e também pela sua sensação de estar sendo coagida por sua mãe dominadora. Mary admitia que fazer alguma atividade poderia ajudá-la a se sentir melhor, mas isso significaria submeter-se à sua mãe, que vivia lhe dizendo para se mexer e fazer alguma coisa. Quanto mais a mãe pressionava, mais Mary teimava em resistir.

Pode ser extremamente difícil fazer algo quando percebemos que estamos sendo obrigados. Isso é uma triste realidade da natureza humana. Felizmente, é muito fácil aprender a lidar com as pessoas que nos irritam ao passar sermões e tentar controlar a nossa vida. Suponhamos que você seja a Mary e, depois de pensar no assunto, chegue à conclusão de que vai ser melhor fazer alguma atividade. Você acabou de tomar essa decisão, aí sua mãe entra no quarto e começa: "Chega de ficar aí deitada! Você está jogando sua vida fora! Mexa-se! Vá fazer alguma coisa como as outras garotas da sua idade!". Nesse momento, apesar de já ter decidido fazer isso, você sente uma enorme aversão pela ideia!

A técnica de desarmar é um método assertivo que irá resolver esse problema para você (outras explicações dessa manobra verbal serão descritas no próximo capítulo). O ponto principal da técnica de desarmar é concordar com o outro, mas deixar claro que está fazendo isso com base em sua própria decisão, e não porque ele está mandando. No exemplo acima, você poderia responder assim: "É, mãe, eu pensei no assunto e concluí que *vai* ser melhor para mim fazer alguma coisa. Já que *eu* tomei essa decisão, vou fazer isso.". Agora você pode começar a fazer as coisas sem se sentir manipulado. E, se quiser ser mais contundente em seus comentários, pode dizer: "É, mãe, na verdade eu *já* decidi sair da cama, apesar de você ficar me mandando fazer isso!".

VISUALIZAR O SUCESSO

Um método de automotivação eficaz consiste em fazer uma lista das vantagens de tomar uma atitude produtiva, a qual você vem evitando por exigir mais autodisciplina do que tem sido capaz de manter. Essa lista irá ajudá-lo a ver as consequências positivas de fazer isso. Faz parte da natureza humana ir atrás do que se quer. Além disso, como nos ensina a história do burro, do chicote e da cenoura, ficar se atormentando para tomar uma determinada atitude não costuma ser tão eficiente quanto uma boa motivação.

Suponhamos, por exemplo, que você queira parar de fumar. Você pode lembrar a si mesmo sobre o câncer e todos os outros perigos de fumar. Essas táticas intimidadoras deixam-no tão nervoso que você imediatamente pega outro cigarro; elas não funcionam. Aqui está um método em três etapas que *realmente funciona*.

O primeiro passo é fazer uma lista de todas as consequências positivas que resultarão de você tornar-se um não fumante. Relacione o maior número que conseguir, como:

1. Minha saúde vai melhorar.
2. Vou passar a me respeitar.
3. Terei mais autodisciplina. Com a autoconfiança adquirida, talvez consiga fazer uma porção de outras coisas que venho adiando.

4. Serei capaz de correr e dançar, e me sentirei melhor em relação ao meu corpo. Terei muito mais disposição e energia.
5. Isso vai fortalecer meu coração e meus pulmões. Minha pressão vai diminuir.
6. Meu hálito vai ficar mais agradável.
7. Terei mais dinheiro para gastar.
8. Viverei mais tempo.
9. O ar ao meu redor vai ficar mais puro.
10. Poderei dizer às pessoas que parei de fumar.

Depois que terminar a lista, você estará pronto para a segunda etapa. Toda noite, antes de dormir, imagine que você está no seu local preferido – andando pelo mato nas montanhas, num dia fresco de outono, ou deitado numa praia tranquila junto a um mar azul de águas cristalinas, sentindo na pele o calor do sol. Seja qual for a sua fantasia, procure visualizar cada detalhe o mais intensamente possível, deixe o corpo relaxar e se solte. Deixe todos os músculos se descontraírem. Permita que a tensão percorra seus braços e pernas e saia do seu corpo. Repare como seus músculos estão ficando soltos e relaxados. Note como se sente tranquilo. Agora você está pronto para a terceira etapa.

Imagine que ainda está nesse cenário e que você parou de fumar. Percorra sua lista de benefícios e repita a si mesmo cada um deles da seguinte maneira: "Agora minha saúde melhorou e isso é muito bom. Posso correr pela praia e gosto disso. O ar ao meu redor é puro e fresco, e me sinto bem comigo mesmo. Eu me respeito. Agora tenho mais autodisciplina e posso encarar outros desafios se quiser. Tenho mais dinheiro para gastar..." etc.

Esse método de controlar seus hábitos pela força do sugestionamento positivo funciona maravilhosamente bem. Ele me ajudou – e a vários pacientes meus – a parar de fumar depois de uma única sessão de tratamento. Você pode fazer isso facilmente, e verá que o esforço vale a pena. Ele pode ser como autoajuda para perder peso, cortar a grama, levantar na hora certa de manhã, seguir uma rotina de exercícios ou para qualquer outro hábito que você queira modificar.

CONTAR O QUE CONTA

Um menino de 3 anos chamado Stevie estava em pé na beirada da piscina das crianças, com medo de entrar. Sua mãe estava sentada dentro d'água, à sua frente, incentivando-o a pular. Ele resistia; ela insistia. A disputa continuou por 30 minutos. Finalmente, ele pulou. A sensação de estar na água era boa. Não foi tão difícil, e não havia mesmo nada a temer. Mas o esforço de sua mãe acabou tendo o efeito oposto. Lamentavelmente, a mensagem que ficou gravada na mente de Stevie foi: "Eu preciso de um *empurrão* antes de fazer alguma coisa arriscada. Não consigo pular sozinho como as outras crianças". Sua mãe e seu pai tiveram a mesma ideia; eles começaram a pensar: "Se deixássemos por conta dele, Stevie jamais se atreveria a entrar na água. Se não o incentivarmos o tempo todo, ele nunca vai fazer nada sozinho. Vai dar trabalho educá-lo".

Certamente, conforme Steve crescia, esse drama repetiu-se inúmeras vezes. Ele precisou ser *convencido* e *incentivado* a ir para a escola, a entrar para o time de beisebol, a ir às festas e assim por diante. Raramente tomava alguma iniciativa por conta própria. Quando me foi encaminhado, aos 21 anos, ele estava com depressão crônica, morava com os pais e não fazia quase nada da vida. Continuava esperando que as pessoas dissessem-lhe o que fazer, e de que maneira. Só que seus pais já estavam fartos de tentar motivá-lo.

Após cada sessão de terapia, ele saía do consultório cheio de entusiasmo para realizar qualquer tarefa de autoajuda que tivéssemos combinado. Por exemplo, numa semana ele decidiu cumprimentar ou sorrir para três pessoas que não conhecesse, como um primeiro passo para romper seu isolamento. Mas, na semana seguinte, quando chegou ao meu consultório de cabeça baixa e encabulado, eu já sabia que ele tinha "esquecido" de cumprimentar qualquer um. Numa outra semana, sua tarefa era ler um artigo de três páginas que escrevi para uma revista sobre um homem solteiro que aprendeu a superar sua solidão. Steve voltou na semana seguinte e disse que havia perdido o manuscrito antes que conseguisse ler. Toda semana, quando ia embora, ele sentia-se muito ansioso para ajudar a si mesmo, mas, quando chegava no elevador, já "sabia" no fundo do seu coração que a tarefa da semana, por mais simples que fosse, seria *difícil* demais para ele!

Qual era o problema de Stevie? A explicação remonta àquele dia na piscina. Ainda está fortemente gravada em sua mente a ideia "Eu não consigo fazer nada sozinho. Sou o tipo de cara que precisa de um empurrão". Como nunca lhe ocorreu questionar essa crença, ela continuou a funcionar como uma profecia autorrealizável, e mais de 15 anos de procrastinação reforçavam sua crença de que ele "era mesmo" assim.

Qual era a solução? Primeiro, Stevie precisava ter consciência dos dois erros mentais que constituíam a chave do seu problema: filtro mental e rotulagem. Sua mente era dominada por pensamentos sobre as várias coisas que deixava de fazer, e ele simplesmente *ignorava* as centenas de coisas que fazia toda semana para as quais *não* precisava ser incentivado por ninguém.

"Tudo isso é muito bom", disse Stevie após discutirmos isso. "Você parece ter esclarecido meu problema, e acho que está certo. Mas como posso *mudar* essa situação?"

A solução mostrou-se mais simples do que ele havia previsto. Sugeri que arrumasse um contador de pulso (como discutido no capítulo anterior), para que pudesse contar todos os dias as coisas que fizesse sozinho, sem empurrão nem incentivo de ninguém. Ao fim do dia, deveria anotar o número de vezes que apertou o botão e fazer um registro diário.

Depois de várias semanas, ele começou a perceber que sua pontuação aumentava. Toda vez que apertava o botão do contador, Stevie lembrava a si mesmo que *ele* estava no comando de sua vida, e dessa forma se acostumou a *perceber o que realmente fazia*. Começou a se sentir mais confiante e a se ver como um ser humano mais capaz.

Isso parece simples? Pois é, mesmo! Vai funcionar com você? Provavelmente acha que não. Mas por que não colocar isso à prova? Se a sua reação é negativa e está convencido de que o contador de pulso não vai funcionar com você, por que não avaliar sua previsão pessimista fazendo uma experiência? Aprenda a contar o que conta; você pode se surpreender com os resultados!

TESTAR O "EU NÃO CONSIGO"

Um segredo importante para uma autoativação bem-sucedida consiste em aprender a adotar uma atitude científica em relação às previsões autodestrutivas que você faz sobre seu desempenho e sua capacidade. Se colocar esses pensamentos pessimistas à prova, você pode descobrir qual é a verdade.

Um padrão de pensamento autodestrutivo comum quando se está deprimido ou procrastinado é dizer "Eu não consigo" toda vez que pensa em fazer algo produtivo. Talvez isso tenha origem no seu medo de ser acusado de não querer fazer nada. Você tenta salvar as aparências criando a ilusão de que é incompetente e incapaz de fazer qualquer coisa. O problema de defender a sua letargia dessa maneira é que você pode começar a acreditar realmente no que está dizendo a si mesmo! Se você diz "Eu não consigo" o tempo todo, isso torna-se uma sugestão hipnótica e depois de algum tempo você fica verdadeiramente convencido de que é mesmo um inválido paralítico que não consegue fazer nada. Os pensamentos desse tipo incluem: "Não sei cozinhar"; "Não sirvo para isso"; "Não estou em condições de trabalhar"; "Não consigo me concentrar"; "Não consigo ler"; "Não consigo sair da cama"; e "Não consigo limpar meu apartamento".

Esses pensamentos não só o prejudicam, como azedam suas relações com as pessoas que você ama, pois elas acabarão se irritando com suas lamúrias. Não perceberão que *parece mesmo* impossível para você fazer qualquer coisa. Vão atormentá-lo e entrar em conflitos frustrantes com você.

Uma técnica cognitiva extremamente bem-sucedida consiste em testar suas previsões negativas com experiências reais. Suponhamos, por exemplo, que você esteja dizendo a si mesmo: "Estou tão chateado que não consigo me concentrar o suficiente para ler nada". Para testar essa hipótese, sente-se com o jornal de hoje e leia uma frase, depois tente resumir a frase em voz alta. Você pode, então, prever: "Mas eu nunca conseguiria ler e entender um parágrafo inteiro". Mais uma vez – coloque isso à prova. Leia um parágrafo e resuma. Muitas depressões crônicas graves foram combatidas com este método eficaz.

SISTEMA "NÃO TEM COMO PERDER"

Você pode ficar relutante em colocar o "Eu não consigo" à prova porque não quer correr o risco de fracassar. Se não quer correr nenhum risco, você pode ao menos acreditar secretamente que, no fundo, é uma pessoa formidável que prefere não se envolver com nada por enquanto. Por trás da sua indiferença e falta de comprometimento esconde-se um forte sentimento de incompetência e medo do fracasso.

O Sistema "Não tem como perder" vai ajudar você a combater esse medo. Faça uma lista das consequências negativas que poderia enfrentar se corresse um risco e realmente fracassasse. Depois exponha as distorções presentes nos seus medos e mostre como poderia lidar com isso de forma produtiva, mesmo que tivesse uma decepção.

A aventura que você anda evitando pode envolver um risco financeiro, pessoal ou escolar. Lembre-se: mesmo que fracasse, você pode tirar algum proveito disso. Afinal, foi assim que aprendeu a andar. Você não pulou do seu berço, um dia, e saiu valsando graciosamente pelo quarto. Você tropeçou, caiu de cara no chão, levantou-se e tentou outra vez. Com que idade você, de repente, passa a ter de saber tudo e nunca mais cometer erros? Se conseguir amar e respeitar a si mesmo depois de um fracasso, um mundo de aventuras e novas experiências se abrirá para você, e seus medos desaparecerão. Um exemplo por escrito do Sistema "Não tem como perder" é mostrado no Q<small>UADRO</small> 19.

QUADRO 19
Sistema "Não tem como perder"

Uma dona de casa usou esta técnica para superar seu medo de se candidatar a um emprego de meio período.

Consequências negativas de ser recusado em um emprego	Pensamentos positivos e estratégias de enfrentamento
1. Isso significa que nunca vou conseguir um emprego.	1. Generalização excessiva. Isso é improvável. Posso colocar isso à prova ao me candidatar a uma série de outros empregos e fazer o melhor que posso para ver o que acontece.
2. Meu marido vai fazer pouco caso de mim.	2. Adivinhar o futuro. Posso perguntar a ele. Talvez fique solidário.
3. Mas, e se ele não ficar solidário? Talvez diga que isso prova que meu lugar é na cozinha e que não sirvo para trabalhar	3. Posso mostrar a ele que estou fazendo o melhor que posso e que sua atitude de rejeição não ajuda. Dizer que estou desapontada, mas mereço um crédito por ter tentado.
4. Mas estamos cheios de dívidas. Precisamos do dinheiro.	4. Sobrevivemos até agora e nunca ficamos sem ter o que comer.
5. Se não conseguir um emprego, não poderei comprar roupas decentes para as crianças irem à escola. Elas vão ficar mal-arrumadas.	5. Posso cuidar das roupas depois. Vamos ter de aprender a nos virar com o que temos por algum tempo. A felicidade não está nas roupas, e sim em nosso amor-próprio.
6. Muitas amigas minhas trabalham. Elas vão ver que não estou à altura do mundo profissional.	6. Nem todas elas estão empregadas, e mesmo as que têm emprego devem lembrar-se de algum período em que ficaram sem trabalhar. Até hoje, elas nunca demonstraram fazer pouco caso de mim.

NÃO COLOQUE O CARRO NA FRENTE DOS BOIS!

Aposto que você ainda não sabe ao certo de onde vem a motivação. Na sua opinião, o que vem primeiro – a motivação ou a ação?

Se você disse que é a motivação, fez uma excelente escolha lógica. Mas, infelizmente, você está enganado. *Não* é a motivação que vem primeiro, e sim a *ação*! Você tem de dar o impulso inicial. Então começará a ficar motivado, e as coisas acontecerão espontaneamente.

As pessoas procrastinadoras muitas vezes confundem motivação com ação. Você fica esperando, ingenuamente, até que sinta vontade de fazer algo. Como não está a fim de fazer aquilo, vai adiando automaticamente.

Seu erro está em acreditar que a motivação vem primeiro, e depois conduz à ativação e ao sucesso. Mas, em geral, é o contrário; a ação deve vir primeiro, e a motivação vem depois.

Veja este capítulo, por exemplo. O primeiro rascunho dele ficou todo rabiscado, capenga e sem graça. Era tão comprido e chato que um procrastinador de verdade nunca teria sequer a coragem de ler. Para mim, a tarefa de revisá-lo era como tentar nadar com um peso amarrado ao corpo. Quando o dia programado para revisá-lo chegou, tive de sentar e começar na marra. Minha motivação estava em torno de 1%, e minha vontade de evitar a tarefa, em 99%. Que trabalho ingrato!

Depois que me envolvi na tarefa, fiquei extremamente motivado e o trabalho ficou bem mais fácil. No fim das contas, acabou sendo divertido escrever! A coisa funciona assim:

Primeiro → Ação
↓
Segundo → Motivação ←┐
↓   │
Terceiro → Mais Ação ┘

Se você é um procrastinador, provavelmente não tem consciência disso. Por isso fica deitado na cama, esperando a inspiração aparecer. Quando alguém lhe sugere fazer alguma coisa, você fica se lamuriando: "Não *sinto* vontade de fazer isso". Bom, quem disse que você tem de sentir vontade? Se ficar esperando até que esteja "a fim", vai esperar para sempre!

O quadro a seguir irá ajudá-lo a recapitular as várias técnicas de ativação e escolher a mais adequada para você.

QUADRO 20
Resumo dos métodos de autoativação

Sintomas	Técnicas de autoativação	Objetivo do método
1. Você sente-se desorganizado. Não tem nada para fazer. Fica solitário e entediado nos fins de semana.	1. Programação do dia	1. Programar coisas a fazer de hora em hora e registrar o grau de domínio e prazer. Praticamente toda atividade vai fazê-lo se sentir melhor do que ficar na cama e diminuir seu sentimento de inutilidade.
2. Você deixa tudo para depois porque as tarefas parecem difíceis e pouco gratificantes.	2. Planilha antiprocrastinação	2. Colocar suas previsões negativas à prova.
3. Você sente-se dominado pela vontade de não fazer nada.	3. Registro diário de pensamentos disfuncionais	3. Expor os pensamentos irracionais que o paralisam. Aprender que a motivação vem depois da ação, e não o contrário.

Sintomas	Técnicas de autoativação	Objetivo do método
4. Você sente que não há razão para fazer nada quando está sozinho.	4. Planilha de previsão de prazer	4. Programar atividades que possam lhe trazer satisfação ou crescimento pessoal, e prever o quanto valerão a pena. Comparar a satisfação real obtida quando está sozinho e quando está com os outros.
5. Você fica inventando desculpas para não fazer as coisas.	5. Método bate-rebate	5. Acabar com as desculpas rebatendo o "mas" com réplicas realistas.
6. Você acha que nada do que faz tem valor.	6. Apoiar a si mesmo	6. Anotar os pensamentos autodepreciativos e contestá-los. Procurar distorções cognitivas como o pensamento "tudo ou nada". Fazer uma lista das coisas que você realiza a cada dia.
7. Você pensa sobre uma tarefa de forma autodestrutiva.	7. Técnica TIC-TAC	7. Substituir os pensamentos TIC (Tarefas Inibidas pelas Cognições) por pensamentos TAC (Tarefas Auxiliadas pelas Cognições).
8. Você sente-se sobrecarregado pela magnitude de tudo que tem para fazer.	8. Um passo de cada vez	8. Desmembrar a tarefa em pequenas partes e fazê-las em etapas.
9. Você sente-se culpado, oprimido, obrigado e coagido.	9. Motivação sem coerção	9. a. Acabar com os "eu devia", "eu tenho de" e "eu preciso" ao dar instruções a si mesmo. b. Relacionar as vantagens e desvantagens de qualquer atividade para começar a pensar em termos do que você quer fazer, e não do que precisa fazer.
10. Alguém fica lhe fazendo sermões o tempo todo. Você sente-se pressionado e ressentido, por isso recusa-se a fazer qualquer coisa.	10. Técnica de desarmar	10. Concordar com eles de forma assertiva e lembrá-los de que você é capaz de pensar sozinho.
11. Você tem dificuldade de mudar um hábito, como fumar.	11. Visualizar o sucesso	11. Fazer uma lista das vantagens de mudar esse hábito. Visualizá-las após induzir um estado de relaxamento profundo.
12. Você sente-se incapaz de tomar qualquer iniciativa sozinho porque se vê como um "procrastinador".	12. Contar o que conta	12. Contar as coisas que você faz por iniciativa própria todos os dias, usando um contador de pulso. Isso ajuda a superar o seu mau hábito de insistir na sua incompetência.
13. Você sente-se incompetente e incapaz porque fica dizendo "Eu não consigo".	13. Testar o "Eu não consigo"	13. Fazer uma experiência para desafiar e contradizer suas previsões negativas.
14. Você tem medo de fracassar, por isso não arrisca nada.	14. Sistema "Não tem como perder"	14. Anotar todas as consequências negativas do fracasso e desenvolver antecipadamente uma estratégia para lidar com isso.

CAPÍTULO VI

JUDÔ VERBAL:
APRENDA A CONTESTAR QUANDO ESTIVER SENDO ALVO DE CRÍTICAS

Você está descobrindo que a causa do seu sentimento de inutilidade é a sua permanente autocrítica. Ela assume a forma de um diálogo *interno* perturbador em que você fica se repreendendo e fazendo cobranças de uma forma austera e pouco realista. Muitas vezes, essa sua crítica interior será desencadeada por um comentário mordaz de alguém. Você pode temer as críticas simplesmente porque nunca aprendeu técnicas eficazes para lidar com elas. Por ser relativamente *fácil* fazer isso, quero enfatizar a importância de dominar a arte de lidar com o abuso verbal e a desaprovação sem ficar na defensiva e sem perder a autoestima.

Muitos episódios depressivos são provocados por críticas externas. Até os psiquiatras, que teoricamente são profissionais em lidar com ofensas, podem reagir de forma negativa às críticas. Um psiquiatra residente chamado Art recebeu um *feedback* negativo de seu supervisor, que tinha a intenção de ajudar. Um paciente havia se queixado de que alguns comentários feitos por Art durante uma sessão de terapia haviam sido meio ásperos. O residente reagiu com uma onda de pânico e depressão ao ouvir isso, por ter pensado "Ai, meu Deus! Até os meus pacientes podem ver que sou uma pessoa inútil e insensível. Está na cara. Provavelmente vão me dar um *chute* e me *expulsar* do programa de residência".

Por que as críticas são tão dolorosas para certas pessoas, enquanto outras conseguem permanecer tranquilas diante do ataque mais ofensivo? Neste capítulo você vai descobrir o segredo das pessoas que enfrentam a desaprovação sem medo, além de conhecer medidas concretas, específicas para dominar e acabar com a sua aguda vulnerabilidade às críticas. Ao ler as partes a seguir, lembre-se: superar o medo das críticas vai exigir uma certa prática. Mas não é difícil desenvolver e dominar essa habilidade, e o impacto positivo na sua autoestima será enorme.

Antes de lhe ensinar o segredo para não desmoronar por dentro ao receber uma crítica, deixe-me explicar por que algumas pessoas sofrem mais com as críticas do que as outras. Em primeiro lugar, você precisa perceber que *não* são os outros, nem os comentários que eles fazem, que o aborrecem. Vou repetir: em toda a sua vida, jamais houve uma única vez em que uma crítica de outra pessoa o aborreceu – nem mesmo um pouco. Por mais perversas, cruéis ou impiedosas que as críticas possam ser, elas *não* têm o poder de perturbá-lo nem de causar um *pouquinho* sequer de desconforto.

Depois de ler esse parágrafo, você pode ter a impressão de que estou enganado, ficando maluco, sendo pouco realista ou uma mistura de tudo isso. Mas garanto que não estou quando digo: só existe uma pessoa neste mundo que tem o poder de o *colocar para baixo* – e essa pessoa é *você*, mais ninguém!

É assim que funciona: quando alguém critica você, automaticamente são desencadeados certos pensamentos negativos em sua mente. Sua reação emocional será produzida por esses pensamentos, e não por aquilo que o outro disse. Os pensamentos que o aborrecem invariavelmente irão conter os mesmos tipos de erros mentais descritos no Capítulo III: generalização excessiva, pensamento "tudo ou nada", filtro mental, rotulagem etc.

Vamos analisar os pensamentos de Art, por exemplo. Seu pânico foi resultado de sua desastrosa interpretação: "Essa crítica mostra o quanto sou inútil.". Que erro mental ele está cometendo? Em primeiro lugar, Art está tirando conclusões precipitadas ao concluir arbitrariamente que a crítica do paciente é razoável e tem fundamento. Pode ser este o caso ou não. Além disso, ele está *exagerando* a importância de seja lá o que tenha dito ao paciente que possa ter sido indelicado (magnificação), e está *presumindo* que não pode fazer nada para corrigir algum erro em seu comportamento (adivinhar o futuro). Foi pouco realista ao prever que seria rejeitado e arruinado profissionalmente porque repetiria infinitamente qualquer erro que tenha cometido com esse paciente (generalização excessiva). Concentrou-se exclusivamente em seu erro (o filtro mental) e ignorou seus inúmeros outros êxitos terapêuticos (desqualificar ou ignorar as coisas positivas). Ele identificou-se com seu comportamento inadequado e concluiu que era "uma pessoa inútil e insensível" (rotulagem).

O primeiro passo para superar seu medo das críticas diz respeito aos seus próprios processos mentais: aprender a identificar os pensamentos negativos que você tem quando está sendo criticado. Será mais produtivo anotá-los usando a técnica das duas colunas descrita nos dois capítulos anteriores. Isso lhe permitirá analisá-los e identificar em que ponto o seu pensamento está errado ou não tem lógica. Por último, escreva respostas racionais que sejam mais razoáveis e menos perturbadoras.

Um trecho do que Art escreveu usando a técnica das duas colunas é mostrado no QUADRO 21. Quando ele aprendeu a *pensar* a respeito da situação de uma forma mais realista, parou de desperdiçar seus esforços mentais e emocionais "catastrofizando", e conseguiu canalizar suas energias para resolver seus problemas de forma criativa, de acordo com os seus objetivos. Depois de avaliar exatamente o que havia dito de ofensivo ou doloroso, ele foi capaz de modificar sua atitude clínica com os pacientes para minimizar futuros erros como esse. Por conseguinte, aprendeu com a situação, e suas habilidades clínicas, bem como sua maturidade, aumentaram. Isso deu-lhe uma injeção de autoconfiança e o ajudou a superar seu medo de não ser perfeito.

Em poucas palavras, se as pessoas o criticarem, os comentários delas poderão estar *certos* ou *errados*. Se estiverem errados, você não tem motivo nenhum para se aborrecer. Pense nisso por um instante! Muitos pacientes chegam a mim aos prantos, com raiva e chateados porque um ente querido lhe fez uma crítica injusta sem pensar. Por que ficar perturbado se alguém comete o erro de criticá-lo de maneira injusta? O erro é do outro, não seu. Para que aborrecer-se? Você esperava que os outros fossem perfeitos? Por outro lado, se a crítica está *correta*, ainda não há *razão* para se sentir oprimido. Ninguém espera que você seja perfeito. Basta reconhecer o seu erro e tomar as providências que puder para corrigi-lo. Isso parece *simples* (e é!), mas pode ser necessário algum esforço para transformar esse *insight* numa realidade emocional.

Claro, talvez você tenha medo das críticas por sentir que precisa do amor e da aprovação dos outros para ter valor e ser feliz. O problema desse ponto de vista é que precisará dedicar todas as suas energias a tentar agradar as pessoas e não lhe sobrará muita para viver de forma criativa e produtiva. Paradoxalmente, muitos podem achá-lo menos interessante e atraente do que seus amigos mais seguros de si.

Até agora, tudo que eu disse é uma revisão das técnicas cognitivas apresentadas no capítulo anterior. O xis da questão é que só os *seus* pensamentos podem chateá-lo, e se você aprender a *pensar* de modo mais realista, vai se *sentir* menos chateado. Agora mesmo, anote os pensamentos negativos que costumam passar pela sua cabeça quando alguém o critica. Depois identifique as distorções e substitua por respostas racionais mais objetivas. Isso o ajudará a se sentir menos zangado e ameaçado.

Agora, gostaria de lhe ensinar algumas técnicas verbais simples que podem ter uma considerável relevância prática. O que é possível dizer quando alguém está criticando você? Como pode lidar com essas situações difíceis de forma a melhorar sua sensação de domínio e autoconfiança?

QUADRO 21
Trecho da tarefa por escrito de Art, usando a técnica das duas colunas

Inicialmente, ele teve uma onda de pânico ao receber um *feedback* de seu supervisor com críticas sobre a forma como lidou com um paciente difícil.

Depois de anotar seus pensamentos negativos, percebeu que não eram muito realistas. Por conseguinte, sentiu-se muito aliviado.

Pensamentos automáticos (AUTOCRÍTICA)	Respostas racionais (AUTODEFESA)
1. Ai, meu Deus! Até os meus pacientes podem ver que sou uma pessoa inútil e insensível. Está na cara.	1. Só porque um paciente reclamou não significa que sou "uma pessoa inútil e insensível". Na verdade, a maioria dos meus pacientes gosta de mim. O fato de cometer um erro não revela minha "verdadeira essência". Todo mundo tem o direito de errar.
2. Provavelmente vão me expulsar do programa de residência.	2. Isso é bobagem e se baseia em várias premissas erradas: (a) eu não faço nada de bom; (b) eu não tenho capacidade de evoluir. Como (a) e (b) são absurdas, é extremamente improvável que meu cargo aqui esteja ameaçado. Já recebi elogios do meu supervisor em várias ocasiões.

PRIMEIRO PASSO – EMPATIA

Quando alguém o critica, pode estar fazendo isso para ajudá-lo ou para magoá-lo. O que ele diz pode estar *certo* ou *errado*, ou *entre as duas coisas*. Mas não é aconselhável concentrar-se nessas questões, inicialmente. Em vez disso, faça-lhe uma série de perguntas específicas para descobrir *exatamente* o que ele quer dizer. Evite fazer julgamentos ou ficar na defensiva ao fazer as perguntas. Peça informações cada vez mais específicas. Procure colocar-se no lugar de quem o critica. Se a pessoa o insulta com rótulos vagos e ofensivos, peça-lhe para ser mais específica e apontar exatamente o que não gosta em você. Essa manobra inicial pode acabar fazendo que o crítico deixe-o em paz, e ajudará a transformar uma interação de ataque e defesa numa de colaboração e respeito mútuo.

Costumo ilustrar isso numa sessão de terapia encenando uma situação imaginária com o paciente, de modo que eu possa representar essa determinada habilidade. Vou mostrar-lhe como fazer isso; é uma habilidade útil a ser desenvolvida. No diálogo a seguir, quero que imagine que está zangado. Critique-me dizendo as coisas mais rudes e desagradáveis que puder imaginar. Você pode dizer coisas verdadeiras, falsas ou um pouco de cada. Responderei a cada uma de suas críticas com a técnica da empatia.

Você (fazendo o papel do crítico zangado): Dr. Burns, você é um bosta que não vale nada.

David: Por que eu sou um bosta?

Você: Por causa de tudo que você faz e diz. Você é insensível, egoísta e incompetente.

David: Vamos falar sobre isso. Quero que tente ser mais específico. Aparentemente, eu fiz ou disse algumas coisas que o aborreceram. Mas *o que* eu disse que lhe pareceu insensível? O que o fez pensar que sou egoísta? O que eu *fiz* para parecer incompetente?

Você: Quando liguei para marcar minha consulta, outro dia, você parecia impaciente e irritado, como se estivesse com muita pressa e não me desse a mínima.

David: Está bem, eu fui apressado e indiferente ao telefone. O que mais eu fiz que o irritou?

Você: Você parece estar sempre me apressando no fim da sessão – como se isso aqui fosse uma grande linha de montagem para ganhar dinheiro.

David: Certo, você acha que sou muito apressado durante as sessões também. Posso ter lhe dado a impressão de que estou mais interessado no seu dinheiro do que em você. O que mais eu fiz? Consegue pensar em outras coisas que eu possa ter feito de errado ou que o desagradaram?

O que estou fazendo é simples. Ao lhe fazer perguntas específicas, eu minimizo a possibilidade de você me rejeitar completamente. Você – e eu – tomamos conhecimento de alguns problemas específicos que podemos tentar resolver. Além disso, estou lhe dando a oportunidade de se defender *ouvindo* o que diz para entender a situação *do seu ponto de vista*. Isso costuma dissipar qualquer raiva e hostilidade e apresenta um caminho para resolver o problema, em vez de ficar discutindo ou procurando culpados. Lembre-se da primeira regra – mesmo que considere a crítica *totalmente* injusta, responda com empatia, fazendo perguntas específicas. Descubra o que, exatamente, a pessoa está querendo dizer. Se ela estiver de cabeça quente, pode ficar colocando rótulos em você, talvez até dizer palavrões. Mesmo assim, peça maiores detalhes. O que ela quer dizer com essas palavras? Por que o está chamando de "um bosta que não vale nada"? *Como* você a ofendeu? *O que* você fez? *Quando* fez isso? *Quantas vezes* já fez? *O que mais* a incomoda em você? Descubra o que a sua atitude representa para ela. Procure colocar-se no lugar de quem o critica. Em geral, essa abordagem vai acalmar a fera e preparar o terreno para uma discussão mais sensata.

SEGUNDO PASSO – DESARMAR QUEM O CRITICA

Se alguém está atirando em você, existem três opções: você pode se levantar e atirar de volta – o que geralmente leva à guerra e à destruição mútua; pode fugir ou tentar desviar das balas – o que costuma resultar em humilhação e perda de autoestima; ou pode ficar parado e desarmar com destreza o seu oponente. Descobri que essa terceira solução é, de longe, a mais satisfatória. Quando você diminui o ímpeto de alguém, acaba vencendo-o, e na maioria das vezes o seu oponente também vai achar que saiu ganhando.

Como se faz isso? É simples. Independente se a pessoa está certa ou errada, inicialmente *encontre uma forma de concordar com ela*. Deixe-me ilustrar primeiro a situação mais fácil. Vamos supor que a pessoa esteja basicamente correta. No exemplo anterior, em que você me acusava furiosamente de parecer apressado e indiferente em várias ocasiões, eu poderia dizer: "Você tem toda a razão. Eu estava com pressa quando ligou, e provavelmente pareci *mesmo* impessoal. Já me disseram isso outras vezes. Mas quero deixar claro que não tive a intenção de magoá-lo. E você está certo, muitas das nossas sessões têm *mesmo* sido corridas. Você deve lembrar-se de que as sessões podem durar o tempo que quiser, desde que isso seja combinado com antecedência, para que possamos organizar a agenda. Podemos marcar sessões com 15 ou 30 minutos a mais, para você ver se acha melhor.".

Agora, vamos supor que estejam fazendo críticas a seu respeito, as quais você considera injustas e sem fundamento. E se fosse impossível para você mudar? Como pode concordar quando está convicto de que o que está sendo dito é totalmente absurdo? É fácil – você pode concordar *a princípio* com a crítica, ou encontrar algum *fundo* de verdade na afirmação e concordar com isso, ou pode reconhecer que o aborrecimento da pessoa é compreensível por estar baseado no modo como ela enxerga a situação. Posso ilustrar isso melhor ao continuar com a encenação; você me ataca, mas desta vez diz coisas que são basicamente falsas. Pelas regras do jogo, devo (1) encontrar uma forma de concordar com o que você diz, *seja lá o que for*; (2) evitar ser sarcástico ou ficar na defensiva; (3) falar sempre a verdade. Você pode dizer as coisas mais absurdas e cruéis, e eu garanto que vou seguir essas regras! Vamos lá!

Você (continuando a fazer o papel do crítico zangado): Dr. Burns, você é um bosta.

David: Eu me sinto assim às vezes. Parece que faço tudo errado.

Você: Essa terapia cognitiva não adianta porcaria nenhuma!

David: Sem dúvida, ela ainda pode ser muito aperfeiçoada.

Você: E você é um idiota.

David: Existe muita gente melhor do que eu. Tenho certeza de que não sou a pessoa mais brilhante do mundo.

Você: Você não tem a menor consideração pelos seus pacientes. Sua forma de tratamento é superficial e pura enrolação.

David: Nem sempre sou tão simpático e receptivo quanto gostaria. Alguns dos meus métodos podem parecer enrolação no início.

Você: Você não é um psiquiatra de verdade. Esse livro é um lixo. Você não é digno de confiança nem tem competência para cuidar do meu caso.

David: Lamento profundamente se lhe pareço incompetente. Isso deve ser muito perturbador para você. Parece que acha difícil confiar em mim, e não acredita realmente que possamos trabalhar juntos de forma eficaz. Você tem toda a razão – não conseguiremos resolver isso juntos se não tivermos respeito mútuo e espírito de equipe.

A essa altura (ou até antes), o crítico zangado provavelmente terá perdido a força. Como não revidei o ataque, e sim encontrei uma forma de concordar com o meu oponente, ele logo parece ficar sem munição e é desarmado com sucesso. Encare isso como "vencer evitando a batalha". À medida que o crítico começar a se acalmar, vocês poderão se comunicar melhor.

Depois de demonstrar esses dois primeiros passos a um paciente no meu consultório, geralmente proponho inverter os papéis, para que o paciente possa dominar o método. Vamos fazer isso. Eu vou criticá-lo e atacá-lo, e você vai praticar a empatia e formular suas próprias respostas. Depois veja o quanto elas são corretas ou absurdas. Para que o diálogo a seguir torne-se um exercício mais útil, cubra as respostas denominadas "Você" e formule suas próprias. Depois veja até que ponto elas correspondem ao que escrevi. Lembre-se de fazer perguntas com base no método da empatia e encontrar maneiras convincentes de concordar comigo usando a técnica de desarmar.

David (fazendo o papel do crítico zangado): Você não está aqui para se sentir melhor. Só está querendo que sintam pena de você.

Você (fazendo o papel do que está sendo atacado): O que o faz pensar isso?

David: Você não faz nada para se ajudar entre as sessões. Só quer vir aqui e ficar reclamando.

Você: É verdade que deixei de fazer *uma parte* da tarefa por escrito que você sugeriu. Acha que eu não deveria reclamar durante as sessões?

David: Você pode fazer o que quiser. É só admitir que não está nem aí.

Você: Então você acha que eu não quero melhorar, é isso?

DAVID: Você não vale nada! Não passa de um monte de lixo!
VOCÊ: Eu venho me sentindo assim há anos! Faz alguma ideia do que posso fazer para me sentir de outro jeito?
DAVID: Eu desisto. Você ganhou.
VOCÊ: Tem razão. Eu ganhei *mesmo*!

Recomendo muito que você pratique isso com um amigo. Esse exercício de representar papéis vai ajudá-lo a dominar as habilidades necessárias no momento em que surgir uma situação real. Se não tiver ninguém com quem se sinta à vontade para fazer a encenação de forma eficaz, uma boa alternativa seria escrever diálogos imaginários entre você e um crítico hostil, semelhantes aos que você acabou de ler. Depois de cada provocação, anote como poderia responder usando a empatia e a técnica de desarmar. Pode parecer difícil no começo, mas acredito que logo irá pegar o jeito. Na verdade é bem fácil, depois que você entende a ideia.

Você vai perceber que tem uma tendência profunda, quase irresistível, a se *defender* quando está sendo acusado injustamente. Isso é um GRANDE erro! Se ceder a essa tendência, vai perceber que a intensidade do ataque do seu oponente *aumenta*! Toda vez que se defender, paradoxalmente, você estará fornecendo mais balas ao arsenal dele. No exemplo a seguir, você será o crítico novamente e, desta vez, vou me *defender* contra suas acusações absurdas. Você vai ver como nossa discussão logo vai se agravar e virar uma guerra.

VOCÊ (no papel do crítico outra vez): Dr. Burns, você nem se importa com os seus pacientes.
DAVID (respondendo de maneira defensiva): Mentira! Isso é uma injustiça. Você não sabe o que está falando! Meus pacientes têm grande respeito pelo meu trabalho.
VOCÊ: Bom, eu não tenho! Tchau, mesmo! (Você sai, decidido a me dispensar. Minha atitude defensiva põe tudo a perder.)

Por outro lado, se eu responder com empatia e desarmar sua hostilidade, provavelmente vai sentir que estou *ouvindo* e *respeitando* você. Por conseguinte, perderá seu ardor pela batalha e se acalmar. Isso abre caminho para o terceiro passo – *feedback* e negociação.

Inicialmente você pode perceber que, mesmo que esteja determinado a aplicar essas técnicas, quando surgir uma situação real em que for criticado, acabará sendo dominado por suas emoções e seus antigos padrões de comportamento. Talvez acabe se irritando, discutindo ou se defendendo veementemente. É compreensível. Ninguém espera que você aprenda tudo isso de um dia para o outro, nem que ganhe todas as batalhas. Contudo, é importante analisar seus erros mais tarde, para que possa recapitular as várias maneiras com as quais poderia ter lidado com a situação nos moldes sugeridos. Pode ser extremamente útil encenar a situação difícil com um amigo, a fim de praticar uma série de respostas até que tenha dominado uma abordagem com a qual se sinta confortável.

TERCEIRO PASSO – *FEEDBACK* E NEGOCIAÇÃO

Depois de *ouvir* o seu crítico usando o método da empatia, e *desarmá-lo* encontrando uma forma de concordar com ele, você estará em condições de explicar seu ponto de vista e suas emoções de forma *diplomática*, mas *assertiva*, e negociar qualquer divergência real.

Vamos supor que a pessoa simplesmente esteja errada. Como você pode expressar isso de uma forma não destrutiva? É simples: expresse o seu ponto de vista de forma objetiva, mas reconheça que você *pode* estar errado. Faça o conflito basear-se nos fatos, e não na personalidade ou no orgulho. Evite rótulos destrutivos em quem o critica. Lembre: o fato de ele estar errado não o torna estúpido, indigno ou inferior.

Por exemplo, recentemente uma paciente alegou que lhe mandei uma conta de uma sessão que já havia sido paga. Ela me atacou dizendo, "Por que não controla suas contas direito?". Mesmo sabendo que ela estava errada, respondi:

> Meus registros podem estar mesmo errados. Lembro vagamente de você ter esquecido seu talão de cheques naquele dia, mas posso estar me confundindo. Espero que possa admitir que você e eu *vamos* cometer erros de vez em quando, assim ficaremos menos constrangidos. Por que não dá uma olhada no seu extrato? Assim poderemos saber o que aconteceu e tomar as providências necessárias.

Neste caso, sem criar polêmica, minha resposta permitiu-lhe se sair bem e evitou um confronto que colocaria em risco sua autoestima. Embora tivesse descoberto que estava errada, a paciente depois manifestou alívio por eu ter admitido que também cometo erros. Isso contribuiu para que se sentisse melhor em relação a mim, pois receava que eu fosse tão perfeccionista e exigente com ela como era consigo mesma.

Às vezes, você e a pessoa vão divergir não por uma questão de fatos, mas de gostos. Mais uma vez, você será o vencedor se apresentar seu ponto de vista com diplomacia. Por exemplo, descobri que, não importa como eu me vista, alguns pacientes reagem de forma positiva, outros de forma negativa. Eu me sinto mais à vontade de terno e gravata, ou com um paletó esportivo e uma gravata. Vamos supor que um paciente me critique por minhas roupas serem muito formais e se irrite com isso, por achar que pareço fazer parte do "Sistema". Depois de suscitar informações mais específicas sobre outros motivos pelos quais esse paciente poderia não gostar de mim, eu poderia responder: "Concordo com você que os ternos são um pouco formais. Eu sei que você *ficaria* mais à vontade se eu me vestisse de forma mais casual. Mas tenho certeza de que vai entender que, depois de me vestir de várias maneiras, descobri que um terno ou paletó esportivo é mais aceito pela maioria das pessoas com quem trabalho, e por isso resolvi escolher esse estilo de roupa. Espero que não deixe isso interferir no trabalho que estamos fazendo.".

Você tem uma série de opções ao negociar com quem o critica. Se a pessoa continuar insistindo em bater na mesma tecla o tempo todo, você pode simplesmente repetir sua resposta assertiva de forma educada, mas firme, diversas vezes, até a pessoa cansar. Por exemplo, se o meu paciente continuasse a insistir para eu parar de usar termos, eu poderia continuar dizendo, "Eu entendo perfeitamente o seu ponto de vista, e *existe* um fundo de verdade nele. Mesmo assim, neste momento, eu prefiro usar um traje mais formal".

Às vezes, a solução pode estar no meio-termo. Nesse caso, é importante haver negociação e acordo. Talvez você tenha de se contentar com *uma parte* do que deseja. Mas, caso tenha aplicado criteriosamente a *empatia* e as *técnicas de desarmar* primeiro, provavelmente conseguirá *mais* do que deseja.

Em muitos casos, você estará errado, e o outro, certo. Numa situação assim, o respeito da pessoa por você provavelmente vai dar um salto gigantesco se, assertivamente, você *concordar com as críticas*, agradecer a ela pela informação e se desculpar por qualquer dano que possa ter causado. Parece uma coisa óbvia e antiga (e realmente é), mas pode ser incrivelmente eficaz.

Talvez você esteja dizendo agora: "Mas eu não tenho o *direito* de me defender quando alguém me critica? Por que sempre tenho de me colocar no lugar do outro? Afinal, talvez *ele* seja o idiota, e não eu. Não é *humano* ficar nervoso e perder as estribeiras? Por que eu sempre tenho que ficar *amenizando* as coisas?".

Bem, há muito de verdade no que diz. Você *tem* o direito de se defender bravamente das críticas e de sentir raiva de quem preferir, sempre que quiser. E acertou bem no alvo ao ressaltar que geralmente é quem o critica, e não você, que está com o pensamento deturpado. E há mais do que um fundo de verdade por trás da frase "É melhor explodir que se deprimir". Afinal, se é para concluir que alguém "não presta", por que não deixar que seja o outro? E, além disso, às vezes a gente sente-se *muito* melhor depois de explodir com alguém.

Muitos psicoterapeutas concordariam com você nesse ponto. Freud acreditava que a depressão era "raiva internalizada". Em outras palavras, ele acreditava que as pessoas deprimidas dirigem sua raiva contra si mesmas. Condizentes com essa visão, muitos terapeutas incentivam seus pacientes a entrar em contato com sua raiva e expressá-la com mais frequência aos outros. Eles podem até dizer que alguns dos métodos descritos neste capítulo constituem uma fuga repressiva.

Isso não é verdade. O ponto crucial não reside no fato de expressar ou não os seus sentimentos, mas na forma de fazê-lo. Se você passar a mensagem "Estou com raiva porque está me criticando e você não presta", irá estragar sua relação com essa pessoa. Se você se proteger dos comentários negativos de uma forma defensiva e vingativa, irá diminuir as chances de uma interação produtiva no futuro. Portanto, embora sua explosão de raiva o faça *sentir-se bem* momentaneamente, você pode prejudicar a si mesmo mais para a frente por estar fechando portas. Você polarizou a situação prematuramente sem necessidade e perdeu a chance de descobrir o que a pessoa estava tentando lhe transmitir. E o que é pior, pode ter uma reação contrária depressiva e se punir excessivamente por seu acesso de raiva.

TÉCNICA ANTIPROVOCADOR

Uma aplicação especializada das técnicas discutidas neste capítulo pode ser particularmente útil para quem dá aulas ou palestras. Eu desenvolvi a "técnica antiprovocador" quando comecei a dar palestras para universitários e profissionais sobre as últimas pesquisas a respeito da depressão. Embora minhas palestras normalmente sejam bem recebidas, ocasionalmente surge na plateia algum provocador. Em geral, os comentários deles possuem as mesmas características: (1) São extremamente críticos, mas parecem imprecisos ou irrelevantes com relação ao material apresentado; (2) costumam vir de alguém que não é muito bem-aceito ou bem-visto entre seus colegas; e (3) são expressos num tom abusivo, de reprovação.

Portanto, tive de desenvolver uma técnica para silenciar essas pessoas de uma forma não ofensiva, para que o restante da plateia pudesse ter a mesma oportunidade de fazer perguntas. Descobri que o seguinte método é altamente eficaz: Imediatamente, eu (1) *agradeço* à pessoa pelos seus comentários; (2) reconheço que os pontos mencionados *são realmente* importantes; e (3) enfatizo que há *necessidade de maior conhecimento* sobre as questões levantadas, e incentivo o provocador a pesquisar e fazer uma investigação significativa sobre o assunto. Por último, convido-o a compartilhar suas opiniões comigo após a sessão.

Embora não seja possível garantir que alguma técnica verbal trará um determinado resultado, quase nunca deixei de obter um efeito favorável usando esta abordagem positiva. Na verdade, muitas vezes esses indivíduos provocadores me procuraram depois da palestra para me cumprimentar e agradecer pelos meus comentários cordiais. Às vezes o provocador acaba se mostrando o mais efusivo apreciador da minha palestra!

EM RESUMO

Os vários princípios cognitivos e verbais para lidar com as críticas estão resumidos no gráfico a seguir (ver Quadro 22, a seguir). Em geral, quando alguém o insultar, você imediatamente seguirá um desses três caminhos – o da *depressão*, o da *explosão* ou o da *satisfação*. Seja qual for a opção escolhida, será uma experiência completa que envolverá seu pensamento, seus sentimentos, seu comportamento e até o funcionamento do seu corpo.

A maioria das pessoas com tendência à depressão escolhe o primeiro caminho. Você conclui *automaticamente* que as críticas têm fundamento. Sem ao menos investigar, tira a conclusão precipitada de que estava errado e cometeu um engano. Depois magnifica a importância da crítica com uma série de erros de pensamento. Pode, talvez, *generalizar em excesso* e concluir indevidamente que sua vida toda consiste numa sucessão de erros e nada mais. Ou se *rotular* de "fracasso total". E por causa dessa expectativa perfeccionista de que não pode ter falhas, provavelmente ficará convencido de que seu (suposto) erro indica que você não tem valor. Em resultado desses erros mentais, enfrentará depressão e perda de autoestima. Suas respostas verbais serão passivas e sem resultado, momento este em que você geralmente vai se esquivar e recuar.

Por outro lado, você pode escolher o caminho da explosão. Nesse caso, vai *defender-se* dos horrores de ser imperfeito tentando convencer quem o critica de que ele é um monstro. Vai recusar-se terminantemente a admitir qualquer erro porque, segundo seus padrões perfeccionistas, isso equivaleria a admitir que você é um ser desprezível. Então, você devolve as acusações baseado no pressuposto de que a melhor defesa é o ataque. Seu coração fica acelerado e jorram hormônios em sua corrente sanguínea enquanto se prepara para a batalha. Você fica com músculos retesados e as mandíbulas cerradas. Sente uma euforia temporária enquanto lhe diz umas verdades, cheio de superioridade e indignação. Vai mostrar-lhe que ele não vale nada! Infelizmente, ele não concorda e sua explosão acaba se tornando autodestrutiva porque você estragou a relação.

A terceira opção exige que você *tenha* autoestima, ou pelo menos aja *como se tivesse*. Ela baseia-se na premissa de que você é um ser humano de valor e não tem necessidade de ser perfeito. Quando você é criticado, sua reação inicial é *investigativa*.

QUADRO 22

As três maneiras de como você pode reagir às críticas

Dependendo da forma como encara a situação, você pode ficar triste, furioso ou satisfeito. Seu comportamento e o resultado também serão muito influenciados pela sua atitude mental.

LIDAR COM AS CRÍTICAS

Seu chefe diz: "Você anda muito relaxado e preguiçoso, ultimamente.".

Reação "Eu não presto"

Pensamento
"Eu estou *sempre* fazendo besteira. Não sirvo para nada."

Sentimento
Triste, aflito

Comportamento
Isolar-se, lastimar, desistir

RESULTADO
Você fica deitado na cama, foge do trabalho e se menospreza. Afunda cada vez mais na areia movediça da depressão. É colocado à prova no trabalho.

Reação "Você não presta"

Pensamento
"Aquele maldito FDP está no meu cangote outra vez!"

Sentimento
Com raiva, frustrado

Comportamento
Proferir palavrões e acusações

RESULTADO
Você é demitido no ato. Fica furioso por vários dias, dizendo a si mesmo que a vida é uma droga. Não aprendeu nada com isso e estragou a relação que tinha com o seu chefe.

Reação com Autoestima

Pensamento
"Aqui está uma chance de aprender alguma coisa."

Sentimento
Seguro

Comportamento
Perguntar "O que estou fazendo de errado?"

RESULTADO
O problema é identificado e se propõe uma solução. Sua autoestima e seu humor melhoram. Seu chefe fica satisfeito com a maneira como você lidou com a sua queixa.

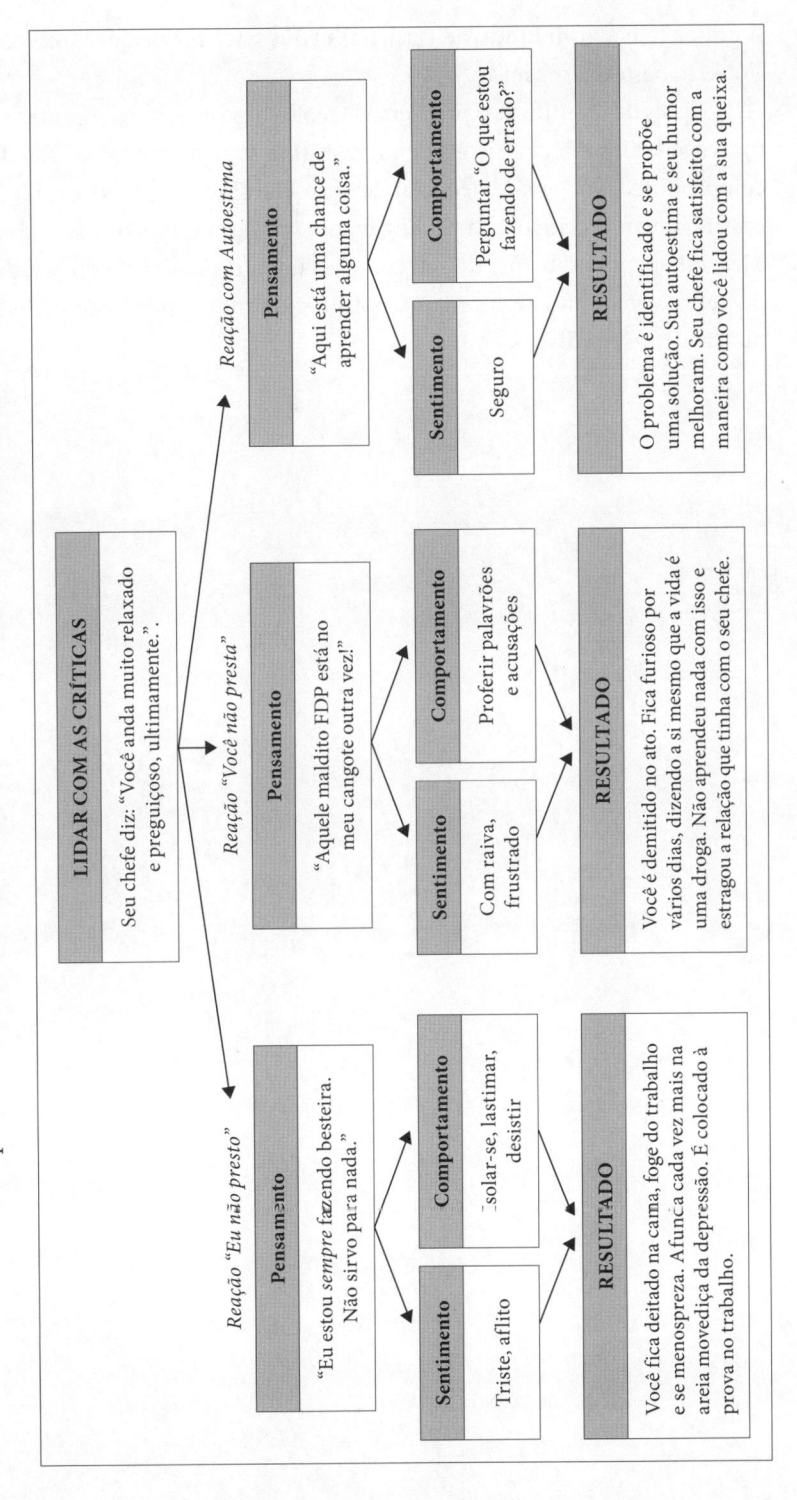

A crítica tem algum fundo de verdade? O que você fez de questionável, exatamente? Você fez besteira, mesmo?

Depois de identificar o problema fazendo uma série de perguntas sem julgamentos, você estará em condições de propor uma solução. Se for o caso de assumir um compromisso, você pode negociar. Se ficar claro que você está errado, pode admitir isso. Se quem o criticou estava enganado, você pode mostrar isso com diplomacia. Mas, independentemente de seu comportamento estar certo ou errado, você saberá que está *certo* como ser humano, porque finalmente percebeu que sua autoestima nunca esteve em discussão.

CAPÍTULO VII
ESTÁ COM RAIVA? QUAL É O SEU QI?

Qual é o seu QI? Não estou interessado em saber o quanto você é inteligente, pois sua inteligência tem pouco ou nada a ver com sua capacidade de ser feliz. O que quero saber é o seu *Quociente* de *Irritabilidade*. Ele refere-se à quantidade de raiva e aborrecimento que você tende a absorver e guardar no dia a dia. Se você tem um QI particularmente elevado, isso coloca-o em grande desvantagem porque você reage de forma exagerada às frustrações e decepções, criando um ressentimento que acaba com a sua disposição e faz da sua vida um eterno sofrimento.

Veja como se mede o seu QI. Leia a lista de 25 situações potencialmente irritantes descritas a seguir. No espaço fornecido depois de cada uma delas, estime o grau de raiva ou irritação que ela normalmente provocaria em você, usando esta escala de avaliação simples:

0 – Você ficaria pouco ou nada aborrecido.
1 – Você ficaria um pouco irritado.
2 – Você ficaria moderadamente contrariado.
3 – Você ficaria bastante zangado.
4 – Você ficaria com muita raiva.

Marque sua resposta depois de cada questão, como neste exemplo:
Você está indo de carro buscar um amigo no aeroporto, mas é obrigado a esperar um enorme trem de carga passar.
   2

Quem respondeu a essa questão estimou sua reação como um 2 porque ficaria um pouco irritado, mas isso acabaria rapidamente assim que o trem passasse. Ao descrever como você reagiria normalmente a cada uma das provocações a seguir, procure avaliar o melhor que puder, embora muitos detalhes potencialmente importantes sejam omitidos (por exemplo, como estava o seu dia, quem estava envolvido na situação etc.).

ESCALA DE RAIVA DE NOVACO[17]

1. Você tira da caixa um eletrodoméstico que acabou de comprar, liga na tomada e descobre que ele não funciona. _____
2. A pessoa que você chamou para fazer um conserto cobra um dinheirão e não há outra escolha a não ser pagar o que ele quer. _____
3. Ser corrigido por alguém, quando o que os outros fazem passa despercebido. _____
4. Atolar o carro na lama ou na neve. _____
5. Você está conversando com alguém e a pessoa não responde. _____
6. Alguém finge ser o que não é. _____
7. Você está fazendo o maior esforço para levar quatro xícaras de café até a sua mesa numa lanchonete, alguém lhe dá um esbarrão e derrama o café. _____
8. Você pendurou suas roupas, mas alguém as derruba e não pega do chão. _____
9. Você é perseguido por um vendedor a partir do momento em que entra numa loja. _____
10. Você combinou de ir a algum lugar com uma pessoa que desiste na última hora, deixando você na mão. _____
11. Ser alvo de piadas ou provocações. _____
12. Seu carro está parado num semáforo e o cara atrás de você fica buzinando. _____
13. Sem querer, você faz uma conversão errada num estacionamento. Quando sai do carro, alguém grita, "Não sabe dirigir?". _____
14. Alguém faz uma coisa errada e põe a culpa em você. _____
15. Você está tentando se concentrar, mas a pessoa do seu lado fica batendo o pé no chão. _____
16. Você empresta um livro ou ferramenta importante para alguém, que não o devolve. _____
17. Você teve um dia cheio e a pessoa com quem mora começa a reclamar que você esqueceu de fazer algo que haviam combinado. _____

---

17. Esta escala foi desenvolvida pelo dr. Raymond W. Novaco, do Programa de Ecologia Social da Universidade da Califórnia em Irvine, e parte dela foi reproduzida aqui com a sua permissão. A escala completa contém 80 itens.

18. Você está tentando discutir um assunto importante com seu companheiro ou parceiro, que não está lhe dando chance de expressar seus sentimentos. _____
19. Você está no meio de uma discussão com alguém que teima em argumentar sobre um assunto que mal conhece. _____
20. Alguém mete o bedelho numa discussão entre você e outra pessoa. _____
21. Você precisa chegar logo a algum lugar, mas o carro à sua frente está a 40 km/h numa região cujo limite é 80, e você não pode ultrapassar. _____
22. Pisar num chiclete. _____
23. Passar por um grupo de pessoas que ficam zombando de você. _____
24. Na pressa de chegar a algum lugar, você rasga uma calça boa num objeto pontudo. _____
25. Você usa seu último centavo para ligar de um telefone público, mas a linha cai antes que acabe de discar, o que faz você perder a ficha. _____

Depois de completar o Inventário de raiva, você está em condições de calcular seu QI, o seu Quociente de irritabilidade. Confira se não pulou nenhum item. Some o total de pontos atribuídos às 25 situações. A menor pontuação possível no teste seria 0, o que significaria que você marcou 0 em todos os itens. Isso indica que você é um mentiroso ou um guru! A pontuação mais alta seria 100. Isso significaria que você marcou 4 em cada um dos 25 itens e está sempre a ponto de explodir (ou já passou do ponto).

Agora você pode interpretar sua pontuação total segundo a escala a seguir:

0-45: A quantidade de raiva e aborrecimento que você costuma sentir é extremamente baixa. Só uma pequena porcentagem da população terá uma pontuação assim tão baixa no teste. Você é um dos poucos escolhidos!

46-55: Você é bem mais tranquilo do que a média das pessoas.

56-75: Você reage aos aborrecimentos da vida com uma quantidade de raiva dentro da média.

76-85: Você costuma reagir com raiva a muitos aborrecimentos da vida. Irrita-se bem mais facilmente que a média das pessoas.

86-100: Você é um verdadeiro campeão em matéria de raiva e vive atormentado por reações de fúria intensas e frequentes que demoram a desaparecer. Provavelmente guarda sentimentos negativos muito tempo depois do insulto inicial. É possível que tenha fama de pavio curto ou de cabeça quente entre os seus conhecidos. Talvez sinta dores de cabeça frequentes devido à tensão e tenha pressão alta. Sua raiva, muitas vezes, pode ficar fora de controle e levar a explosões de hostilidade por impulso que eventualmente lhe trazem problemas.

Agora que você já sabe o tamanho da sua raiva, vejamos o que pode fazer em relação a isso. Tradicionalmente, os psicoterapeutas (e *também* o público em geral) conceitualizaram duas maneiras principais de lidar com a raiva: (a) "internalizar"; ou (b) "exteriorizar". A primeira é considerada uma solução "doente" – você internaliza a sua agressão e absorve o ressentimento como uma esponja. Isso o corrói por dentro e acaba levando-o à culpa e à depressão. Os primeiros psicanalistas, como Freud, acreditavam que a raiva internalizada era a causa da depressão. Infelizmente, não há evidências convincentes que apoiem essa ideia.

A segunda solução é considerada "saudável" – você exprime sua raiva e, à medida que ventila seus sentimentos, supostamente sente-se melhor. O problema dessa abordagem simplista é que isso não dá muito certo. Se você sair por aí ventilando toda a sua raiva, as pessoas logo vão achar que é maluco. Além disso, você não aprenderá a conviver com as pessoas em sociedade *sem* se zangar.

A solução cognitiva transcende essas duas. Você tem uma terceira opção: *Pare de provocar* sua raiva. Assim, não precisará escolher entre guardar ou colocar para fora, porque ela não existirá.

Neste capítulo, forneço orientações que o ajudarão a avaliar os prós e os contras de sentir raiva em diversas situações, para que possa decidir quando a raiva é do seu interesse ou não. Se preferir, você pode aprender a controlar os seus sentimentos; aos poucos deixará de ser atormentado pela frustração e irritabilidade excessiva que azedam sua vida sem motivo.

QUEM ESTÁ DEIXANDO VOCÊ COM RAIVA?

"As pessoas!
Droga!
Não aguento mais!
Preciso de umas férias dessa gente!"

A mulher que registrou esse pensamento às duas da manhã não conseguia dormir. Como os cachorros e vizinhos barulhentos do seu prédio podiam ter tamanha falta de consideração? Assim como ela, aposto que você também está convencido de que as atitudes estúpidas e egoístas dos outros é que o deixam com raiva.

É natural acreditar que os acontecimentos externos nos aborrecem. Quando estamos com raiva de alguém, automaticamente ele passa a ser a causa de todos os nossos sentimentos ruins. Dizemos: "*Você* está me irritando! *Você* está me deixando nervoso.". Quando pensa assim, na verdade, você está enganando a si mesmo porque os outros não podem deixá-lo com raiva. Isso mesmo, você ouviu direito. Um adolescente atrevido pode passar na sua frente, na fila do cinema. Um vigarista pode vender-lhe uma moeda falsa numa loja de antiguidades. Um "amigo" pode deixá-lo de fora da comissão obtida por um negócio lucrativo. Seu namorado pode chegar sempre atrasado nos encontros, mesmo sabendo o quanto isso é importante para você. Por mais afrontosos ou injustos que os outros possam lhe parecer, *eles* não aborrecem, nunca aborreceram e jamais o aborrecerão. A triste verdade é que você é o único que está produzindo cada gota de indignação que sente.

Isso lhe parece uma heresia ou estupidez? Se acha que estou contradizendo o óbvio, talvez tenha vontade de jogar este livro num canto ou queimá-lo de revolta. Nesse caso, eu o desafio a continuar lendo, porque...

A raiva, como todas as emoções, é produzida pelas suas cognições. A relação existente entre os seus pensamentos e a sua raiva é mostrada no Quadro 23. Como pode notar, antes que possa ficar irritado com algum fato, você deve primeiro ter consciência do que está acontecendo e fazer sua própria interpretação disso. Seus sentimentos resultam do significado que você atribui ao fato, e não do fato em si.

Por exemplo, vamos supor que, depois de um dia cansativo, você coloca seu filho de 2 anos no berço para dormir. Fecha a porta do quarto e se senta para relaxar e assistir televisão. Vinte minutos depois, ele abre a porta do quarto e sai dando risada. Você pode reagir a isso de várias maneiras, dependendo do significado que lhe atribui. Se estiver irritado, provavelmente vai pensar: "Droga! Esse menino só me dá trabalho. Por que não pode ficar na cama e dormir? Ele nunca me dá um minuto de sossego!". Por outro lado, você pode ficar contente ao ver sua cabecinha aparecer na porta, porque está pensando: "Que barato! É a primeira vez que ele consegue sair sozinho do berço. Já está crescendo e ficando mais independente.". O fato é o mesmo nos dois casos. Sua reação emocional é determinada inteiramente pela forma como você encara a situação.

Aposto que sei o que está pensando agora: "Esse exemplo do bebê não serve. Quando *eu* fico com raiva é por causa de uma provocação, existe uma justificativa. Há muita injustiça e crueldade *verdadeiras* neste mundo. Não dá para pensar em tudo que eu tenho de aturar, todo dia, sem ficar nervoso. Está querendo fazer uma lobotomia e me transformar num zumbi sem sentimentos? NÃO, OBRIGADO!".

Com certeza, você tem razão quando diz que muitos fatos verdadeiramente negativos *acontecem* todos os dias, mas seus sentimentos em relação a eles continuam sendo produzidos pela forma como os interpreta. Fique atento a essas interpretações, porque a raiva é uma faca de dois gumes. As consequências de uma explosão

QUADRO 23

Não são os fatos negativos, e sim as suas percepções e pensamentos acerca desses fatos que produzem sua reação emocional.

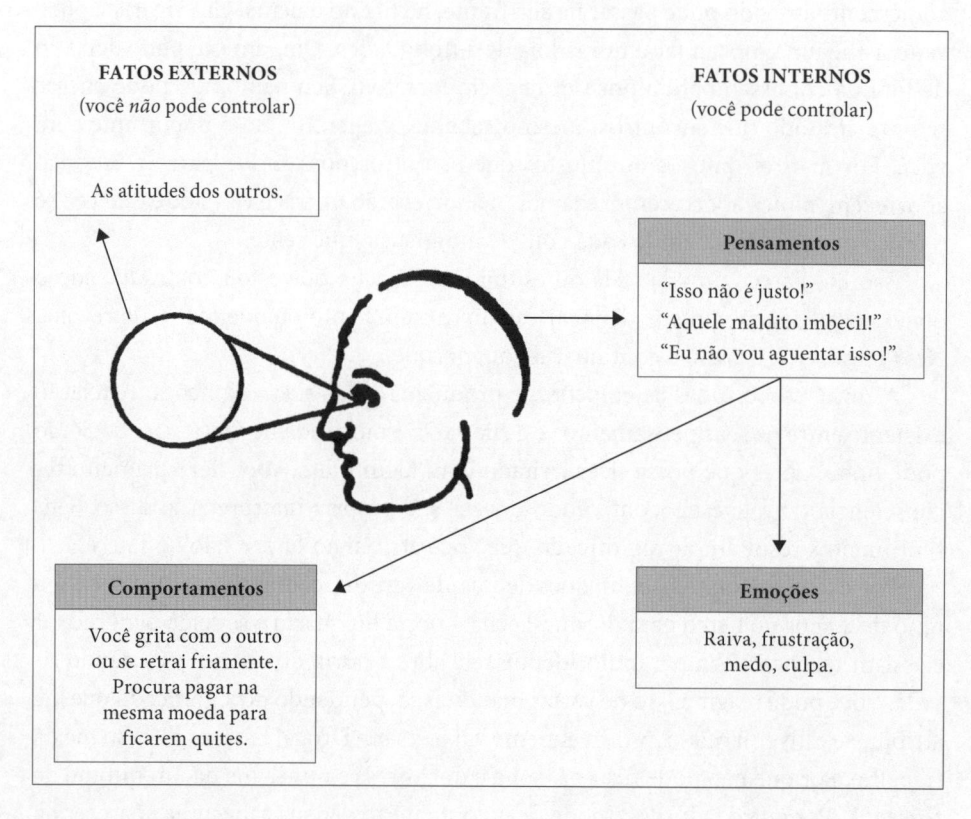

FATOS EXTERNOS
(você *não* pode controlar)

FATOS INTERNOS
(você pode controlar)

As atitudes dos outros.

Pensamentos
"Isso não é justo!"
"Aquele maldito imbecil!"
"Eu não vou aguentar isso!"

Comportamentos
Você grita com o outro ou se retrai friamente. Procura pagar na mesma moeda para ficarem quites.

Emoções
Raiva, frustração, medo, culpa.

por impulso muitas vezes acabarão prejudicando-o. Mesmo que você esteja realmente sendo injustiçado, talvez não valha a pena ficar zangado por isso. A dor e o sofrimento que você inflige a si mesmo ao ficar indignado podem causar um impacto muito maior do que o insulto original. Como disse uma mulher que dirige um restaurante:

> É claro, eu tenho o *direito* de perder as estribeiras. Outro dia percebi que os cozinheiros esqueceram outra vez de pedir mais presunto, embora eu os tivesse lembrado especificamente de fazer isso, então explodi e despejei um caldeirão de sopa quente no chão da cozinha, de tão revoltada. Dois minutos depois percebi que tinha agido como uma imbecil, mas não queria admitir, então gastei toda a minha energia nos dois dias seguintes tentando me convencer de que tinha direito de fazer papel de idiota na frente de vinte empregados! Não valeu a pena!

Em muitos casos, sua raiva é produzida por distorções cognitivas sutis. Como no caso da depressão, muitas das suas percepções são distorcidas, unilaterais, ou simplesmente erradas. Quando aprender a substituir esses pensamentos distorcidos por outros mais realistas e funcionais, você irá se irritar menos e adquirir maior autocontrole.

Que tipos de distorções costumam ocorrer com mais fequência, quando você está com raiva? Um dos maiores culpados é a *rotulagem*. Ao descrever a pessoa com quem está zangado como "um idiota", "um vagabundo" ou "um bosta", está vendo-o de uma forma totalmente negativa. Poderíamos chamar essa forma extrema de generalização de "globalizar" ou "monstrificar". Pode ser que alguém tenha, de fato, traído a sua confiança e é absolutamente correto ficar ressentido com o que a pessoa *fez*. Por outro lado, ao rotular alguém, você cria a impressão de que a pessoa é ruim por natureza. Está dirigindo sua raiva contra o que ela *"é"*.

Quando risca as pessoas dessa maneira, você faz uma lista mental de cada coisa de que não gosta nelas (o filtro mental) e ignora ou desconsidera seus pontos positivos (desqualificar as coisas positivas). É assim que define um falso alvo para a sua raiva. Na realidade, todo ser humano é uma complexa mistura de atributos positivos, negativos e neutros.

A rotulagem é um processo de pensamento distorcido que o faz sentir-se indevidamente indignado e moralmente superior. É destrutivo construir sua autoimagem assim: seu ato de rotular inevitavelmente dará lugar à sua necessidade de culpar o outro. Sua sede de vingança intensifica o conflito e desperta atitudes e sentimentos semelhantes na pessoa com quem você está zangado. A rotulagem fatalmente age como uma profecia autorrealizável. Você polariza o outro e provoca um estado de guerra interpessoal.

Qual é o motivo da batalha, afinal? Muitas vezes, você está tentando defender sua autoestima. Talvez se sinta ameaçado porque o outro o insultou ou criticou, ou por não amar ou gostar de você, ou por não concordar com as suas ideias. Por conseguinte, acaba envolvido num duelo de honra até a morte. O problema é que o outro *não* é um completo idiota, por mais que você insista nisso! Além do mais, você não pode melhorar sua autoestima denegrindo outra pessoa, mesmo que isso o faça sentir-se bem temporariamente. Afinal, só os seus próprios pensamentos negativos distorcidos podem acabar com o seu amor-próprio, como mostrado no Capítulo IV. Só uma pessoa neste mundo, *e apenas uma*, tem o poder de ameaçar a sua autoestima – e essa pessoa é você. O seu senso de valor *somente* pode diminuir se você mesmo se depreciar. A verdadeira solução é acabar com essa sua discussão interna absurda.

Outra distorção característica dos pensamentos que geram raiva é *ler pensamentos* – você inventa motivos que explicam para *sua* satisfação o porquê de o outro ter feito o que fez. Essas hipóteses costumam estar erradas porque não descrevem os pensamentos e percepções reais que motivaram a outra pessoa. Devido à sua indignação, é provável que não lhe ocorra verificar o que está dizendo a si mesmo.

Algumas explicações comuns que você pode dar para o comportamento questionável dos outros seriam: "Ele é um mau-caráter"; "Ela não é justa"; "Ele é assim mesmo"; "Ela é burra"; "Essas crianças são mal-educadas", e assim por diante. O problema dessas supostas explicações é que elas são apenas rótulos, que não fornecem nenhuma informação válida. Na verdade, são totalmente enganosas.

Aqui está um exemplo: num domingo, Joan ficou louca da vida quando seu marido disse que preferia assistir ao jogo de futebol na tevê do que ir a um show com ela. Sentiu-se ofendida porque pensou: "Ele não me ama! Tudo tem de ser sempre do jeito que ele quer! Isso não é justo!".

O problema da interpretação de Joan é que ela não tem fundamento. Ele *realmente* a ama, nem tudo tem de ser do seu jeito e ele não está sendo "injusto" intencionalmente. Naquele domingo em especial, o Dallas Cowboys ia enfrentar o Pittsburgh Steelers e ele queria *muito* ver aquele jogo! Jamais ia querer se arrumar para ir a um show!

Quando interpreta a motivação de seu marido dessa forma irracional, Joan arruma dois problemas de uma vez. Além de não ter companhia para o show, precisa suportar a ilusão que criou para si de que não é amada.

A terceira forma de distorção que leva à raiva é a *magnificação*. Se você exagera a importância de um fato negativo, a intensidade e a duração da sua reação emocional podem aumentar de forma desproporcional. Por exemplo, se o seu ônibus está atrasado e você tem uma reunião importante, talvez diga, "Eu não aguento isso!". Não está exagerando um pouco? Se você está aguentando, é porque *pode* aguentar, então por que dizer que *não aguenta*? Já é bastante inconveniente ter de esperar o ônibus sem piorar ainda mais as coisas com essa autopiedade. Você quer mesmo se irritar desse jeito?

As expressões inadequadas *devia* e *não devia* representam o quarto tipo de distorção que alimenta sua raiva. Quando percebe que as atitudes de alguém não lhe agradam, você diz a si mesmo que ele "não devia" ter feito o que fez, ou "devia ter" feito algo que deixou de fazer. Por exemplo, vamos supor que você chegue num hotel e descubra que eles perderam o registro da sua reserva, e agora não há mais nenhum quarto disponível. Furioso, você insiste, "Isso *não devia* ter acontecido! Malditos atendentes burros!".

É a privação real que está provocando sua raiva? Não. A privação só pode causar uma sensação de perda, decepção ou inconveniência. Antes que possa sentir raiva, você precisa necessariamente interpretar que tem o *direito* de obter o que deseja nessa situação. Por conseguinte, vê a confusão na sua reserva como uma injustiça. Essa percepção leva-o a sentir raiva.

E o que há de errado nisso? Quando você diz que os atendentes *não deviam* ter se enganado, está provocando em si mesmo uma frustração desnecessária. É lamentável que tenha perdido a reserva, porém é muito improvável que alguém tivesse a intenção de tratá-lo de maneira injusta, ou que os atendentes fossem mesmo burros. Mas eles *realmente* cometeram um erro. Se você insistir na perfeição dos outros, só vai deixar *a si mesmo* infeliz e ficar parado no lugar. A questão é: sua raiva provavelmente não vai fazer um quarto aparecer do nada, e a inconveniência de ir para outro hotel será bem menor do que a angústia que você inflige a si mesmo ao passar horas ou dias remoendo sobre a reserva perdida.

Essas cobranças irracionais baseiam-se na sua suposição de que você tem *direito* à satisfação imediata o tempo todo. Por isso, quando não obtém o que deseja, você entra em pânico ou fica furioso por causa dessa sua postura de que, se não obtiver X, vai morrer ou ficar tragicamente privado de alegria para sempre (X pode representar amor, afeto, prestígio, respeito, rapidez, perfeição, gentileza etc.). Essa insistência para que seus desejos sejam satisfeitos o tempo todo é a base de grande parte da raiva autodestrutiva. As pessoas que são propensas à raiva costumam formular seus desejos em termos moralistas como: Se estou sendo legal com alguém, eles *deviam* ficar agradecidos.

Os outros têm vontade própria e, muitas vezes, pensam e agem de maneiras que não lhe agradam. Sua insistência de que eles têm de agir de acordo com os seus desejos e vontades não fará que isso aconteça. A recíproca é ainda mais verdadeira. Suas tentativas de coagir e manipular com furiosas exigências, na maioria das vezes, vão alienar e polarizar as pessoas, deixando-as bem menos propensas a querer agradá-lo. É que os outros não gostam de ser controlados ou dominados mais do que você. Sua raiva apenas limitará as possibilidades de solucionar o problema de outra forma.

A sensação de injustiça ou desigualdade é a causa fundamental da maioria, se não de todos os acessos de raiva. Na verdade, poderíamos definir a raiva como a emoção que corresponde diretamente à sua crença de que está sendo tratado injustamente.

Agora, chegamos a uma verdade que você pode encarar como um remédio amargo ou uma revelação esclarecedora. Não existe um conceito universalmente aceito de justiça e igualdade. Existe uma indiscutível *relatividade* em matéria de justiça, assim como Einstein demonstrou a relatividade do tempo e do espaço. Einstein postulou – e, desde então, isso tem sido comprovado experimentalmente – que não existe um "tempo absoluto" que seja igual em todo o universo. O tempo pode parecer mais "acelerado" ou "retardado" e varia conforme o referencial do observador. Do mesmo modo, também não existe "justiça absoluta". A noção de "justiça" varia de acordo com o observador, e o que é justo para um pode parecer muito injusto para outro. Até mesmo as regras sociais e restrições morais aceitas numa determinada cultura podem variar consideravelmente numa outra. Você pode protestar alegando que não é esse o caso e insistir que o seu sistema moral particular é universal, mas não é bem assim!

Aqui está a prova: Quando um leão devora uma ovelha, isso é injusto? Do ponto de vista da ovelha, é *injusto*; ela está sendo morta de forma cruel e deliberada sem a menor provocação. Do ponto de vista do leão, é *justo*. Ele está com fome, e este é o pão de cada dia ao qual ele acha que tem direito. Quem está "certo"? Não existe uma *resposta definitiva ou universal* para essa pergunta, porque não existe uma "justiça absoluta" em algum lugar para resolver a questão. Na verdade, a justiça é apenas uma interpretação perceptiva, uma abstração, um conceito criado por si mesmo. E quando *você* come um hambúrguer? Isso é "injusto"? Para você, não. Do ponto de vista da vaca, certamente é (ou foi)! Quem está "certo"? Não existe uma resposta "verdadeira" definitiva.

Apesar do fato de não existir "justiça absoluta", os códigos morais de âmbito pessoal e social são importantes e úteis. Não estou pregando a anarquia. Estou dizendo que os enunciados e julgamentos morais sobre justiça são convenções, e não fatos objetivos. Os sistemas morais sociais, como os Dez Mandamentos, são basicamente conjuntos de regras que os grupos decidem acatar. Uma das bases desses sistemas é o interesse próprio esclarecido de cada membro do grupo. Se você não age levando em conta os sentimentos e interesses dos outros, é provável que fique menos contente, pois mais cedo ou mais tarde lhe darão o troco ao perceber que está tirando vantagem deles.

Em termos gerais, um sistema capaz de definir o que é "justo" varia de acordo com o número de pessoas que o aceitam. Quando uma regra de conduta é exclusiva de uma determinada pessoa, outra pode vê-la como excêntrica. Um exemplo disso seria uma paciente minha que lava as mãos religiosamente mais de 50 vezes por dia para "deixar tudo em ordem" e evitar sensações extremas de culpa e ansiedade. Quando uma regra é quase universalmente aceita, passa a fazer parte de um código moral geral e pode vir a ser incluída no conjunto das leis. A proibição de matar é um exemplo. Mesmo assim, por mais aceitação que tenham, esses sistemas não podem ser considerados "absolutos" ou "definitivamente válidos" para todos, em todas as circunstâncias.

Grande parte da raiva que sentimos no dia a dia surge quando confundimos nossos próprios desejos pessoais com códigos morais gerais. Quando você fica bravo com alguém e alega que estão agindo de maneira "injusta", na maioria das vezes o que está realmente acontecendo é que estão agindo de maneira "justa" em relação a um conjunto de normas e um referencial diferentes dos seus. A sua suposição de que estão "sendo injustos" pressupõe que o seu modo de ver as coisas é universalmente aceito. Para isso, todos teriam de ser iguais. Mas não são. Nós pensamos de forma diferente. Quando você ignora isso e acusa o outro de ser "injusto", está polarizando a interação sem necessidade, pois o outro irá sentir-se ofendido e ficar na defensiva. Então, vocês dois discutirão inutilmente quem está "certo". Toda essa disputa é baseada na ilusão da "justiça absoluta".

Devido à relatividade da justiça, existe uma falácia lógica inerente à sua raiva. Embora esteja convencido de que o outro sujeito está agindo *injustamente*, você precisa perceber que ele só está agindo injustamente em relação ao *seu* sistema de valores. Mas ele funciona de acordo com o sistema de valores *dele*, e não com o seu. Na maioria das vezes, sua atitude questionável parecerá muito justa e razoável para ele. Portanto, do ponto de vista dele – que é o único no qual ele pode basear-se – o que está fazendo é "justo". Você quer que as pessoas ajam de maneira justa? Então deveria *querer* que ele agisse desse modo, mesmo que isso lhe *desagrade*, pois ele está agindo de maneira justa segundo o seu próprio sistema! Você pode tentar convencê-lo a mudar suas atitudes e acabar modificando seus critérios e suas ações, e enquanto isso pode tomar medidas para garantir que não irá sofrer em decorrência do que ele fizer. Mas quando diz a si mesmo "Ele está agindo de maneira injusta", você está se enganando e correndo atrás de uma ilusão!

Isso quer dizer que toda raiva é inadequada e que os conceitos de "justiça" e "moral" são inúteis por serem relativos? Alguns autores conhecidos dão essa impressão. O dr. Wayne Dyer escreveu:

> Estamos condicionados a procurar justiça e, quando somos injustiçados na vida, costumamos sentir raiva, ansiedade e frustração. Na verdade, isso é tão produtivo quanto procurar a fonte da juventude, ou algum outro mito como esse. A justiça não existe. Nunca existiu e jamais vai existir. O mundo não funciona assim. Os passarinhos comem minhocas. Isso não é justo para as minhocas... Basta observar a natureza para perceber que não existe justiça no mundo. Tornados, enchentes, ondas gigantes, secas, tudo isso é injusto.[18]

Essa postura representa o extremo oposto e constitui um exemplo de pensamento "tudo ou nada". É como dizer: "Joguem seus relógios fora porque Einstein demonstrou que não existe tempo absoluto.". Os conceitos de tempo e justiça são socialmente úteis, apesar de não existirem em sentido absoluto.

---

18. DYER, Wayne W. *Your Erroneous Zones*. Nova York: Avon Books, 1977. p. 173. [Edição em português: *Seus pontos fracos*. Trad. Mary Duro Cardoso. Rio de Janeiro: Viva Livros, 2011. (N.T.)]

Além de argumentar que o conceito de justiça é uma ilusão, o dr. Dyer parece sugerir que a raiva é inútil:

> Você pode aceitar a raiva como parte da sua vida, mas percebe que ela não tem nenhuma finalidade útil? (...) Não há por que senti-la, e ela não serve para nada que esteja relacionado a ser uma pessoa feliz e realizada. (...) O lado irônico da raiva é que ela nunca consegue mudar os outros (...)[19]

Mais uma vez, seus argumentos parecem estar baseados em distorções cognitivas. Dizer que a raiva não tem *nenhuma* finalidade é apenas mais um exemplo de pensamento "tudo ou nada", e dizer que ela nunca consegue mudar os outros é uma generalização excessiva. Na verdade, a raiva pode ser produtiva e favorecer a adaptação em certas situações. Portanto, a pergunta correta não é "Devo sentir raiva ou não?" e sim "Até onde posso chegar?".

As duas perguntas a seguir ajudarão você a determinar quando sua raiva é produtiva e quando não é. Esses dois critérios podem ajudá-lo a sintetizar o que aprendeu e desenvolver uma filosofia pessoal significativa sobre a raiva:

1. Minha raiva é dirigida a alguém que tenha agido mal de forma *consciente*, *intencional* e *desnecessária*?
2. Minha raiva é útil? Ela me ajuda a atingir um objetivo desejado ou só me prejudica?

Exemplo: Você está jogando basquete e um cara do outro time dá-lhe uma cotovelada no estômago de propósito, só para irritar e atrapalhar sua jogada. Pode ser que você consiga canalizar sua raiva produtivamente de modo a jogar melhor e vencer. Por enquanto, sua raiva é *adaptativa*.[20] Depois que o jogo termina, talvez você não queira mais essa raiva. Agora ela é *mal adaptativa*.

Vamos supor que seu filho de 3 anos saia correndo pelo meio da rua sem pensar, arriscando sua vida. Neste caso, ele *não* está agindo mal de propósito. Mesmo assim, a raiva que você exprime pode ser adaptativa. A alteração emocional no seu tom de voz transmite uma mensagem de alarme e importância que pode não ficar tão clara se você falar com ele de uma maneira calma, totalmente objetiva. Nesses dois exemplos, você *preferiu* ficar com raiva, e a intensidade e a forma de expressar a emoção estavam sob controle. Os efeitos *adaptativos* e *positivos* da sua raiva diferenciam-na da hostilidade, que é impulsiva, descontrolada e leva à agressão.

Suponhamos que você esteja revoltado com algum caso de violência gratuita que viu no jornal. Ao que parece, o ato foi claramente cruel e imoral. Mesmo assim,

---

19. Ibid., p. 218-20.
20. *Adaptativo* significa útil e autoenriquecedor. *Mal adaptativo* significa útil e autodestrutivo.

sua raiva pode não ser adaptativa se – como acontece – você não tiver a intenção de fazer nada em relação a isso. Por outro lado, se você resolver ajudar as vítimas ou iniciar uma campanha para combater o crime de alguma forma, sua raiva pode novamente ser adaptativa.

Tendo em mente esses dois critérios, quero apresentar-lhe uma série de métodos que podem ser usados para diminuir sua raiva nas situações em que ela não é do seu interesse.

DESENVOLVER O DESEJO

A raiva pode ser a emoção mais difícil de ser modificada, pois quando você fica bravo parece um buldogue furioso, e pode ser extremamente difícil convencê-lo a parar de cravar os dentes na perna do outro. Você *não quer de fato* livrar-se desses sentimentos porque está consumido pelo desejo de vingança. Afinal, como a raiva é causada pelo que você acredita ser injusto, é uma *emoção moral*, e você ficará extremamente hesitante em abandonar o sentimento de justiça. Terá um impulso quase irresistível de defender e justificar sua raiva com *fervor religioso*. Dominar isso irá exigir uma grande força de vontade. Então, para que se preocupar?

O primeiro passo: Use a técnica das duas colunas para fazer uma lista das vantagens e desvantagens de ficar com raiva e agir de forma retaliativa. Considere as consequências de sua raiva a curto e a longo prazo. Depois releia a lista e pergunte a si mesmo quais são maiores, os custos ou os benefícios? Isso o ajudará a determinar se esse ressentimento vale mesmo a pena. Como a maioria das pessoas, sem dúvida, deseja o que é melhor para si, isso pode abrir caminho para uma atitude mais pacífica e produtiva.

Veja como funciona. Sue é uma mulher de 31 anos que tem duas filhas do primeiro casamento. Seu segundo marido, John, é um advogado que trabalha muito e tem uma filha adolescente de um casamento anterior. Como John quase não tem tempo livre, Sue costuma sentir-se carente e ressentida. Ela acreditava que John não estava sendo um bom marido porque não estava lhe dedicando tempo e atenção suficientes. Sue relacionou as vantagens e desvantagens de sua irritação no Quadro 24.

Ela também fez uma lista das consequências positivas que poderiam surgir se acabasse com sua raiva: (1) As pessoas gostariam mais de mim. Elas iriam querer ficar perto de mim; (2) Eu seria menos imprevisível; (3) Controlaria melhor as minhas emoções; (4) Ficaria mais tranquila; (5) Ficaria mais satisfeita comigo mesma; (6) Seria vista como uma pessoa positiva, prática e tolerante; (7) Estarei me com-

QUADRO 24
Análise custo-benefício da raiva

Vantagens da minha raiva	Desvantagens da minha raiva
1. Dá uma sensação boa.	1. Vou piorar ainda mais o meu relacionamento com o John.
2. O John vai entender que não gosto nem um pouco do que ele faz.	2. Ele vai querer me rejeitar.
3. Tenho o *direito* de perder as estribeiras se eu quiser.	3. Vou sentir-me culpada e triste comigo mesma depois de fazer isso.
4. Vou mostrar que ele não pode me fazer de capacho.	4. Provavelmente ele vai querer descontar e ficar bravo comigo, pois também não gosta que se aproveitem dele.
5. Ele verá que não o deixarei se aproveitar de mim.	5. Minha raiva impede-nos de corrigir o problema que a provocou inicialmente. Ela desvia nosso foco da questão e nos impede de encontrar uma solução.
6. Mesmo que não consiga o que quero, posso ao menos ter o prazer de me vingar. Vou fazê-lo sofrer e ficar magoado como eu. Aí ele vai ter de mudar.	6. Num minuto estou bem; no outro estou péssima. Minha irritabilidade faz que John e as pessoas ao meu redor nunca saibam o que esperar. Tenho fama de chata, mal-humorada e imatura. Eles me veem como uma criança mimada.
	7. Talvez deixe meus filhos neuróticos. Quando eles crescerem, é possível que fiquem ressentidos com as minhas explosões e queiram afastar-se de mim em vez de me procurar quando precisarem.
	8. John pode me deixar se ficar farto das minhas implicâncias e reclamações.
	9. Esses sentimentos desagradáveis fazem que me sinta péssima. A vida está se tornando amarga e dolorosa, e estou perdendo a alegria e a criatividade que eu tanto prezava.

portando como uma pessoa adulta e não como uma criança que precisa ter tudo o que quer; (8) Terei mais influência sobre as pessoas, e será mais fácil conseguir o que quero negociando de forma assertiva, calma e racional do que por meio de chiliques e exigências; e (9) meus filhos, meu marido e meus pais me respeitarão mais. Depois dessa avaliação, Sue disse-me que ficou convencida de que o preço de sua raiva ultrapassava em muito os benefícios.

É fundamental que você faça esse tipo de análise como um primeiro passo para enfrentar sua raiva. Após relacionar as vantagens e desvantagens, faça o mesmo teste consigo mesma. Pergunte-se: se a situação que me aborrece não mudar imediatamente, eu estaria disposta a enfrentá-la, em vez de ficar com raiva? Se conseguir responder que sim, significa que está claramente motivado a mudar. Provavelmente conseguirá ter mais paz interior, aumentar sua autoestima e levar uma vida mais produtiva. A escolha é sua.

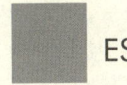

ESFRIAR A CABEÇA

Uma vez que resolveu se acalmar, um método excelente que pode ajudá-lo é anotar os vários pensamentos que passam pela sua mente quando está de "cabeça quente". Depois substitua-os por pensamentos mais agradáveis e objetivos que você tem quando está de "cabeça fria", usando o método das duas colunas (QUADRO 25). Ouça os pensamentos que tem de "cabeça quente" com seu "terceiro ouvido", para identificar as afirmações antagônicas que passam pela sua cabeça. Registre esse diálogo particular sem qualquer censura. Tenho certeza de que vai encontrar muitas expressões ofensivas e fantasias de vingança – anote todas elas. Depois substitua-os por pensamentos mais objetivos e menos inflamados, de "cabeça fria". Isso vai ajudar a se sentir menos exaltado e oprimido.

Sue usou essa técnica para lidar com a frustração que sentia quando a filha de John, Sandy, manipulava-o para conseguir o que queria. Sue ficava lhe dizendo para ser mais firme e ter mais autoridade com Sandy, mas ele costumava reagir de forma negativa às suas sugestões. Achava que Sue ficava reclamando e exigindo que ele fizesse as coisas do seu jeito. Isso fez que ele quisesse passar *menos* tempo com ela, o que acabou criando um círculo vicioso.

Sue anotou os pensamentos de "cabeça quente" que a deixavam com ciúme e se sentindo culpada (ver QUADRO 25). À medida que os substituiu por pensamentos de "cabeça fria", sentiu-se melhor, e isso serviu de antídoto contra a sua vontade de controlar John. Embora continuasse a achar errado o fato de ele deixar que Sandy o manipulasse, decidiu que John tinha o "direito" de estar "errado". Consequentemente, Sue começou a reclamar menos e John passou a se sentir menos pressionado. O relacionamento deles melhorou e amadureceu num clima de liberdade e respeito mútuos. Claro, o simples fato de contestar os pensamentos que tinha de "cabeça quente" não foi o único ingrediente para o sucesso do segundo casamento de Sue e John, mas foi um primeiro passo gigantesco e necessário sem o qual ambos poderiam facilmente ter acabado num impasse outra vez!

Você também pode usar o gráfico mais elaborado "Registro diário de pensamentos disfuncionais" para lidar com a sua raiva (ver QUADRO 26, na p. 157). É possível descrever a situação provocativa e avaliar o quanto sente raiva antes e depois de fazer o exercício. O QUADRO 26 mostra como uma jovem enfrentou sua frustração ao ser tratada de maneira ríspida pelo telefone quando se candidatou a um emprego. Ela relatou que identificar seus pensamentos de "cabeça quente" e contradizê-los a ajudou a cortar uma explosão emocional pela raiz. Isso evitou o desgaste e a irritação que poderiam ter estragado completamente o seu dia. Ela me disse:

Antes de fazer o exercício, eu acreditava que meu inimigo era o homem do outro lado da linha. Mas descobri que *eu* estava me tratando dez vezes pior do que ele. Depois que percebi isso, foi relativamente fácil pensar de "cabeça fria", e fiquei surpresa, pois na mesma hora comecei a sentir-me bem melhor!

QUADRO 25
Sue anotou os pensamentos que tinha de "cabeça quente" quando seu marido cedia às manipulações egoístas de sua filha adolescente. Ao substituí-los por pensamentos mais agradáveis, de "cabeça fria", seu ciúme e seu ressentimento diminuíram.

Cabeça quente	Cabeça fria
1. Como ele atreve-se a não escutar o que eu digo?	1. É fácil. Ele não é obrigado a fazer tudo do meu jeito. Além do mais, ele está escutando, mas fica na defensiva porque estou sendo insistente.
2. Sandy é mentirosa. Ela diz que está fazendo o trabalho, mas não está. E fica esperando que John a ajude.	2. Ela tem o costume de mentir, é preguiçosa e usa as pessoas na hora de fazer os trabalhos da escola. Odeia estudar. Isso é problema dela.
3. John quase não tem tempo livre, e caso fique a ajudando, terei de cuidar dos meus filhos sozinha.	3. E daí? Eu gosto de ficar sozinha. Consigo cuidar dos meus filhos sozinha. Não sou incapaz. Posso fazer isso. Talvez ele queira passar mais tempo comigo se eu parar de ficar brava o tempo todo.
4. Sandy está roubando a minha atenção.	4. É verdade. Mas eu sou adulta. Consigo passar algum tempo sozinha. Não ficaria tão aborrecida se ele estivesse ajudando os meus filhos.
5. John é um idiota. Sandy está usando ele.	5. Ele é adulto. Se quer ajudá-la, problema dele. Melhor ficar fora disso. Não é da minha conta.
6. Eu não aguento isso!	6. Aguento, sim. É só por um tempo. Já aguentei coisa pior.
7. Estou agindo feito criança. Mereço me sentir culpada.	7. Tenho o direito de ser imatura às vezes. Não sou perfeita nem preciso ser. Não é preciso me sentir culpada. Isso não vai ajudar.

TÉCNICAS IMAGINATIVAS

Aqueles pensamentos negativos que você tem quando está de "cabeça quente" são como o roteiro de um filme particular (em geral, censurado) que você projeta em sua mente. Já reparou no que aparece na tela? As imagens, os devaneios e as fantasias de vingança e violência podem ser muito vívidos!

Você pode não ter consciência dessas imagens, a menos que olhe para elas. Deixe-me ilustrar. Suponhamos que eu lhe peça para visualizar agora mesmo uma maçã vermelha numa cesta marrom. Você pode fazer isso com os olhos abertos ou fechados. Pronto! Está vendo, agora? É disso que estou falando. A maioria das pessoas tem essas imagens visuais o dia todo. Elas fazem parte da consciência normal,

QUADRO 26
Registro diário de pensamentos disfuncionais

Situação provocativa	Liguei para uma oferta de emprego de meio período para transcritor médico. O anúncio dizia: exige-se "alguma experiência". Primeiro, o cara nem quis me dizer que tipo de empresa era. Depois me dispensou porque achava que eu não tinha experiência suficiente!			
Emoções	Raiva/Ódio/Frustração 98%			
Pensamentos de cabeça quente	1. Aquele idiota! *Quem o desgraçado pensa que é?* Eu tenho experiência mais do que suficiente!	2. Aquele era o melhor anúncio do jornal, e eu perdi.	3. Meus pais vão me matar.	4. Eu vou chorar.
Pensamentos de cabeça fria	1. Por que estou me exaltando? Afinal, não gostei do tom da voz dele, mesmo. Ele nem me deu chance de falar da minha experiência. Eu sei que sou boa. Portanto, a culpa não é minha se eu não consegui o emprego – é dele. Além do mais, será que eu ia querer trabalhar para alguém assim?	2. Estou exagerando as coisas. Há muitos outros empregos que posso conseguir.	3. É claro que não vão. Ao menos estou me esforçando.	4. Ah, isso não é ridículo? Por que alguém ia me fazer chorar? Não vale a pena chorar por isso. Eu *sei* o meu valor – é isso que importa.
Resultado	Raiva/Ódio/Frustração 15%			

são ilustrações pictóricas dos nossos pensamentos. Nossas lembranças às vezes surgem na forma de imagens mentais, por exemplo. Pense numa cena de algum fato marcante do passado – sua formatura do segundo grau, seu primeiro beijo (você ainda se lembra?), uma caminhada longa etc. Está vendo agora?

Essas imagens podem ter uma forte influência sobre você e despertar sentimentos positivos ou negativos, assim como os sonhos eróticos ou os pesadelos. O efeito estimulante de uma imagem positiva pode ser muito intenso. Por exemplo, a caminho de um parque de diversões, você pode ter uma imagem daquela primeira descida atordoante da montanha-russa e sentir o frio na barriga. Na verdade, o devaneio provoca a antecipação do prazer. Do mesmo modo, as imagens negativas têm uma grande capacidade de despertar suas emoções. Visualize agora mesmo alguém que já o deixou furioso em algum momento da sua vida. Que imagens lhe vêm à cabeça? Você se imagina dando-lhe um soco no nariz, ou jogando-o num tanque de óleo fervendo?

Na verdade, esses devaneios mantêm sua raiva viva *muito tempo* depois de ocorrido o insulto inicial. Seu sentimento de raiva pode corroê-lo horas, dias, meses ou até anos depois que o fato irritante já passou. Suas fantasias ajudam a manter a dor viva. Toda vez que você fantasia sobre o episódio, descarrega novas doses de irritação no seu sistema. É como se fosse uma vaca ruminando um capim envenenado.

E quem está provocando essa raiva? Você, porque escolheu trazer essas imagens à sua mente! Até onde sabemos, a pessoa com quem você está furioso mora no fim do mundo, ou talvez já tenha até morrido, portanto dificilmente poderia ser o culpado! Você agora é o diretor e o produtor do filme, e o que é pior, é a única pessoa na plateia. Quem tem de assistir e sentir toda essa irritação? VOCÊ! Você é o único que está sujeito a um aperto constante, tensão nos músculos das costas e uma injeção de adrenalina na corrente sanguínea. É o único que irá ficar com a pressão elevada. EM RESUMO: *Você está fazendo mal a si mesmo.* Quer continuar com isso?

Se não quiser, irá preferir fazer alguma coisa para diminuir as imagens irritantes que está projetando em sua mente. Uma técnica útil é transformá-las de forma criativa para que fiquem menos perturbadoras. O humor constitui uma ferramenta poderosa que você pode usar. Por exemplo, em vez de imaginar que está torcendo o pescoço da pessoa com quem está furioso, fantasie que ela está andando só de fraldas numa loja de departamentos lotada. Visualize todos os detalhes: a barriga, os alfinetes, as pernas peludas. O que está acontecendo com a sua raiva agora? Isso no seu rosto é um grande sorriso?

Um segundo método consiste em interromper pensamentos. Todo dia, ao perceber que as imagens vêm à sua cabeça, lembre a si mesmo que tem o direito de desligar o projetor. Pense em outra coisa. Encontre alguém e comece a conversar. Leia um bom livro. Asse um pão. Saia para correr. Quando você parar de incentivar as imagens raivosas com a sua irritação, elas se tornarão cada vez menos recorrentes. Em vez de remoê-las, pense num evento futuro que o deixa empolgado, ou troque por uma fantasia erótica. Se a lembrança desagradável for persistente, faça exercícios físicos vigorosos como flexões, corridas rápidas ou natação. Além de tudo, eles têm a vantagem de canalizar sua irritação potencialmente nociva de uma forma altamente benéfica.

REESCREVER AS REGRAS

Você pode ficar frustrado e irritado sem necessidade porque tem uma regra pouco realista sobre relações pessoais que faz que se decepcione o tempo todo. O motivo da raiva de Sue era acreditar que tinha *direito* ao amor de John por causa de sua regra "Se eu sou uma esposa boa e fiel, mereço ser amada".

Em consequência dessa suposição aparentemente inocente, Sue tinha a sensação constante de que seu casamento estava ameaçado porque toda vez que John não lhe dava a dose adequada de amor e atenção, ela sentia isso como uma confirmação de sua incompetência. Então passava a manipular e exigir atenção e respeito numa batalha constante para se defender contra a perda de autoestima. Seus momentos de intimidade eram como deslizar lentamente em direção à beira de um abismo de gelo. Não espanta o fato de ela agarrar-se desesperadamente ao John, nem explodir ao sentir sua indiferença – será que ele não percebia que era a vida dela que estava em jogo?

Além da enorme insatisfação que sua "regra do amor" causava, ela acabava não dando certo. Por algum tempo, as manipulações de Sue realmente atraíam um pouco da atenção que ela desejava. Afinal, ela conseguia *intimidar* John com suas explosões emocionais, *puni-lo* com sua frieza distante e *manipulá-lo* ao fazer que se sentisse culpado.

Mas o preço pago por Sue é que o amor que recebe não é – nem pode ser – dado livre e espontaneamente. John se sentirá esgotado, preso e controlado. O ressentimento que ele vem acumulando fará pressão para sair. Quando parar de aceitar essa crença da esposa de que *precisa* ceder às exigências dela, seu desejo de liberdade irá dominá-lo e ele vai explodir. Os efeitos destrutivos do que se faz passar por amor nunca deixam de me espantar!

Se os seus relacionamentos são caracterizados por essa tensão e tirania cíclicas, talvez seja melhor você reescrever as regras. Se adotar uma atitude mais realista, é possível acabar com a sua frustração. É bem mais fácil do que tentar mudar o mundo. Sue decidiu rever sua "regra do amor" da seguinte maneira: "Se eu me comportar de maneira positiva com o John, ele vai reagir de forma afetuosa boa parte do tempo. Mesmo quando ele não fizer isso, posso continuar a me respeitar e agir de forma produtiva.". Essa formulação de suas expectativas foi mais realista e não deixou seu humor e sua autoestima à mercê de seu marido.

As regras que colocam-no em dificuldades interpessoais, muitas vezes, não parecem fazer mal. Pelo contrário, elas parecem extremamente humanitárias e carregadas de moral. Recentemente, tratei de uma mulher chamada Margaret cuja opinião era a de que "os casamentos *deviam* ser meio a meio. Cada um *devia* fazer pelo outro em igual medida". Ela aplicava essa regra a todos os relacionamentos humanos. "Se eu faço coisas boas para os outros, eles *deviam* retribuir."

E o que há de errado nisso? Certamente, parece "razoável" e "justo". É uma espécie de variação da Regra de Ouro – tratar os outros da forma como queremos ser tratados. Aqui está o erro: é um fato incontestável que as relações humanas, incluindo os casamentos, quase nunca são espontaneamente "recíprocos", porque as pessoas são diferentes. A reciprocidade é um ideal passageiro e inerentemente instável do qual só é possível aproximar-se por meio de esforço constante. Isso envolve consenso mútuo, comunicação, compromisso e crescimento. Exige negociação e empenho.

O problema de Margaret é que ela não reconhecia isso. Vivia num mundo de fantasia no qual a reciprocidade existia como uma realidade presumida. Estava sempre fazendo coisas boas para o seu marido e para os outros, esperando reciprocidade por parte deles. Infelizmente, esses pactos unilaterais eram rompidos porque, em geral, os outros não tinham consciência de que ela esperava ser retribuída.

Por exemplo, uma instituição de caridade local anunciou que desejava contratar um diretor assistente remunerado para começar em alguns meses. Margaret ficou muito interessada e se candidatou ao cargo. Depois dedicou grande do seu tempo fazendo trabalhos voluntários para a instituição e presumiu que os outros funcionários "retribuiriam" isso por respeitarem e gostarem dela, e que o diretor "retribuiria" isso ao lhe oferecer o emprego. Na realidade, os outros funcionários não reagiram a ela com simpatia. Talvez tenham percebido e ficado ressentidos por sua tentativa de controlá-los com sua "gentileza" e virtude. Quando o diretor escolheu outro candidato para o cargo, ela subiu pelas paredes e ficou amargurada e desiludida, uma vez que sua "regra de reciprocidade" havia sido violada!

Já que sua regra havia lhe causado tanto aborrecimento e decepção, ela decidiu reescrevê-la e encarar a reciprocidade não como umao *pressuposto*, mas como uma meta que ela poderia se esforçar para atingir ao perseguir seus próprios interesses. Ao mesmo tempo, parou de exigir que os outros lessem seus pensamentos e reagissem como desejava. Paradoxalmente, quando aprendeu a *esperar* menos, passou a *conseguir* mais!

Se você tem uma regra de obrigação do tipo "devia" ou "não devia" que tem lhe causado desapontamento e frustração, reescreva-a em termos mais realistas. Alguns exemplos que podem ajudá-lo a fazer isso são mostrados no Quadro 27. Você irá perceber que a substituição de uma única palavra – "devia" por "seria bom *se*" – pode ser um primeiro passo muito útil.

APRENDA QUE ALGUNS FAZEM LOUCURAS

Assim que a raiva esfriou, o relacionamento de Sue com John tornou-se mais próximo e afetuoso. Mas a filha de John, Sandy, reagiu a essa sua maior intimidade ao manipulá-lo ainda mais. Ela começou a mentir e emprestar dinheiro sem devolver; entrou furtivamente no quarto de Sue, revirou as gavetas e roubou coisas pessoais dela; deixou a cozinha bagunçada etc. Todas essas atitudes deixavam Sue uma fera, porque ela dizia a si mesma: "A Sandy não devia agir assim. Ela está louca! Isso não é justo!". Sua frustração era produto de dois ingredientes desnecessários:

1. O comportamento inadequado de Sandy;
2. As expectativas de Sue de que ela deveria agir com mais maturidade.

QUADRO 27
Revisando as "Regras de obrigação"

Regra de obrigação autodestrutiva	Versão revisada
1. Se eu sou legal com os outros, eles deviam ficar agradecidos.	1. Seria bom se as pessoas ficassem agradecidas sempre, mas isso não acontece. Elas ficarão agradecidas muitas vezes, mas nem sempre.
2. As pessoas estranhas deviam tratar-me com educação.	2. A maioria dos estranhos me tratará com educação se eu não demonstrar hostilidade. De vez em quando, vai aparecer algum chato desagradável. Para que deixar isso me aborrecer? A vida é muito curta para perder tempo me concentrando nos detalhes negativos.
3. Se eu me esforço por alguma coisa, devia conseguir.	3. Isso é ridículo. Não tenho garantia nenhuma de que serei *sempre* bem-sucedido em tudo. Não sou perfeito nem preciso ser.
4. Se alguém me trata injustamente, eu devia ficar furioso porque tenho o direito de sentir raiva e isso me torna mais humano.	4. Todos os seres humanos têm o direito de se enfezar, sejam tratados injustamente ou não. A verdadeira questão é – vale a pena ficar furioso? Eu quero sentir raiva? Quais são os custos e benefícios?
5. As pessoas não deviam me tratar como eu não as trataria.	5. Bobagem. Os outros não vivem segundo as minhas regras, então por que esperar que façam isso? As pessoas *geralmente* vão me tratar do mesmo modo que eu as trato, mas nem *sempre*.

Como as evidências indicavam que Sandy *não* ia mudar, Sue só tinha uma alternativa: descartar suas expectativas irreais de que Sandy se comportasse de maneira adulta e civilizada! Ela resolveu escrever o seguinte lembrete a si mesma, intitulado:

POR QUE SANDY DEVE AGIR DE FORMA DESAGRADÁVEL

É da natureza de Sandy ser manipuladora, uma vez que ela acredita ter direito a amor e atenção. Pensa que receber amor e atenção é uma questão de vida ou morte. Acha que precisa ser o centro das atenções para sobreviver. Portanto, verá qualquer falta de atenção como uma injustiça e um grande risco para a sua autoestima.

Como acha que precisa manipular para receber atenção, ela *deve* agir de forma manipuladora. Por isso, posso esperar e prever que continuará a agir assim até que mude. Como é improvável que ela mude num futuro próximo, posso esperar que continue a se comportar assim por algum tempo. Portanto, não terei por que me sentir frustrada ou surpresa por ela estar agindo da maneira como *deveria* agir.

Além do mais, quero que todas as pessoas – inclusive Sandy – ajam da forma que consideram justa. Sandy acha que merece mais atenção. Como seu comportamento inadequado é baseado em seu senso de merecimento, posso recordar a mim mesma que o que ela faz é justo de acordo com seu ponto de vista.

Por fim, é o meu humor que desejo manter sob controle, e não o dela. Eu quero ficar chateada e com raiva por causa do comportamento "justo, mas desagradável" da Sandy? Não! Portanto, posso mudar minha forma de reagir ao que ela faz:

1. Posso agradecer por ela roubar, já que é isso que ela "deve" fazer.
2. Posso rir de suas manipulações, uma vez que são infantis.
3. Posso escolher não ficar com raiva, a menos que seja uma decisão minha usar a raiva para atingir um determinado objetivo.
4. Se sentir que estou perdendo a autoestima por causa das manipulações de Sandy, posso me perguntar: Eu quero deixar que uma criança tenha tanto poder sobre mim?

O que Sue pretende com esse lembrete? É provável que as atitudes provocativas de Sandy sejam deliberadamente mal-intencionadas. Ela atinge Sue conscientemente por causa do ressentimento e frustração que sente. Quando se aborrece, paradoxalmente, Sue dá a Sandy exatamente o que ela quer! Ela pode diminuir muito sua frustração caso mude suas expectativas.

MANIPULAÇÃO ESCLARECIDA

Talvez você tenha medo de estar sendo ingênuo se mudar suas expectativas e abrir mão de sua raiva. Talvez ache que os outros queiram se aproveitar de você. Esse seu receio reflete sua sensação de incompetência e mostra que você provavelmente não está familiarizado com métodos mais esclarecidos para ir atrás daquilo que quer. Deve acreditar que, se não fizer exigências, irá acabar de mãos vazias.

Então, qual é a alternativa? Bem, como ponto de partida, vamos recapitular a obra do dr. Mark K. Goldstein, um psicólogo que fez uma brilhante e criativa pesquisa clínica sobre o condicionamento dos maridos pelas esposas. Em seu trabalho com esposas negligenciadas e zangadas, ele tomou conhecimento dos métodos autodestrutivos que elas usavam para conseguir o que queriam de seus maridos. Ele se perguntou: O que aprendemos no laboratório sobre os métodos científicos mais eficazes para influenciar *todos* os organismos vivos, entre eles bactérias, plantas e ratos? Podemos aplicar esses princípios a maridos voluntariosos e às vezes brutais?

A resposta para essas perguntas foi clara – *recompensar* o comportamento desejado em vez de *castigar* o indesejado. O castigo causa aversão e ressentimento e provoca alienação e afastamento. A maioria das esposas carentes e abandonadas que ele tratou estava, equivocadamente, tentando punir seus maridos ao levá-los a fazer o que elas queriam. Ao adotarem um modelo de recompensa em que o comportamento desejado atraía uma grande atenção, ele observou mudanças radicais.

As esposas tratadas pelo dr. Goldstein não são casos únicos. Elas estavam presas aos conflitos conjugais comuns que a maioria de nós enfrenta. Essas mulheres tinham um extenso histórico de dar atenção aos seus esposos de forma indiscriminada ou, em alguns casos, principalmente em resposta a comportamentos indesejáveis. Uma mudança importante precisava ocorrer para que elas obtivessem o tipo de reação que desejavam de seus maridos, mas não estavam conseguindo. Ao manter registros científicos detalhados de suas interações com seus maridos, as mulheres foram capazes de controlar as reações deles.

Foi o que aconteceu com uma das pacientes do dr. Golstein. Após anos de brigas, a esposa X declarou que havia perdido seu marido. Ele a abandonou e foi morar com a namorada. Suas interações iniciais com a esposa X centravam-se em torno do abuso e da indiferença. À primeira vista, ele parecia não se importar muito com ela. Mesmo assim, ligava para ela de vez em quando, o que indicava que poderia ter algum interesse por ela. Ela tinha a opção de cultivar essa atenção ou reprimi-la ainda mais por meio de constantes reações inadequadas.

A esposa X definiu suas metas. Resolveu experimentar para ver se *conseguia* mesmo trazer seu marido de volta. O primeiro passo era determinar se poderia aumentar realmente seu contato com ela. Calculou meticulosamente a frequência e duração de todos os telefonemas e visitas dele, registrando essa informação num gráfico grudado na porta da geladeira. Avaliou cuidadosamente a relação crucial entre o comportamento dela (o estímulo) e a frequência de seus contatos (a resposta).

Ela não iniciou nenhum contato com ele por iniciativa própria, mas respondeu de forma positiva e afetuosa às suas ligações. Sua estratégia era simples. Em vez de observar e reagir a todas as coisas que lhe desagradavam em relação a ele, passou a reforçar sistematicamente aquelas que lhe agradavam. Como recompensa, usou todos os elementos que o estimulavam – elogios, comida, sexo, afeto etc.

Começou respondendo às suas raras ligações de maneira alegre, positiva e educada. Ela o agradava e incentivava. Evitava qualquer tipo de crítica, discussão, exigência ou hostilidade, e encontrou uma forma de *concordar* com tudo que ele dizia, usando a técnica de desarmar descrita no Capítulo VII. No começo, encerrava todas essas ligações depois de cinco a dez minutos para assegurar que as conversas não se transformassem numa discussão nem se tornassem chatas para ele. Isso garantia que seu *feedback* em relação a ela fosse positivo e que sua resposta a isso não fosse suprimida ou eliminada.

Depois de fazer isso algumas vezes, ela percebeu que seu marido começou a telefonar com uma frequência cada vez maior, porque suas ligações eram experiências positivas e gratificantes para ele. Observou esse aumento no número de telefonemas do seu gráfico, do mesmo modo que um cientista que observa e documenta o comportamento de um rato numa experiência. À medida que suas ligações aumentaram, ela começou a ficar mais animada e parte de sua irritação e ressentimento desapareceu.

Um dia ele apareceu em casa e, de acordo com o seu plano, ela anunciou: "Estou feliz que tenha aparecido, pois tenho um excelente charuto cubano importado no freezer para você. É daquela marca cara que você adora.". Na verdade, ela tinha uma caixa inteira de charutos guardada para que pudesse fazer isso toda vez que ele a visitasse – qualquer que fosse o motivo ou a ocasião. Ela percebeu que a frequência de suas visitas aumentou consideravelmente.

Do mesmo modo, continuou a "moldar" o comportamento dele usando *recompensas* em vez de coerção. Percebeu o quanto havia tido êxito quando seu marido resolveu deixar a namorada e perguntou se podia voltar a morar com ela.

Estou dizendo que essa é a única maneira de se relacionar e influenciar pessoas? Não – isso seria absurdo. É apenas um tempero especial, não é o banquete inteiro, nem mesmo o prato principal. Mas é uma iguaria muitas vezes esquecida a que poucos apetites conseguem resistir. Não há nenhuma *garantia* de que vai dar certo – algumas situações podem ser irreversíveis, e nem sempre podemos conseguir o que queremos.

De qualquer forma, *experimente* o sistema de recompensas positivas. Você pode ter uma agradável surpresa com a incrível eficácia da sua estratégia secreta. Além de motivar as pessoas que você ama a quererem ficar perto de você, isso irá melhorar o seu humor, uma vez que você aprende a observar e se concentrar nas coisas positivas que os outros fazem, em vez de insistir em seus pontos negativos.

DIMINUIR AS COBRANÇAS

Como muitos dos pensamentos que provocam sua raiva envolvem cobranças moralistas do tipo "devia", dominar alguns métodos para reduzi-las irá ajudar. Um deles é fazer uma lista, com base no método das duas colunas, de todas as razões pelas quais você acredita que o outro "não devia" ter feito o que fez. Depois questione essas razões até que consiga ver por que elas não são realistas nem fazem sentido de fato.

Exemplo: Vamos supor que o marceneiro fez um trabalho malfeito nos armários da cozinha da sua casa nova. As portas estão mal alinhadas e não fecham direito. Você está furioso porque não considera isso "justo". Afinal, pagou integralmente os valores exigidos pelo sindicato, por isso acha que tem direito a um trabalho excelente feito por profissionais de primeira. Você fica louco da vida e diz, "Aquele filho da mãe preguiçoso devia ter orgulho do seu trabalho. Onde esse mundo vai parar?". Depois relaciona as razões e contestações detalhadas no Quadro 28.

A justificativa para acabar com essas cobranças é simples: Você não tem o direito de conseguir o que quer pelo simples fato de querer. Terá de negociar. Chamar o marceneiro, reclamar e insistir para que o trabalho seja corrigido. Mas não aumente o seu problema ao se exaltar e se aborrecer demais. O marceneiro provavelmente não estava *tentando* prejudicar você, e sua raiva pode simplesmente fazê-lo se opor e ficar na defensiva. Afinal, metade de todos os marceneiros (e psiquiatras, secretárias, escritores, dentistas etc.) esteve abaixo da média ao longo da história da humanidade. Você acredita nisso? Isso é verdade por definição, porque a palavra "média" é *definida* como o ponto intermediário! É um absurdo enfurecer-se e reclamar que o talento mediano desse marceneiro em particular é "injusto", ou que ele "devia" ser diferente do que é.

QUADRO 28

Razões pelas quais ele *devia* ter mais orgulho do seu trabalho	Contestações
1. Porque eu paguei um preço alto.	1. Ele recebe a mesma coisa com ou sem orgulho de seu trabalho.
2. Porque fazer um bom trabalho não é mais do que obrigação.	2. Provavelmente, ele acha que fez um bom trabalho. E os lambris que ele fez, na verdade, ficaram muito bons.
3. Porque ele devia ter certeza de que ficou *bem-feito*.	3. Por que ia fazer isso?
4. Porque *eu* faria isso se fosse marceneiro.	4. Mas ele não sou eu – nem está tentando corresponder aos meus padrões.
5. Porque ele devia se preocupar mais com o seu produto.	5. Ele não tem motivos para se preocupar mais. Alguns marceneiros preocupam-se muito com o seu trabalho, e para outros é só mais um serviço.
6. E por que eu tenho de pegar justo aquele que faz o serviço malfeito?	6. Nem todas as pessoas que trabalharam na sua casa fizeram um serviço malfeito. Não se pode esperar que 100% do pessoal seja de primeira. Isso não seria realista.

ESTRATÉGIAS DE NEGOCIAÇÃO

A essa altura, talvez você esteja todo ouriçado, pensando: "Que beleza! Agora o dr. Burns está querendo me dizer que posso encontrar a felicidade ao acreditar que aqueles marceneiros preguiçosos e incompetentes *devem* fazer um trabalho meia-boca. Afinal, é a natureza deles, diz o grande doutor. Que besteira! Eu não vou perder a minha dignidade e deixar que as pessoas pisem em mim, pois estou pagando uma fortuna por um trabalho que ficou uma porcaria e não vou deixar que fique tudo por isso mesmo".

Calma! Ninguém está pedindo para você fechar os olhos para o que o marceneiro fez. Caso queira ter uma influência positiva em vez de continuar a se lastimar furiosamente e provocar um turbilhão interior, uma abordagem calma, firme e assertiva provavelmente dará mais resultado. Em contrapartida, afirmações moralistas sobre o que ele "devia" ou não fazer só irão irritar você e polarizá-lo, fazendo-o se defender e contra-atacar. Lembre-se – a briga é uma forma de intimidade. Você quer mesmo ficar tão íntimo desse marceneiro? Em vez disso, não prefere obter o que deseja?

Assim que você parar de gastar suas energias ao ficar com raiva, poderá concentrar seus esforços em obter o que deseja. Os princípios de negociação a seguir podem funcionar bem numa situação como essa:

1. Em vez de acusá-lo, *elogie* o que ele fez direito. É um fato indiscutível da natureza humana que poucas pessoas conseguem resistir a um elogio, mesmo que seja descaradamente falso. Entretanto, uma vez que consiga encontrar *alguma coisa* de bom nele ou no seu trabalho, você pode tornar sincero o seu elogio. Depois, com muito tato, mencione o problema com as portas do armário e explique calmamente por que você quer que ele volte e corrija o alinhamento.
2. Se ele questionar, *desarme-o* encontrando uma forma de concordar com ele, por mais absurdos que possam ser os seus argumentos. Isso irá silenciá-lo e diminuir o seu ímpeto. Logo em seguida...
3. *Esclareça* novamente o seu ponto de vista, com calma e firmeza.

Repita as três técnicas acima diversas vezes, variando as combinações, até que o marceneiro finalmente desista ou que consigam chegar a um acordo razoável. Só use ultimatos e ameaças intimidadoras em último caso, e se tiver certeza de que está preparado e disposto a cumprir o que diz. Como regra geral, use a diplomacia para expressar sua insatisfação com o trabalho dele. Evite rotulá-lo de forma ofensiva ou insinuar que ele é desonesto, maldoso, sem-vergonha etc. Se decidir conversar com ele sobre os seus sentimentos negativos, faça isso de forma objetiva, sem aumentar o tamanho do problema nem se exaltar na linguagem. Por exemplo, "Fiquei chateado porque sei que você tem capacidade de fazer melhor que isso" é preferível a "Seu filho da... ! Isso ficou uma... !".

No diálogo a seguir, identificarei cada uma dessas técnicas.

VOCÊ: Fiquei satisfeito com uma parte do trabalho, e espero poder contar para os outros que fiquei feliz com o todo. Os lambris ficaram

	muito bem-feitos, mas estou meio preocupado com os armários da cozinha. (Elogio)
MARCENEIRO:	O que há de errado com eles?
VOCÊ:	As portas não estão alinhadas e vários puxadores estão tortos.
MARCENEIRO:	Bom, é o melhor que posso fazer nesse tipo de armário. Eles são fabricados em grande escala e a qualidade não é uma das melhores.
VOCÊ:	É, isso é verdade. Eles não são tão bem-feitos como outros tipos mais caros. (Técnica de desarmar) Mesmo assim, não dá para ficar desse jeito e eu agradeceria se você pudesse fazer alguma coisa para melhorar isso. (Esclarecimento; tato)
MARCENEIRO:	Você vai ter de falar com o fabricante ou com a construtora. Eu não posso fazer nada.
VOCÊ:	Entendo a sua dificuldade (Técnica de desarmar), mas é responsabilidade sua instalar satisfatoriamente esses armários. Eles não podem ficar assim. Parecem mal-feitos e não fecham direito. Sei que é um incômodo, mas a minha posição é que não podemos considerar o trabalho pronto, e a conta não será paga enquanto você não arrumar isso. (Ultimato) Pelo seu outro trabalho, já vi que tem capacidade de deixá-los de acordo, mesmo que demore um pouco mais. Assim ficaremos totalmente satisfeitos com o seu trabalho e poderemos dar boas recomendações. (Elogio)

Experimente essas técnicas de negociação quando estiver em desacordo com alguém. Acredito que vai descobrir que é mais eficaz do que se enfurecer, e se sentirá melhor porque normalmente acabará conseguindo mais do que deseja.

EMPATIA PERFEITA

A empatia é o maior antídoto contra a raiva. É a forma mais elevada de magia descrita neste livro, e seus efeitos impressionantes estão bem enraizados na *realidade*. Não é preciso nenhum truque de espelhos.

Vamos definir o termo. Quando falo em empatia, *não* me refiro à capacidade de sentir o mesmo que a outra pessoa sente. Isso é simpatia. A simpatia é muito elogiada mas, na minha opinião, meio superestimada. Quando falo em empatia, *não* me refiro a agir de forma solícita e compreensiva. Isso é apoio. O apoio também é extremamente valorizado e superestimado.

Então, o que é empatia? A empatia é a capacidade de compreender com perfeição os pensamentos e motivações dos outros, de tal forma que eles digam "Sim, é *exatamente* disso que eu estava falando!". Quando tiver esse conhecimento extraordinário, você irá entender e aceitar as razões pelas quais os outros fazem o que fazem, sem se zangar, mesmo que suas atitudes possam não lhe agradar.

Lembre-se, na verdade, de que são os *seus* pensamentos que provocam a sua raiva, e não o comportamento do outro. O mais incrível é que, no momento em que você entende por que o outro está agindo assim, esse conhecimento tende a contradizer os pensamentos que o deixam com raiva.

Você pode perguntar: Se é tão fácil eliminar a raiva por meio da empatia, por que as pessoas ficam tão bravas umas com as outras todos os dias? A resposta é que a empatia é uma coisa difícil de se adquirir. Enquanto seres humanos, estamos presos às nossas próprias percepções e reagimos automaticamente ao significado que damos ao que as pessoas fazem. Entrar na cabeça do outro exige grande esforço, e a maioria das pessoas nem sabe como fazer isso. Você sabe? Irá aprender nas próximas páginas.

Vamos começar com um exemplo. Recentemente, um executivo procurou ajuda por causa de seus frequentes acessos de raiva e comportamento abusivo. Quando sua família ou seus empregados não faziam o que ele queria, ele tornava-se muito agressivo. Geralmente conseguia intimidar as pessoas, as quais gostava de dominar e humilhar. Mas sentia que suas explosões impulsivas andavam lhe causando problemas ultimamente, por causa de sua fama de sádico e esquentadinho.

Ele contou que estava participando de um jantar em que o garçom esqueceu-se de encher sua taça de vinho. Sentiu a raiva subir ao pensar "O garçom acha que não sou importante. Quem o desgraçado pensa que é, afinal? Queria torcer o pescoço do filho da...".

Usei o método da empatia para demonstrar a ele que esses pensamentos não tinham lógica nem eram realistas. Sugeri que fizéssemos uma encenação. Ele faria o papel do garçom, e eu representaria o papel de um amigo. Ele deveria tentar responder minhas perguntas da forma mais sincera possível. O diálogo foi assim:

DAVID (fazendo o papel do amigo do garçom): Percebi que você não encheu a taça de vinho daquele executivo ali.

PACIENTE (fazendo o papel do garçom): É mesmo, não enchi a taça dele.

DAVID: Por que você não encheu sua taça? Acha que ele não é uma pessoa importante?

PACIENTE (depois de uma pausa): Não, não é isso. Na verdade, eu nem sei direito quem ele é.

David: Mas você não concluiu que ele não era uma pessoa importante e se recusou a lhe dar o vinho por causa disso?
Paciente (rindo): Não, não foi por *isso* que eu não lhe dei o vinho.
David: Então, por que você não lhe deu o vinho?
Paciente (depois de pensar): Bom, eu estava pensando no meu encontro hoje à noite. Além disso, estava olhando para aquela moça bonita do outro lado da mesa. Fiquei distraído com o decote dela e acabei não enchendo a sua taça de vinho.

Essa encenação trouxe grande alívio ao paciente porque, ao se colocar no lugar do garçom, ele pôde ver que sua interpretação dos fatos não havia sido realista. Sua distorção cognitiva foi tirar conclusões precipitadas (ler pensamentos). Automaticamente, ele concluiu que o garçom estava sendo *injusto*, o que o fez achar que precisava se desforrar para manter seu orgulho próprio. Depois de adquirir certa empatia, pôde ver que sua indignação foi causada única e exclusivamente pelos seus pensamentos distorcidos, e *não* pela atitude do garçom. Em geral, é extremamente difícil que as pessoas propensas à raiva aceitem isso no começo, pois elas têm um impulso quase irresistível de culpar os outros e se desforrar. E quanto a você? A ideia de que muitos dos pensamentos que o deixam com raiva não têm fundamento parece absurda e inadmissível?

A técnica da empatia também pode ser muito útil quando parece mais claro que as atitudes do outro são intencionalmente ofensivas. Uma mulher de 28 anos chamada Melissa procurou aconselhamento na época em que estava se separando de seu marido, Howard. Cinco anos antes, Melissa descobriu que Howard estava tendo um caso com Ann, uma secretária atraente que trabalhava no mesmo prédio que ele. Essa revelação foi um duro golpe para Melissa, mas, para piorar ainda mais as coisas, Howard ficou hesitante em romper totalmente com Ann, e o caso arrastou-se por mais oito meses. A humilhação e a raiva que Melissa sentiu durante esse período foram alguns dos principais fatores que levaram à sua decisão definitiva de abandoná-lo. Seus pensamentos eram mais ou menos assim: (1) Ele não tinha o direito de agir dessa maneira; (2) Ele só pensou em si mesmo; (3) Isso não é justo; (4) Ele foi um canalha; (5) Devo ter feito alguma coisa errada.

Durante uma sessão de terapia, pedi a Melissa para fazer o papel de Howard, depois questionei-a para ver se conseguia explicar por que, exatamente, ele havia tido o caso com Ann e agido daquela maneira. Melissa declarou que, conforme a encenação progredia, viu de repente aquilo que Howard havia passado e, naquele momento, sua raiva contra ele desapareceu completamente. Após a sessão, fez uma descrição do sumiço drástico da raiva que havia guardado durante anos:

Depois que o caso do Howard com a Ann supostamente terminou, ele insistia em continuar a vê-la e ainda estava muito ligado a ela. Isso era doloroso para mim. Fazia-me sentir que o Howard não tinha mesmo respeito por mim e se considerava mais importante do que eu. Eu achava que, se ele realmente me amasse, não me faria passar por isso. Como podia continuar vendo a Ann, mesmo sabendo o quanto isso me deixava infeliz? Eu ficava com muita raiva do Howard e triste comigo mesma. Quando experimentei o método da empatia e representei o papel do Howard, enxerguei a situação como um todo. Comecei a ver as coisas de outra forma. Quando me imaginei no lugar do Howard, pude ver pelo que ele estava passando. Ao me colocar no lugar dele, vi o problema de amar Melissa, minha esposa, e também Ann, minha amante. Ocorreu-me que o Howard estava preso num beco sem saída criado por seus pensamentos e emoções. Ele me amava, mas estava desesperadamente atraído pela Ann. Por mais que quisesse, não conseguia deixar de vê-la. Sentia-se muito culpado e não conseguia parar. Achava que sairia perdendo se deixasse a Ann, e sairia perdendo se me deixasse. Não tinha a menor vontade nem condições de lidar com nenhuma das duas perdas, e foi *a sua indecisão e não alguma incompetência da minha parte* que o fez demorar a se decidir.

A experiência foi uma revelação para mim. Pela primeira vez, eu vi realmente o que havia acontecido. Sabia que o Howard não havia feito nada com a intenção de me magoar, mas tinha sido incapaz de agir de outra maneira. Eu me senti bem por conseguir enxergar e entender isso.

Eu contei isso ao Howard quando nos encontramos. Nós dois nos sentimos bem melhor a esse respeito. Também tive uma sensação muito boa após a experiência com a técnica da empatia. Foi muito interessante. Mais real do que tudo que eu já tinha visto.

A explicação para a raiva de Melissa era o seu medo de perder a autoestima. Embora Howard, de fato, tivesse agido de maneira verdadeiramente negativa, foi o *significado* que ela atribuiu à experiência que provocou seu sentimento de tristeza e raiva. Ela presumiu que, como era uma "boa esposa", tinha direito a um "bom casamento". Essa é a lógica que a levou a um problema emocional:

PREMISSA: Se eu sou uma esposa boa e competente, meu marido é obrigado a me amar e ser fiel a mim.

OBSERVAÇÃO: Meu marido não está agindo de maneira amorosa e fiel.

CONCLUSÃO: Logo, ou eu não sou uma esposa boa e competente, ou o Howard é uma pessoa má e imoral porque está quebrando a minha "regra".

Assim, a raiva de Melissa representava uma tentativa débil de salvar a situação porque, dentro do seu sistema de suposições, essa era a única alternativa para não perder a autoestima. Os únicos problemas da sua solução eram (a) ela não estava *realmente* convencida de que ele "não prestava"; (b) ela não *queria* realmente riscá-lo da sua vida, já que ainda o amava; e (c) com essa raiva amargurada crônica, ela não se *sentia* bem, não *parecia* bem e o afastava ainda mais.

Sua premissa de que ele a amaria enquanto ela fosse uma boa esposa era um conto de fadas que ela jamais havia pensado em questionar. O método da empatia transformou seu pensamento de uma forma extremamente benéfica, por ter-lhe permitido abandonar a *grandiosidade* inerente à sua premissa. O mau comportamento de Howard era causado pelas distorções cognitivas *dele*, não pela incompetência dela. Portanto, *ele* era o responsável pela confusão em que estava atolado, não ela!

Essa súbita descoberta atingiu-a como um raio. A partir do momento em que viu as coisas sob a ótica *dele*, sua raiva desapareceu. Ela tornou-se uma pessoa bem *menor* no sentido de que não se via mais como responsável pelas atitudes do marido e das pessoas em torno dela. Mas, ao mesmo tempo, sentiu sua autoestima aumentar de repente.

Na sessão seguinte, resolvi submeter sua nova descoberta a uma prova de fogo. Confrontei-a com os pensamentos negativos que a aborreciam inicialmente para ver se conseguia responder a eles de forma eficaz:

DAVID: O Howard poderia ter parado de vê-la antes. Ele fez você de boba.

MELISSA: Não – ele não conseguia parar porque não tinha saída. Estava totalmente obcecado e atraído pela Ann.

DAVID: Mas então ele devia ter ficado com ela e terminado com você, assim pararia de torturá-la. Essa seria a única coisa decente a fazer!

MELISSA: Ele achava que não conseguiria se separar de mim porque me amava e estava comprometido comigo e com os nossos filhos.

DAVID: Mas não é justo ficar enrolando você por tanto tempo.

MELISSA: Ele não tinha a intenção de ser injusto. Simplesmente aconteceu.

DAVID: Aconteceu?! Que absurdo! Você está dando uma de Pollyanna. O fato é que *ele não devia* ter se metido nessa situação desde o início.

MELISSA: Mas se meteu. A Ann representava aventura, e na época ele se sentia desanimado e oprimido pela vida. Até que um dia não conseguiu mais resistir aos seus galanteios. Ele avançou um pouco o sinal num momento de fraqueza, e foi assim que o caso começou.

DAVID: Bem, você não era tão boa assim, porque ele não foi fiel a você. Isso a torna inferior.

MELISSA: Não tem nada a ver. Não preciso ter tudo o que eu quero o tempo todo para ter valor.

DAVID: Mas ele nunca teria ido atrás de uma aventura se você fosse uma esposa competente. Você não desperta desejo nem amor. Não é grande coisa, por isso seu marido teve um caso.

MELISSA: A verdade é que ele acabou preferindo ficar comigo a ficar com a Ann, mas isso não me torna melhor do que ela, torna? Da mesma forma, o fato de ele ter preferido lidar com seus problemas dando escapulidas não significa que eu não seja atraente ou não possa ser amada.

Eu podia ver que Melissa nem se abalava com minhas insistentes tentativas de irritá-la, e isso prova que ela havia transcendido esse período doloroso de sua vida. Ela deu sua raiva em troca de alegria e autoestima. A empatia foi a chave que a libertou da hostilidade, insegurança e desespero.

JUNTANDO TUDO: ENSAIO COGNITIVO

Você pode achar que, quando fica zangado, reage rápido demais para conseguir sentar, avaliar a situação de forma objetiva e aplicar as várias técnicas descritas neste capítulo. Essa é uma das características da raiva. Ao contrário da depressão, que tende a ser constante e crônica, a raiva é muito mais impetuosa e ocasional. Quando você se der conta de que está irritado, talvez já esteja fora de controle.

O "ensaio cognitivo" é um método eficaz para resolver esse problema e sintetizar e utilizar as ferramentas que aprendeu até agora. Com essa técnica, você irá aprender a controlar sua raiva antes da hora, sem passar pela situação realmente. Depois, quando ela acontecer de verdade, estará preparado para lidar com isso.

Para começar, faça uma "hierarquia da raiva" listando as situações que mais o tiram do sério e classifique-as de +1 (as menos irritantes) a +10 (as mais enfurecedoras), como mostrado no Quadro 29. As provocações devem ser aquelas com as quais você gostaria de lidar melhor, porque sua raiva é mal adaptativa e indesejável.

Comece primeiro pelo item da hierarquia que for menos irritante para você e, da forma mais vívida possível, fantasie que está *dentro* daquela situação. Depois verbalize os pensamentos que tem quando está de "cabeça quente" e anote-os. No exemplo fornecido no Quadro 29, você está irritado porque está pensando "Aqueles garçons filhos da... não sabem fazer... nenhuma! Por que aqueles folgados não levantam o traseiro e se mexem? Quem os idiotas pensam que são? Vou ter de ficar aqui morrendo de fome até que eles me tragam o cardápio e um copo de água?".

Em seguida, imagine-se perdendo a paciência, reclamando com o *maître*, saindo do restaurante e batendo a porta. Agora registre o seu grau de irritação numa escala de 0% a 100%.

Depois percorra o mesmo cenário mental, mas substitua os seus pensamentos por outros mais adequados, de "cabeça fria", e fantasie que se sente *relaxado* e tranquilo; imagine que lida com a situação de forma diplomática, assertiva e eficaz. Você pode dizer a si mesmo, por exemplo: "Os garçons não parecem perceber que estou aqui. Talvez estejam ocupados e não tenham se dado conta de que ainda não me trouxeram o cardápio. Não adianta esquentar a cabeça com isso.".

QUADRO 29
Hierarquia da raiva

+1	Fico sentado num restaurante por 15 minutos e o garçom não aparece.
+2	Telefono para um amigo que não retorna minha ligação.
+3	Um cliente cancela uma reunião na última hora sem explicação.
+4	Um cliente falta a uma reunião sem me avisar.
+5	Alguém me critica de forma grosseira.
+6	Um grupo de jovens antipáticos entra na minha frente na fila do cinema.
+7	Leio no jornal algum caso de violência gratuita, como um estupro.
+8	Um cliente recusa-se a pagar por produtos que eu já entreguei e some para que eu não possa retirá-los.
+9	Delinquentes do bairro ficam derrubando a minha caixa de correio no meio da noite por vários meses. Não há nada que eu possa fazer para pegá-los ou impedir que façam isso.
+10	Vejo numa reportagem de televisão que alguém – supostamente um grupo de adolescentes – invadiu o zoológico à noite, matou alguns passarinhos e animais apedrejados e mutilou outros.

Depois instrua-se a abordar o *maître* e explicar a situação de forma assertiva, seguindo esses princípios: Educadamente, ressalte o fato de ter ficado esperando; se ele explicar que os garçons estão ocupados, desarme-o *concordando* com ele; cumprimente-o pelo bom trabalho que eles estão fazendo; e repita de maneira firme, mas amigável, que gostaria de ser mais bem atendido. Por fim, imagine que ele responda enviando um garçom que lhe pede desculpas e oferece um atendimento VIP de alto nível. Você sente-se bem e aprecia a refeição.

Agora pratique essa versão da situação toda noite, até que a tenha dominado e consiga fantasiar que está enfrentando a situação dessa maneira calma e eficaz. Esse ensaio cognitivo lhe permitirá programar-se para reagir de forma mais assertiva e relaxada quando a situação real confrontá-lo novamente.

Você pode ter uma objeção a esse procedimento: talvez não considere realista fantasiar um resultado positivo no restaurante, uma vez que não há garantia nenhuma de que a equipe vá mesmo reagir amigavelmente e lhe dar o que você quer. A resposta a essa objeção é simples. Também não há garantia nenhuma de que eles vão reagir de forma rude, mas se *esperar* uma reação negativa, aumentará as chances de consegui-la, pois sua raiva será muito capaz de agir como uma profecia autorrealizável. Por outro lado, se você esperar e fantasiar um resultado positivo, e adotar uma abordagem otimista, será bem mais provável que ele ocorra.

É claro, você também pode preparar-se para um resultado negativo do mesmo modo, ao usar o método do ensaio cognitivo. Imagine que você vai *mesmo* falar com o garçom, que ele dá uma de arrogante e superior e o atende mal. Agora registre os seus pensamentos de cabeça quente, depois substitua-os por pensamentos de cabeça fria e desenvolva uma nova estratégia para lidar com o problema, como fez anteriormente.

Você pode prosseguir dessa maneira com o restante da lista até que aprenda a pensar, sentir e agir de forma mais tranquila e eficaz na maioria das situações provocativas que enfrentar. Sua abordagem nessas situações terá de ser flexível, e cada tipo de provocação listada pode exigir uma técnica diferente. A empatia pode ser a resposta numa determinada situação, a assertividade verbal, a solução para outra, e mudar suas expectativas, a melhor abordagem numa terceira.

Será fundamental não avaliar seu progresso no programa de redução da raiva de uma forma "tudo ou nada", porque o crescimento emocional leva algum tempo, especialmente quando se trata de raiva. Se você costuma reagir a uma determinada provocação com 99% de raiva e descobre que ficou 70% irritado na vez seguinte, pode ver isso como uma primeira tentativa bem-sucedida. Continue a trabalhar nisso, usando seu método de ensaio cognitivo, e veja se consegue reduzi-la para 50% e depois para 30%. Você vai acabar fazendo que ela desapareça completamente, ou pelo menos se reduza a um mínimo razoável.

Lembre-se de que a sabedoria dos amigos e colegas pode ser uma verdadeira mina de ouro, a qual você pode utilizar quando estiver sem saída. Talvez eles possam enxergar melhor algum ponto que você não vê. Pergunte o que *eles* pensam e como se comportam numa determinada situação que o faz se sentir frustrado, impotente e com raiva. O que eles diriam a si mesmos? O que fariam? Você pode aprender muita coisa em pouco tempo se estiver disposto a perguntar.

DEZ COISAS QUE VOCÊ DEVE SABER SOBRE A SUA RAIVA

1. Não são as coisas que acontecem no mundo que o deixam zangado. São os seus pensamentos de "cabeça quente" que provocam sua raiva. Mesmo quando ocorre um fato verdadeiramente negativo, é o significado que você atribui a ele que determina a sua resposta emocional.

    A ideia de que você é responsável pela sua raiva é, sem dúvida, uma vantagem para você porque lhe dá a chance de assumir o controle e escolher livremente como quer se sentir. Se não fosse por isso, você seria incapaz de controlar suas emoções: elas estariam irreversivelmente vinculadas a cada acontecimento deste mundo, a maioria dos quais está definitivamente fora do seu controle.

2. Na maioria das vezes, sua raiva não irá ajudar em nada. Ela irá imobilizá-lo, e você ficará inutilmente estagnado em sua hostilidade. Vai sentir-se melhor se dedicar sua atenção à busca de soluções criativas. O que você pode fazer para corrigir a dificuldade, ou pelo menos diminuir a chance de se exaltar dessa maneira no futuro? Essa atitude vai eliminar, até certo ponto, a impotência e a frustração que o consomem quando você se sente incapaz de lidar efetivamente com uma situação.

    Se não houver nenhuma solução possível porque a provocação está totalmente fora do seu controle, o seu ressentimento só vai deixá-lo infeliz, então por que não se livrar dele? É difícil, se não impossível, sentir raiva e alegria ao mesmo tempo. Se você acha que a raiva que sente é muito valiosa e importante, pense num dos momentos mais felizes da sua vida. Agora pergunte a si mesmo: Quantos minutos desse período de paz ou alegria eu estaria disposto a dar em troca para sentir frustração e irritação?

3. Os pensamentos que provocam a raiva, na maioria das vezes, contêm distorções. Corrigir essas distorções vai diminuir a sua raiva.

4. Sem dúvida, sua raiva é causada pela crença de que alguém está agindo injustamente ou algum acontecimento é injusto. A intensidade da sua raiva aumentará de acordo com o grau de maldade percebido, e se o ato for visto como intencional.

5. Se você aprender a ver o mundo pelos olhos dos outros, muitas vezes ficará surpreso ao perceber que as atitudes deles *não* são injustas sob seu ponto de vista. A injustiça nesses casos revela-se uma ilusão que *só existe na nossa cabeça*! Se você estiver disposto a abandonar a noção irrealista de que seus conceitos de verdade, justiça e igualdade são compartilhados por todo mundo, boa parte de seu ressentimento e frustração vai desaparecer.

6. Em geral, os outros não acham que merecem a sua punição. Portanto, é improvável que a sua retaliação ajude-o a alcançar algum objetivo positivo em sua interação com eles. Muitas vezes, sua raiva irá apenas deteriorar e polarizar ainda mais, e atuará como uma profecia autorrealizável. Mesmo que você consiga temporariamente o que quer, qualquer benefício a curto prazo dessa manipulação hostil frequentemente será mais do que anulado por um ressentimento a longo prazo e retaliação das pessoas que você está coagindo. Ninguém gosta de ser controlado ou forçado. É por isso que um sistema de recompensas positivas dá mais certo.

7. Grande parte da sua raiva consiste em sua defesa contra a perda de autoestima quando as pessoas o criticam, discordam de você ou não se comportam como você quer. Essa raiva é sempre inadequada, pois só os seus próprios pensamentos negativos distorcidos podem fazê-lo perder a autoestima. Quando você culpa o outro pelo seu sentimento de inutilidade, está sempre enganando a si mesmo.

8. A frustração é resultado de expectativas não atingidas. Como o fato que o decepcionou fazia parte da "realidade", ele era "realista". Portanto, sua frustração sempre resulta de sua expectativa *irrealista*. Você tem o direito de tentar influenciar a realidade para deixá-la mais de acordo com as suas expectativas, mas isso nem sempre é prático, especialmente quando essas expectativas representam ideais que não correspondem ao conceito que todos os outros têm da natureza humana. A solução mais simples seria *mudar* as suas expectativas. Por exemplo, algumas expectativas irrealistas que levam à frustração incluem:
    a. Se eu quero alguma coisa (amor, felicidade, uma promoção etc.), eu mereço tê-la.
    b. Se eu esforço-me para obter alguma coisa, eu *devia* conseguir.
    c. As outras pessoas *deviam* tentar atingir os meus padrões e acreditar no meu conceito de "justiça".
    d. Eu *devia* ser capaz de resolver qualquer problema de maneira rápida e fácil.
    e. Se eu sou uma boa esposa, meu marido é *obrigado* a me amar.
    f. As pessoas *deviam* pensar e agir do mesmo modo que eu.
    g. Se eu sou legal com alguém, ele *devia* retribuir.

9. É coisa de criança emburrada ficar insistindo que você tem *direito* de ficar com raiva. É claro que tem! A raiva é legalmente permitida nos Estados Unidos.* A questão fundamental é – vale a pena sentir raiva? Você ou o mundo vai ganhar alguma coisa com a sua raiva?

10. Você raramente precisa da sua raiva para ser humano. Não é verdade que, sem ela, você seria um robô sem sentimentos. De fato, quando livrar-se desse azedume, você sentirá mais entusiasmo, alegria, paz e produtividade. Encontrará liberdade e esclarecimento.

---

*. A menção aos EUA justifica-se pela origem do autor deste livro. (N.E.)

CAPÍTULO VIII
FORMAS DE ACABAR COM O SENTIMENTO DE CULPA

Nenhum livro sobre depressão seria completo sem um capítulo sobre culpa. Qual é a função da culpa? Escritores, líderes espirituais, psicólogos e filósofos sempre se confrontaram com essa questão. Qual é a base do sentimento de culpa? Será que ele deriva do conceito de "pecado original"? Ou das fantasias incestuosas de Édipo e outros tabus postulados por Freud? É um componente útil e realista da experiência humana? Ou uma "emoção inútil", sem a qual a humanidade estaria melhor, como sugerido por alguns autores populares de livros mais recentes sobre psicologia?

Quando a matemática do cálculo desenvolveu-se, os cientistas descobriram que podiam resolver facilmente problemas complexos de movimento e aceleração que eram extremamente difíceis de solucionar usando métodos mais antigos. Do mesmo modo, a teoria cognitiva nos proporcionou uma espécie de "cálculo emocional" que torna certas questões filosóficas e psicológicas espinhosas bem mais fáceis de serem resolvidas.

Vejamos o que se pode aprender com uma abordagem cognitiva. A culpa é a emoção que você irá sentir quando tiver os seguintes pensamentos:

1. Eu fiz alguma coisa que não devia (ou deixei de fazer algo que devia) porque minhas atitudes estão abaixo dos meus padrões morais e violam meu conceito de justiça.
2. Esse "mau comportamento" mostra que sou uma má pessoa (ou que tenho uma índole ruim, um mau caráter, uma natureza imoral etc.).

Esse conceito de "maldade" do eu é fundamental para o sentimento de culpa. Na falta dele, sua atitude ofensiva poderia levar a um saudável sentimento de remorso, mas não de culpa. O remorso vem da consciência *não* distorcida de que você, deliberadamente e sem necessidade, agiu consigo mesmo ou com outra pessoa de uma maneira ofensiva que viole os seus padrões éticos pessoais. Ele difere do sentimento de culpa porque não há nenhuma implicação de que a sua transgressão indique que você é malvado, cruel ou imoral. Em poucas palavras, o remorso ou arrependimento aponta para o comportamento, enquanto a culpa é voltada para o "eu".

Se, além da sua culpa, você sente depressão, vergonha ou ansiedade, provavelmente está fazendo uma das seguintes suposições:

1. Devido ao meu "mau comportamento", eu sou inferior ou indigno (essa interpretação leva à depressão).
2. Se os outros descobrissem o que eu fiz, iriam me desprezar (essa cognição leva à vergonha).
3. Corro o risco de sofrer uma represália ou punição (esse pensamento provoca ansiedade).

A maneira mais simples de avaliar se as emoções provocadas por esses pensamentos são úteis ou destrutivas é determinar se elas contêm alguma das dez distorções cognitivas descritas no Capítulo III. Se esses erros de pensamento estiverem presentes, o seu sentimento de culpa, ansiedade, depressão ou vergonha certamente não tem fundamento nem é realista. Desconfio que você irá descobrir que muitos dos seus sentimentos negativos, na verdade, baseiam-se nesses erros de pensamento.

A primeira distorção em potencial, quando você se sente culpado, é a sua suposição de que fez alguma coisa errada. Este pode ou não ser o caso, realmente. O comportamento que você condena em si mesmo é assim tão terrível, imoral ou errado? Ou você está *magnificando* as coisas de forma desproporcional? Recentemente, uma encantadora técnica de saúde me trouxe um envelope lacrado contendo um pedaço de papel no qual havia escrito algo sobre si mesma que era tão terrível que não suportaria dizer em voz alta. Ao me entregar o envelope tremendo, ela me fez prometer que não leria em voz alta nem riria dela. A mensagem dentro dele era – "Eu tiro sujeira do nariz e como!". A apreensão e o horror estampados no seu rosto em contraste com a trivialidade do que ela havia escrito me pareceram tão engraçados que perdi toda a compostura profissional e caí na gargalhada. Felizmente, ela também caiu na risada e manifestou uma sensação de alívio.

Estou afirmando que você *nunca* se comporta mal? Não. Essa postura seria radical e pouco realista. Estou simplesmente insistindo que, na medida em que a sua percepção de fazer besteira é magnificada de forma irrealista, sua angústia e autoperseguição são indevidas e desnecessárias.

Uma segunda distorção importante que leva ao sentimento de culpa é quando você se *rotula* de "má pessoa" por causa do que fez. Na verdade, esse é o tipo de pensamento destrutivo supersticioso que levou à caça às bruxas na Idade Média! Você pode ter cometido algum ato ruim, raivoso, ofensivo, mas é contraproducente rotular-se de "malvado" ou "imoral" por canalizar sua energia para a ruminação e autoperseguição, e não para a busca de estratégias criativas para a solução de problemas.

Outra distorção comum que provoca o sentimento de culpa é a *personalização*. Indevidamente, você assume a responsabilidade por um fato que não provocou. Suponhamos que você ofereça uma crítica construtiva ao seu namorado, que se ofende e reage de forma defensiva. Você pode culpar-se pelo descontrole emocional dele e concluir arbitrariamente que o seu comentário foi inadequado. Na verdade, foram os seus próprios *pensamentos* negativos que o aborreceram, e não o seu comentário. Além disso, esses pensamentos provavelmente estão distorcidos. Ele pode achar que a sua crítica indica que ele não tem valor e concluir que você não o respeita. Agora, foi *você* quem colocou esse pensamento irracional na cabeça dele? É óbvio que não. *Ele* fez isso, portanto você não pode assumir a responsabilidade pela sua reação.

Como a terapia cognitiva afirma que somente os seus pensamentos produzem as suas emoções, você pode chegar à crença niilista de que não pode magoar ninguém, não importa o que faça, e portanto tem permissão para fazer *qualquer coisa*. Afinal de contas, por que não abandonar sua família, trair sua esposa e explorar seu sócio financeiramente? Se eles ficarem chateados, é problema deles, porque os pensamentos são deles, certo?

Errado! Neste ponto, voltamos outra vez à importância do conceito de distorção cognitiva. Se o descontrole emocional de uma pessoa é causado pelos seus pensamentos distorcidos, pode-se dizer que ela é responsável pelo seu sofrimento. Se você se culpa pela dor daquela pessoa, é um erro de personalização. Por outro lado, se o sofrimento dela é causado por pensamentos válidos e não distorcidos, então o sofrimento é real e pode realmente ter uma causa externa. Por exemplo, talvez você me dê um chute no estômago e eu pense: "Levei um chute! Isso dói! #@%&!". Nesse caso, a responsabilidade pela minha dor é *sua*, e a sua percepção de que me machucou não é distorcida de maneira alguma. O seu remorso e o meu desconforto são reais e têm fundamento.

As *cobranças indevidas do tipo "devia"* representam o "percurso final comum" do seu sentimento de culpa. Essas cobranças irracionais partem do princípio de que você é perfeito, sabe tudo ou é capaz de tudo. As cobranças perfeccionistas incluem regras de convivência que o prejudicam por criarem rigor e expectativas impossíveis. Um exemplo disso seria "Eu *devia* ser feliz o tempo todo". A consequência dessa regra é que você se sentirá um fracasso toda vez que ficar triste. Uma vez que, obviamente, não é realista para nenhum ser humano alcançar o objetivo da felicidade perpétua, a regra é autodestrutiva e irresponsável.

Uma cobrança baseada na premissa de que você sabe tudo presume que você detenha todo o conhecimento do universo e seja capaz de prever o futuro com absoluta certeza. Você pode pensar, por exemplo: "Eu não devia ter ido à praia nesse fim de semana porque estava ficando gripado. Como sou idiota! Agora estou tão mal que vou passar uma semana de cama". Repreender-se dessa maneira não é realista porque você sabia com certeza que ir à praia o deixaria tão doente. Se você tivesse *certeza* disso, teria feito diferente. Você é humano, por isso tomou uma decisão, e seu palpite acabou se revelando ser a escolha errada.

As cobranças baseadas na premissa de que você é capaz de tudo presumem que, como Deus, você é onipotente e tem a capacidade de controlar a si mesmo e aos outros para alcançar todo e qualquer objetivo. Você erra o saque numa partida de tênis e se contorce, exclamando: "Eu *não devia* ter errado o saque!". Não devia por quê? Você é um jogador tão sensacional que não pode errar um saque?

É claro que essas três categorias de cobrança provocam uma sensação de culpa indevida porque não constituem padrões morais razoáveis.

Além da distorção, vários outros critérios podem ajudar a distinguir o sentimento de culpa anormal de uma sensação saudável de remorso ou arrependimento. Entre eles estão a *intensidade*, a *duração* e as *consequências* da sua emoção negativa. Vamos usar esses critérios para avaliar a culpa incapacitante de uma professora primária casada de 52 anos chamada Janice. Janice ficou gravemente deprimida durante muitos anos. Seu problema é que ela vivia obcecada por causa de dois episódios de furtos em lojas que haviam ocorrido quando ela tinha 15 anos. Embora levasse uma vida escrupulosamente honesta desde então, ela não conseguia tirar da memória aqueles dois incidentes. Era constantemente atormentada por pensamentos que instigavam o seu sentimento de culpa: "Sou uma ladra. Sou mentirosa. Eu não presto. Sou uma farsa". A agonia de sua culpa era tão imensa que toda noite ela rezava para que Deus a deixasse morrer dormindo. Todas as manhãs, quando acordava e via que ainda estava viva, ficava profundamente desapontada e dizia a si mesma, "Sou uma pessoa tão má que nem Deus me quer". Por fim, frustrada, ela carregou o revólver do marido, apontou para o coração e puxou o gatilho. A arma falhou e não disparou. Ela se sentiu completamente derrotada: não conseguia nem se matar! Baixou a arma e desatou a chorar, desesperada.

O sentimento de culpa de Janice é indevido não só por causa das distorções óbvias, mas também da *intensidade*, da *duração* e das *consequências* do que ela estava sentindo e dizendo a si mesma. O que ela sente não pode ser descrito como um remorso ou arrependimento saudável sobre o furto real. É uma degradação irresponsável da sua autoestima que a deixa cega e a impede de viver aqui e agora, totalmente desproporcional a qualquer transgressão real. Entre as consequências do seu sentimento de culpa surgiu a grande ironia – sua crença de que era uma má pessoa fez que ela tentasse se matar, um ato muito mais destrutivo e sem sentido.

O CICLO DA CULPA

Mesmo que seu sentimento de culpa seja pouco saudável e baseado em distorções, quando você começa a se sentir culpado, pode cair numa ilusão que faz a culpa parecer válida. Essas ilusões podem ser fortes e convincentes. Você raciocina:

1. Eu me sinto culpado e digno de condenação. Isso significa que tenho sido mau.
2. Como sou mau, mereço sofrer.

Assim, sua culpa o convence de sua maldade e o leva a se culpar ainda mais. Essa conexão entre o cognitivo e o emocional faz que os seus pensamentos e sentimentos se encaixem. Você acaba preso num sistema circular que chamamos de "ciclo da culpa".

O raciocínio emocional é o combustível desse ciclo. Você presume automaticamente que, por estar se sentindo culpado, *deve* ter falhado em alguma coisa e merece sofrer. Você raciocina: "Eu me *sinto* mal, portanto devo *ser* mau.". Isso é irracional, pois o seu autodesprezo não prova necessariamente que você fez algo errado. O seu sentimento de culpa apenas reflete o fato de que você *acredita* ter se comportado mal. Esse *pode* ser o caso, mas muitas vezes não é. Por exemplo, é comum as crianças serem castigadas sem motivo quando os pais, uma vez cansados e irritados, interpretam mal o seu comportamento. Nessas condições, é óbvio que o sentimento de culpa da pobre criança não prova que ela fez algo errado.

Seus padrões de comportamento autopunitivos intensificam o ciclo da culpa. Os pensamentos que provocam o seu sentimento de culpa levam a atitudes improdutivas que fazem-no acreditar ainda mais na sua maldade. Por exemplo, uma neurologista com tendência a se sentir culpada estava tentando preparar-se para o exame de certificação do conselho. Ela tinha dificuldade de estudar para a prova e se sentia culpada pelo fato de não estar estudando. Todas as noites, desperdiçava o seu tempo ao assistir à televisão enquanto os seguintes pensamentos passavam-lhe pela cabeça: "Eu *não devia* estar assistindo à tevê. Eu *devia* estar me preparando para o meu exame. Sou uma preguiçosa. Não mereço ser médica. Sou muito egoísta. Devo ser castigada.". Esses pensamentos a faziam sentir-se extremamente culpada. Depois, ela raciocinava: "Esse culpa prova que sou uma preguiçosa e não sirvo para nada".

Desse modo, seus pensamentos autopunitivos e seu sentimento de culpa reforçavam-se mutuamente.

Assim como muitas pessoas com tendência a se sentirem culpadas, ela tinha a ideia de que, caso se punisse o suficiente, acabaria progredindo. Infelizmente, a verdade era totalmente oposta. Sua culpa simplesmente esgotava suas energias e reforçava sua crença de que era preguiçosa e incompetente. As únicas atitudes que resultavam de seu autodesprezo eram os compulsivos assaltos noturnos à geladeira para se "empanturrar" de sorvete ou creme de amendoim.

O círculo vicioso no qual ela enredou-se é mostrado no Quadro 30. Seus pensamentos, sentimentos e comportamentos negativos interagiram para criar a ilusão cruel e autodestrutiva de que ela era "má" e incontrolável.

QUADRO 30
Os pensamentos autocríticos de uma neurologista a faziam sentir-se tão culpada que ela tinha dificuldade de se preparar para seu exame de certificação. Sua procrastinação reforçava sua convicção de que era má e merecia ser punida. Isso diminuía ainda mais a sua motivação para resolver o problema.

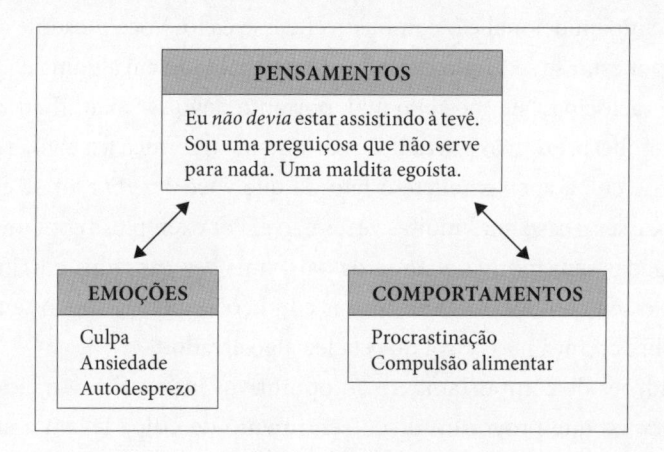

PENSAMENTOS
Eu *não devia* estar assistindo à tevê. Sou uma preguiçosa que não serve para nada. Uma maldita egoísta.

EMOÇÕES	COMPORTAMENTOS
Culpa Ansiedade Autodesprezo	Procrastinação Compulsão alimentar

A IRRESPONSABILIDADE DA CULPA

Se você realmente fez algo inadequado ou prejudicial, isso significa que merece sofrer? Se você acha que a resposta é sim, pergunte-se: "Por quanto tempo eu devo sofrer? Por um dia? Um ano? Pelo restante da vida?". Qual é a sentença que você vai impor a si mesmo? Está disposto a parar de sofrer e ficar infeliz quando a sua pena terminar? Pelo menos, essa seria uma forma *responsável* de se punir, pois seria por tempo limitado. Mas de que adianta ficar se culpando dessa maneira?

Se você cometeu um erro e agiu de forma prejudicial, sua culpa não vai reverter isso como um passe de mágica. Não vai acelerar o seu aprendizado para diminuir as chances de cometer o mesmo erro no futuro. Os outros não terão mais amor e respeito por você só porque está se sentindo culpado e se punindo desse jeito. Sua culpa também não vai tornar sua vida mais produtiva. Então, para que fazer isso?

Muita gente pergunta: "Mas como posso me comportar de maneira ética e controlar meus impulsos se não sentir culpa de nada?". Essa é uma forma de encarar a vida como um agente de condicional. Aparentemente, você se vê como alguém tão obstinado e incontrolável que precisa se castigar o tempo todo para não se descontrolar. Com certeza, se o seu comportamento causa mal aos outros sem necessidade, uma pequena quantidade dolorosa de remorso vai fazer mais pela sua consciência do que admitir inutilmente o seu erro sem demonstrar qualquer emoção. Mas, com certeza, isso nunca ajudou *ninguém* a se ver como uma má pessoa. Na maioria das vezes, a crença de que você é mau é que contribui para o "mau" comportamento.

A mudança e o aprendizado ocorrem mais depressa quando você (a) reconhece que houve um erro e (b) desenvolve uma estratégia para corrigir o problema. Uma atitude de amor-próprio e tolerância facilita isso, ao passo que a culpa muitas vezes dificulta.

Por exemplo, às vezes os pacientes me criticam por fazer algum comentário mordaz que não lhes agrada muito. Em geral, essas críticas só ferem os meus sentimentos e despertam a minha culpa quando contêm algum fundo de verdade. Na medida em que me sinto culpado e me rotulo de "mau", costumo reagir de forma defensiva. Tenho ímpetos de negar ou justificar meu erro, ou de contra-atacar pelo fato de ser tão detestável esse sentimento de ser uma "má pessoa". Isso dificulta mais a possibilidade de eu admitir e corrigir o erro. Por outro lado, se eu não me censurar nem perder o respeito por mim mesmo, fica mais fácil admitir o meu erro. Posso facilmente corrigir o problema e aprender com isso. Quanto menos culpado me sinto, melhor posso resolver a questão.

Portanto, quando se faz uma besteira, é necessário um processo de reconhecimento, aprendizado e mudança. O sentimento de culpa pode ajudar em alguma dessas coisas? Acredito que não. Em vez de ajudá-lo a reconhecer o seu erro, a culpa leva-o a tentar encobri-lo. Você quer fechar os ouvidos para qualquer crítica. Não suporta estar errado porque isso lhe dá uma sensação horrível. É por isso que a culpa é contraproducente.

Você pode protestar: "Como posso saber se fiz algo de errado se não me sentir culpado? Não me entregaria a uma fúria cega de egoísmo destrutivo e descontrolado se não fosse o meu sentimento de culpa?".

Tudo é possível, mas, sinceramente, duvido que isso acontecesse. Você pode substituir a sua culpa por um fundamento mais esclarecido para a conduta moral – a empatia. A empatia é a capacidade de visualizar as consequências, boas e ruins, do seu comportamento. É a capacidade de conceitualizar o impacto do que você faz em si mesmo e no outro, e de sentir tristeza e arrependimento legítimos e merecidos sem rotular a si mesmo como uma pessoa má por natureza. A empatia proporciona-lhe o ambiente mental e emocional necessário para guiar seu comportamento de maneira ética e autoenriquecedora sem o chicote da culpa.

Ao adotar esses critérios, agora você pode distinguir facilmente se o que está experimentando é um sentimento normal e saudável de remorso ou um sentimento de culpa distorcido e autodestrutivo. Pergunte a si mesmo:

1. Será que, de forma consciente e intencional, eu fiz alguma coisa "má", "injusta" ou desnecessariamente ofensiva que não deveria ter feito? Ou tenho apenas uma expectativa irracional de ser perfeito, saber tudo ou controlar tudo?
2. Estou me rotulando como uma *pessoa má* ou *desonrada* por causa dessa atitude? Meus pensamentos contêm outras distorções cognitivas, como magnificação, generalização excessiva etc.?
3. Estou sentindo um arrependimento ou remorso realista, que resulta de uma consciência empática do impacto negativo da minha atitude? A intensidade e a duração da minha reação emocional dolorosa são compatíveis com o que eu realmente fiz?
4. Estou aprendendo com o meu erro e desenvolvendo uma estratégia de mudança, ou me lamentando e remoendo em vão, ou mesmo me castigando de forma destrutiva?

Agora, vamos recapitular alguns métodos que lhe permitirão livrar-se dos sentimentos de culpa indevidos e maximizar o seu respeito por si mesmo.

1. REGISTRO DIÁRIO DE PENSAMENTOS DISFUNCIONAIS

Nos capítulos anteriores, apresentamos a você um Registro diário de pensamentos disfuncionais para elevar a autoestima e superar a sensação de incompetência. Esse método funciona muito bem para uma série de emoções indesejadas, entre elas a culpa. Registre o fato que desencadeou o seu sentimento de culpa na coluna "Situação". Você pode escrever: "Fui ríspido com um colega" ou "Em vez de contribuir com dez dólares, eu não dei a menor importância ao apelo dos meus alunos que estavam arrecadando dinheiro". Depois "sintonize" aquele alto-falante tirânico dentro da sua cabeça e identifique as acusações que provocam a sua culpa. Por último, identifique as distorções e anote pensamentos mais objetivos. Isso traz alívio.

Um exemplo disso é demonstrado no Quadro 31. Shirley era uma jovem muito suscetível que resolveu se mudar para Nova York para tentar seguir carreira de atriz. Depois de passar um dia longo e cansativo procurando apartamento, ela e sua mãe pegaram um trem de volta para a Filadélfia. Depois que embarcaram, elas descobriram que haviam tomado por engano um trem sem serviço de bordo nem vagão-restaurante. A mãe de Shirley começou a reclamar por não servirem nenhuma bebida e Shirley foi tomada pelo sentimento de culpa e pela autocrítica. Quando registrou e contestou os pensamentos que a faziam sentir-se culpada, foi tomada por um alívio enorme. Ela me contou que, ao controlar o seu sentimento de culpa, evitou o chilique que normalmente teria numa situação tão frustrante (ver Quadro 31).

QUADRO 31

Situação	Minha mãe está muito cansada e, como não entendeu direito a tabela com os horários, pegamos um trem sem comodidades.			
Emoções	Enorme sentimento de culpa; frustração; raiva; autopiedade.			
Pensamentos que fazem que me sinta culpada	1. Puxa, minha mãe andou comigo o dia todo e agora não pode nem beber alguma coisa *porque eu não expliquei direito como olhar na tabela*. Devia ter explicado que a "proibição de comida a bordo" não se aplicava a salgadinhos.	2. Agora sinto-me péssima – como sou egoísta.	3. Por que eu sempre estrago tudo?	4. Ela é tão boa para mim, e eu sou um desastre.
Distorções cognitivas	1. Personalização; filtro mental; cobranças.	2. Raciocínio emocional.	3. Generalização excessiva, personalização.	4. Rotulagem; pensamento "tudo ou nada".
Respostas racionais	1. Eu me sinto mal pela minha mãe – mas a viagem de trem só leva uma hora e meia. Eu pensava que tinha explicado tudo. Todo mundo engana-se de vez em quando.	2. Estou mais chateada do que a minha mãe. O que está feito está feito – não adianta chorar sobre o leite derramado.	3. Eu não estrago tudo. Não é culpa minha se ela se confundiu.	4. Um incidente não faz de mim um desastre.
Resultado	Alívio enorme.			

2. TÉCNICAS PARA ACABAR COM AS COBRANÇAS

Aqui estão alguns métodos para diminuir aquelas cobranças irracionais com as quais você vem se atacando. O primeiro é perguntar a si mesmo: "Quem falou que eu devia? Onde está escrito que eu devia?". O objetivo disso é alertá-lo para o fato de que está sendo crítico consigo mesmo sem necessidade. Como você faz suas próprias regras, uma vez que decida que uma regra não é útil, você pode revê-la ou descartá-la. Vamos supor que esteja dizendo a si mesmo que devia deixar o seu companheiro feliz o tempo todo. Se a sua experiência ensina que isso não é realista nem útil, você pode reescrever a regra para torná-la mais coerente. Pode dizer: "Eu posso deixar o meu companheiro feliz parte do tempo, mas com certeza não o tempo todo. Afinal, cabe a ele ser feliz. E eu não sou mais perfeito do que ele. Portanto, não vou esperar que tudo que eu faça seja apreciado".

Ao se decidir quanto à utilidade de uma determinada regra, talvez seja útil perguntar-se "Quais são as vantagens e desvantagens de ter essa regra para mim?". "Como isso irá me ajudar a acreditar que eu *devia* deixar o meu companheiro feliz *sempre*, e qual será o preço por acreditar nisso?". Você pode avaliar os custos e benefícios usando o método das duas colunas mostrado no Quadro 32.

QUADRO 32
As vantagens e desvantagens de acreditar que
"Eu devia deixar a minha esposa feliz o tempo todo"

Vantagens	Desvantagens
1. Quando ela está feliz, eu sinto que estou cumprindo a minha obrigação.	1. Quando ela não estiver feliz, eu vou me sentir culpado e me recriminar.
2. Eu vou esforçar-me bastante para ser um bom marido.	2. Ela vai usar o meu sentimento de culpa para me manipular. Sempre que quiser alguma coisa, ela pode fazer-se de infeliz e eu me sentirei tão mal que acabarei cedendo.
	3. Como ela fica infeliz boa parte do tempo, frequentemente me sentirei um fracasso. Como a infelicidade dela muitas vezes não tem nada a ver comigo, vou gastar energia à toa.
	4. Vou acabar ficando ressentido por estar, paradoxalmente, dando a *ela* tanto poder sobre o *meu* estado de espírito.

Outra maneira simples, mas eficaz, de se livrar das cobranças consiste em substituir "devia" por outras palavras por meio da técnica das duas colunas. As expressões "Seria bom se" ou "Eu gostaria de" funcionam bem, e muitas vezes soam mais realistas e menos perturbadoras. Por exemplo, em vez de dizer "Eu *devia* deixar minha esposa feliz", você pode trocar por "*Seria bom se* eu pudesse deixar minha esposa feliz agora porque ela parece aborrecida. Posso perguntar o que a está aborrecendo e ver se posso fazer alguma coisa para ajudá-la". Ou, em vez de "Eu *não devia* ter comido o sorvete", você pode dizer "Era melhor não ter comido o sorvete, mas isso não é o fim do mundo".

Outro método anticobrança consiste em mostrar a si mesmo que uma cobrança não corresponde à realidade. Por exemplo, quando você diz "Eu não devia ter feito X", presume que (1) é um fato que você *não devia*, e que (2) dizer isso vai ajudar. O "método da realidade" revela – para surpresa sua – que a verdade geralmente é oposta: (a) Na realidade, você *devia* ter feito o que fez; e (b) irá lhe fazer mal dizer que *não devia*.

Não acredita? Vou demonstrar. Suponha que esteja tentando fazer regime e tenha ingerido um pouco de sorvete. Você pensa "Eu *não devia* ter comido desse sorvete". Em nosso diálogo, quero que você argumente que é *verdade mesmo* que *não devia* ter comido o sorvete, e eu tentarei contradizer os seus argumentos. O diálogo a seguir foi inspirado numa conversa real, que eu espero que você considere tão útil e agradável quanto eu achei:

DAVID: Eu entendo que está de regime e comeu um pouco de sorvete. Acho que você *devia* mesmo ter comido o sorvete.

VOCÊ: Ah, não. Isso é impossível. Eu *não devia* ter comido porque estou de regime. Veja, estou tentando emagrecer.

DAVID: Bom, eu acho que você *devia* ter comido o sorvete.

VOCÊ: David, você ficou maluco? Eu *não devia* ter comido, pois quero emagrecer. É isso que estou tentando explicar. Como posso emagrecer comendo sorvete?

DAVID: Mas a verdade é que você comeu.

VOCÊ: Pois é. Esse é o problema. Eu *não devia* ter feito isso. Entendeu, agora?

DAVID: E, ao que parece, você está afirmando que "as coisas deviam ter sido diferentes" do que foram. Mas as coisas foram do jeito que foram. E geralmente há um bom motivo para as coisas serem do jeito que são. Por que você acha que fez o que fez? Qual é o motivo de você ter comido o sorvete?

VOCÊ: Bom, eu estava chateado, estava nervoso e, no fundo, sou um grande guloso.

DAVID: Certo, você estava chateado e nervoso. É comum você comer quando fica chateado e nervoso?

VOCÊ: É. Muito. Eu nunca consegui me controlar.

DAVID: Então, seria natural esperar que, na semana passada, quando ficou nervoso, você fizesse o que faz normalmente?

VOCÊ: Sim.

DAVID: Portanto, não seria sensato concluir que você *devia* ter feito isso por ter esse costume há muito tempo?

VOCÊ: Está me dizendo que eu *devia* continuar comendo sorvete e acabar feito um porco de tão gordo?

DAVID: A maioria dos meus clientes não são tão difíceis como você! De qualquer forma, não estou lhe dizendo para agir feito um porco, nem recomendando que continue com esse mau hábito de comer quando está chateado. O que estou dizendo é que você está arrumando dois problemas de uma vez. Um deles é que saiu mesmo do seu regime. Se está querendo emagrecer, isso vai atrapalhar. E o segundo problema é que está sendo duro consigo mesmo em relação a isso. Dessa dor de cabeça você não precisa.

VOCÊ: Então está dizendo que, como tenho o hábito de comer quando fico nervoso, provavelmente continuarei a fazer isso a menos que encontre alguma forma de mudar esse hábito?

DAVID: Eu não teria explicado tão bem!

VOCÊ: Portanto, eu *devia* ter comido o sorvete porque ainda não mudei de hábito. Enquanto esse hábito permanecer, eu *devo* e *vou* continuar comendo demais quando ficar nervoso. Entendi o que quer dizer. Estou me sentindo bem melhor, doutor, exceto por uma coisa. Como eu faço para parar com isso? Como faço para modificar o meu comportamento de uma forma mais produtiva?

DAVID: Como na história do burro, você pode se motivar com um chicote ou com uma cenoura. Quando diz a si mesmo "Eu *devia* fazer isso" ou "Eu *não devia* fazer aquilo" o dia inteiro, você sente-se sobrecarregado porque encara a vida como uma obrigação. E já sabe no que isso vai dar – uma constipação emocional. Se quer que as coisas mudem, sugiro que procure se motivar por meio de recompensas em vez de castigos. Talvez descubra que elas funcionam melhor.

No meu caso, usei a dieta das "balas e rosquinhas". Balas de goma e rosquinhas com cobertura estão entre os meus doces favoritos. Descobri que a hora mais difícil de controlar minha vontade de comer era à noite, quando estava estudando ou assistindo à tevê. Eu tinha um desejo compulsivo de comer sorvete. Então, dizia a mim mesmo que, se conseguisse controlar esse desejo, poderia me recompensar com uma deliciosa rosquinha com cobertura pela manhã e uma caixa de balas de goma à tarde. Aí eu pensava no quanto elas eram gostosas e isso me ajudava a esquecer do sorvete. Aliás, eu tinha também a regra de que, se *fizesse* besteira e comesse o sorvete, *mesmo assim* poderia comer as balas e a rosquinha como recompensa por tentar, ou como prêmio de consolação pelo deslize. De uma forma ou de outra isso me ajudava, e assim perdi mais de 20 quilos.

Também criei o seguinte silogismo:

(a) Seres humanos de dieta fazem besteira de vez em quando.
(b) Eu sou um ser humano.
(c) Logo, *devo* fazer besteira de vez em quando.

Isso também me ajudou muito, e permitia que eu exagerasse um pouco nos fins de semana sem me sentir mal com isso. Em geral, eu perdia mais durante a semana do que ganhava nos fins de semana; portanto, no fim das contas, eu perdi peso e aproveitei. Toda vez que saía da minha dieta, eu não me permitia fazer críticas pelo deslize nem me sentir culpado. Comecei a encarar isso como a "Dieta coma o que quiser quando quiser sem se culpar e aproveite", e era tão divertido que fiquei até meio desapontado quando finalmente cheguei ao peso que queria. Na verdade, a dieta foi tão agradável que cheguei a perder uns cinco quilos a mais. Acredito que o segredo é ter a *atitude* e os *sentimentos* adequados. Com eles você pode mover montanhas – até mesmo montanhas de carne.

O que mais o detém quando você está tentando mudar um mau hábito como comer, fumar ou beber demais é acreditar que não é capaz de se controlar. A causa dessa falta de controle são essas cobranças. Elas prejudicam-no. Suponhamos, por exemplo, que esteja evitando comer sorvete. Você fica assistindo à televisão e dizendo: "Ai, eu *devia* estar estudando e *não devia* comer sorvete". Agora pergunte-se: "Como eu me sinto quando digo essas coisas a mim mesmo?". Acho que já sabe a resposta. Você sente-se culpado e nervoso. Então, o que faz? Você vai e come! Essa é a questão. O motivo de você estar comendo é o fato de dizer a si mesmo que não devia! Então você tenta enterrar sua culpa e ansiedade debaixo de outro monte de comida.

Outra técnica simples para acabar com as cobranças consiste em usar o seu contador de pulso. Depois que estiver convencido de que essas cobranças não valem a pena, você pode contá-las. Toda vez que fizer uma delas, aperte o botão. Se fizer isso, estabeleça um sistema de recompensas baseado no total diário. Quanto mais vezes você detectar a palavra "devia", maior deve ser a recompensa. Após um período de algumas semanas, seu total diário começará a diminuir e você perceberá que está se sentindo menos culpado.

Uma outra técnica para acabar com as cobranças concentra-se no fato de que você não confia muito em si mesmo. Talvez acredite que, sem todas essas cobranças, você iria se descontrolar e sair por aí feito louco destruindo, matando ou se empanturrando de sorvete. Uma forma de avaliar isso é se perguntar se houve algum período na sua vida em que você foi particularmente feliz e se sentiu relativamente satisfeito, produtivo e sob controle. Pense nisso por um instante antes de continuar lendo e guarde uma imagem mental dessa época. Agora pergunte-se: "Durante esse período da minha vida, eu ficava me chicoteando com um monte de cobranças?". Acredito que irá responder que não. Agora diga-me: você fazia todas essas loucuras terríveis naquela época? Acho que vai perceber que, mesmo "isento de cobranças", você se mantinha sob controle. Essa é uma prova de que você pode levar um vida feliz e produtiva sem ficar se cobrando o tempo todo.

Você pode testar essa hipótese ao fazer uma experiência nas próximas duas semanas. Procure diminuir as suas cobranças ao usar as técnicas apresentadas, depois veja o que acontece com o seu humor e o seu autocontrole. Acho que você vai ficar satisfeito.

Um outro método ao qual você pode recorrer é a técnica de falatório obsessivo descrita no Capítulo IV. Três vezes por dia, reserve dois minutos para recitar todas as suas cobranças e autoperseguições em voz alta: "Eu *devia* ter ido no mercado antes de fechar"; "Eu *não devia* ter enfiado o dedo no nariz no clube de campo"; "Eu sou um canalha" etc. Faça as críticas mais ofensivas que puder imaginar. Pode ser muito útil anotar ou registrar tudo num gravador. Leia-as depois, ou escute a gravação. Acho que isso o ajudará a ver o quanto essas afirmações são ridículas. Procure limitar suas cobranças a esses horários programados, assim não será atormentado por elas em outros momentos.

Outra técnica de combater as cobranças consiste em reconhecer os limites do seu conhecimento. Quando eu era mais novo, costumava ouvir as pessoas dizerem "Você será mais feliz se aprender a aceitar seus limites", mas ninguém jamais preocupou-se em explicar o que isso queria dizer ou como fazer. Além do mais, isso sempre pareceu-me meio depreciativo, como se estivessem dizendo: "É melhor aceitar logo que você não é grande coisa".

Na verdade, isso não é tão ruim assim. Vamos supor que você costume olhar para trás e lamentar os erros que cometeu. Por exemplo, ao folhear o caderno de finanças do jornal, você pensa: "Eu não devia ter comprado aquelas ações. Elas caíram dois pontos.". Para sair dessa armadilha, diga a si mesmo: "Ora, quando comprei as ações, eu sabia que elas perderiam o valor?". Desconfio que irá dizer que não. Agora pergunte: "Se soubesse que elas iam cair, eu teria comprado?". Mais uma vez, você vai responder que não. Então, o que está dizendo na verdade é que, se você soubesse disso na época, teria agido de forma diferente. Para fazer isso, você precisaria ser capaz de prever o futuro com absoluta certeza. Você é capaz de prever o futuro com absoluta certeza? Mais uma vez, sua resposta será não. Você tem duas opções: pode aceitar que é um ser humano imperfeito com um conhecimento limitado e cometerá erros de vez em quando, ou pode odiar-se por isso.

Outra maneira eficaz de combater as cobranças é perguntar: "Por que eu devia fazer isso?". Depois você pode questionar a conclusão a que chegou para expor a sua falta de lógica. Dessa forma, pode reduzir as suas cobranças à condição de absurdas. Suponhamos, por exemplo, que contrate alguém para fazer algum trabalho para você. Pode ser para cuidar da grama, ou um serviço de pintura, qualquer coisa. Quando ele apresenta a conta, esta parece maior do que você havia entendido, mas ele lhe passa uma conversa e você acaba concordando e pagando o que ele pediu. Você sente-se enganado. Começa a se criticar por não ter sido mais firme. Vamos fazer uma encenação, e você pode fazer de conta que é o pobre coitado que pagou caro demais.

Você: Eu *devia* ter dito para aquele cara ontem que a conta estava muito alta.

David: Devia ter dito a ele que o orçamento era menor?

Você: É. Eu *devia* ter sido mais assertivo.

David: *Devia* por quê? Eu concordo que teria sido melhor para você se defender. Você pode tentar desenvolver a sua assertividade para se sair melhor em situações como essas no futuro. Mas a questão é: por que *você devia* ter sido mais firme ontem?

Você: Bom, porque estou sempre deixando as pessoas se aproveitarem de mim.

David: Certo, vamos analisar a sua linha de raciocínio. "Como estou sempre deixando as pessoas se aproveitarem de mim, eu *devia* ter sido mais assertivo ontem." Ora, qual é a resposta racional para isso? Há alguma coisa na sua afirmação que parece não ter muita lógica? Tem alguma coisa estranha no seu raciocínio?

Você: Hummm... deixa eu pensar. Bom, em primeiro lugar, não é bem verdade que estou sempre deixando as pessoas se aproveitarem de mim. Isso seria uma generalização excessiva. Às vezes as coisas saem do jeito que eu quero. Na verdade, posso ser muito exigente de vez em quando. Além do mais, se *fosse* verdade que eu fosse *sempre* enganado em certas situações, nesse caso eu *devia* ter feito exatamente o que fiz, já que é o meu costume. Enquanto não aprender a lidar com as pessoas de outra maneira, provavelmente vou continuar tendo esse problema.

David: Excelente. Eu não poderia ter dito melhor. Estou vendo que assimilou o que andei lhe dizendo sobre as cobranças! Espero que *todos* os meus leitores sejam inteligentes e atentos como você! Existe alguma outra razão para você achar que *devia* ter se comportado de outra forma?

Você: Ah... bom, deixa eu ver... Que tal: eu *devia* ter sido mais assertivo porque não precisaria ter pago mais do que o devido?

David: Certo. Agora, qual é a resposta racional para isso? Por que esse argumento não tem lógica?

Você: Bom, porque sou humano e nem sempre vou fazer tudo certo.

David: Exatamente. Na verdade, o silogismo a seguir pode ajudá-lo. Primeira premissa: Todos os seres humanos cometem erros, como pagar caro demais às vezes. Concorda comigo até agora?

Você: Sim.

David: E o que você é?

Você: Um ser humano.

David: E o que isso significa?

Você: Que devo cometer erros.

David: Muito bem.

Essas técnicas deviam ser suficientes para você parar de se cobrar sobre o que devia ou não fazer. Epa! Agora fui eu que fiz isso! Quero dizer – seria bom se você achasse esses métodos úteis. Acredito que irá perceber que, ao reduzir essa tirania mental, você se sentirá melhor porque não ficará se criticando. Em vez de se sentir culpado, pode usar sua energia para fazer as mudanças necessárias e melhorar seu autocontrole e sua produtividade.

3. APRENDA A SE MANTER FIRME AOS SEUS PRINCÍPIOS

Uma das grandes desvantagens de se sentir culpado é que os outros podem e vão usar esse sentimento de culpa para manipular você. Se você sente-se obrigado a agradar todo mundo, sua família e seus amigos poderão coagi-lo efetivamente a fazer muitas coisas que podem não ser do seu interesse. Para citar um exemplo trivial, quantos convites você já aceitou sem estar muito a fim só para não magoar alguém? Nesse caso, o preço que você paga por dizer sim, quando preferia ter dito não, é pequeno. Você só acaba desperdiçando uma noite. E tem uma compensação. Você evita sentir-se culpado e pode fantasiar que é uma pessoa excepcionalmente bondosa. Além do mais, se tentar recusar o convite, o anfitrião decepcionado talvez diga: "Mas a gente tá *contando* com você! Resolveu abandonar os amigos, agora? Ah, para com isso...". E *depois*, o que você diria? Como se sentiria?

Sua obsessão de ajudar os outros torna-se mais trágica quando suas decisões passam a ser tão dominadas pela culpa que você acaba sem saída e infeliz. O lado irônico é que, na maioria das vezes, as consequências de deixar que alguém o manipule pelo sentimento de culpa acabam sendo destrutivas não só para você, mas também para o outro. Embora suas atitudes motivadas pela culpa sejam, muitas vezes, baseadas no seu idealismo, os efeitos inevitáveis de fazer concessões são bem diferentes.

Por exemplo, Margaret era uma mulher bem casada de 27 anos cujo irmão obeso, viciado em jogo, costumava se aproveitar dela de várias maneiras. Ele pedia dinheiro emprestado quando precisava e frequentemente esquecia-se de pagar. Quando estava na cidade (muitas vezes por meses seguidos), ele se achava no direito de jantar com a família dela toda noite, acabar com as bebidas e usar o carro novo sempre que quisesse. Ela racionalizava e cedia às suas exigências, dizendo: "Se eu lhe pedisse um favor ou precisasse da sua ajuda, ele faria o mesmo por mim. Afinal, dois irmãos que se querem bem *devem* ajudar um ao outro. E além disso, se eu tentasse dizer não, ele ficaria furioso e eu poderia perdê-lo. E me sentiria como se *eu* tivesse feito algo de errado.".

Ao mesmo tempo, ela era capaz de enxergar as consequências negativas de fazer concessões o tempo todo: (1) Estava sustentando seu estilo de vida dependente e autodestrutivo e seu vício no jogo; (2) Sentia-se encurralada e explorada; (3) O relacionamento deles não era baseado no amor, e sim na chantagem – ela tinha de dizer sim às suas exigências o tempo todo para evitar a tirania do seu temperamento e o seu próprio sentimento de culpa.

Margaret e eu fizemos algumas encenações para que ela aprendesse a dizer não e se manter fiel aos seus princípios de forma gentil, mas firme. Eu fiz o papel de Margaret e ela fez de conta que era o seu irmão.

Irmão (interpretado por Margaret): Você vai usar o carro hoje à noite?

Margaret (interpretada por mim): Por enquanto, não tenho planos.

Irmão: Você se importa se eu pegar emprestado mais tarde?

Margaret: É melhor não.

Irmão: Por que não? Você não vai usar. Ele vai ficar parado aí.

Margaret: Sou obrigada a emprestar o carro para você?

Irmão: Bom, eu faria o mesmo se tivesse um carro e você precisasse dele.

Margaret: Fico feliz que pense assim. Embora não pretenda usar o carro, quero que esteja à disposição caso resolva ir a algum lugar mais tarde.

Irmão: Mas você não pretende usar o carro! Não fomos educados para *ajudar* um ao outro?

Margaret: Sim, fomos. Isso significa que eu sempre tenho de dizer sim para você? Nós fazemos muita coisa um pelo outro. Você já usou bastante o meu carro e, a partir de agora, eu ficaria mais à vontade se você começasse a arrumar o seu próprio meio de transporte.

Irmão:	Eu só pretendo usar o carro por uma hora, depois trago de volta se você precisar. É muito importante e fica a menos de um quilômetro daqui, portanto não vou estragar o seu carro, não se preocupe.
Margaret:	Parece que isso é mesmo importante para você. Talvez possa arrumar algum outro meio de transporte. Não pode ir a pé?
Irmão:	Ah, essa é boa! Se é assim que você quer, tudo bem, mas não venha pedir nenhum favor para *mim*!
Margaret:	Parece que você ficou bravo porque não estou fazendo o que você quer. Será que eu sou obrigada a dizer sim sempre?
Irmão:	Você e a sua filosofia! Para mim chega! Eu me recuso a ficar aqui ouvindo essa besteira! (Começa a esbravejar)
Margaret:	Então não vamos mais falar nisso. Talvez daqui uns dias você esteja mais disposto a conversar. Precisamos discutir algumas coisas.

Depois desse diálogo, invertemos os papéis para que Margaret treinasse ser mais assertiva. Quando fiz o papel de seu irmão, fui o mais ríspido que pude, e ela descobriu como lidar comigo. Esse treino deu-lhe mais coragem. Ela sentiu que era importante ter certos princípios em mente ao confrontar as manipulações de seu irmão: (1) Podia lembrá-lo de que tinha o direito de não dizer sim a todas as suas exigências. (2) Podia encontrar um fundo de verdade nos argumentos dele (a técnica de desarmar) para diminuir o seu ímpeto, mas depois retomar sua posição de que amar não significa ceder sempre. (3) Assumir uma postura firme, determinada e inflexível da forma mais gentil possível. (4) Não cair na sua conversa de garotinho frágil e incapaz que não pode andar com as próprias pernas. (5) Não reagir à sua raiva ficando zangada também, porque isso reforçaria sua crença de que era uma vítima e estava sendo prejudicado injustamente por uma bruxa cruel e egoísta. (6) Tinha de correr o risco de que ele se afastasse temporariamente e ficasse contra ela, recusando--se a conversar ou considerar o seu ponto de vista. Quando fizesse isso, ela o deixaria esbravejar, mas podia dizer que havia algumas coisas que gostaria de discutir com ele depois, quando estivesse mais disposto a conversar.

Quando Margaret o confrontou, descobriu que não foi tão difícil quanto imaginava. Na verdade, ele pareceu aliviado e começou a agir de forma mais adulta quando ela colocou alguns limites em sua relação.

Se decidir aplicar essa técnica, você terá de ser determinado a se manter fiel aos seus princípios, porque o outro (ou a outra) pode tentar blefar e fazê-lo acreditar que está ferindo-o mortalmente por não ceder às suas exigências. Lembre-se de que a dor que você provoca a longo prazo por não fazer o que é melhor para si costuma ser bem maior.

Praticar com antecedência é o segredo do sucesso. Em geral, um amigo ficará feliz em encenar com você e fazer alguns comentários úteis. Se não tiver ninguém disponível ou sentir vergonha de pedir, escreva um diálogo imaginário como o apresentado. Vai levar um bom tempo até você ativar os circuitos cerebrais adequados para ter a coragem e a habilidades necessárias para dizer não de forma diplomática, mas enérgica, e ter sucesso quando chegar a hora!

4. TÉCNICA ANTIRRECLAMÃO

Este é um dos métodos mais surpreendentes e maravilhosamente eficazes deste livro. Ele funciona como um passe de mágica nas situações em que alguém – normalmente um ente querido – fica choramingando, reclamando e atormentando-o e faz que se sinta frustrado, culpado e impotente. O padrão típico funciona assim: o reclamão chega para você e reclama de alguma coisa ou de alguém. Você sente um desejo sincero de ajudar, por isso faz uma sugestão. A pessoa despreza imediatamente a sua sugestão e reclama outra vez. Você fica tenso e se sente incompetente, então se esforça para fazer uma sugestão melhor. Recebe a mesma resposta. Toda vez que tenta fugir do assunto, o outro insinua que está sendo abandonado e você é invadido pelo sentimento de culpa.

Shiba morou com sua mãe até terminar a pós-graduação. Ela amava a mãe, mas achava tão intoleráveis suas reclamações constantes sobre seu divórcio, a falta de dinheiro etc. que foi procurar tratamento. Em nossa primeira sessão, ensinei a ela o método antirreclamão da seguinte maneira: Não importava o que sua mãe dissesse, Shiba encontraria algum modo de concordar (a técnica de desarmar) e, em vez de oferecer conselhos, faria algum comentário lisonjeiro. No início, Shiba ficou espantada e achou essa abordagem meio estranha, pois era radicalmente diferente de sua reação habitual. No diálogo a seguir, pedi a Shiba que fizesse o papel de sua mãe enquanto eu fazia o dela, para que pudesse demonstrar essa técnica.

SHIBA (como sua mãe): Você sabia que durante o processo do divórcio foi descoberto que o seu pai vendeu a sua parte na empresa, e eu fui a última a saber disso?

DAVID (como Shiba): É a mais pura verdade. Você nem ouviu falar disso até o processo do divórcio. Com certeza, merecia mais consideração.

SHIBA: Não sei onde vamos arrumar dinheiro. Como vou pagar uma faculdade para os seus irmãos?

DAVID: Isso é *mesmo* um problema. Estamos com pouco dinheiro.

SHIBA: É bem típico do seu pai aprontar uma coisa dessas. Ele não tem a cabeça no lugar.

DAVID: Ele nunca foi bom em administrar dinheiro. Você sempre foi melhor do que ele nisso.

SHIBA: Ele é um canalha! Agora estamos à beira da miséria. E se eu ficar doente? Vamos parar num abrigo!

DAVID: Tem toda a razão! Não tem graça *nenhuma* morar num abrigo. Concordo plenamente com você.

Shiba declarou que, ao fazer o papel de sua mãe, percebeu que "não tinha graça" reclamar porque eu ficava concordando com ela. Invertemos depois os papéis, para que ela pudesse dominar a técnica.

Na verdade, é o seu impulso de *ajudar* os reclamões que mantém a interação monótona. Paradoxalmente, quando você concorda com as suas lamúrias pessimistas, eles logo perdem a força. Talvez uma explicação deixe isso menos confuso. Quando as pessoas ficam reclamando e se lamentando, em geral é porque sentem-se irritadas, oprimidas e inseguras. Quando você tenta *ajudá-las*, isso lhes soa como uma crítica, pois dá a entender que não estão lidando com as coisas da maneira adequada. Por outro lado, quando você concorda com elas e ainda faz um elogio, consideram isso um sinal de *aprovação*, então normalmente relaxam e se acalmam.

5. MÉTODO MOOREY CONTRA LAMENTADORES

Uma modificação útil dessa técnica foi proposta por Stirling Moorey, na época um brilhante aluno inglês de Medicina que estudou com o nosso grupo na Filadélfia e acompanhou as minhas sessões de terapia durante o verão de 1979. Ele trabalhou com uma escultora de 52 anos chamada Harriet, que sofria de uma depressão crônica grave e tinha um coração de ouro. O problema de Harriet é que seus amigos viviam enchendo seus ouvidos com fofocas e problemas pessoais. Esses problemas aborreciam-na por causa de sua excessiva capacidade de empatia. Pelo fato de não saber como ajudar seus amigos, ela sentia-se impotente e ressentida, até descobrir esse método para lidar com aquelas pessoas que ficam se lamentando o tempo todo. Stirling apenas a orientou a achar um modo de concordar com o que a pessoa estava dizendo, e depois distraí-la encontrando algo positivo na sua queixa e fazendo um comentário sobre isso. Aqui estão alguns exemplos:

1. LAMENTADOR: Ai, meu Deus, o que eu vou fazer com a minha filha? Acho que ela anda fumando maconha outra vez.

RESPOSTA: É, hoje em dia se acha maconha em tudo quanto é lugar. Sua filha continua fazendo aqueles trabalhos artísticos maravilhosos? Fiquei sabendo que ela ganhou um prêmio importante.
2. LAMENTADOR: Meu chefe não me deu aumento, e meu último aumento foi há quase um ano. Já faz 20 anos que estou aqui e acho que merecia mais consideração.
RESPOSTA: Com certeza, você é um dos mais antigos aqui e já fez enormes contribuições. Diga-me, como era quando você entrou aqui, há 20 anos? Aposto que as coisas eram muito diferentes naquela época.
3. LAMENTADOR: Meu marido nunca consegue parar em casa. Sai toda noite por causa daquele maldito campeonato de boliche.
RESPOSTA: Você também não andou jogando boliche ultimamente? Ouvi dizer que arrasou nas pistas!

Harriet dominou o Método Moorey rapidamente e relatou uma mudança radical em seu humor e sua atitude, pois ele lhe proporcionou uma maneira simples, mas eficaz, de lidar com um problema que havia sido muito sério e arrasador. Quando voltou para a sessão seguinte, sua depressão – que havia a atormentado por mais de uma década – tinha desaparecido completamente. Ela estava alegre e radiante, e se desfez em elogios merecidos a Stirling. Se você tem um problema semelhante com sua mãe, sua sogra ou seus amigos, experimente o método de Stirling. Assim como a Harriet, você logo estará sorrindo!

6. DESENVOLVER A PERSPECTIVA

Uma das distorções mais comuns que levam a um sentimento de culpa é a personalização – a noção equivocada de que você é o responsável pelos sentimentos e atitudes dos outros ou por coisas que acontecem naturalmente. Um exemplo óbvio seria o seu sentimento de culpa ao cair uma chuva inesperada no dia de um grande piquenique que você organizou em homenagem ao presidente do seu clube, que está deixando o cargo. Nesse caso, provavelmente não seria muito difícil parar com essa reação absurda, pois é claro que você não é capaz de controlar o tempo.

É bem mais difícil superar a culpa quando alguém sente uma grande dor e desconforto e insiste em dizer que é por sua causa. Nesses casos, talvez seja útil esclarecer até que ponto seria realista você assumir a responsabilidade. Onde termina a sua responsabilidade e começa a do outro? O nome técnico para isso é "desatribuição", mas podemos chamar de colocar as coisas em perspectiva.

Veja como funciona. Jed era um universitário com depressão leve cujo irmão gêmeo, Ted, tinha uma depressão tão grave que abandonou a escola e passou a levar uma vida reclusa na casa dos pais. Jed sentia-se culpado pela depressão de seu irmão. Por quê? Jed me contou que sempre havia sido mais extrovertido e esforçado do que seu irmão. Consequentemente, desde a infância sempre havia tirado notas melhores e tido mais amigos do que Ted. Na cabeça de Jed, seu sucesso acadêmico e social fez que o irmão se sentisse inferior e se afastasse. Por conseguinte, Jed concluiu que era ele a causa da depressão de Ted.

Então levou esse raciocínio ao extremo absurdo de supor que, ficando ele próprio deprimido, poderia ajudar Ted a parar de se sentir deprimido e inferior por meio de uma espécie de psicologia reversa (ou perversa). Quando ia para casa nos fins de semana, Jed evitava as atividades sociais comuns, minimizava seu sucesso acadêmico e enfatizava o quanto se sentia triste. Jed fazia questão de transmitir ao irmão uma mensagem forte e clara de que ele também estava na pior.

Jed levava seu plano tão a sério que hesitou em aplicar as técnicas de controle do humor que eu estava tentando lhe ensinar. Na verdade, ele estava totalmente *resistente* no início, porque se sentia culpado por melhorar e temia que sua recuperação pudesse ter um efeito devastador sobre Ted.

Como na maioria dos erros de personalização, a dolorosa ilusão de Jed de que era o culpado da depressão de seu irmão continha meias-verdades suficientes para parecer convincente. Afinal, seu irmão provavelmente sentira-se inferior e incompetente desde a mais tenra infância e, sem dúvida, guardava algum ressentimento invejoso do sucesso e da alegria de Jed. Mas as questões cruciais eram: Isso significava que Jed havia *causado* a depressão do irmão? E ele poderia efetivamente reverter a situação se tornando infeliz?

Para ajudá-lo a avaliar seu papel de uma forma mais objetiva, sugeri que Jed usasse a técnica das três colunas (Quadro 33). Como resultado, ele foi capaz de ver após o exercício que seus pensamentos de culpa eram autodestrutivos e não tinham lógica. Concluiu que a depressão e o senso de inferioridade de Ted eram causados pelo pensamento distorcido do irmão, e não pela sua própria felicidade ou sucesso. Tentar corrigir isso tornando-se infeliz era tão absurdo quanto tentar apagar um incêndio com gasolina. Quando Jed compreendeu isso, sua depressão e seu sentimento de culpa desapareceram rapidamente e ele logo voltou à vida normal.

QUADRO 33

Pensamentos automáticos	Distorção cognitiva	Respostas racionais
1. Eu sou uma das causas da depressão do Ted devido à relação que temos desde a infância. Sempre fui mais esforçado e tive mais sucesso.	1. Tirar conclusões precipitadas (ler pensamentos); personalização.	1. Eu não sou a causa da depressão do Ted. São os pensamentos e atitudes irracionais dele que estão causando a sua depressão. A única responsabilidade que posso ter é a de fazer parte do ambiente que o Ted está interpretando de maneira negativa e distorcida.
2. Acho que o Ted ficaria chateado se eu lhe dissesse que estou me divertindo na escola, enquanto ele fica sozinho em casa sem fazer nada.	2. Tirar conclusões precipitadas (adivinhar o futuro).	2. Se o Ted souber que estou me sentindo melhor e me divertindo, talvez isso o anime e lhe dê esperanças. Se eu me mostrar infeliz como ele, provavelmente isso só o deixará mais deprimido porque vai tirar as suas esperanças.
3. Se o Ted só fica sentado sem fazer nada, é responsabilidade minha resolver a situação.	3. Personalização.	3. Posso incentivá-lo a fazer as coisas, mas não obrigá-lo. Afinal, isso é responsabilidade dele.
4. Estarei fazendo alguma coisa por ele se não fizer nada por mim. Se eu ficar deprimido, isso irá ajudá-lo.	4. Tirar conclusões precipitadas (ler pensamentos).	4. Os meus atos são totalmente independentes dos dele. Não há a menor razão para achar que a minha depressão vai ajudá-lo. Ele até me disse que não quer que eu passe por isso. Se perceber que estou melhorando, isso pode até incentivá-lo. Talvez seja um bom exemplo para ele se lhe mostrar que posso ser feliz. Não posso acabar com a sua sensação de incompetência ao estragar a minha vida.

PARTE III

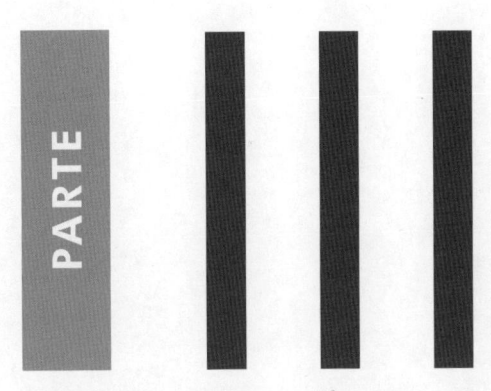

DEPRESSÕES "REALISTAS"

CAPÍTULO IX
TRISTEZA NÃO É DEPRESSÃO

"Dr. Burns, pelo que senhor está dizendo, o pensamento distorcido é a única causa da depressão. Mas, e se os meus problemas forem reais?". Esta é uma das perguntas mais frequentes que ouço durante as palestras e *workshops* sobre terapia cognitiva. Muitos pacientes questionam isso no início do tratamento e relacionam uma série de problemas "realistas", as quais eles estão convictos de que são causadoras de "depressões realistas". Os mais comuns são:

- falta de dinheiro ou dificuldades financeiras;
- velhice (algumas pessoas também veem a infância, a adolescência, o início da vida adulta e a meia-idade como períodos de crise inevitável);
- deficiência física permanente;
- doença terminal;
- perda trágica de um ente querido.

Tenho certeza de que você poderia acrescentar mais coisas à lista. Entretanto, nenhum dos itens acima pode levar a uma "depressão realista". Na verdade, isso não existe! A verdadeira questão aqui é como distinguir os sentimentos negativos desejáveis dos indesejáveis. Qual é a diferença entre "tristeza saudável" e depressão?

A distinção é simples. A tristeza é uma emoção normal criada por percepções realistas que descrevem um fato negativo envolvendo perda ou decepção de uma forma distorcida. A depressão é uma doença que *sempre* resulta de pensamentos que estão distorcidos de alguma forma. Por exemplo, quando um ente querido morre, você legitimamente pensa: "Eu o(a) perdi, e sentirei falta da sua companhia e do amor que tínhamos um pelo outro." Os sentimentos provocados por um pensamento assim são ternos, realistas e desejáveis. Suas emoções o tornarão mais humano e darão um sentido mais profundo à sua vida. Dessa forma, você *ganha* alguma coisa com a sua perda.

Por outro lado, você pode dizer a si mesmo: "Nunca mais serei feliz porque ele (ela) morreu. Isso não é justo!". Esses pensamentos despertarão em você sentimentos de desespero e autopiedade. Como essas emoções são totalmente baseadas em distorções, elas o prejudicarão.

Tanto a depressão como a tristeza podem se desenvolver após uma perda ou um fracasso em seus esforços para atingir um objetivo de grande importância pessoal. A tristeza, entretanto, não traz nenhuma distorção. Ela envolve uma sucessão de sentimentos e, portanto, dura um tempo limitado. Nunca faz a sua autoestima diminuir. A depressão é estagnada – ela tende a persistir ou recorrer indefinidamente, e sempre envolve perda de autoestima.

Quando uma depressão aparece claramente após uma situação óbvia de estresse, como um problema de saúde, a morte de um ente querido ou um revés nos negócios, ela costuma ser chamada de "depressão reativa". Às vezes é mais difícil identificar o fato estressante que desencadeou o episódio. Essas depressões costumam ser chamadas de "endógenas" porque os sintomas parecem surgir do nada. Nos dois casos, entretanto, a causa da depressão é idêntica – seus pensamentos negativos distorcidos. Ela não tem qualquer função adaptativa ou positiva, e constitui uma das piores formas de sofrimento. Seu único valor é o crescimento que você experimenta quando se recupera.

Minha posição é a seguinte: Diante de um fato verdadeiramente negativo, suas emoções serão provocadas exclusivamente pelos seus pensamentos e percepções. Seus sentimentos resultarão do significado que você atribui ao que aconteceu. Uma boa parte do seu sofrimento se deverá às *distorções* nos seus pensamentos. Quando você eliminar essas distorções, irá descobrir que será menos doloroso lidar com o "problema real".

Vejamos como isso funciona. Um problema claramente realista envolve doenças graves, como um tumor maligno. É uma pena que a família e os amigos da pessoa doente, em geral, fiquem tão convencidos de que é normal o paciente sentir-se deprimido que não procuram saber mais sobre a causa da depressão, que na maioria das vezes é totalmente reversível. Na verdade, algumas das depressões *mais fáceis* de serem resolvidas são aquelas encontradas nas pessoas que estão diante de uma morte provável. Sabe por quê? Esses corajosos são, muitas vezes, pessoas superbatalhadoras que não se entregam ao sofrimento. Normalmente, estão dispostas a se ajudarem no que for possível. Essa atitude quase sempre transforma dificuldades aparentemente "reais" e irreversíveis em oportunidades de crescimento pessoal. É por isso que considero, pessoalmente, o conceito de "depressão realista" tão abominável. A atitude de que a depressão é necessária parece-me destrutiva, desumana e vitimizadora. Vamos analisar alguns casos específicos e você poderá julgar por si mesmo.

PERDER A VIDA

Naomi tinha 40 e poucos anos quando recebeu de seu médico a notícia de que havia aparecido uma "mancha" na radiografia do seu tórax. Como ela acreditava piamente que ir ao médico era procurar problemas, protelou por vários meses antes de investigar isso. Quando foi atrás, suas piores suspeitas se confirmaram. Uma dolorosa biópsia por agulha confirmou a presença de células malignas, e a posterior retirada do pulmão indicou que o câncer já havia se espalhado.

Essa notícia atingiu Naomi e sua família como uma bomba. À medida que os meses passavam, ela ficava cada vez mais desanimada com sua fraqueza. Por quê? O problema não era tanto o desconforto físico causado pela doença nem a quimioterapia, embora ambos fossem mesmo desagradáveis. O fato de estar fraca o bastante a ponto de ter de abandonar suas atividades diárias é que teve grande impacto em seu senso de identidade e orgulho. Ela não podia mais fazer as tarefas domésticas (era seu marido quem fazia a maior parte delas agora) e teve de largar seus dois empregos de meio período, num dos quais trabalhava como voluntária lendo para cegos.

Você pode insistir: "Os problemas de Naomi são *reais*. Sua infelicidade não é causada por nenhuma distorção. Ela é causada pela situação.".

Mas será que a depressão dela era mesmo inevitável? Perguntei a Naomi por que a sua falta de atividade era tão perturbadora. Expliquei o conceito dos "pensamentos automáticos" e ela anotou as seguintes distorções cognitivas: (1) Não estou contribuindo para a sociedade; (2) Não estou me realizando na vida pessoal; (3) Não posso participar de diversões *ativas*; e (4) Sou um fardo para o meu marido. As emoções associadas a esses pensamentos eram: raiva, tristeza, frustração e culpa.

Quando vi o que ela tinha anotado, meu coração pulou de alegria! Esses pensamentos eram iguais aos dos pacientes com depressão fisicamente saudáveis que vejo todos os dias em minha clínica. A depressão de Naomi *não* era causada pela sua doença maligna, mas sim pela *atitude* maligna que a fazia medir o seu valor pelo que produzia! Como ela sempre havia equiparado seu valor pessoal com suas conquistas, o câncer significava: "É o fim da linha para você! Já não serve mais para nada!". Isso me ofereceu um modo de intervir!

Sugeri a ela que fizesse um gráfico do seu "valor" pessoal desde o nascimento até a morte (ver Gráfico 2, p. 207). Ela via o seu valor como sendo constante, estimando-o em 85% numa escala imaginária de 0% a 100%. Pedi também a ela que estimasse sua *produtividade* no mesmo período, numa escala semelhante. Ela desenhou uma curva com baixa produtividade na infância, chegando a um nível máximo na fase adulta, e por fim diminuindo outra vez (ver GRÁFICO 2). Até aí, tudo bem. Então, duas coisas ocorreram-lhe de repente. Em primeiro lugar, embora sua doença tivesse diminuído a sua produtividade, ela ainda contribuía para si mesma e para sua família em inúmeras coisas pequenas, mas ainda assim importantes e valiosas. Só o pensamento "tudo ou nada" poderia fazê-la achar que suas contribuições eram nulas. Em segundo lugar, e muito mais importante, ela percebeu que seu valor pessoal era constante e estável; era um dado que não tinha relação com as suas conquistas pessoais. Isso significava que seu valor como ser humano *não* tinha de ser conquistado, e que ela era igualmente valiosa mesmo em sua condição frágil. Naquele momento, um sorriso espalhou-se pelo seu rosto e sua depressão foi embora. Foi uma verdadeira satisfação para mim testemunhar e participar desse pequeno milagre. Ele *não* eliminou o tumor, mas recuperou a autoestima que ela havia perdido e isso fez toda a diferença no modo como ela se *sentia*.

Naomi não era uma paciente, mas alguém com quem conversei enquanto passava férias no meu estado natal, a Califórnia, durante o inverno de 1976. Recebi uma carta dela pouco depois, que compartilho com vocês aqui:

David,

Um "P.S." superatrasado, mas muito importante, da minha última carta para você. É sobre aqueles pequenos "gráficos" que você fez de produtividade, em vez de valor-próprio, autoestima ou qualquer nome que possamos dar: isso tem me dado um *grande* apoio, do qual tenho tomado doses generosas! Realmente me transformou numa psicóloga sem ter que estudar para isso. Descobri que funciona com uma porção de coisas que atormentam e incomodam as pessoas. Fiz essa experiência com algumas amigas minhas. Stephanie é totalmente ignorada por uma secretária fedelha com um terço da sua idade; Sue é maltratada o tempo todo pelos seus gêmeos de 14 anos; o marido de Becky acabou de sair de casa; Ilga está sendo tratada como uma intrusa pelo filho de 17 anos do seu namorado. A todas elas eu digo: "Tudo bem, mas o seu valor pessoal é CONSTANTE e nem todo o desprezo do mundo vai afetar isso!". É claro que, em muitos casos, percebo que esta é uma simplificação exagerada e incapaz de aliviar todos os males, mas como é útil e eficiente!

Mais uma vez, muito obrigada!

Um abraço,
Naomi

Ela morreu sentindo dor, mas com dignidade, seis meses depois.

GRÁFICO 2
Gráficos de valor e de trabalho de Naomi

Naomi representou seu "valor" como ser humano
desde o nascimento até a morte. Ela estimou-o em 85%.
Ela representou uma estimativa de sua produtividade
e conquistas ao longo da vida.
Sua produtividade começou baixa na infância,
atingiu um patamar na idade adulta e acabaria a zero quando morresse.
Este gráfico ajudou-a a compreender que seu "valor" e suas "conquistas"
eram independentes e não tinham nenhuma relação entre si.

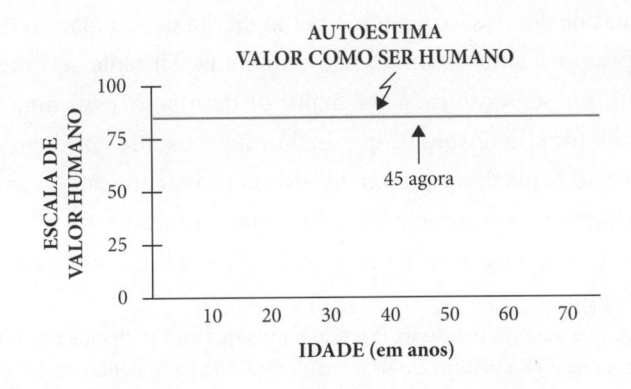

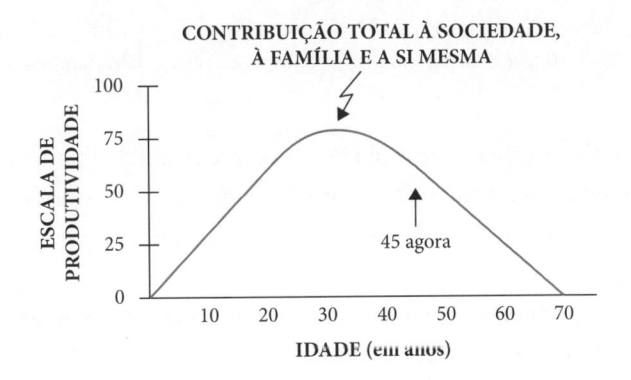

AUTOESTIMA
VALOR COMO SER HUMANO

ESCALA DE VALOR HUMANO — IDADE (em anos) — 45 agora

CONTRIBUIÇÃO TOTAL À SOCIEDADE,
À FAMÍLIA E A SI MESMA

ESCALA DE PRODUTIVIDADE — IDADE (em anos) — 45 agora

■ PERDER UM MEMBRO

As deficiências físicas constituem uma segunda categoria de problemas considerados "realistas". O indivíduo afetado – ou algum dos membros da família – presume automaticamente que as limitações impostas pela velhice ou por uma deficiência física, como uma amputação ou cegueira, diminuem a capacidade de ser feliz. Os amigos tendem a oferecer compreensão e simpatia, achando que isso representa uma reação humana e "realista". No entanto, o caso pode ser exatamente o contrário. O sofrimento emocional pode ser causado mais por um pensamento deformado que por um corpo assim. Numa situação como essa, uma reação simpática pode ter o efeito indesejável de reforçar a autopiedade e alimentar a ideia de que o deficiente está condenado a ter menos alegria e satisfação que os outros. Por outro lado, quando o indivíduo afetado ou algum dos membros da família aprende a corrigir as distorções em seu pensamento, isso pode resultar numa vida emocional plena e gratificante.

Por exemplo, Fran é uma mulher de 35 anos, mãe de dois filhos, que começou a apresentar sintomas de depressão quando a perna direita de seu marido ficou paralisada para sempre por causa de uma lesão na coluna. Durante seis meses, ela procurou alívio para sua sensação cada vez maior de desespero, e fez uma série de tratamentos dentro e fora de hospitais, que incluíram o uso de antidepressivos e terapia de eletrochoque. Nada disso ajudou. Ela estava com depressão grave quando chegou a mim, e achava que seus problemas não tinham solução.

Aos prantos, descreveu a frustração que sentia ao tentar lidar com a mobilidade reduzida de seu marido:

> Toda vez que vejo outros casais fazendo coisas que não podemos fazer, fico com lágrimas nos olhos. Olho para os casais fazendo caminhadas, pulando na piscina ou no mar, andando de bicicleta, e isso me dói. Seria muito difícil para o John e eu fazermos coisas assim. Para eles isso é uma coisa à toa, como costumava ser para nós. Seria maravilhoso se pudéssemos fazer isso agora. Mas você sabe, eu sei, e o John também sabe – que não podemos.

No início, eu também tinha a sensação de que o problema de Fran era realista. Afinal, eles *não podiam* fazer muitas coisas que a maioria de nós pode fazer. E podemos dizer o mesmo das pessoas idosas, e também das que são cegas, surdas ou tiveram um membro amputado.

Na verdade, se formos pensar, *todos* nós temos limitações. Então, será que todos nós deveríamos ser infelizes...? Estava intrigado com isso, quando a distorção de Fran me veio à cabeça de repente. Você sabe qual é? Dê uma olhada na lista na p. 60 agora e veja se consegue identificar... isso mesmo, a distorção que levou ao sofrimento desnecessário de Fran foi o filtro mental. Fran estava identificando e insistindo em toda e qualquer atividade que não estivesse disponível para ela. Ao mesmo tempo, as muitas coisas que ela e John *podiam* ou poderiam fazer juntos não entravam em sua mente consciente. Não admira que ela achasse a vida triste e vazia.

A solução revelou-se incrivelmente simples. Eu propus a Fran o seguinte:

> Vamos supor que, em casa, entre as sessões, você fizesse uma lista de todas as coisas que você e o John *podem* fazer juntos. Em vez de se concentrar nas coisas que vocês *não podem* fazer, aprenda a se concentrar nas que vocês *podem*. Eu, por exemplo, adoraria ir à lua, mas acontece que não sou astronauta, por isso não é provável que algum dia eu tenha essa oportunidade. Ora, se eu ficar insistindo no fato de que na minha profissão e na minha idade é extremamente improvável que algum dia eu possa chegar à lua, posso ficar muito chateado. Por outro lado, há muitas coisas que eu *posso* fazer e, se eu me concentrar nelas, não me sentirei desapontado. Então, quais seriam as coisas que você e o John *podem* fazer a dois?

F‍ran: Bom, nós ainda gostamos da companhia um do outro. Saímos para jantar, e somos companheiros.

David: Certo. O que mais?

Fran: Passeamos de carro juntos, jogamos cartas. Vamos ao cinema, ao bingo. Ele está me ensinando a dirigir...

David: Veja, em menos de 30 segundos você já citou seis coisas que podem fazer juntos. Vamos supor que tivesse até a próxima sessão para continuar a lista. Quantos itens você você acha que poderia encontrar?

Fran: Um monte. Eu poderia citar coisas que nunca pensamos em fazer, talvez algo incomum como saltar de paraquedas.

David: Isso mesmo. Pode até pensar em coisas mais ousadas. Tenha em mente que você e o John, na verdade, podem ser capazes de fazer muitas coisas que está presumindo que não possam. Por exemplo, você me disse que não podem ir à praia. Comentou o quanto gostaria de nadar. Poderiam ir a uma praia um pouco mais retirada para que não precisassem ficar tão constrangidos? Se eu estivesse numa praia e você e o John estivessem lá, sua deficiência física não faria a menor diferença para mim. Aliás, recentemente estive numa linda praia na costa norte do Lago Tahoe, na Califórnia, com minha esposa e a família dela. Estávamos nadando, quando de repente fomos parar numa enseada que tinha uma praia de nudismo, e lá estava aquela molecada toda, sem roupa nenhuma. É claro que eu não fiquei *olhando* para nenhum deles, quero deixar bem claro! Mesmo assim, reparei por acaso que um dos rapazes não tinha a perna direita do joelho para baixo, e ele estava lá se divertindo junto aos outros. Por isso, não estou absolutamente convencido de que só porque alguém é deficiente ou não tem um dos membros não pode ir à praia e se divertir. O que você acha?

Algumas pessoas podem debochar da ideia de que um problema tão "difícil e real" possa ser tão facilmente resolvido, ou de que uma depressão intratável como a de Fran pudesse reverter-se em resposta a uma intervenção tão simples. De fato, ao fim da sessão, ela declarou que seus sentimentos desagradáveis haviam desaparecido completamente e disse que há anos não se sentia tão bem. Para manter esse progresso, obviamente ela precisará fazer um esforço constante para mudar seu padrão de pensamentos durante um período, para que possa superar seu mau hábito de tramar uma complexa teia mental e ficar presa nela.

PERDER O EMPREGO

A maioria das pessoas considera que o risco de ter uma reviravolta na carreira ou perder o seu meio de subsistência é um golpe emocional potencialmente incapacitante, pois na cultura ocidental há uma suposição generalizada de que o valor de uma pessoa e a sua capacidade de ser feliz estão diretamente ligados ao sucesso profissional. Com esse sistema de valores, parece óbvio e realista prever que uma depressão emocional estaria inevitavelmente ligada a um prejuízo financeiro, fracasso na carreira ou excesso de dívidas.

Se é assim que você se sente, acho que gostaria de conhecer Hal. Hal é um homem bem-apessoado de 45 anos, pai de três filhos, que trabalhou 17 anos com o pai de sua esposa numa empresa de sucesso no ramo de *merchandising*. Três anos antes de ser encaminhado a mim para tratamento, Hal e seu sogro tiveram uma série de desavenças sobre a direção da empresa. Hal pediu demissão num momento de raiva, abrindo mão de seus interesses na empresa. Durante os três anos seguintes, passou por vários empregos, mas teve dificuldade de encontrar um que fosse satisfatório. Parecia não ser capaz de se dar bem em nada e passou a se ver como um fracassado. Sua esposa começou a trabalhar em tempo integral para dar conta das despesas e isso fez Hal sentir-se ainda mais humilhado, pois sempre havia se orgulhado de ser o provedor da família. Com o passar dos meses e anos, a situação financeira deles piorou, e Hal sentia uma depressão cada vez maior à medida que sua autoestima ia para o fundo do poço.

Quando o conheci, ele estava fazendo uma experiência de três meses numa imobiliária com a venda de imóveis comerciais. Havia alugado vários prédios, mas ainda não tinha finalizado nenhuma venda. Como estava trabalhando estritamente à base de comissão, seus rendimentos durante esse período de experiência eram muito baixos. Ele estava tomado pela depressão e procrastinação. Às vezes passava o dia inteiro na cama, pensando consigo mesmo: "De que adianta? Sou um fracasso, mesmo... Não faz sentido ir trabalhar. É menos doloroso ficar na cama.".

Hal concordou em permitir que os residentes de Psiquiatria do nosso programa de treinamento na Universidade da Pensilvânia observassem uma das nossas sessões de psicoterapia através de um espelho. Durante essa sessão, Hal descreveu uma conversa que teve no vestiário do clube. Um amigo bem de vida havia lhe falado do seu interesse pela compra de um determinado prédio. Você pode achar que ele teria pulado de alegria ao saber disso, uma vez que a comissão por uma venda como essa teria dado o impulso necessário à sua carreira, sua confiança e sua conta bancária. Mas, em vez de ir atrás do contato, Hal ficou procrastinando por várias semanas. Por quê? Por pensar: "É muito complicado vender uma propriedade comercial. Nunca fiz isso antes. Além do mais, provavelmente ele vai desistir no último minuto. Isso indicaria que eu não sirvo para trabalhar nesse ramo. Indicaria que eu sou um fracasso".

Mais tarde, recapitulei a sessão junto com os residentes. Queria saber o que achavam das atitudes pessimistas e autodestrutivas de Hal. Eles sentiam que Hal tinha mesmo aptidão para trabalhar com vendas, e que estava sendo exageradamente rigoroso consigo mesmo. Usei isso como argumento na sessão seguinte. Hal admitiu que era mais crítico consigo mesmo do que jamais havia sido com qualquer outra pessoa. Por exemplo, se um de seus colegas perdesse uma grande venda, ele simplesmente diria "Isso não é o fim do mundo; continue tentando". Mas, se acontecesse com ele, diria: "Eu sou um fracasso". No fundo, Hal admitia que agia com base num "critério duplo" – era tolerante e solidário com as outras pessoas, mas severo, crítico e impiedoso consigo mesmo. Talvez você tenha a mesma tendência. No início, Hal defendeu seu critério duplo argumentando que isso era bom para ele:

HAL: Bom, em primeiro lugar, a responsabilidade e o interesse que tenho pelos outros não são iguais aos que tenho por mim mesmo.

DAVID: Tudo bem. Continue.

HAL: Se eles não conseguirem uma venda, isso não vai tirar a comida da minha mesa nem provocar sentimentos negativos na minha família. Portanto, o único motivo de me interessar por eles é porque é bom quando todo mundo consegue vender, mas...

DAVID: Espere... espere... espere! Você se interessa por eles porque é bom quando eles conseguem vender?

HAL: É. Foi o que eu disse...

DAVID: Você usa um critério com eles que acredita que os ajuda a vender?

HAL: Isso mesmo.

DAVID: E o critério que usa consigo mesmo? Acha que ele o ajuda a vender? Como se sente quando diz "Uma venda perdida significa que sou um fracasso"?

Hal: Desmotivado.
David: E isso ajuda?
Hal: Bom, não trouxe nenhum resultado positivo, então parece não ajudar.
David: E é *realista* dizer "Uma venda perdida e eu sou um fracasso"?
Hal: Na verdade, não.
David: Então por que está usando esse critério "tudo ou nada" consigo mesmo? Por que usa critérios úteis e realistas para essas outras pessoas com quem não se importa tanto, e critérios rigorosos e autodestrutivos para si mesmo, com quem realmente se importa?

Hal estava começando a perceber que ter dois pesos e duas medidas não o estava ajudando em nada. Ele julgava a si mesmo segundo regras rígidas que jamais aplicaria a outra pessoa. No início, defendeu essa tendência – como muitos perfeccionistas exigentes fariam – alegando que isso o *ajudaria* de alguma forma a exigir mais de si mesmo do que dos outros. No entanto, ele logo rendeu-se ao fato de que seus critérios pessoais eram, na verdade, irrealistas e autodestrutivos porque, se tentasse vender o prédio e não conseguisse, veria isso como uma catástrofe. Seu mau hábito de pensar em termos de "tudo ou nada" era a explicação para o medo que o paralisava e o impedia de tentar. Por conseguinte, passava a maior parte do tempo na cama se lamentando.

Hal pediu orientações específicas sobre o poderia fazer para se livrar de seus critérios duplos perfeccionistas, para que pudesse julgar todas as pessoas, incluindo ele próprio, segundo um único critério objetivo. Como um primeiro passo, propus que Hal usasse a técnica do pensamento automático, resposta racional. Por exemplo, se estivesse sentado em casa, procrastinando sobre o trabalho, talvez pensasse "Se eu não for trabalhar cedo e passar o dia todo lá, mergulhado no trabalho, então nem adianta ir. Posso muito bem ficar na cama". Depois de anotar isso, substituiria por uma resposta racional: "Isso é só um pensamento 'tudo ou nada', e uma bobagem. Até mesmo trabalhar meio período poderia ser um passo importante e fazer que eu me sentisse melhor.".

Hal concordou em anotar alguns pensamentos desagradáveis antes da próxima sessão de terapia, nos momentos em que se sentisse inútil ou triste consigo mesmo (ver Quadro 34, a seguir). Dois dias depois, recebeu um aviso prévio de seu patrão e veio para a sessão de terapia totalmente convencido de que seus pensamentos autocríticos eram absolutamente válidos e realistas. Ele não havia conseguido encontrar uma única resposta racional. O aviso dava a entender que suas faltas constantes exigiam que fosse dispensado do emprego. Durante a sessão, discutimos como ele poderia aprender a contestar sua voz crítica.

QUADRO 34
A tarefa de Hal de registrar e questionar seus pensamentos autocríticos.
Ele anotou as Respostas racionais durante a sessão de terapia (ver texto).

Pensamentos negativos (AUTOCRÍTICA)	Respostas racionais (AUTODEFESA)
1. Eu sou preguiçoso.	1. Eu trabalhei duro boa parte da minha vida.
2. Gosto de ficar doente.	2. Isso não é gostoso.
3. Eu sou incompetente. Sou um fracasso.	3. Até que me dei bem na vida. Temos uma boa casa. Criamos três filhos maravilhosos. As pessoas me admiram e respeitam. Já me envolvi em atividades comunitárias.
4. Ficar sem fazer nada é o que realmente gosto de fazer.	4. Estou tendo sintomas de uma doença. Este não sou eu "de verdade".
5. Eu poderia ter feito mais.	5. Pelo menos fiz mais do que a maioria das pessoas. É inútil e sem sentido dizer "Eu podia ter feito mais", pois qualquer um pode dizer isso.

DAVID: Certo, vamos ver se conseguimos escrever alguma resposta para os seus pensamentos negativos na coluna Respostas racionais. Consegue pensar em alguma resposta com base no que conversamos na última sessão? Considere a sua afirmação "Eu sou incompetente". Acha que isso poderia ser resultado de seu pensamento "tudo ou nada" e seus critérios perfeccionistas?

Talvez a resposta fique mais clara para você se invertermos os papéis. Às vezes é mais fácil falar de forma objetiva sobre outra pessoa. Vamos supor que eu chegasse até você com a sua história e contasse que trabalhava para o meu sogro. Três anos atrás nós tivemos uma briga. Eu achei que estava sendo explorado. Resolvi sair. Desde então venho me sentindo meio triste e pulando de um emprego para outro. Agora fui demitido de um emprego onde trabalhava à base de comissão, e para mim isso foi uma dupla derrota. Em primeiro lugar, porque eles não me pagavam nada, e em segundo lugar, porque acharam que eu não servia nem para aquilo, por isso me demitiram. Concluí que sou incompetente – um ser humano incompetente. O que você me diria?

HAL: Bom... considerando que conseguiu chegar até aqui, digamos, aos primeiros 40 anos ou mais da sua vida, com certeza você *fez* alguma coisa.

DAVID: Muito bem, anote isso na coluna Respostas Racionais. Faça uma lista de todas as coisas boas e acertadas que você fez nos primeiros 40 anos da sua vida. Você ganhou dinheiro, criou filhos bem-sucedidos etc.

Hal: Certo, posso escrever que me dei bem na vida até certo ponto. Temos uma boa casa. Criamos três filhos maravilhosos. As pessoas me admiram e respeitam, e já me envolvi em atividades comunitárias.

David: Muito bem, você fez todas essas coisas. Como concilia isso com a sua crença de que é incompetente?

Hal: Bom, eu poderia ter feito mais.

David: Ótimo! Eu tinha certeza de que encontraria uma maneira inteligente de desqualificar seus pontos positivos. Agora anote isso como sendo mais um pensamento negativo: "Eu poderia ter feito mais.". Maravilha!

Hal: Certo, já anotei isso como sendo o número 5.

David: Muito bem, agora, qual é a resposta para isso? (silêncio prolongado)

David: Qual? Qual é a distorção nesse pensamento?

Hal: Você é um cara insistente!

David: Qual é a resposta?

Hal: Pelo menos eu fiz mais do que a maioria.

David: Certo, e quanto por cento você acredita nisso?

Hal: Acredito 100% nisso.

David: Ótimo! Anote na coluna Respostas racionais. Agora, vamos voltar a esse "Eu poderia ter feito mais". Vamos supor que você fosse Howard Hughes, sentado no alto de sua torre, com todos aqueles milhões e bilhões. O que você poderia dizer a si mesmo para ficar infeliz?

Hal: Estou pensando.

David: É só ler o que acabou de escrever no papel.

Hal: Ah. "Eu poderia ter feito mais."

David: Sempre se pode dizer isso, não é?

Hal: É.

David: É por isso que muitas pessoas que conquistaram fama e fortuna são infelizes. É apenas um exemplo dos critérios perfeccionistas. Você pode ir cada vez mais longe e, não importa o quanto tenha realizado, sempre pode dizer "Eu poderia ter feito mais". Essa é uma forma arbitrária de se punir. Concorda ou não?

Hal: É, concordo. Estou entendendo. É preciso mais de uma coisa para ser feliz. Porque, se fosse pelo dinheiro, todos os milionários e bilionários estariam eufóricos. Mas há mais coisas envolvidas em ser feliz e satisfeito consigo mesmo do que ganhar dinheiro. Não é esse o desejo que me paralisa. Nunca tive o desejo de ganhar dinheiro.

David: Quais eram seus desejos? Você tinha o desejo de formar uma família?

HAL: Isso era muito importante para mim. Muito importante. E eu participei da educação das crianças.
DAVID: E o que você fazia para educar seus filhos?
HAL: Bom, eu os acompanhava, ensinava, brincava com eles.
DAVID: E como eles são hoje?
HAL: Acho que são maravilhosos!
DAVID: Ora, você escreveu: "Eu sou incompetente. Eu sou um fracasso.". Como pode conciliar isso com o fato de que seu objetivo era criar três filhos e você conseguiu?
HAL: Mais uma vez, acho que não estava levando isso em consideração.
DAVID: Então, como pode dizer que você é um fracasso?
HAL: Eu não tenho exercido a função de provedor... não consigo ter um bom salário há anos.
DAVID: É realista dizer que você é um "fracasso" baseado nisso? Aqui está um homem que sofre de depressão há três anos e tem dificuldade de sair para trabalhar. É realista dizer que ele é um fracasso? As pessoas com depressão são fracassadas?
HAL: Bom, se eu soubesse mais sobre as causas da depressão, estaria mais apto a julgar.
DAVID: Ainda vai levar um tempo para descobrirmos a causa definitiva da depressão. Mas entendemos que as causas imediatas são as afirmações punitivas e ofensivas que você dirige a si mesmo. Por que isso acontece mais com algumas pessoas do que com as outras, não se sabe. As influências bioquímicas e genéticas ainda não foram determinadas. Sem dúvida, a sua criação contribuiu, e podemos tratar disso numa outra sessão, se quiser.
HAL: Como ainda não há provas conclusivas sobre a causa definitiva da depressão, isso não pode ser considerado um fracasso em si? Quero dizer, não sabemos de onde ela vem... Deve haver algo errado comigo que a tenha provocado... alguma coisa em que eu tenha falhado que cause a depressão.
DAVID: Que evidências você tem disso?
HAL: Nenhuma. É apenas uma possibilidade.
DAVID: Certo. Mas para fazer uma suposição tão punitiva como essa... *qualquer coisa* é uma possibilidade. Só que não há nenhuma *evidência* disso. Quando os pacientes superam a depressão, eles tornam-se produtivos como sempre foram. Acredito que, se o problema deles fosse o fato de serem um fracasso, quando superassem a depressão continuariam sendo

um fracasso. Já fui procurado por professores universitários e presidentes de empresas. Eles só ficavam sentados, olhando para a parede, mas era por causa da depressão. Quando a superaram, eles voltaram a fazer conferências e dirigir suas empresas como faziam antes. Então, como pode dizer que a depressão deve-se ao fato de serem um fracasso? Para mim, parece mais o contrário – que o fracasso se deve à depressão.

Hal: Não sei o que dizer.

David: É *arbitrário* dizer que você é um fracasso. Você está sofrendo de depressão, e as pessoas com depressão não fazem o mesmo que faziam quando não estavam deprimidas.

Hal: Então sou um depressivo bem-sucedido.

David: Isso mesmo! Exatamente! E parte de ser um depressivo bem-sucedido consiste em melhorar. Portanto, espero que seja isso o que estamos fazendo agora. Imagine que houvesse tido pneumonia nos últimos seis meses. Você não teria recebido um tostão. Também poderia dizer "Isso faz de mim um fracasso". Acha que seria realista?

Hal: Eu nunca poderia dizer isso. Pois, com certeza, não teria pego a pneumonia por querer.

David: Certo. Pode usar a mesma lógica com a sua depressão?

Hal: É, acho que sim. Sinceramente, também não sinto que minha depressão tenha sido induzida por querer.

David: É claro que não foi. Você *quis* provocar isso?

Hal: De jeito nenhum!

David: Você *fez* alguma coisa conscientemente para provocá-la?

Hal: Não que eu saiba.

David: Se soubéssemos o que estava causando a depressão, poderíamos apontar algum culpado. Mas, como não sabemos, não seria tolice culpar o Hal por sua própria depressão? O que sabemos é que as pessoas deprimidas adquirem essa visão negativa de si mesmas. E elas sentem-se e se comportam de acordo com essa visão para tudo. Você não causou isso de propósito nem *escolheu* ficar incapacitado. E, quando superar essa visão negativa e voltar a enxergar as coisas de uma forma não depressiva, você voltará ser tão produtivo quanto sempre foi ou até mais, se for como os outros pacientes típicos com quem já trabalhei. Entende o que eu quero dizer?

Hal: É, estou *conseguindo* entender.

Foi um alívio para Hal perceber que, embora estivesse enfrentando dificuldades financeiras há vários anos, não fazia sentido rotular a si mesmo como "um fracasso".

Essa autoimagem negativa e a sua sensação de paralisia resultavam de seu pensamento "tudo ou nada". Seu sentimento de inutilidade era baseado na sua tendência a se concentrar apenas nos aspectos negativos da sua vida (filtro mental) e ignorar as várias áreas em que havia tido êxito (desconsiderar as coisas positivas). Ele conseguiu ver que estava se aborrecendo sem necessidade ao dizer "Eu poderia ter feito mais", e percebeu que valor financeiro não é o mesmo que valor humano. Por fim, Hal foi capaz de admitir que os *sintomas* que vinha apresentando – letargia e procrastinação – eram apenas manifestações de um processo patológico temporário, e não indicações do seu "verdadeiro eu". Era absurdo pensar que sua depressão, mais do que uma pneumonia, fosse simplesmente um castigo por alguma inadequação pessoal.

Ao fim da sessão, o teste Inventário de Depressão de Beck indicou que Hal havia apresentado uma melhora de 50%. Nas semanas seguintes, ele continuou a se ajudar, usando a técnica das duas colunas. À medida que aprendia a contestar seus pensamentos desagradáveis, foi reduzindo as distorções em sua forma rigorosa de se avaliar, e seu humor continuou a melhorar.

Hal deixou o ramo imobiliário e abriu uma livraria popular. Ele conseguia equilibrar as contas; porém, apesar de ter-se empenhado bastante, não conseguiu ter lucro suficiente para justificar a continuidade do negócio após o período experimental de um ano. Por conseguinte, os sinais de sucesso externo não haviam mudado muito durante esse tempo. Apesar disso, Hal conseguiu evitar uma depressão mais grave e manter sua autoestima. No dia em que resolveu desistir da livraria, suas finanças ainda estavam no vermelho, mas seu respeito por si mesmo *não* foi abalado. Ele escreveu a seguinte reflexão, que decidiu ler todas as manhãs enquanto estivesse procurando um novo emprego:

POR QUE EU NÃO SOU INÚTIL?

Uma vez que tenho algo a contribuir para o meu próprio bem-estar e o dos outros, eu não sou inútil.

Uma vez que o que eu faço pode ter um efeito positivo, eu não sou inútil.

Uma vez que o fato de eu estar vivo faz diferença para uma pessoa que seja, eu não sou inútil (e essa única pessoa pode ser eu mesmo, se for o caso).

Se dar amor, compreensão, companheirismo, incentivo, civilidade, conselho, conforto significa alguma coisa, eu não sou inútil.

Se posso respeitar as minhas opiniões, a minha inteligência, eu não sou inútil. Se os outros também me respeitam, melhor ainda.

Se tenho respeito por mim mesmo e dignidade, eu não sou inútil.

Se contribuir para o sustento das famílias dos meus empregados é um benefício extra, eu não sou inútil.

Se faço o melhor que posso para ajudar meus clientes e fornecedores por meio da minha produtividade e criatividade, eu não sou inútil.

Se a minha presença neste mundo faz alguma diferença para os outros, eu não sou inútil.

Eu não sou inútil. Eu tenho muito valor!

PERDER UM ENTE QUERIDO

Um dos casos mais graves de depressão que tratei no início de minha carreira foi o de Kay, uma pediatra de 31 anos cujo irmão mais novo havia se suicidado de uma forma horrível do lado de fora do apartamento dela, seis semanas antes. O que era particularmente doloroso para Kay era que ela se considerava responsável pelo suicídio dele, e os argumentos que apresentava para sustentar esse ponto de vista eram muito convincentes. Kay sentia que estava diante de um problema insuportavelmente doloroso que era totalmente realista e insolúvel. Achava que também merecia morrer e pensava em suicídio na época da consulta.

Um problema comum que aflige a família e os amigos de alguém que comete suicídio é o sentimento de culpa. Há uma tendência a se torturar com pensamentos como: "Por que eu não evitei? Por que fui tão idiota?". Nem mesmo psicoterapeutas e conselheiros estão imunes a essas reações e podem se castigar, dizendo: "A culpa foi minha. Se *pelo menos* eu tivesse falado com ele de outra forma naquela última sessão... Por que não o obriguei a dizer se estava ou não pensando em suicídio? Eu deveria ter intervido de forma mais enérgica. Eu o matei!". O mais trágico e irônico é que, na grande maioria dos casos, o suicídio ocorre porque a vítima tem uma crença distorcida de que seu problema não tem solução, sendo que, se fosse visto de uma perspectiva mais objetiva, ele pareceria bem menos aterrador e, com certeza, não justificaria o suicídio.

A autocrítica de Kay era ainda mais intensa porque ela achava que havia tido mais oportunidades na vida do que seu irmão, então fez de tudo para tentar compensar isso oferecendo a ele apoio emocional e financeiro durante sua longa luta contra a depressão. Providenciou sua psicoterapia, ajudou-o a pagar e até arrumou para ele um apartamento perto do seu, para que pudesse chamá-la sempre que estivesse muito deprimido.

Seu irmão estudava Fisiologia na Filadélfia. No dia do seu suicídio, ele procurou Kay para perguntar sobre os efeitos do monóxido de carbono no sangue, para uma apresentação que faria na sala de aula. Como Kay era hematologista e, portanto, especialista no assunto, achou que se tratava de uma pergunta inocente e lhe deu a informação sem pensar. Não conversou muito com ele porque estava preparando uma palestra importante que faria na manhã seguinte no hospital em que trabalhava. Ele usou essa informação para fazer sua quarta e última tentativa na varanda do apartamento de Kay, enquanto ela preparava sua palestra. Kay se considerava responsável pela morte dele.

Sua aflição era compreensível, considerando-se a situação trágica pela qual havia passado. Durante as primeiras sessões de terapia, ela descreveu por que se culpava e por que estava convencida de que seria melhor morrer:

> Eu tinha assumido a responsabilidade pela vida do meu irmão. E falhei, por isso me sinto responsável pela morte dele. Isso prova que não o apoiei devidamente como deveria. Eu devia saber que ele estava numa situação crítica, e não tomei nenhuma atitude. Quando olho para trás, parece óbvio que ele ia tentar cometer suicídio outra vez. Já havia feito três tentativas anteriores. Se tivesse lhe perguntado quando me procurou, poderia ter salvado sua vida. Senti raiva dele em muitas ocasiões no último mês antes de ele morrer e, com toda a franqueza, às vezes ele era um fardo e uma frustração para mim. Certa vez, lembro de ter ficado irritada e dizer a mim mesma que talvez fosse melhor *mesmo* que ele estivesse morto. Eu me sinto terrivelmente culpada por isso. Talvez *quisesse* que ele morresse! Eu *sei* que o deixei triste, e por isso acho que mereço morrer.

Kay estava convencida de que sua agonia e sentimento de culpa eram pertinentes e tinham fundamento. Por ser uma pessoa extremamente ética, com uma formação católica rigorosa, ela achava que era esperado que fosse castigada e sofresse. Eu sabia que havia algo de errado no seu raciocínio, mas não consegui penetrar muito em sua irracionalidade durante várias sessões, porque ela era tão brilhante e persuasiva que conseguiu argumentar de forma convincente contra si mesma. Cheguei quase a acreditar também que sua dor dor emocional era "realista". Então, a chave que eu esperava que pudesse libertá-la de sua prisão mental ocorreu-me de repente. O erro que ela estava cometendo era o número dez discutido no Capítulo III – a personalização.

Na quinta sessão de terapia, usei essa descoberta para questionar as concepções equivocadas no ponto de vista da Kay. Antes de mais nada, enfatizei que, se ela fosse responsável pela morte de seu irmão, precisaria ter sido a causa dela. Como a causa do suicídio não é conhecida, nem mesmo pelos especialistas, não havia razão para concluir que ela era a causa.

Eu disse a ela que, se tentássemos adivinhar a causa do seu suicídio, seria a sua convicção errônea de que era uma pessoa sem valor, um caso perdido, e que sua vida não valia a pena. Como ela não tinha controle sobre o pensamento dele, não podia ser responsável pelas suposições irracionais que o fizeram acabar com a sua vida. Esses erros eram dele, e não dela. Portanto, ao assumir a responsabilidade por seu humor e seus atos, ela estava se responsabilizando por algo que estava fora do seu controle. O máximo que se poderia esperar dela era que tentasse ajudá-lo, o que vinha fazendo dentro dos limites da sua capacidade.

Ressaltei que foi uma pena ela não ter tido o discernimento necessário para evitar sua morte. Se tivesse se dado conta de que ele estava prestes a fazer uma nova tentativa de suicídio, ela *teria* intervindo de todas as maneiras possíveis. Contudo, uma vez que não tinha esse discernimento, não lhe foi possível intervir. Portanto, ao se culpar pela morte dele, ela estava presumindo sem a menor lógica que pudesse prever o futuro com absoluta certeza, e que tinha todo o conhecimento do universo à sua disposição. Como essas duas expectativas não eram nada realistas, não havia razão para se menosprezar. Apontei que nem mesmo os terapeutas profissionais são infalíveis em seu conhecimento da natureza humana, e frequentemente deixam-se enganar por pacientes suicidas apesar de sua suposta experiência.

Por todas essas razões, era um grande erro considerar-se responsável pelo seu comportamento porque, definitivamente, ela não tinha controle sobre ele. Enfatizei que ela *era* responsável pela sua própria vida e bem-estar. Nessa hora ela se deu conta de que estava agindo de forma irresponsável, *não* porque "deixou-o triste", mas porque estava se permitindo ficar deprimida e considerando seu próprio suicídio. A coisa responsável a fazer era *recusar* qualquer sentimento de culpa e acabar com a depressão, depois procurar viver com felicidade e satisfação. Isso seria agir de maneira responsável.

Após essa discussão Kay apresentou uma rápida melhora em seu humor. Ela atribuiu isso a uma profunda mudança em sua atitude. Percebeu que havíamos exposto as concepções equivocadas que a faziam querer se matar. Então decidiu continuar a terapia por algum tempo para tentar melhorar a qualidade da sua própria vida, e afastar a sensação crônica de opressão que a havia atormentado por muitos anos antes do suicídio de seu irmão.

TRISTEZA SEM SOFRIMENTO

Surge, então, a pergunta: Como seria uma "tristeza saudável" que não está totalmente contaminada pela distorção? Ou, em outras palavras – a tristeza precisa necessariamente envolver sofrimento?

Embora eu não possa afirmar saber a resposta definitiva para essa pergunta, gostaria de compartilhar uma experiência que tive quando era um estudante de Medicina inseguro e fazia meu plantão clínico no setor de urologia do hospital do Centro

Médico da Universidade de Stanford, na Califórnia. Fui designado para atender um senhor idoso que havia feito recentemente uma cirurgia bem-sucedida para retirada de um tumor no rim. A equipe previa que logo ele teria alta, mas sua função hepática começou a se deteriorar de repente e descobriu-se que o tumor havia se espalhado para o fígado. Essa triste complicação já não podia mais ser tratada, e a saúde dele agravou-se rapidamente ao longo de vários dias. À medida que seu fígado piorava, ele foi ficando cada vez mais atordoado e começou a perder a consciência. Sua esposa, ciente da gravidade da situação, veio e ficou sentada ao seu lado dia e noite por mais de 48 horas. Quando ficava cansada, encostava a cabeça na cama dele, mas nunca saía do seu lado. Às vezes passava a mão na sua cabeça e dizia "Você é o homem da minha vida e eu te amo". Como ele foi colocado na lista de pacientes em situação crítica, os membros de sua grande família, entre eles filhos, netos e bisnetos, começaram a chegar ao hospital vindos de várias partes da Califórnia.

À noite, o residente responsável me pediu para ficar com o paciente e acompanhar o caso. Quando entrei no quarto, percebi que ele estava entrando em coma. Havia oito ou dez familiares ali, alguns deles com bastante idade e outros muito jovens. Embora tivessem uma vaga noção da seriedade do seu estado, não haviam sido informados do quanto a situação iminente era grave. Um de seus filhos, percebendo que o velho senhor estava próximo do seu fim, perguntou se eu poderia remover a sonda que estava drenando a sua bexiga. Percebi que a remoção da sonda indicaria à família que ele estava morrendo, então fui perguntar aos enfermeiros se seria apropriado fazer isso. Eles disseram que sim, pois o paciente estava mesmo morrendo. Depois que me mostraram como remover a sonda, voltei ao quarto do paciente e fiz isso, enquanto a família aguardava. Depois que terminei, eles perceberam que um determinado suporte havia sido removido, e o filho disse: "Obrigado. Eu sei que era desconfortável para ele, e que teria agradecido por isso.". Depois o filho virou-se para mim e, como se quisesse uma confirmação, perguntou: "Doutor, qual é o estado dele? O que podemos esperar?".

Senti uma súbita onda de pesar. Eu sentia-me próximo desse homem gentil e educado porque ele me lembrava o meu avô, e percebi que lágrimas desciam pelo meu rosto. Eu tinha de decidir se ficava ali e deixava que a família visse minhas lágrimas enquanto falava com eles, ou saía e tentava esconder os meus sentimentos. Preferi ficar e disse, bastante emocionado: "Ele é um grande homem. Ainda pode ouvi-los, embora esteja quase em coma, e chegou a hora de ficar perto dele e lhe dizer adeus.". Então saí do quarto e chorei. Os membros da família também choraram e se sentaram na cama, enquanto falavam com ele e se despediam. Em menos de uma hora, ele entrou em coma profundo até perder totalmente a consciência e morrer.

Embora sua morte fosse profundamente triste para a família e para mim, houve uma ternura e uma beleza nessa experiência de que jamais vou me esquecer. A sensação de perda e o choro me lembravam: "Você pode amar. Você pode cuidar.". Isso fez do pesar uma experiência edificante, que para mim foi totalmente desprovida de dor ou sofrimento. Desde então, tive uma série de experiências que me levaram às lágrimas do mesmo modo. Para mim, o pesar representa uma elevação, uma experiência da mais alta magnitude.

Como eu era estudante de Medicina, fiquei preocupado com a possibilidade de que meu comportamento pudesse ser considerado inadequado pela equipe. O chefe do departamento me chamou depois e disse que a família do paciente havia lhe pedido para estender seus agradecimentos a mim, por ficar à disposição deles e contribuir para tornar o momento de sua morte íntimo e belo. Ele me disse que também havia sentido muito por aquele paciente em particular, e me mostrou o quadro de um cavalo que o velho senhor havia pintado e estava pendurado em sua parede.

O episódio envolveu um desapego, uma sensação de encerramento e um sentimento de despedida. Ele não foi, de maneira alguma, terrível ou assustador; na verdade, foi tranquilo e caloroso, e deu mais riqueza à minha experiência de vida.

PARTE IV
PREVENÇÃO E CRESCIMENTO PESSOAL

CAPÍTULO IX
A CAUSA DE TUDO

Depois que a depressão desaparece, é uma tentação se *divertir* e relaxar. Com certeza, você tem esse direito. No fim da terapia, muitos pacientes me dizem que nunca se sentiram tão bem em suas vidas. Às vezes parece que, quanto mais grave, desesperadora e incurável parecia ser a depressão, mais extraordinário e delicioso o sabor da felicidade e da autoestima depois que ela acaba. Quando você começar a se sentir melhor, seu pensamento pessimista vai regredir de maneira tão drástica e previsível quanto o derretimento da neve do inverno com a chegada da primavera. Você pode até se perguntar como conseguiu acreditar em pensamentos tão irrealistas. Essa transformação profunda do espírito humano nunca deixa de me espantar. Inúmeras vezes eu tenho a oportunidade de observar essa metamorfose mágica na minha atividade clínica diária.

Como essa sua mudança de perspectiva pode ser assim tão radical, talvez você sinta-se convicto de que sua tristeza desapareceu para sempre. Mas há um resquício invisível do transtorno de humor que permanece. Se isso não for corrigido e eliminado, você ficará vulnerável a crises de depressão no futuro.

Existem várias diferenças entre *sentir-se* melhor e *melhorar*. Sentir-se melhor indica apenas que os sintomas dolorosos desapareceram temporariamente. Melhorar implica:

1. Entender *por que* você ficou deprimido.
2. Saber *por que* e *como* você melhorou. Isso envolve o domínio daquelas técnicas de autoajuda que funcionaram especificamente com você, para que possa reaplicá-las e fazer que funcionem outra vez sempre que desejar.
3. Adquirir autoconfiança e autoestima. A autoconfiança baseia-se no conhecimento de que você tem uma boa chance de se dar razoavelmente bem nas relações pessoais e na sua carreira. A autoestima é a capacidade de sentir

o máximo de amor-próprio e alegria em qualquer momento da sua vida, mesmo que não seja bem-sucedido.
4. Identificar as causas mais profundas da sua depressão.

As partes I, II e III deste livro foram desenvolvidas para ajudar você a atingir os dois primeiros objetivos. Os capítulos seguintes o ajudarão com o terceiro e o quarto.

Embora os seus pensamentos negativos distorcidos sejam bastante reduzidos ou totalmente eliminados depois que você se recupera de um episódio de depressão, há certos "pressupostos silenciosos" que provavelmente ainda se escondem em sua mente. Esses pressupostos explicam, em grande parte, *por que* você ficou deprimido inicialmente e podem ajudá-lo a prever *quando* poderá ficar vulnerável de novo. E, portanto, guardam o segredo para prevenir recaídas.

Mas o que é um pressuposto silencioso, exatamente? Um pressuposto silencioso é uma equação com a qual você define o seu valor pessoal. Ela representa o seu sistema de valores, a sua filosofia pessoal, as coisas nas quais você baseia sua autoestima. Exemplos: (1) "Quando alguém me critica, eu sinto-me péssimo porque isso significa automaticamente que tem algo de errado comigo."; (2) "Para me tornar um ser humano verdadeiramente realizado, eu preciso ser amado. Se não tiver alguém, estou condenado a ser solitário e infeliz."; (3) "Meu valor como ser humano é proporcional ao que conquistei."; (4) "Se o meu desempenho (ou sentimentos, ou atitudes) não for perfeito, significa que fracassei.". Como você vai descobrir, esses pressupostos sem lógica podem ser extremamente autodestrutivos. Eles criam uma vulnerabilidade que o predispõe a oscilações de humor desagradáveis. Representam o seu calcanhar de Aquiles.

Nos capítulos a seguir você aprenderá a identificar e avaliar seus próprios pressupostos silenciosos. Talvez descubra que a base das suas oscilações de humor é a sua dependência de aprovação, amor, realização ou perfeição. Quando aprender a expor e questionar seu próprio sistema autodestrutivo de crenças, irá assentar os alicerces para uma filosofia pessoal que seja válida e enriquecedora. Estará a caminho da alegria e da iluminação emocional.

A fim de trazer à tona as origens das suas oscilações de humor, a maioria dos psiquiatras, bem como o público em geral, presumem que seja necessário um processo terapêutico longo e dolorosamente lento (vários anos), depois do qual a maioria dos pacientes ainda teria dificuldade de explicar a causa da sua depressão. Uma das maiores contribuições da terapia cognitiva tem sido evitar isso.

Neste capítulo você aprenderá duas formas diferentes de identificar pressupostos silenciosos. A primeira é um método espantosamente eficaz chamado "técnica da seta vertical", que lhe permite explorar sua psique interior.

Na verdade, a técnica da seta vertical é uma variação do método das duas colunas apresentado no Capítulo IV, no qual você aprendeu a anotar seus pensamentos automáticos desagradáveis na coluna à esquerda e substituí-los por respostas racionais mais objetivas. Esse método ajuda-o a se sentir melhor porque você desprograma as distorções existentes em seus padrões de pensamento. Um breve exemplo é mostrado no Quadro 35. Ele foi escrito por Art, o psiquiatra residente descrito no Capítulo VII, que ficou chateado quando seu supervisor tentou oferecer uma crítica construtiva.

Contestar seus pensamentos desagradáveis diminuiu o sentimento de culpa e a ansiedade de Art, mas ele quis saber como e por que havia feito inicialmente uma interpretação tão irracional. Talvez você também tenha começado a se perguntar – existe um *padrão* intrínseco nos meus pensamentos negativos? Será que existe algum desvio psíquico num nível mais profundo da minha mente?

QUADRO 35

Pensamentos automáticos	Respostas racionais
1. O dr. B. disse que o paciente achou meu comentário grosseiro. Ele deve me achar um péssimo terapeuta.	1. Ler pensamentos; filtro mental; rotulagem. Só porque o dr. B. apontou um erro meu, isso não significa que ele me acha um "péssimo terapeuta". Eu teria de perguntar a ele para saber o que acha realmente, mas em muitas ocasiões ele já me elogiou e disse que tenho um talento extraordinário.

Art usou a técnica da seta vertical para responder essas perguntas. Primeiro, ele desenhou uma seta vertical curta logo *abaixo* do seu pensamento automático (ver Quadro 36, a seguir). Essa seta para baixo é um sinal para que Art se pergunte: "Se esse pensamento automático fosse mesmo verdade, o que isso significaria para mim? Por que me aborreceria?". Em seguida, Art anotou o pensamento automático que lhe veio à mente logo depois. Como se pode ver, ele escreveu: "Se o dr. B. me achasse um péssimo terapeuta, significaria que eu *sou* um péssimo terapeuta, porque o dr. B. é um especialista". Na sequência, Art desenhou uma segunda seta vertical abaixo desse pensamento e repetiu o mesmo processo, para gerar um outro pensamento automático, como mostrado no Quadro 36. Toda vez que tinha um novo pensamento automático, ele imediatamente desenhava uma seta vertical abaixo dele e se perguntava: "Se isso fosse verdade, por que me aborreceria?". Ao fazer isso várias vezes seguidas, conseguiu gerar uma sequência de pensamentos automáticos, levando-o aos pressupostos silenciosos que deram origem aos seus problemas. O método da seta para baixo é como descascar uma cebola para expor as camadas que estão por baixo. Na verdade é muito simples e fácil, como você verá no Quadro 36.

QUADRO 36
*Como expor os pressupostos silenciosos que dão origem
aos seus pensamentos automáticos com o uso do método da seta vertical*

A seta para baixo é uma forma de representar as seguintes perguntas:
"Se esse pensamento fosse verdade, por que me aborreceria?
O que isso significaria para mim?".
A pergunta representada por cada seta vertical neste exemplo
aparece entre aspas ao lado da seta.
Isso é o que você poderia se perguntar se tivesse anotado o pensamento automático.
Esse processo leva a uma sequência de pensamentos automáticos
que revelarão a raiz do problema.

Pensamentos automáticos	Respostas racionais
1. O dr. B. deve me achar um péssimo terapeuta. ↓ "Se ele achasse *mesmo* isso, por que me aborreceria tanto?"	→
2. Isso significaria que eu *sou* um péssimo terapeuta, porque ele é um especialista. ↓ "Suponhamos que eu *fosse* um péssimo terapeuta, o que isso significaria para mim?"	→
3. Isso significaria que eu sou um fracasso total. Significaria que eu não sirvo para nada. ↓ "Suponhamos que eu *não servisse* para nada. Por que isso seria um problema? O que significaria para mim?"	→
4. Então a notícia se espalharia e todos descobririam que eu não presto. Aí ninguém me respeitaria. Eu seria expulso da Sociedade de Medicina e teria de me mudar para outro estado. ↓ "E o que isso significaria?"	→
5. Significaria que eu sou um inútil. Eu me sentiria tão infeliz que ia querer morrer.	→

Você vai perceber que a técnica da seta vertical é o *contrário* da estratégia habitual que você usa para registrar seus pensamentos automáticos. Normalmente, você substitui-os por uma resposta racional que mostre por que o seu pensamento automático é *distorcido* e *incoerente* (ver Quadro 35). Isso o ajuda a modificar seus padrões de pensamento aqui e agora, para que possa encarar a vida de forma mais objetiva e se sentir melhor. No método da seta vertical, pelo contrário, você imagina que seu pensamento automático distorcido é absolutamente coerente e procura o *fundo de verdade* que existe nele. Isso lhe permite penetrar no âmago dos seus problemas.

Agora recapitule a sequência de pensamentos automáticos de Art apresentada no Quadro 36 e pergunte a si mesmo: Quais são os pressupostos silenciosos que o predispõem à ansiedade, ao sentimento de culpa e à depressão? Existem vários:

1. Se uma pessoa me criticar, ela estará sempre certa.
2. Meu valor é determinado pelas minhas realizações.
3. Um único erro pode arruinar tudo. Se eu não tiver êxito *sempre*, serei um fracasso total.
4. Os outros não vão tolerar a minha imperfeição. Tenho de ser perfeito para que as pessoas me respeitem e gostem de mim. Se eu fizer alguma besteira, serei fortemente reprovado e punido.
5. Essa reprovação significará que sou uma pessoa inútil e sem valor.

Uma vez que tiver gerado sua própria sequência de pensamentos automáticos e esclarecido seus pressupostos silenciosos, é fundamental identificar as distorções e substituir por respostas racionais, como você faz normalmente (ver Quadro 37, a seguir).

A beleza do método da seta para baixo é que ele é indutivo e socrático: por meio de um processo de questionamento profundo, você descobre sozinho as crenças que o prejudicam. Revela a origem dos seus problemas repetindo várias vezes as seguintes perguntas: "Se esse pensamento negativo fosse verdade, o que isso significaria para mim? Por que me aborreceria?". *Sem a introdução do viés subjetivo de um terapeuta*, nem de crenças pessoais ou propensões teóricas, você pode ir direto à raiz dos seus problemas, sistemática e *objetivamente*. Isso contorna uma dificuldade que sempre esteve presente ao longo da história da psiquiatria. É notório que terapeutas de todas as escolas de pensamento interpretam as experiências dos pacientes com base em noções preconcebidas que podem ter pouca ou nenhuma validação experimental. Se você não "embarcar" na explicação do seu terapeuta sobre a origem dos seus problemas, é provável que isso seja interpretado como "resistência" à "verdade". Dessa maneira sutil, seus problemas são forçados a se encaixar nos moldes do seu terapeuta, não importa o que você diga. Imagine só a imensa gama de explicações para o sofrimento que você ouviria se fosse a um conselheiro religioso (fatores espirituais), a um psiquiatra de um país comunista (o contexto sociopolítico-econômico), a um analista freudiano (raiva internalizada), um terapeuta comportamental (um baixo índice de reforço positivo), um psiquiatra com foco no uso de antidepressivos (fatores genéticos e desequilíbrio químico do cérebro), um terapeuta familiar (relações interpessoais conturbadas) etc.!

QUADRO 37
Depois de revelar sua sequência de pensamentos automáticos usando o método da seta para baixo, Art identificou as distorções cognitivas e os substituiu por respostas mais objetivas.

Pensamentos automáticos	Respostas racionais
1. O dr. B. deve me achar um péssimo terapeuta. ↓ "Se ele achasse *mesmo* isso, por que me aborreceria tanto?"	1. Só porque o dr. B. apontou um erro meu, não significa que ele me acha um "péssimo terapeuta". Eu teria de perguntar a ele para saber o que acha realmente, mas em muitas ocasiões ele já me elogiou e disse que tenho um talento extraordinário.
2. Isso significaria que eu *sou* um péssimo terapeuta, porque ele é um especialista. ↓ "Suponhamos que eu *fosse* um péssimo terapeuta, o que isso significaria para mim?"	2. Um especialista só pode apontar meus pontos fortes e fracos como terapeuta. Toda vez que alguém me rotula de "péssimo", está simplesmente fazendo uma afirmação genérica, inútil e destrutiva. Eu tive muito êxito com a maioria dos meus pacientes, portanto não pode ser verdade que sou "péssimo", não importa quem diga isso.
3. Isso significaria que eu sou um fracasso total. Significaria que eu não sirvo para nada. ↓ "Suponhamos que eu *não servisse* para nada. Por que isso seria um problema? O que significaria para mim?"	3. Generalização excessiva. Mesmo que eu fosse pouco qualificado ou pouco eficiente como terapeuta, isso não significaria que eu sou "um fracasso total" ou "não sirvo para nada". Tenho muitos outros interesses, pontos fortes e qualidades positivas que não estão relacionadas à minha carreira.
4. Então a notícia se espalharia e todos descobririam que eu não presto. Aí ninguém me respeitaria. Eu seria expulso da Sociedade de Medicina e teria de me mudar para outro estado. ↓ "E o que isso significaria?"	4. Isso é um absurdo. Se eu cometi um erro, posso corrigi-lo. "A notícia" não vai se espalhar como fogo por todo o estado só porque eu cometi um erro! O que eles vão fazer, publicar uma manchete no jornal dizendo "PSIQUIATRA FAMOSO COMETE ERRO"?
5. Significaria que eu sou um inútil. Eu me sentiria tão infeliz que ia querer morrer.	5. Mesmo que o mundo inteiro me desaprove ou critique, isso não faz de mim um inútil, porque eu não sou inútil. Se *eu não sou inútil*, devo ser muito útil. Então, por que me sentir infeliz?

Um alerta ao aplicar o método da seta vertical: você vai apressar o processo se anotar pensamentos que contenham descrições de suas reações emocionais. Em vez disso, anote os pensamentos negativos que *provocam* suas reações emocionais. Aqui está um exemplo da maneira *errada* de fazer isso:

Primeiro Pensamento Automático: Meu namorado não me ligou neste fim de semana como prometeu.
↓ "Por que isso me aborrece tanto? O que significa para mim?"

Segundo Pensamento Automático: "Ah, é péssimo e horrível porque eu não aguento isso.".

Isso é inútil. Já *sabemos* que você se sente péssima e horrível. A questão é – que *pensamentos* passaram pela sua cabeça automaticamente e *provocaram* tanto aborrecimento? O que significaria para você se ele a *tivesse* deixado de lado?

Aqui está a maneira correta de fazer isso:

1. Meu namorado não me ligou neste fim de semana como prometeu.
   ↓ "Por que isso me aborrece tanto? O que significa para mim?"
2. Isso significa que ele está me deixando de lado. Significa que não me ama de verdade.
   ↓ "Vamos supor que isso fosse verdade. O que significaria para mim?"
3. Significaria que há alguma coisa errada comigo. Senão ele seria mais atencioso.
   ↓ "Vamos supor que isso fosse verdade. O que significaria para mim?"
4. Significaria que estou sendo rejeitada.
   ↓ "E se eu estivesse mesmo sendo rejeitada? E daí? O que isso significaria para mim?"
5. Significaria que não sou digna de ser amada e serei sempre rejeitada.
   ↓ "E se isso acontecesse, por que me aborreceria?"
6. Porque significaria que vou acabar ficando sozinha e infeliz.

Dessa forma, ao buscar o *significado* e não os seus *sentimentos*, seus pressupostos silenciosos ficaram evidentes: (1) Se eu não for amada, não tenho valor; e (2) Estou condenada a ser infeliz se ficar sozinha.

Isso *não* quer dizer que seus sentimentos não tenham importância. O objetivo é conseguir o que realmente interessa – uma verdadeira transformação emocional.

A ESCALA DE ATITUDES DISFUNCIONAIS

Devido à importância crucial de revelar os pressupostos silenciosos que dão origem às suas oscilações de humor, um segundo método mais simples de identificá-los chamado "Escala de atitudes disfuncionais" (DAS [na sigla em inglês]) foi desenvolvido por um membro do nosso grupo, a dra. Arlene Weissman. Ela compilou uma lista de cem atitudes autodestrutivas que costumam ocorrer em indivíduos predispostos a transtornos emocionais. Sua pesquisa indicou que, embora os pensamentos automáticos negativos se reduzam drasticamente entre os episódios de depressão, um sistema de crenças autodestrutivo permanece mais ou menos constante durante os episódios de depressão e remissão. Os estudos da dra. Weissman confirmam o conceito de que seus pressupostos silenciosos representam uma predisposição à turbulência emocional que você carrega consigo o tempo todo.

Embora esteja além do alcance deste livro fazer uma apresentação completa da extensa Escala de Atitudes Disfuncionais, selecionei algumas das atitudes mais comuns e acrescentei várias outras que podem ser úteis. Ao preencher o formulário, indique o quanto você concorda ou discorda de cada atitude. Quando terminar, um gabarito lhe permitirá pontuar suas respostas e criar um perfil dos seus sistemas pessoais de valor. Isso irá mostrar as suas áreas de maior força e de maior vulnerabilidade psicológicas.

É muito simples responder a esse teste. Ao lado de cada uma das 35 atitudes, assinale a coluna que, na sua opinião, representa o seu modo de pensar *na maior parte* do tempo. Você deve escolher somente uma resposta para cada atitude. Como somos diferentes uns dos outros, não existe uma resposta "certa" ou "errada" para cada afirmação. Para decidir se uma determinada atitude é típica da sua filosofia pessoal, pense no modo como vê as coisas *a maior parte do tempo*.

EXEMPLO:

	Concordo bastante	Concordo um pouco	Não concordo nem discordo	Discordo um pouco	Discordo bastante
35. As pessoas que têm as marcas do sucesso (boa aparência, prestígio, fama ou riqueza) sempre serão mais felizes do que as outras.		✓			

Neste exemplo, a marca na coluna *Concordo um pouco* indica que a afirmação é mais ou menos típica das atitudes da pessoa que está completando o teste. Agora é sua vez.

ESCALA DE ATITUDES DISFUNCIONAIS*

	Concordo bastante	Concordo um pouco	Não concordo nem discordo	Discordo um pouco	Discordo bastante
1. As pessoas sempre ficam aborrecidas quando recebem críticas.					
2. É melhor abrir mão dos meus interesses para agradar aos outros.					
3. Eu preciso da aprovação dos outros para ser feliz.					
4. Se alguém importante para mim espera que eu faça alguma coisa, eu devo mesmo fazer.					
5. Meu valor como pessoa depende muito do que os outros pensam de mim.					

	Concordo bastante	Concordo um pouco	Não concordo nem discordo	Discordo um pouco	Discordo bastante
6. Não posso encontrar a felicidade sem ser amado por outra pessoa.					
7. Se não tiver a simpatia dos outros, você será menos feliz.					
8. Se as pessoas com quem eu me importo me rejeitam, significa que há algo de errado comigo.					
9. Se alguém que eu amo não me ama, significa que não sou digno de ser amado.					
10. Se ficarmos isolados dos outros seremos infelizes.					
11. Para ser uma pessoa de valor, preciso ser excelente em pelo menos um aspecto importante.					
12. Se eu não for uma pessoa útil, produtiva e criativa, minha vida não terá sentido.					
13. As pessoas que têm boas ideias têm mais valor do que as outras.					
14. Se eu não me saio tão bem quanto os outros, significa que sou inferior.					
15. Se eu falho no meu trabalho, sou um fracasso como pessoa.					
16. Se não puder fazer algo bem-feito, é melhor nem fazer.					
17. É vergonhoso demonstrar fraqueza.					
18. Uma pessoa deve procurar ser a melhor em tudo que se propõe a fazer.					
19. Devo ficar chateado se cometer um erro.					
20. Se não exigir o máximo de mim mesmo, vou acabar sendo uma pessoa de segunda categoria.					
21. Se acreditar firmemente que mereço alguma coisa, posso esperar conseguir.					
22. Você deve ficar frustrado quando encontra obstáculos para conseguir o que quer.					
23. Se eu colocar as necessidades dos outros à frente das minhas, eles deverão me ajudar quando eu precisar deles.					
24. Se eu for um bom marido (ou esposa), meu companheiro (ou companheira) sempre vai me amar.					
25. Se eu fizer coisas boas para alguém, posso prever que ele irá me respeitar e me tratar tão bem quanto eu o trato.					
26. Devo assumir a responsabilidade pelo modo como as pessoas se sentem e se comportam quando estão perto de mim.					
27. Se eu criticar o modo de alguém fazer alguma coisa e ele ficar zangado ou deprimido, significa que eu o aborreci.					
28. Para ser uma pessoa boa, de valor, ética, tenho de tentar ajudar todos que precisam.					
29. Se uma criança está apresentando problemas emocionais ou de comportamento, isso indica que seus pais fracassaram em algum aspecto importante.					
30. Eu deveria ser capaz de agradar todo mundo.					

	Concordo bastante	Concordo um pouco	Não concordo nem discordo	Discordo um pouco	Discordo bastante
31. Não posso esperar controlar o que sinto quando algo de ruim acontece.					
32. Não adianta tentar mudar as emoções negativas porque elas são inevitáveis e fazem parte da vida cotidiana.					
33. Meu humor é provocado principalmente por fatores que estão fora do meu controle, como fatos passados, a química corporal, os ciclos hormonais, os biorritmos, o acaso ou o destino.					
34. Minha felicidade depende, em grande parte, do que acontece comigo.					
35. As pessoas que têm as marcas do sucesso (boa aparência, prestígio, fama ou riqueza) sempre serão mais felizes do que as outras.					

*. Copyright 1978, Arlene Weissman.

Agora que já completou o DAS, você pode calcular sua pontuação da maneira a seguir. Marque pontos para suas respostas em cada uma das 35 atitudes seguindo este gabarito:

Concordo bastante	Concordo um pouco	Não concordo nem discordo	Discordo um pouco	Discordo bastante
– 2	– 1	0	+ 1	+ 2

Agora some os pontos das cinco primeiras atitudes. Elas avaliam sua tendência a medir seu valor com base nas opiniões dos outros e na quantidade de aprovação ou de críticas que recebe. Vamos supor que sua pontuação nesses cinco itens fosse + 2; + 1; – 1; + 2; 0. Então, sua pontuação total para essas cinco questões seria + 4.

Proceda dessa maneira para somar seus pontos nos itens 1 a 5, 6 a 10, 11 a 15, 16 a 20, 21 a 25, 26 a 30 e 31 a 35, e registre-os conforme ilustrado no exemplo a seguir:

EXEMPLO DE PONTUAÇÃO:

Sistema de valores	Atitudes	Pontuação individual	Pontuação total
I. Aprovação	1 a 5	+ 2, + 1, – 1, + 2, 0	+ 4
II. Amor	6 a 10	– 2, – 1, – 2, – 2, 0	– 7
III. Realização	11 a 15	+ 1, + 1, 0, 0, – 2	0
IV. Perfeccionismo	16 a 20	+ 2, + 2, + 1, + 1, + 1	+ 7
V. Direito	21 a 25	+ 1, + 1, – 1, + 1, 0	+ 2
VI. Onipotência	26 a 30	– 2, – 1, 0, – 1, + 1	– 3
VII. Autonomia	31 a 35	– 2, – 2, – 1, – 2, – 2	– 9

REGISTRE A SUA PONTUAÇÃO *REAL* AQUI:

Sistema de valores	Atitudes	Pontuação individual	Pontuação total
I. Aprovação	1 a 5		
II. Amor	6 a 10		
III. Realização	11 a 15		
IV. Perfeccionismo	16 a 20		
V. Direito	21 a 25		
VI. Onipotência	26 a 30		
VII. Autonomia	31 a 35		

Cada grupo de cinco itens da escala avalia um dos sete sistemas de valores. Sua pontuação total para cada grupo de cinco itens pode variar de + 10 a − 10. Agora faça um gráfico da sua pontuação total em cada uma das sete variáveis para traçar o "perfil da sua filosofia pessoal" conforme a seguir:

EXEMPLO DE PONTUAÇÃO:

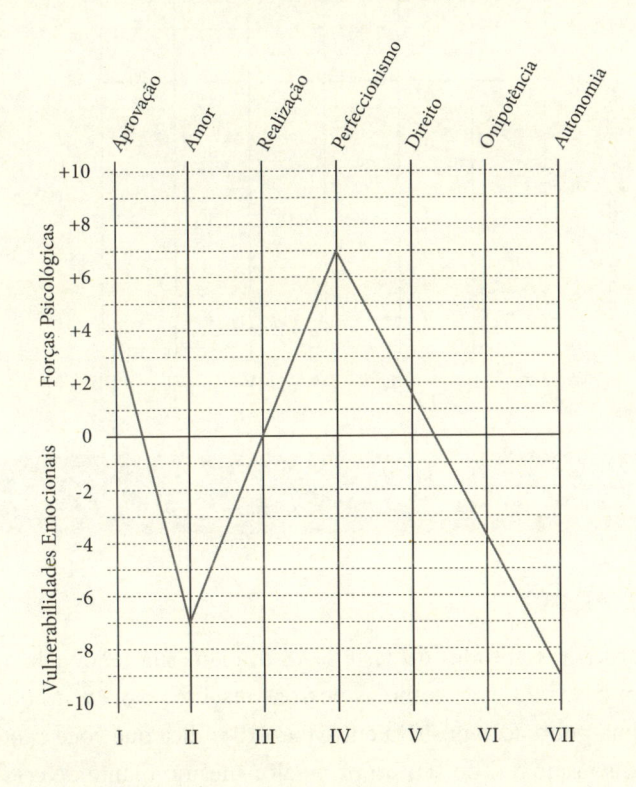

Como é possível ver, uma pontuação positiva representa uma área em que você é psicologicamente *forte*. Uma pontuação negativa representa uma área em que você é emocionalmente *vulnerável*.

Esse indivíduo tem como pontos fortes as áreas da aprovação, do perfeccionismo e do direito. Seus pontos vulneráveis são as áreas do amor, da onipotência e da autonomia. O significado desses conceitos será descrito mais adiante. Primeiro, trace o perfil da sua filosofia pessoal aqui.

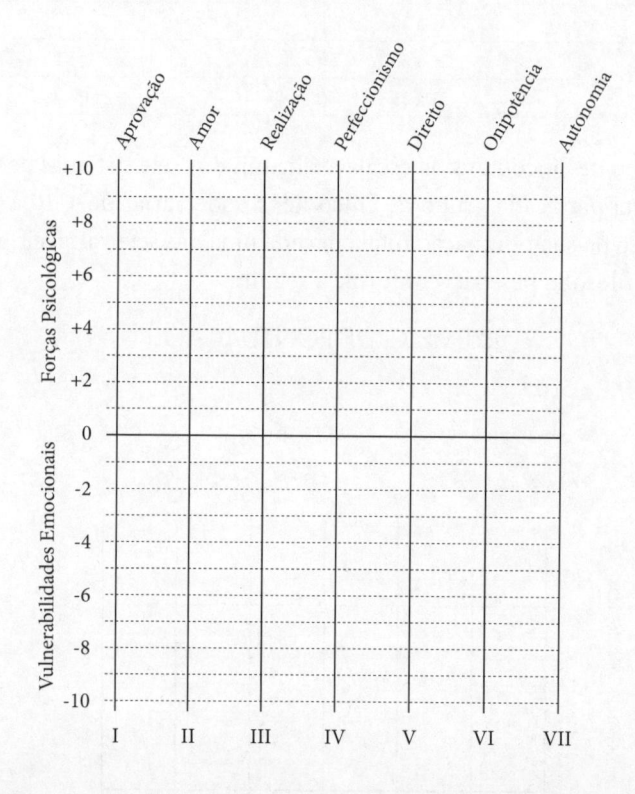

Gráfico: eixo vertical de +10 a -10, com "Forças Psicológicas" (positivo) e "Vulnerabilidades Emocionais" (negativo). Eixo horizontal com categorias I. Aprovação, II. Amor, III. Realização, IV. Perfeccionismo, V. Direito, VI. Onipotência, VII. Autonomia.

COMO INTERPRETAR SUA PONTUAÇÃO NO DAS

I. APROVAÇÃO

As cinco primeiras atitudes do teste DAS avaliam sua tendência a medir sua autoestima com base na forma como as pessoas reagem a você e no que pensam a seu respeito. Uma pontuação positiva entre 0 e +10 indica que você é independente e possui um senso saudável do seu próprio valor mesmo diante de críticas e desaprovação. Uma pontuação negativa entre 0 e −10 indica que você é excessivamente dependente porque avalia a si mesmo pelos olhos dos outros. Quando alguém o insulta ou despreza, você tende a se menosprezar automaticamente. Como o seu bem-estar é extremamente sensível ao que você imagina que as pessoas pensem a seu respeito, você pode ser manipulado facilmente e fica vulnerável à ansiedade e à depressão quando os outros o criticam ou ficam zangados com você.

II. AMOR

As cinco atitudes seguintes do teste avaliam sua tendência a basear seu valor no fato de ser amado ou não. Uma pontuação positiva indica que você considera o amor uma coisa desejável, mas possui uma grande variedade de outros interesses que também considera gratificantes e satisfatórios. Portanto, o amor não é uma exigência para a sua felicidade ou autoestima. É provável que as pessoas o achem atraente porque você irradia um senso saudável de amor-próprio e tem interesse por muitas coisas na vida.

Uma pontuação negativa indica que você é um "viciado em amor". Considera o amor uma "necessidade" sem a qual não consegue sobreviver, e muito menos ser feliz. Quanto mais próxima de –10 for a sua pontuação, mais dependente do amor você é. Tende a adotar papéis inferiores ou subalternos nas relações com as pessoas de quem você gosta por medo de que elas se afastem. O resultado disso, na maioria das vezes, é que elas perdem o respeito por você e passam a considerá-lo um fardo por causa da sua atitude de que, sem o amor delas, você não viveria. Quando sente que as pessoas se afastam, você é dominado por uma síndrome de abstinência terrível e dolorosa. Percebe que talvez não possa "injetar" sua dose diária de afeto e atenção. Então é consumido pelo desejo compulsivo de "obter amor". Como a maioria dos viciados, pode até recorrer a um comportamento coercitivo e manipulador para conseguir sua "droga". Ironicamente, essa sua dependência do amor de forma carente e ambiciosa afasta muitas pessoas, o que intensifica a sua solidão.

III. REALIZAÇÃO

Sua pontuação nas atitudes 11 a 15 o ajudarão a avaliar um tipo de dependência diferente. Uma pontuação negativa indica que você é viciado em trabalho. Possui uma noção restrita da sua condição humana e vê a si mesmo como uma mercadoria. Quanto mais negativa a sua pontuação, mais a sua confiança no próprio valor e a sua capacidade de ser feliz dependem da sua produtividade. Se você sair de férias, se o seu negócio fracassar, se você se aposentar, ficar doente ou inativo, correrá o risco de sofrer um abalo emocional. Depressões econômicas e emocionais lhe parecerão idênticas. Uma pontuação positiva, por outro lado, indica que você aprecia a criatividade e a produtividade, mas não as considera um caminho exclusivo ou necessário para a autoestima e a satisfação.

IV. PERFECCIONISMO

Os itens 16 a 20 avaliam sua tendência ao perfeccionismo. Uma pontuação negativa indica que você está determinado a encontrar o Santo Graal. Exige perfeição de si mesmo – os erros são tabus, o fracasso é pior do que a morte, e até as emoções negativas são um desastre. Você deve se mostrar, sentir, pensar e comportar magnificamente o tempo todo. Sente que ser menos do que espetacular significa arder nas chamas do inferno. Embora seu ritmo seja intenso, suas satisfações são escassas. Uma vez que você atinge um objetivo, um outro objetivo mais distante o substitui imediatamente, portanto você nunca sente o prazer de chegar ao topo da montanha. Até que, finalmente, começa a se perguntar por que a recompensa prometida de todo o seu esforço nunca parece se concretizar. Sua vida torna-se uma rotina triste e monótona. Você está vivendo segundo critérios pessoais irrealistas e impossíveis, e precisa reavaliá-los. Seu problema *não* está no seu desempenho, mas na régua que usa para medi-lo. Se adequar suas expectativas à realidade, você se sentirá regularmente *satisfeito* e *recompensado* em vez de *frustrado*.

Uma pontuação positiva sugere que você tem a capacidade de definir critérios válidos, flexíveis e adequados. Obtém grande satisfação com os processos e as experiências, não se fixando exclusivamente nos resultados. Não precisa ser excelente em tudo, nem precisa sempre "dar o máximo de si". Não tem medo de errar, pois encara seus erros como ótimas oportunidades de aprender e reforçar sua condição humana. Paradoxalmente, é provável que você seja bem mais produtivo do que seus colegas perfeccionistas, porque não fica compulsivamente preocupado com detalhes e exatidão. Sua vida é como um rio de águas correntes ou como um gêiser, comparada à de seus amigos rígidos e perfeccionistas, que se parecem mais com lentas geleiras.

V. DIREITO

As atitudes 21 a 25 avaliam a sua noção de "direito". Uma pontuação negativa indica que você acha que "tem direito" às coisas – sucesso, amor, felicidade etc. Você espera e exige que seus desejos sejam atendidos pelas outras pessoas e pelo universo como um todo por causa da sua bondade natural ou do seu esforço. Quando isso *não* acontece – como muitas vezes é o caso – você fica amarrado a uma dessas duas reações: ou se sente deprimido e incompetente, ou fica furioso. Por conseguinte, consome uma enorme quantidade de energia ficando frustrado, triste e irritado. Durante grande parte do tempo, enxerga a vida como uma experiência amarga e desagradável. Reclama com frequência e em altos brados, mas pouco faz para resolver os problemas. Afinal, é um *direito* seu, então por que deveria ter que se esforçar para isso? Como resultado dessas suas atitudes amarguradas e exigentes, você invariavelmente consegue bem *menos* do que deseja da vida.

Uma pontuação positiva sugere que você não acredita ter direito às coisas automaticamente, então *negocia* por aquilo que deseja e muitas vezes consegue. Por ter consciência de que as outras pessoas são únicas e diferentes, você percebe que não existe nenhuma razão intrínseca para que as coisas aconteçam sempre do seu jeito. Encara um resultado negativo como uma decepção, mas não como uma tragédia, porque você tem uma parcela da responsabilidade e não espera reciprocidade perfeita ou "justiça" o tempo todo. Você é paciente e persistente, e possui uma elevada tolerância à frustração. Por conseguinte, acaba muitas vezes à frente dos demais.

VI. ONIPOTÊNCIA

As atitudes 26 a 30 avaliam sua tendência a se ver como o centro do seu universo pessoal e a se considerar responsável por grande parte do que acontece ao seu redor. Uma pontuação negativa indica que você costuma cometer o erro de personalização discutido nos CAPÍTULOS III e VI. Você culpa-se indevidamente pelas ações e atitudes negativas de outras pessoas que, na verdade, não pode controlar. Consequentemente, é atormentado pelo sentimento de culpa e autocondenação. Paradoxalmente, essa atitude de que você deveria ser onipotente e todo-poderoso o enfraquece e o torna ansioso e ineficiente.

Uma pontuação positiva, por outro lado, indica que você conhece a alegria advinda de aceitar que você *não* é o centro do universo. Uma vez que *não* tem controle sobre outras pessoas adultas, definitivamente você não é responsável por elas, mas apenas por si mesmo. Essa atitude não o isola dos outros. Muito pelo contrário. Você relaciona-se com as pessoas de maneira eficaz, como um colaborador amigável, e não se sente ameaçado quando elas discordam das suas ideias ou não seguem seus conselhos. Como a sua atitude transmite às pessoas uma sensação de liberdade e dignidade, paradoxalmente você torna-se um ímã humano. Os outros vão querer ficar próximos com frequência, pois você renunciou a qualquer tentativa de controlá-los. As pessoas costumam ouvir e respeitar suas ideias, porque você não as polariza insistindo furiosamente que elas *têm* de concordar com você. Quando você abre mão da sua ânsia de *poder*, as pessoas retribuem tornando-o uma pessoa de *influência*. Seu relacionamento com seus filhos, amigos e colegas caracteriza-se pela reciprocidade, e não pela dependência. Como você não tenta dominar as pessoas, elas o admiram, amam e respeitam.

VII. AUTONOMIA

Os itens 31 a 35 avaliam a sua autonomia. Isso tem a ver com a sua capacidade de encontrar a felicidade dentro de si mesmo. Uma pontuação positiva indica que, fundamentalmente, todos os seus estados de humor são crias dos seus pensamentos e atitudes. Você assume a responsabilidade pelos seus sentimentos porque reconhece que são produzidos por você. Isso *dá a impressão* de que você poderia ficar solitário e isolado ao perceber que todo o significado e os sentimentos são produzidos apenas na sua cabeça. Paradoxalmente, contudo, essa visão de autonomia o liberta dos limites mesquinhos da sua mente e lhe proporciona um mundo repleto de toda a satisfação, mistério e emoção que ele pode oferecer.

Uma pontuação negativa sugere que você ainda está preso à crença de que seu potencial de alegria e autoestima vem de fora. Isso coloca-o em grande desvantagem, pois tudo que vem de fora está definitivamente fora do seu controle. Seus estados de humor acabam sendo vítimas de fatores externos. Você quer isso? Se não quer, pode libertar-se dessa atitude do mesmo modo que uma cobra troca de pele, mas terá de se esforçar para isso usando os vários métodos descritos neste livro. Quando finalmente chegar a sua vez de sofrer a transição para a autonomia e a responsabilidade pessoal, você vai ficar surpreso – ou espantado – ou satisfeito – ou agradavelmente sobrecarregado. Vale a pena fazer um grande empenho pessoal.

Nos capítulos a seguir, algumas dessas atitudes e sistemas de valores serão examinados em detalhes. Ao estudar cada um deles, pergunte a si mesmo: (1) É vantagem para mim continuar acreditando nisso?; (2) Essa crença realmente é verdadeira e tem fundamento?; (3) Que medidas concretas eu posso tomar para me livrar das atitudes autodestrutivas e irrealistas, e substituí-las por outras mais objetivas e enriquecedoras?

CAPÍTULO XI
O VÍCIO DA APROVAÇÃO

Vamos analisar a sua crença de que seria *terrível* se alguém o desaprovasse. Por que a desaprovação o ameaça tanto? Talvez o seu raciocínio seja: "Se uma pessoa me desaprova, significa que todos me desaprovariam. Isso significaria que há algo de errado comigo.".

Se esses pensamentos aplicam-se a você, seu bom humor vai disparar toda vez que alguém lhe fizer um carinho. Você raciocina: "Consegui uma reação positiva, então posso me sentir bem comigo mesmo.".

Por que isso não tem lógica? Porque você está ignorando o fato de que só os seus pensamentos e crenças têm o poder de elevar seus ânimos. A aprovação de outra pessoa não tem a capacidade de afetar seu humor, a menos que você acredite que o que ela diz é válido. Mas se você acredita que o elogio é merecido, é a *sua crença* que faz você sentir-se bem. Você precisa validar a aprovação externa antes que seu humor possa melhorar. Essa validação representa a sua autoaprovação pessoal.

Suponhamos que você estivesse visitando a ala psiquiátrica de um hospital. Um paciente confuso e alucinado aproxima-se e lhe diz:

> Você é maravilhoso. Eu tive uma visão divina. Deus me disse que a décima terceira pessoa que entrasse por essa porta seria o seu Mensageiro Especial. Você é o décimo terceiro, então eu sei que você é o Escolhido de Deus, o Príncipe da Paz, o Santo dos Santos. Quero beijar seus pés.

Será que essa aprovação extrema melhoraria o seu humor? Provavelmente você se sentiria nervoso e incomodado. É porque não acredita que o que o paciente está dizendo é válido. Você desconsidera os comentários. Somente as *suas* crenças a respeito de si mesmo é que podem afetar o modo como se sente. Os outros podem falar ou pensar o que quiserem de você, bem ou mal, mas só os seus pensamentos influenciarão suas emoções.

O preço a pagar por essa sua dependência de elogios será uma vulnerabilidade extrema às opiniões dos outros. Como qualquer dependente, você vai achar que precisa continuar alimentando seu vício para evitar crises de abstinência. No momento em que alguém importante expressar desaprovação, você sofrerá uma crise dolorosa, como um viciado que fica sem a sua "droga". Os outros serão capazes de usar essa vulnerabilidade para manipulá-lo. Você terá de ceder às exigências deles com mais frequência do que gostaria, pois teme que possam rejeitá-lo ou fazer pouco de você, que acaba caindo numa chantagem emocional.

Talvez você perceba que essa sua dependência de aprovação não lhe traz vantagens, mas continue acreditando que os outros *realmente* têm o direito de julgar não só o mérito do que você faz e diz, mas também o seu valor como ser humano. Imagine que você fizesse uma segunda visita à ala psiquiátrica do hospital. Dessa vez, um outro paciente alucinado aproxima-se e lhe diz: "Você está usando uma camisa vermelha. Isso mostra que você é o Diabo! Você é maligno!". Você se sentiria mal por causa dessa crítica e desaprovação? É claro que não. Por que será que esses comentários negativos não o aborrecem? É simples – porque você não acredita que as afirmações sejam verdadeiras. Você precisa "embarcar" nas críticas do outro – e acreditar que você realmente não presta – para se sentir mal consigo mesmo.

Já lhe ocorreu alguma vez que, se alguém o desaprova, isso pode ser um problema *dele* ou *dela*? Muitas vezes, a desaprovação reflete as crenças irracionais dos outros. Para citar um exemplo extremo, a abominável doutrina de Hitler de que os judeus eram inferiores não refletia em nada o valor interior das pessoas que ele pretendia destruir.

É claro, haverá muitas ocasiões em que a desaprovação resultará de um erro real da sua parte. Isso significa que você é uma pessoa inútil e sem valor? É óbvio que não. A reação negativa do outro só pode ser direcionada a uma coisa *específica* que você tenha feito, não ao seu valor. Um ser humano *não pode* fazer coisas erradas o tempo *todo*!

Vejamos o outro lado da moeda. Muitos criminosos conhecidos já tiveram legiões de admiradores fervorosos, por mais repulsivos e horrendos que fossem os seus crimes. Consideremos Charles Manson. Ele promovia o sadismo e o assassinato, mesmo assim era considerado um messias por seus inúmeros seguidores, que pareciam fazer tudo o que ele sugeria. Quero deixar bem claro que não estou defendendo o comportamento atroz, e também não sou nenhum admirador de Charles Manson. Mas pergunte a si mesmo: se nem Charles Manson acabou sendo totalmente rejeitado pelo que fez ou disse, o que *você* já fez de tão terrível para ser rejeitado por todo mundo? E você ainda acredita na equação: aprovação = valor? Afinal de contas, Charles Manson era idolatrado por sua "família". Será que a aprovação que recebia fazia dele uma pessoa de extremo valor? É lógico que isso é um absurdo.

É verdade que a aprovação traz uma *sensação boa*. Não há nada de errado nisso; é natural e saudável. Também é verdade que a desaprovação e a rejeição costumam ter um sabor amargo e desagradável. Isso é humano e compreensível. Mas você estará nadando em águas profundas e turbulentas se continuar acreditando que aprovação e desaprovação são as réguas melhores e mais adequadas para você medir o seu valor.

Você já criticou alguém? Já discordou da opinião de um amigo? Já deu uma bronca numa criança por se comportar mal? Brigou com alguém que ama quando estava irritado? Preferiu não se relacionar com alguém cujo comportamento achava desagradável? Então pergunte a si mesmo: quando discordou, criticou ou desaprovou, você estava fazendo um julgamento moral definitivo de que a outra pessoa era um ser humano totalmente inútil e sem valor? Você tem o poder de fazer julgamentos tão arrebatadores a respeito dos outros? Ou estava simplesmente expressando o fato de que tinha um ponto de vista diferente e ficou aborrecido com o que o outro fez ou disse?

Por exemplo, no calor de uma discussão, talvez já tenha deixado escapar ao seu companheiro: "Você não vale nada!". Mas quando a raiva passa, depois de um ou dois dias, você não admite a si mesmo que estava exagerando no seu julgamento? É claro, a pessoa amada pode ter muitos defeitos, mas não é absurdo achar que a desaprovação ou as críticas do seu desabafo o tornem para sempre uma pessoa totalmente sem valor? Se você admite que a sua desaprovação não tem uma força moral suficientemente destrutiva para acabar com o sentido e o valor da vida de outra pessoa, por que permite que a desaprovação *deles* destrua a sua confiança no *seu* próprio valor? O que faz que *eles* sejam tão especiais? Quando você treme de pavor porque alguém não gosta de você, está magnificando a sabedoria e o conhecimento daquela pessoa, e se subestimando ao mesmo tempo, por não ser capaz de fazer um julgamento correto a respeito de si mesmo. É claro, alguém pode apontar uma falha no seu comportamento ou um erro no seu pensamento. Espero que aponte, pois você pode aprender com isso. Afinal, todos nós somos imperfeitos e os outros têm o *direito* de nos lembrar disso de vez em quando. Mas você é obrigado a ficar infeliz e se odiar toda vez que alguém o critica ou perde a cabeça?

A ORIGEM DO PROBLEMA

Quando você adquiriu essa dependência de aprovação? Só podemos supor que a resposta esteja na sua interação com as pessoas que eram importantes para você quando criança. Talvez um de seus pais fosse excessivamente severo quando você se comportava mal, ou ficasse irritado mesmo que você não estivesse fazendo nada particularmente de errado. Talvez sua mãe tenha dito: "Você é *horrível* por fazer isso!", ou seu pai tenha deixado escapar: "Você está *sempre* fazendo besteira. Nunca vai aprender.".

Quando era criança, você provavelmente via seus pais como deuses. Eles o ensinaram a falar e a amarrar os sapatos, e *a maioria* das coisas que eles lhe diziam tinha fundamento. Se o seu pai dizia: "Você pode morrer se andar no meio da rua", isso era *literalmente verdade*. Como a maioria das crianças, você pode ter presumido que quase tudo que seus pais diziam era verdade. Por isso, quando ouvia: "Você não faz *nada direito*" e "Você nunca vai aprender", literalmente *acreditava* e isso magoa muito. Você era jovem demais para raciocinar: "O papai está *exagerando* e *generalizando demais*". E não tinha maturidade emocional para perceber que seu pai estava irritado e cansado naquele dia, ou talvez tivesse bebido e quisesse ficar sozinho. Você não podia determinar se essa explosão era um problema *dele* ou seu. E se tivesse idade suficiente para sugerir que ele não estava sendo razoável, suas tentativas de colocar as coisas em termos mais sensatos podem ter sido rapidamente neutralizadas e desencorajadas com uma rápida palmada no traseiro.

Não é à toa que você desenvolveu o mau hábito de se menosprezar toda vez que alguém o desaprova. Não é sua culpa se adquiriu essa tendência quando era criança, e não pode ser culpado por crescer com essa visão errada. Mas é responsabilidade sua como adulto refletir sobre a questão de forma realista, e tomar medidas específicas para superar essa vulnerabilidade em particular.

Como, exatamente, esse medo da desaprovação o predispõe à ansiedade e à depressão? John é um arquiteto de 52 anos solteiro, de fala mansa, que vive com medo de críticas. Ele foi encaminhado para tratamento por causa de uma grave depressão recorrente, que não havia diminuído mesmo com vários anos de terapia. Certo dia em que estava se sentindo particularmente bem consigo mesmo, ele procurou o chefe, entusiasmado com novas ideias sobre um importante projeto. O chefe retrucou: "Agora não, John! *Não está vendo que estou ocupado?*". A autoestima de John despencou na mesma hora. Ele se arrastou de volta para a sua sala, desanimado e com raiva de si mesmo, convencido de que não prestava para nada. "Como posso ter sido tão descuidado?", perguntava-se.

Quando John me contou esse episódio, fiz a ele as perguntas simples e óbvias: "Quem é que estava agindo feito um idiota – você ou o seu chefe? Você estava mesmo se comportando de forma inadequada, ou o seu chefe é que estava irritado, agindo de forma desagradável?". Após refletir por um instante, ele foi capaz de identificar o verdadeiro culpado. A possibilidade de que o chefe tivesse agido de forma extremamente desagradável não lhe havia ocorrido por causa do seu hábito automático de culpar a si mesmo. Ele sentiu-se aliviado quando percebeu, de repente, que não tinha absolutamente nada do que se envergonhar no modo como agiu. Seu chefe, que não era muito sociável, provavelmente estava sob pressão e fora de si naquele dia.

Então, John questionou: "Por que estou sempre me esforçando tanto para obter aprovação? Por que sofro desse jeito?". Depois lembrou-se de um fato ocorrido quando ele tinha 12 anos. Seu único irmão, mais novo que ele, havia morrido tragicamente após uma longa batalha contra a leucemia. Depois do funeral, ele ouviu sua mãe e sua avó conversando no quarto. Sua mãe chorava amargamente e dizia: "Agora não tenho mais *nenhum* motivo para viver". Sua avó respondeu: "Psiu! O Johnny está aqui do lado! Ele pode ouvir!".

Quando John me contou isso, começou a chorar. Tinha ouvido os comentários, os quais para ele significaram: "Isso prova que eu não tenho muito valor. Meu irmão, sim, era importante. Minha mãe não me ama de verdade.". Ele nunca revelou que havia escutado a conversa, e durante todos esses anos tentou afastar essa lembrança da memória, dizendo a si mesmo: "Tudo bem, não faz diferença se ela me ama ou não". Mas esforçava-se imensamente para agradar a mãe com suas realizações e sua carreira, numa tentativa desesperada de ganhar a aprovação dela. No seu íntimo, ele não acreditava que tivesse algum valor realmente, e se via como alguém inferior e indigno de ser amado. Tentava compensar sua falta de autoestima conquistando a admiração e a aprovação dos outros. Era como se a sua vida fosse um esforço constante para encher uma bexiga furada.

Após recordar esse incidente, John conseguiu enxergar a irracionalidade da sua reação aos comentários que tinha ouvido no corredor. A amargura de sua mãe e o vazio que ela sentia eram naturais e faziam parte do processo de luto que todos os pais atravessam quando um filho morre. Seus comentários não tinham *nada a ver com John*, somente com sua depressão e seu desespero temporários.

Ver essa lembrança por um outro ângulo ajudou John a enxergar o quanto era irracional e autodestrutivo vincular o seu valor às opiniões dos outros. Talvez você também esteja começando a ver que a sua crença na importância da aprovação externa não é nem um pouco realista. Afinal é você, e só você, quem pode fazê-lo feliz de forma consistente. Ninguém mais pode fazer isso. Agora, vamos recapitular algumas medidas simples que você pode tomar para colocar esses princípios em prática, para que possa transformar seu desejo de autoestima e autorrespeito numa realidade emocional.

O CAMINHO PARA A INDEPENDÊNCIA E O RESPEITO POR SI MESMO

ANÁLISE CUSTO-BENEFÍCIO

O primeiro passo para superar a sua crença em qualquer um dos pressupostos autodestrutivos do teste DAS é fazer uma análise custo-benefício. Pergunte-se: quais são as vantagens e desvantagens de dizer a mim mesmo que a desaprovação diminui o meu valor? Após relacionar todas as formas pelas quais essa atitude o prejudica e o ajuda, você terá condições de tomar uma decisão esclarecida para desenvolver um sistema de valores mais saudável.

Por exemplo, uma mulher casada de 33 anos chamada Susan descobriu que estava excessivamente envolvida com as atividades de sua igreja e sua comunidade porque era uma pessoa responsável, eficiente e trabalhadora, escolhida com frequência para fazer parte de várias comissões. Ele ficava extremamente satisfeita toda vez que a escolhiam para uma nova tarefa e tinha medo de dizer não a qualquer um desses convites, pois com isso se arriscaria a ter a desaprovação de alguém. Como tinha pavor de decepcionar as pessoas, tornou-se cada vez mais viciada em abrir mão de seus próprios interesses e desejos para agradar aos outros.

O teste DAS e a "Técnica da seta vertical" descritos no capítulo anterior revelaram que um de seus pressupostos silenciosos era: "Sempre tenho de fazer o que as pessoas esperam que eu faça.". Ela parecia relutante em abandonar essa crença, então fez uma análise custo-benefício (QUADRO 38). Como as desvantagens do seu vício em aprovação ultrapassavam em muito as vantagens, ela tornou-se bem mais aberta a mudar sua filosofia pessoal. Experimente aplicar essa técnica simples a um de seus pressupostos autodestrutivos sobre desaprovação. Pode ser um primeiro passo importante para o crescimento pessoal.

REESCREVER O PRESSUPOSTO

Se você perceber, a partir da análise custo-benefício de que o seu medo de desaprovação mais o prejudica do que ajuda, o segundo passo é reescrever seu pressuposto silencioso de modo que se torne mais realista e enriquecedor (você pode fazer isso com qualquer uma das 35 atitudes do teste DAS que representem áreas nas quais você seja psicologicamente vulnerável). No exemplo anterior, Susan decidiu rever sua crença da seguinte maneira: "Pode ser agradável ter a aprovação de alguém, mas não preciso disso para ser uma pessoa de valor ou ter respeito por mim mesma. A desaprovação pode ser incômoda, mas não significa que eu seja uma pessoa inferior.".

QUADRO 38
Método custo-benefício para avaliar "pressupostos silenciosos"
PRESSUPOSTO 1: "Sempre tenho de fazer o que as pessoas esperam que eu faça."

Vantagens de acreditar nisso	Desvantagens de acreditar nisso
1. Quando sou capaz de satisfazer as expectativas das pessoas, sinto que estou no comando. Isso traz uma sensação boa.	1. Às vezes me comprometo e acabo fazendo coisas que não são do meu interesse e que, na verdade, não quero fazer.
2. Se eu deixar as pessoas contentes, vou me sentir segura e protegida.	2. Esse pressuposto impede-me de colocar meus relacionamentos à prova – nunca consigo saber se seria aceita pelo que sou. Desse jeito, sempre tenho de conquistar o amor e o direito de ficar perto das pessoas fazendo o que elas querem que eu faça. É como se eu me tornasse escrava.
3. Posso evitar muita confusão e sentimento de culpa. Não tenho de pensar nas coisas, pois só preciso fazer o que os outros querem que eu faça.	3. Isso faz que as pessoas tenham poder demais sobre mim – elas podem me coagir com a ameaça de desaprovação.
4. Não preciso preocupar-me se as pessoas vão ficar chateadas ou decepcionadas comigo.	4. Fica difícil para mim saber o que eu quero de verdade. Não estou acostumada a definir minhas prioridades e tomar decisões independentes.
5. Posso evitar conflitos e não preciso ser assertiva nem manifestar minha opinião.	5. Quando as pessoas me desaprovam, o que às vezes é inevitável, concluo que fiz alguma coisa para desagradá-las e tenho um forte sentimento de culpa e depressão. Isso faz que meu humor seja controlado pelos outros, e não por mim.
	6. O que os outros querem que eu faça talvez nem sempre seja o melhor para mim, pois, no fundo, eles costumam ter seus próprios interesses. As suas expectativas em relação a mim talvez nem sempre sejam realistas e coerentes.
	7. Eu acabo enxergando os outros como pessoas fracas e frágeis que dependem de mim e ficariam magoadas e infelizes se eu as decepcionasse.
	8. Por causa do meu medo de correr riscos e chatear alguém, minha vida fica estagnada. Não sinto-me motivada a mudar, crescer ou fazer coisas diferentes para aumentar a minha gama de experiências.

UM PROJETO DE AUTORRESPEITO

Como um terceiro passo, talvez seja útil escrever um texto curto intitulado "Por que é irracional e desnecessário viver com medo de desaprovação ou de críticas". Esse pode ser o seu projeto pessoal para adquirir mais autoconfiança e autonomia. Prepare uma lista de todas as razões pelas quais a desaprovação é desagradável, mas não fatal. Algumas já foram mencionadas neste capítulo, e você pode revisá-las antes de começar a escrever. No seu texto, inclua apenas o que lhe parecer convincente e útil. É importante que você acredite em cada argumento que escrever, para que seu novo senso de independência seja realista. *Não* racionalize! Por exemplo, a afirmação "Se alguém me desaprova, não preciso ficar chateado porque esse não é o tipo de pessoa que eu gostaria de ter como amigo" não vai funcionar, porque é uma distorção. Você está tentando preservar sua autoestima excluindo o outro como sendo uma má pessoa. Atenha-se ao que você sabe ser verdade.

À medida que lhe surgirem novas ideias, acrescente-as à sua lista. Leia-a toda manhã durante várias semanas. Esse pode ser um primeiro passo para ajudá-lo para reduzir as opiniões negativas e comentários dos outros sobre você à sua dimensão real.

Aqui estão algumas ideias que funcionaram bem para muitas pessoas. Você pode usar algumas delas no seu próprio texto.

1. Lembre-se de que, quando uma pessoa reage a você de forma negativa, talvez a causa dessa desaprovação seja o pensamento irracional dela.
2. Se a crítica tem fundamento, isso não precisa destruí-lo. Você pode identificar seu erro e tomar providências para corrigi-lo. Pode *aprender* com seus erros, e não precisa se envergonhar deles. Você é humano, por isso *pode* e *deve* cometer algum erro de vez em quando.
3. Se você fez alguma besteira, isso não significa que NASCEU PARA PERDER. É impossível estar errado o tempo *todo*, ou mesmo *a maior parte* do tempo. Pense nas milhares de coisas *certas* que você já fez na vida! Além do mais, você pode mudar e crescer.
4. Os outros não podem julgar seu valor como ser humano, somente o mérito ou a coerência das coisas específicas que você faz ou diz.
5. Cada um vai julgar você de um jeito, não importa o quanto se comporte bem ou mal. A desaprovação não pode se espalhar como fogo, e uma única rejeição não pode levar a uma série interminável de rejeições. Portanto, se na pior das hipóteses você for rejeitado por alguém, não pode acabar totalmente sozinho.
6. A desaprovação e as críticas geralmente são desagradáveis, mas esse desconforto vai passar. Pare de se lamentar. Envolva-se numa atividade que você curtia no passado, mesmo que lhe pareça totalmente sem sentido começar.
7. As críticas e a desaprovação *só* podem aborrecê-lo na medida em que você "embarca" nas acusações que estão sendo feitas contra você.
8. A desaprovação quase nunca é permanente. Ela não significa necessariamente que o seu relacionamento com a pessoa que o desaprova vai terminar só porque você está sendo criticado. As discussões fazem parte da vida, e na maioria dos casos você consegue chegar a um entendimento depois.

9. Se você está criticando alguém, não quer dizer que ele seja totalmente ruim. Por que dar a outra pessoa o poder e o direito de julgá-lo? Somos apenas seres humanos, e não juízes da Suprema Corte. Não dê aos outros uma dimensão exagerada (magnificação).

Você tem alguma outra sugestão? Pense sobre o assunto nos próximos dias. Anote suas ideias num papel. Desenvolva sua própria filosofia sobre a desaprovação. Você vai ficar surpreso ao descobrir o quanto isso pode ajudá-lo a mudar sua perspectiva e aumentar seu senso de independência.

TÉCNICAS VERBAIS

Além de aprender a encarar a desaprovação de outra forma, pode ser muito útil aprender a se comportar de outra forma com as pessoas que demonstram desaprovação. Para começar, recapitule os métodos assertivos apresentados no CAPÍTULO VI, como a técnica de desarmar. Agora discutiremos mais alguns métodos que o ajudarão a lidar melhor com a desaprovação.

Antes de mais nada, se você tem medo de que uma pessoa o desaprove, já pensou em perguntar se ela *realmente* o subestima? Talvez você tenha uma agradável surpresa ao descobrir que a desaprovação só existia na sua cabeça. Embora isso exija uma certa coragem, a recompensa pode ser enorme.

Lembra-se de Art, o psiquiatra descrito no CAPÍTULO VI, que fazia treinamento na Universidade da Pensilvânia? Art não tinha a menor suspeita de que um paciente seu poderia ser suicida. O paciente não tinha nenhum histórico nem sintomas de depressão, mas se sentia irremediavelmente preso a um casamento insuportável. Certa manhã, Art recebeu um telefonema informando que seu paciente havia sido encontrado morto com um tiro na cabeça. Embora tenham suspeitado de homicídio, a provável causa da morte era suicídio. Art nunca havia perdido um paciente dessa maneira. Sua reação foi de tristeza, por causa do afeto que sentia por esse paciente em particular, e de ansiedade, por temer que seu supervisor e seus colegas o desaprovassem e subestimassem pelo seu "erro" e sua falta de visão. Após discutir o caso com seu supervisor, ele perguntou francamente: "Você acha que eu o decepcionei?". A resposta do supervisor transmitiu uma sensação de conforto e empatia, não de rejeição. Art ficou aliviado quando seu supervisor contou que também havia tido uma decepção semelhante no passado. Ele ressaltou que esta era uma oportunidade para Art aprender a lidar com um dos riscos profissionais de ser um psiquiatra. Ao discutir o assunto e se recusar a ceder ao seu medo de desaprovação, Art descobriu que havia *mesmo* cometido um "erro" – tinha ignorado o fato de que a sensação de que algo "não tem remédio" pode levar ao suicídio em indivíduos que não são clinicamente depressivos. Mas descobriu também que os outros não exigiam dele a perfeição, nem esperavam a garantia de um bom resultado com qualquer paciente.

Suponhamos que as coisas não acabassem tão bem e seu supervisor ou seus colegas o tivessem condenado por ser descuidado ou incompetente. E daí? A pior coisa que poderia acontecer seria a rejeição. Vamos discutir algumas estratégias para lidar com a pior das hipóteses.

A REJEIÇÃO NUNCA É CULPA SUA!

Depois das lesões corporais e da destruição de seu patrimônio, a maior dor que uma pessoa pode tentar lhe infligir é a da rejeição. Essa ameaça é a origem do seu medo quando alguém o "menospreza".

Existem vários tipos de rejeição. A mais óbvia e comum é chamada de "rejeição de adolescente", embora não se limite a essa faixa etária. Suponhamos que você tenha um interesse amoroso por alguém que conheceu ou com quem esteja saindo e descubra que a recíproca não é verdadeira. O problema pode estar na sua aparência, raça, religião ou personalidade. Ou talvez você seja muito alto, baixo, gordo, magro, velho, jovem, inteligente, burro, agressivo, passivo etc. Como você não se encaixa exatamente na imagem que aquela pessoa faz de um parceiro ideal, ela repele as suas investidas e o trata com desprezo.

Isso é culpa sua? Claro que não! Ela só está dispensando você por causa de suas preferências e gostos subjetivos. Uma pessoa pode gostar mais de torta de maçã que de torta de cereja. Isso significa que a torta de cereja é naturalmente ruim? Os interesses amorosos variam quase que infinitamente. Se você é uma daquelas pessoas do tipo que aparece em comerciais de pasta de dentes, que são abençoadas com o que a nossa cultura define como "boa aparência" e personalidade marcante, será bem mais fácil atrair encontros e parceiros em potencial. Mas vai descobrir que essa atração mútua é bem diferente de uma relação amorosa duradoura, e que até as pessoas bonitas e atraentes precisam enfrentar a rejeição de vez em quando. Ninguém consegue agradar toda e qualquer pessoa que encontra.

Se você está apenas na média ou abaixo da média em termos de aparência e personalidade, terá de se esforçar mais para atrair as pessoas no início, e talvez precise enfrentar recusas mais frequentes. Terá de desenvolver suas habilidades de se relacionar com as pessoas e dominar alguns segredos poderosos para fazer que elas se sintam atraídas por você. São eles: (1) Não se deprecie subestimando a sua capacidade. Recuse-se a atormentar a si mesmo. Aumente sua autoestima ao máximo com os métodos descritos no Capítulo IV. Se você se amar, as pessoas reagirão à alegria que você irradiar e vão querer ficar perto de você. (2) Faça elogios sinceros às pessoas. Em vez de ficar esperando ansiosamente para saber se elas vão gostar de você ou rejeitá-lo, goste delas primeiro e deixe que saibam disso. (3) Demonstre interesse pelos outros ao tentar saber mais sobre o que lhes agrada. Faça-os falar sobre o que mais gostam, e responda aos seus comentários com entusiasmo.

Se persistir nisso, acabará descobrindo que *existem* pessoas que o acham atraente e que você, por sua vez, tem um grande potencial para ser feliz. A rejeição de adolescente é incômoda e desagradável, mas não é o fim do mundo e não é culpa sua.

"Ah, ah!", você retruca. "Mas e quando você é rejeitado por um monte de gente porque afasta-os com seus modos ríspidos? Vamos supor que você seja convencido e egoísta. Com certeza isso é culpa sua, não é?" Esse é um segundo tipo de rejeição, que eu chamo de "rejeição com raiva". Mais uma vez, acho que vai perceber que não é culpa sua se as pessoas o rejeitam dessa maneira por causa de um defeito pessoal.

Em primeiro lugar, os outros não precisam rejeitá-lo só porque não gostam de certas coisas em você – eles têm outras opções. Podem ser assertivos e apontar o que não gostam no seu comportamento, ou podem aprender a não deixar que isso incomode-os tanto. Claro, eles têm o direito de evitar e rejeitar você caso assim queiram, e são livres para escolher os amigos que preferirem. Mas isso não quer dizer que você seja um ser humano "ruim" por natureza, e com certeza nem todos reagirão a você da mesma forma negativa. Você vai sentir uma química espontânea com certas pessoas, e ficar propenso a entrar em conflito com outras. Isso não é culpa de ninguém, apenas um fato da vida.

Se você tem um traço de personalidade que indispõe as pessoas mais do que gostaria – como ser excessivamente crítico ou perder a calma com frequência –, com certeza seria melhor para você mudar o seu estilo. Mas é ridículo culpar a si mesmo se alguém o rejeita com base nessa imperfeição. Todos nós somos imperfeitos, e a sua tendência a se culpar – ou "embarcar" na hostilidade que outra pessoa lhe dirige – é autodestrutiva e sem sentido.

O terceiro tipo de rejeição é a "manipuladora". Nesse caso, o outro usa a ameaça de afastamento ou rejeição para manipular você de alguma forma. Parceiros infelizes, e até psicoterapeutas frustrados, às vezes recorrem a esse estratagema para coagi-lo a mudar. A fórmula é mais ou menos assim: "Ou você faz isso e isso ou podemos parar por aqui!". Essa é uma forma extremamente irracional e geralmente autodestrutiva de tentar influenciar as pessoas. Essa rejeição manipuladora é apenas uma forma de enfrentar os problemas, a qual é transmitida culturalmente, e que geralmente é ineficaz. Ela quase nunca leva a uma melhora nas relações, porque gera tensão e ressentimento. O que ela realmente indica é uma baixa tolerância à frustração e poucas habilidades interpessoais por parte dos indivíduos que fazem a ameaça. Com certeza não é por culpa *sua* que eles fazem isso, e em geral não é vantajoso para você deixar-se manipular dessa forma.

Esses seriam os aspectos teóricos. Agora, o que você pode dizer e fazer quando está sendo rejeitado de fato? Uma maneira eficaz de descobrir é usar a encenação. Para deixar o diálogo mais interessante e desafiador, vou fazer o papel de alguém que o rejeita e confrontá-lo, dizendo as piores coisas a seu respeito. Como tenho agido de maneira cáustica e ofensiva, comece perguntando se, na verdade, eu estou dispensando-o, por causa do modo como venho tratando-o ultimamente:

VOCÊ: Dr. Burns, percebo que o senhor anda meio frio e distante comigo. Parece estar me evitando. Quando tento conversar, o senhor me ignora ou me trata de maneira ríspida. Quero saber se está aborrecido comigo ou se está pensando em me dispensar.

COMENTÁRIO: Não me acuse de rejeitá-lo logo de início. Isso me colocaria na defensiva. Mesmo porque talvez eu *não* o esteja rejeitando – talvez esteja aborrecido pelo fato de ninguém estar comprando meu livro, por isso ando irritado. Só para praticar, vamos imaginar a pior das hipóteses – que estou tentando livrar-me de você.

DAVID: Ainda bem que estamos pondo as cartas na mesa. Na verdade, resolvi dispensar você.
VOCÊ: Por quê? Parece que andei lhe desagradando bastante.
DAVID: Você é um imprestável que não vale nada.
VOCÊ: Estou vendo que está aborrecido comigo. O que foi que eu fiz de errado?

COMENTÁRIO: Evite ficar se defendendo. Como você *sabe* que não é um "imprestável", não precisa insistir em me dizer isso. Só vai me deixar mais irritado e nosso diálogo vai acabar virando uma discussão. (Esse "método da empatia" foi apresentado em detalhes no CAPÍTULO VI).

DAVID: Tudo em você cheira mal.
VOCÊ: Como assim? Pode ser mais específico? Eu esqueci de usar desodorante? O que o incomoda? É a minha maneira de falar, alguma coisa que eu disse, as minhas roupas, ou o quê?

COMENTÁRIO: Mais uma vez, você se recusa a entrar numa discussão. Ao insistir para que eu diga exatamente o que me desagrada em relação a você, está me obrigando a ir direto ao ponto e dizer algo significativo ou acabar parecendo tolo.

DAVID: Bom, você feriu meus sentimentos quando me criticou, outro dia. Não está nem aí comigo. Eu sou só uma "coisa" para você, e não um ser humano.

COMENTÁRIO: Essa é uma crítica comum. Ela dá a entender que, no fundo, a pessoa que o rejeita se importa com você, mas se sente desprezada e tem medo de perdê-lo. E decide atacá-lo para proteger sua frágil autoestima. Ela pode dizer também que você é muito estúpido, muito gordo, muito egoísta etc. *Seja qual for* a natureza da crítica, sua estratégia agora consiste em duas coisas: (a) Encontrar algum fundo de verdade na crítica e dizer à pessoa que você concorda em parte (ver "técnica de desarmar", CAPÍTULO VI); (b) pedir desculpas ou se oferecer para tentar corrigir qualquer erro que você tenha cometido (ver *"feedback* e negociação", CAPÍTULO VI).

VOCÊ: Lamento muito se disse alguma coisa que o ofendeu. O que foi?

DAVID: Você disse que eu era um idiota sem valor. Por isso, para mim chega – não quero mais saber de você.

VOCÊ: Estou vendo que foi um comentário desagradável que fiz sem pensar. O que mais eu disse que o magoou? Foi só isso? Ou fiz isso outras vezes? Pode dizer todas as coisas ruins que pensa a meu respeito.

DAVID: Você é imprevisível. Pode ser extremamente gentil, e logo depois está me estraçalhando com sua língua afiada. Quando fica bravo, você se transforma num porco obsceno. Não suporto você, e não sei como alguém pode aturá-lo. Você é arrogante e pretensioso, e não se importa com ninguém além de si mesmo. É um canalha egoísta, e já está na hora de acordar e aprender uma lição. Sinto muito ter de lhe dizer essas coisas, mas só assim você vai aprender. Você não tem sentimentos por ninguém a não ser por si mesmo, por isso chega de uma vez por todas!

VOCÊ: Bom, vejo que o nosso relacionamento tem vários problemas que nunca discutimos, e parece que coloquei tudo a perder. Estou vendo que andei nervoso e agi sem pensar. Percebo o quanto fui desagradável e o quanto isso o incomodou. Fale mais sobre esse meu lado.

COMENTÁRIO: Você continua, então, a extrair comentários negativos da pessoa que o rejeita. Evite ficar na defensiva e continue a encontrar um fundo de verdade no que ela diz. Após esclarecer todas as críticas e concordar com tudo o que for verdade, você está pronto para disparar o tiro mais certeiro no argumento de quem o rejeita. Ressalte que você reconheceu as suas imperfeições e está disposto a tentar corrigir seus erros. Depois, pergunte por que ele está dispensando você. Isso o ajudará a ver por que a rejeição nunca é culpa sua! Você é responsável pelos seus erros, e vai assumir a responsabilidade de tentar corrigi-los. Mas se alguém o rejeita pelas suas imperfeições, quem está fazendo besteira é ele, e não você! Veja como isso funciona.

Você: Estou vendo que fiz e disse algumas coisas que não lhe agradam. Com certeza, estou disposto a tentar corrigir ao máximo esses problemas. Não posso prometer milagres, mas, se trabalharmos nisso juntos, não vejo razão pela qual as coisas não possam melhorar. Só com essa conversa, já estamos conseguindo nos comunicar melhor. Então, por que vai me dispensar?

David: Porque você me deixa furioso.

Você: Bom, às vezes surgem diferenças entre as pessoas, mas não acho que isso precise destruir o nosso relacionamento. Você está me dispensando por que está furioso, é isso?

David: Você é um vagabundo inútil e eu me recuso a falar com você de novo.

Você: Lamento que se sinta assim. Eu preferia muito mais que continuássemos sendo amigos, apesar de toda essa mágoa. Precisamos romper totalmente? Talvez essa discussão fosse apenas o que a gente precisava para se entender melhor. Eu realmente não sei por que você decidiu me dispensar. Pode me dizer por quê?

David: Nada disso! Não adianta tentar me enganar. Você já fez muita besteira, e acabou! Não vai haver outra chance! Adeus!

COMENTÁRIO: Quem está sendo besta agora? Você ou a pessoa que o está dispensando? O fato de essa rejeição ter ocorrido é culpa de quem? Afinal, você se ofereceu para tentar corrigir seus erros e melhorar a relação por meio de conversa franca e comprometimento. Então, como pode ser culpado pela rejeição? É claro que não.

Usar a abordagem anterior pode não evitar todas as rejeições, mas você vai aumentar a chance de ter um resultado positivo mais cedo ou mais tarde.

PARA SE RECUPERAR DA DESAPROVAÇÃO OU REJEIÇÃO

Apesar de seus esforços para melhorar o relacionamento com o outro, você acabou mesmo sendo reprovado ou rejeitado. Como pode superar mais depressa esse transtorno emocional compreensível que está sentindo? Em primeiro lugar, tem de perceber que a vida continua, e que essa decepção em particular não precisa comprometer a sua felicidade para sempre. Após a rejeição ou desaprovação, os seus *pen-*

samentos é que estarão causando o transtorno emocional e, se você combater esses pensamentos e se recusar terminantemente a ceder à autocondenação distorcida, isso vai passar.

Um método que pode ser muito útil é aquele que já ajudou as pessoas que passam por um longo período de tristeza após a perda de um ente querido. Se elas reservarem, todos os dias, alguns momentos para se deixarem invadir por essas lembranças e pensamentos dolorosos sobre a pessoa falecida, isso pode acelerar e concluir o processo de luto. E o melhor é fazer isso quando estiver sozinho. Muitas vezes, a simpatia de outra pessoa tem o efeito contrário; alguns estudos já demonstraram que ela prolonga o doloroso período de luto.

Você pode usar esse método de "luto" para lidar com a rejeição ou desaprovação. Todos os dias, reserve um ou mais períodos – cinco a dez minutos devem ser suficientes – para pensar em tudo que o deixa triste, com raiva ou desespero. Se você estiver triste, chore. Se estiver com raiva, soque o travesseiro. Deixe-se invadir por essas lembranças e pensamentos dolorosos durante todo o tempo que reservou para isso. Xingue, reclame e se lamente à vontade! Quando o tempo reservado para a tristeza se esgotar, PARE e siga sua vida até a próxima sessão de choro programada. Nesse meio-tempo, se tiver pensamentos negativos, anote-os, identifique as distorções e substitua-os por respostas racionais como descrito nos capítulos anteriores. Talvez isso ajude-o a controlar em parte a sua decepção e a recuperar totalmente a sua autoestima mais depressa do que você imaginava.

ACENDER A "LUZ INTERIOR"

O segredo para atingir a iluminação emocional é o conhecimento de que apenas os nossos pensamentos podem afetar o nosso humor. Se você é viciado em aprovação, possui o mau hábito de apertar o seu interruptor interno *somente* quando o brilho de outra pessoa atinge-o primeiro. E confunde, equivocadamente, a aprovação dela com a sua própria autoaprovação, porque ambas ocorrem quase ao mesmo tempo. Conclui, por engano, que o outro fez você sentir-se bem! O fato de você gostar de receber elogios e cumprimentos de vez em quando prova que *você sabe aprovar a si mesmo*! Mas se você é viciado em aprovação, desenvolveu o hábito autodestrutivo de se apoiar *apenas* quando alguém que você respeita aprova-o primeiro.

Aqui está uma maneira simples de acabar com esse hábito. Adquira o contador de pulso descrito nos capítulos anteriores e use-o por duas ou três semanas, pelo menos. Todos os dias, procure observar coisas positivas em relação a você – coisas que você faz bem, mesmo sem obter nenhuma recompensa externa. Toda vez que fizer algo que você aprova, aperte o botão. Por exemplo, se você der um sorriso sincero para um colega certa manhã, aperte o botão, independente se ele fechou a cara ou retribuiu. Se você der aquele telefonema que vinha adiando – aperte o botão! Você pode "apoiar" a si mesmo em coisas grandes ou triviais. Pode até apertar o botão ao se *lembrar* de coisas positivas que fez no passado. Por exemplo, pode recordar o dia em que tirou sua carteira de motorista ou conseguiu seu primeiro emprego. Aperte o botão mesmo que isso não lhe desperte uma emoção positiva. No início, talvez você precise se *obrigar* a perceber coisas boas sobre si mesmo, e isso pode parecer mecânico. Continue assim mesmo, pois, após alguns dias, acho que você vai perceber que a sua luz interior está começando a brilhar – meio fraca no início, e depois mais forte. Toda noite, observe o número no contador e registre o seu total diário de aprovações pessoais. Depois de duas ou três semanas, acredito que começará a aprender a arte de se respeitar e se sentirá bem melhor em relação a si mesmo. Esse procedimento simples pode ser um primeiro passo importante para adquirir independência e autoaprovação. Parece fácil – e realmente é. Ele é incrivelmente poderoso, e os benefícios vão compensar em muito a pequena quantidade de tempo e esforço envolvidos.

CAPÍTULO XII
O VÍCIO DO AMOR

O "pressuposto silencioso" que costuma andar de mãos dadas com o medo da desaprovação é "Não posso tornar-me um ser humano verdadeiramente feliz e realizado se não for amado por alguém do sexo oposto. É necessário um amor verdadeiro para atingir a felicidade suprema.".

A *exigência* ou *necessidade* de se ter amor para ser feliz é chamada de "dependência". Significa que você é incapaz de assumir a responsabilidade pela sua vida emocional.

AS DESVANTAGENS DE SER VICIADO EM AMOR

Ser amado é uma necessidade absoluta ou uma opção desejada?

Roberta é uma mulher solteira de 33 anos que passava as noites e os fins de semana a se lamentar no seu apartamento, pois dizia a si mesma: "Este é um mundo feito para casais. Sem um homem eu não sou nada.". Ela chegou ao meu escritório muito bem arrumada, mas seus comentários foram amargos. Estava cheia de ressentimento pois estava certa de que ser amado era tão essencial quanto o oxigênio que respirava. No entanto, estava tão carente e ávida por isso que tendia a afastar as pessoas.

Sugeri que ela começasse preparando uma lista das vantagens e desvantagens de acreditar que "sem um homem (ou uma mulher) eu não sou nada". As desvantagens na lista de Roberta eram claras:

(1) Acreditar nisso me deixa desanimada, uma vez que não tenho namorado. (2) Além disso, não tenho o menor incentivo para fazer as coisas e ir aos lugares. (3) Isso me deixa preguiçosa. (4) Isso me faz sentir pena de mim mesma. (5) Tira o meu orgulho próprio e minha autoconfiança, e faz de mim uma pessoa amargurada e com inveja

dos outros. (6) Por fim, provoca sentimentos autodestrutivos e um medo terrível de ficar sozinha.

Depois ela relacionou o que considerava como as vantagens de acreditar que ser amada era uma necessidade absoluta para a felicidade: "(1) Acreditar nisso vai me trazer um companheiro, amor e segurança. (2) Vai dar sentido à minha vida e uma razão para viver. (3) Vai me dar motivos para aguardar ansiosamente pelos acontecimentos.". Essas vantagens refletiam a crença de Roberta de que convencer-se de que não poderia viver sem um homem iria, de alguma forma, trazer um companheiro para sua vida.

Essas vantagens eram reais ou imaginárias? Embora Roberta tivesse acreditado durante muitos anos que não poderia existir sem um homem, essa atitude ainda não havia lhe trazido o companheiro desejado. Ela admitia que dar tamanha importância aos homens em sua vida não era o encanto mágico que traria um deles até a sua porta. Reconhecia que pessoas muito "pegajosas" e dependentes costumam exigir tanta atenção dos outros e parecer tão carentes que têm grande dificuldade não só para atrair as pessoas do sexo oposto, inicialmente, mas também para manter um relacionamento. Roberta foi capaz de compreender que, em geral, as pessoas que já encontraram a felicidade dentro de si mesmas são as mais atraentes para os membros do sexo oposto e passam a ser como ímãs, pois estão em paz e produzem uma sensação de alegria. Ironicamente, é a mulher dependente, "viciada em homens", que acaba ficando sozinha.

Na verdade, isso não é assim tão surpreendente. Se você assume a postura de que "precisa" de alguém para sentir-se valorizado, transmite a seguinte mensagem: "Leve-me! Eu não tenho valor nenhum! Não suporto ficar sozinha!". Não é de se espantar que haja tão poucos interessados! Claro, sua exigência não declarada também não atrai a afeição das pessoas: "Como você é *obrigado* a me amar, será um maldito canalha se não fizer isso!".

Talvez você se agarre à sua dependência devido à ideia equivocada de que, caso torne-se independente, os outros vejam-no como uma pessoa rejeitada e você acabe ficando sozinho. Se esse é o seu medo, você está confundindo dependência com afeto. Nada poderia estar mais distante da realidade. Se você é solitário e dependente, sua raiva e ressentimento provêm do fato de se sentir privado do amor que acredita ter direito a receber dos outros. Essa atitude o conduz a um isolamento ainda maior. Se você é mais independente, não é *obrigado* a ficar sozinho – simplesmente tem a capacidade de ficar feliz quando não está acompanhado. Quanto mais independente você for, mais seguro será em relação aos seus sentimentos. Além disso, seu humor não vai ficar subindo e descendo à mercê dos outros. Afinal, o tamanho do amor que alguém pode sentir por você costuma ser bastante imprevisível. Talvez não gostem de tudo em você, e talvez não ajam de maneira afetuosa o tempo todo. Se estiver disposto a aprender a se amar, terá uma fonte de autoestima muito mais confiável e constante.

O primeiro passo é descobrir se você *quer* essa independência. Todos nós temos uma chance bem maior de atingir nossos objetivos se compreendermos quem somos. Isso ajudou Roberta a perceber que sua dependência a estava condenando a uma existência vazia. Se você ainda está se agarrando à noção de que é bom ser "dependente", faça uma lista das vantagens usando a técnica das duas colunas. Diga claramente como você se beneficia se deixar que o amor determine o seu valor pessoal. Depois, a fim de avaliar a situação de forma objetiva, anote os argumentos em contrário – ou seja, as respostas racionais – na coluna à direita. Talvez descubra que as vantagens do seu vício em amor são ilusórias em parte ou totalmente. O Quadro 39 mostra como uma mulher com um problema semelhante ao de Roberta avaliou essas questões. Esse exercício por escrito motivou-a a procurar dentro de si mesma o que estava buscando nos outros, além de permitir que ela visse a dependência como o seu verdadeiro inimigo, pois a incapacitava.

A DIFERENÇA ENTRE SOLIDÃO E ESTAR SÓ

Ao ler o capítulo anterior, talvez você tenha concluído que seria bom aprender a controlar seu humor e encontrar a felicidade dentro de si mesmo. Isso lhe permitiria sentir-se tão vivo quando está sozinho como se sente quando está com alguém que ama. Mas você pode estar pensando: "Tudo isso parece muito bom, dr. Burns, mas não corresponde à realidade. Não há dúvida de que, do ponto de vista emocional, é pior ficar sozinho. Toda a minha vida, sempre soube que amor e felicidade eram a mesma coisa, e todos os meus amigos concordam. Pode filosofar o quanto quiser, mas, no fim das contas, é o amor que importa e ficar sozinho é um castigo!".

Na verdade, muitas pessoas estão convencidas de que o amor é o que move o mundo. Vemos essa mensagem nas propagandas, nas letras das músicas, nas poesias. Mas é possível contestar de forma convincente esse seu pressuposto de que, para ser feliz, é preciso ter amor. Vamos analisar a equação: sozinho = solitário.

Em primeiro lugar, considere que muitas satisfações básicas da vida nós temos sozinhos. Por exemplo, quando você escala uma montanha, apanha uma flor, lê um livro ou come um *sundae* com calda de chocolate, não precisa da companhia de outra pessoa para que essas experiências sejam agradáveis. Um médico pode ter a satisfação de tratar um paciente, mesmo que nenhum dos dois tenha um relacio-

QUADRO 39
*Análise das supostas "vantagens"
de ser um "viciado em amor"*

Vantagens de depender do amor para ser feliz	Respostas racionais
1. Alguém vai cuidar de mim quando eu me machucar.	1. Isso também vale para as pessoas independentes. Se eu sofrer um acidente de carro, vão me levar para um hospital. Os médicos vão cuidar de mim, seja eu uma pessoa dependente ou independente. Não faz sentido que só as pessoas dependentes sejam socorridas quando se machucam.
2. Mas, se eu for dependente, não precisarei tomar decisões.	2. Mas, sendo uma pessoa dependente, terei bem menos controle sobre a minha vida. Não é muito seguro depender dos outros para tomar decisões por mim. Será que eu quero que alguém me diga o que vestir, por exemplo, ou o que comer no jantar? Pode ser que a escolha deles não seja a da minha preferência.
3. Mas, sendo uma pessoa independente, é possível que eu tome a decisão errada. Aí terei de arcar com as consequências.	3. Pois arque com as consequências – você pode aprender com os seus erros se for independente. Ninguém é perfeito e, na vida, não há nenhuma garantia de certeza absoluta. A incerteza faz parte do tempero da vida. É o modo como enfrento as coisas – e não se estou certa o tempo todo – que constitui a base do meu respeito por mim mesma. E além do mais, vou poder levar o crédito quando as coisas derem certo.
4. Mas, se eu for uma pessoa dependente, não vou ter de pensar. Só esperar as coisas acontecerem.	4. As pessoas independentes também não precisam pensar se não quiserem. Não há nenhuma regra que diga que só as pessoas dependentes têm o direito de parar de pensar.
5. Mas, se eu for dependente, vão me agradar. Vai ser como comer doce. É bom ter alguém para cuidar de mim e em quem me apoiar.	5. Depois de um tempo, os doces ficam enjoativos. A pessoa que eu escolher pode não estar disposta a me amar, me fazer carinho e cuidar de mim para sempre. Talvez acabe se cansando. E se ela se afastar de mim em meio à raiva ou ressentimento, vou me sentir péssima porque não poderei contar com mais nada. Se eu for dependente, vão poder me manipular como se eu fosse uma escrava ou um robô.
6. Mas, se eu for uma pessoa dependente, serei amada. Sem amor eu não consigo viver.	6. Sendo uma pessoa independente, posso aprender a me amar, e talvez isso me torne ainda mais atraente para os outros. E se eu posso aprender a me amar, posso ser amada *sempre*. Até hoje, minha dependência mais afastou as pessoas do que as atraiu para perto de mim. Os bebês não sobrevivem sem amor e amparo, mas eu não vou morrer se não tiver amor.
7. Mas alguns homens preferem mulheres dependentes.	7. Há alguma verdade nisso, mas os relacionamentos baseados na dependência costumam desmoronar e terminar em divórcio, pois estou pedindo ao outro uma coisa que ele não pode me dar: autoestima e respeito por mim mesma. Só eu posso me fazer feliz e, se esperar que outra pessoa faça isso por mim, provavelmente ficarei muito decepcionada no final.

namento sério com alguém. Um escritor geralmente escreve um livro sozinho. Como a maioria dos estudantes sabe, a maior parte do nosso aprendizado é feita quando estamos sozinhos. A lista de coisas que podem lhe dar prazer e satisfação quando você está sozinho é infinita.

Isso indica que muitas coisas gratificantes são acessíveis mesmo que você não esteja com mais alguém. Você é capaz de acrescentar mais coisas a essa lista? Quais são alguns dos prazeres que pode curtir sozinho? Você costuma ouvir música no seu aparelho de som? Gosta de jardinagem? Carpintaria? De correr? Fazer caminhadas? Uma jovem solitária chamada Janet, que trabalha como caixa de banco e se separou do marido recentemente, matriculou-se num curso de dança criativa e descobriu (para sua surpresa) que poderia ter um enorme prazer ao praticar sozinha em casa. Quando ela entregava-se ao ritmo dos movimentos, sentia-se em paz consigo mesma apesar de não ter ninguém para amar.

Talvez você esteja pensando agora: "Ora, dr. Burns, então é esse o seu argumento? Bem, isso é uma coisa *banal*! É claro, eu posso ter alguns momentos de distração à toa fazendo alguma coisa quando estou sozinho. Isso pode amenizar a tristeza, mas são apenas migalhas da mesa capazes de impedir que eu morra de fome. O que eu quero é o banquete! O amor de verdade! A felicidade real e completa!".

Foi exatamente isso que Janet me disse antes de se matricular no curso de dança. Como ela achava péssimo ficar sozinha, não havia lhe ocorrido que poderia fazer coisas agradáveis e se cuidar durante a separação. Ela vivia segundo um critério duplo: se estivesse com seu marido, não mediria esforços para programar atividades prazerosas, mas quando estava sozinha, ficava se lamentando sem fazer quase nada. Obviamente, esse modelo funcionava como uma profecia autorrealizável e ela achava mesmo desagradável ficar sozinha. Por quê? Simplesmente porque não trata a si mesma com carinho. Nunca pensara em desafiar o pressuposto pelo qual acreditou a vida inteira de que todas as suas atividades seriam insatisfatórias, a menos que tivesse alguém com quem compartilhá-las. Numa outra ocasião, em vez de esquentar algum prato pronto para jantar depois do trabalho, Janet resolveu planejar uma refeição especial, como se fosse receber um homem com quem se importasse muito. Ela preparou seu jantar cuidadosamente e colocou velas na mesa. Começou com uma bela taça de vinho. Depois do jantar, leu um bom livro e ouviu suas músicas favoritas. Para seu espanto, achou a noite maravilhosa. No dia seguinte, que era um sábado, Janet resolveu ir ao museu de arte sozinha. Ficou surpresa ao descobrir que se divertiu mais com esse passeio sozinha do que antigamente, quando arrastava seu marido relutante e desinteressado com ela.

Ao adotar uma postura mais ativa e solidária consigo mesma, Janet descobriu pela primeira vez na vida que poderia não apenas fazer as coisas sozinha, como também se divertir.

Como acontece muitas vezes, passou a sentir uma contagiante alegria de viver, que fez que muitas pessoas sentissem atração por ela, e começou a namorar. Nesse meio-tempo, seu marido começou a ficar desiludido com a namorada e quis voltar para a esposa. Percebeu que Janet estava feliz como nunca sem ele, e nesse ponto o jogo começou a se inverter. Depois que Janet lhe disse que não o queria de volta, ele sofreu uma depressão grave. Ela acabou iniciando um ótimo relacionamento com outro homem e se casou novamente. O segredo de seu sucesso é simples – em primeiro lugar, ela provou que podia desenvolver uma relação consigo mesma. Depois disso, o restante foi fácil.

O MÉTODO DE PREVISÃO DE PRAZER

Eu não espero que você confie na minha palavra sobre esse assunto, nem nos relatos de outras pessoas como Janet, que aprenderam a experimentar as alegrias de ser independente. Em vez disso, proponho que faça uma série de experiências, assim como fez Janet, para colocar à prova sua crença de que "ficar sozinho é um castigo". Se você estiver disposto a fazer isso, pode chegar à verdade de uma forma objetiva e científica.

Para ajudá-lo, desenvolvi a "Planilha de previsão de prazer" mostrada no QUADRO 40. Esse formulário é dividido em uma série de colunas, nas quais você prevê e registra o grau de satisfação real obtido em várias atividades de trabalho e lazer de que participa sozinho, e também das que compartilha com outras pessoas. Na primeira coluna, registre a data de cada experiência. Na segunda, escreva várias atividades que você pretende realizar como parte das experiências desse dia. Sugiro que realize cerca de 40 ou 50 experiências durante um período de duas a três semanas. Escolha atividades que normalmente lhe dariam uma sensação de realização ou prazer, ou que tenham um potencial de aprendizado ou crescimento pessoal. Na terceira coluna, registre com quem você faz a atividade. Se a fizer sozinho, escreva "eu mesmo" nessa coluna. (Essas palavras o lembrarão de que você nunca está realmente sozinho, pois está sempre consigo mesmo!) Na quarta coluna, tente estimar o grau de satisfação obtido com essa atividade, situando-o numa escala entre 0% e 100%. Quanto mais alto o número, maior a satisfação prevista. Preencha a quarta coluna *antes* de fazer cada atividade planejada, e não depois!

Uma vez preenchidas as colunas, prossiga com as atividades. Quando estiverem concluídas, registre a satisfação real na última coluna, usando o mesmo sistema de classificação de 0% a 100%.

Depois que você tiver realizado várias dessas experiências, será capaz de interpretar os dados obtidos. Você pode aprender muitas coisas. Em primeiro lugar, ao comparar a satisfação prevista (quarta coluna) com a satisfação real (quinta coluna), poderá descobrir o quanto suas previsões estavam corretas. Talvez descubra que costuma subestimar o grau de satisfação que espera ter, especialmente quando faz coisas sozinho. Também pode ficar surpreso ao descobrir que as atividades que faz junto com os outros nem sempre são tão satisfatórias como previsto. Na verdade, pode até descobrir que as classificações *mais* altas que recebeu quando estava sozinho foram iguais ou mais altas do que aquelas das atividades que envolviam outras pessoas. Pode ser útil comparar o grau de satisfação obtido com atividades de trabalho e de lazer. Essa informação pode ajudá-lo a atingir o equilíbrio ideal entre trabalho e diversão enquanto continua a planejar suas atividades.

Provavelmente estão passando pela sua cabeça as perguntas: "E se eu fizer alguma coisa e isso *não for* tão satisfatório quanto eu previa? Ou se eu fizer uma estimativa baixa e ela realmente se confirmar?". Nesse caso, procure identificar os pensamentos automáticos negativos que diminuem o prazer da experiência para você. Depois conteste esses pensamentos. Por exemplo, uma mulher solitária de 65 anos, que já tinha todos os filhos crescidos e casados, resolveu matricular-se num curso noturno. Todos os outros alunos estavam na idade de entrar na faculdade. Ela ficou tensa na primeira semana de aula por pensar, "Eles devem achar que sou uma velha e não tinha o direito de estar aqui". Quando lembrou-se de que não fazia ideia do que os outros alunos pensavam a seu respeito, ela sentiu um certo alívio. Depois de conversar com outro aluno, descobriu que alguns deles admiravam a sua disposição. Então passou a se sentir bem melhor, e seu nível de satisfação começou a disparar.

Vejamos agora como a Planilha de previsão de prazer pode ser usada para vencer a dependência. Joanie era uma estudante de 15 anos que sofrera uma depressão crônica por vários anos depois que seus pais se mudaram para outra cidade. Ela tinha dificuldade para fazer amigos na nova escola e, como muitas adolescentes, acreditava que precisava ter um namorado e fazer parte da "panelinha" para ser feliz. Passava quase todo o seu tempo livre sozinha em casa, estudando e sentindo pena de si mesma. Resistia e se ressentia diante da sugestão de sair e fazer alguma coisa, pois alegava que não tinha sentido fazer isso sozinha. Até que um círculo de amigos aparecesse como num passe de mágica, ela parecia determinada a se sentar e esperar.

Convenci Joanie a usar a Planilha de previsão de prazer. O Quadro 40 mostra que Joanie programou uma série de atividades, como visitar um centro de artesanato

QUADRO 40
Planilha de previsão de prazer

Data	Atividade para satisfação (sensação de realização ou prazer)	Com quem você fez isso? (Se fez sozinho, especifique)	Satisfação prevista (0-100%). (Escreva isso *antes* da atividade)	Satisfação real (0-100%). (Registre isso *depois* da atividade)
18/8/1999	Visitar centro de artesanato	eu mesma	20%	65%
19/8/1999	Ir a um show de rock	eu mesma	15%	75%
26/8/1999	Cinema	Sharon	85%	80%
30/8/1999	Festa	Vários convidados	60%	75%
02/9/1999	Ler romance	eu mesma	75%	85%
06/9/1999	Correr	eu mesma	60%	80%
09/9/1999	Comprar blusa nova	eu mesma	50%	85%
10/9/1999	Ir ao mercado	mãe	40%	30% (discussão)
10/9/1999	Passear no parque	Sharon	60%	70%
14/9/1999	Encontro	Bill	95%	80%
15/9/1999	Estudar para a prova	eu mesma	70%	65%
16/9/1999	Fazer exame de direção	mãe	40%	95% (passei no exame!)
16/9/1999	Ir à sorveteria de bicicleta	eu mesma	80%	95%

num sábado, ir a um show de rock etc. Como faria tudo sozinha, ela achava que não seria algo muito interessante, como mostram suas baixas expectativas indicadas na quarta coluna. Ficou surpresa ao descobrir que, na verdade, havia passado momentos bastante agradáveis. À medida que esse padrão passou a se repetir, ela começou a perceber que estava fazendo suas previsões de uma forma negativa e pouco realista. Quando passou a fazer mais coisas sozinha, seu humor começou a mehorar. Ela ainda *queria* ter amigos, mas não se achava mais condenada a ser infeliz quando estivesse sozinha. Ao comprovar que podia fazer as coisas por si mesma, sua autoconfiança aumentou. Então tornou-se mais assertiva com os colegas e convidou várias pessoas para uma festa. Isso ajudou-a a formar um grupo de amigos e ela descobriu que, assim como as garotas, os rapazes da sua classe de ensino médio também estavam interessados nela. Joanie continuou a usar a Planilha de previsão de prazer para avaliar o grau de satisfação obtido nos encontros e atividades com seus novos amigos. Ela ficou surpresa ao descobrir que eles eram comparáveis aos que obteve nas coisas que fez sozinha.

Há uma diferença entre querer e precisar de alguma coisa. O oxigênio é uma *necessidade*, mas o amor é um *desejo*. Repito: O AMOR NÃO É UMA NECESSIDADE DAS PESSOAS ADULTAS! Tudo bem em *querer* um relacionamento amoroso com outra pessoa. Não há nada de errado nisso. É delicioso estar num bom relacionamento com quem você ama. Mas você não *precisa* dessa aprovação, amor ou atenção externa para sobreviver *nem* para experimentar a felicidade plena.

MUDANÇA DE ATITUDE

Assim como o amor, a companhia e o casamento não são necessários para a felicidade e a autoestima, eles também não são suficientes. A prova disso são os milhões de homens e mulheres que são casados e infelizes. Se o amor fosse o antídoto contra a depressão, eu logo mudaria de ramo pois, na verdade, a grande maioria dos meus pacientes com tendências suicidas são muito queridos pelos seus companheiros, filhos, pais e amigos. O amor não é um antidepressivo eficaz. Assim como os tranquilizantes, o álcool e os comprimidos para dormir, muitas vezes ele piora os sintomas.

Além de reestruturar suas atividades de forma mais criativa, questione os pensamentos negativos desagradáveis que lhe veem à cabeça quando você está sozinho.

Isso foi útil para Maria, uma encantadora mulher solteira de 30 anos que descobriu que, quando fazia alguma atividade sozinha, às vezes estragava a experiência sem necessidade, dizendo a si mesma: "Ficar sozinha é um castigo". Para combater a sensação de autopiedade e ressentimento que esse pensamento provocava, ela fez uma lista de argumentos contrários (ver Quadro 41, a seguir). Declarou que isso foi muito útil para romper o ciclo de solidão e depressão.

Mais de um ano depois de terminar meu trabalho com ela, enviei-lhe um primeiro rascunho deste capítulo, e ela respondeu:

> A noite passada eu li o capítulo cuidadosamente... Ele prova que não é o fato de estar sozinho que é assim tão ruim ou tão bom, mas sim *o modo como você encara* essa ou qualquer outra condição. Os *pensamentos* são muito poderosos! Eles podem determinar o seu sucesso ou o seu fracasso, não é?... Chega a ser engraçado, mas hoje eu tenho um certo medo de "ter um homem". Eu passo muito bem, talvez até melhor, sem eles... Dave, você algum dia achou que ouviria isso de mim?

A técnica das duas colunas pode ser especialmente útil para ajudá-lo a superar o padrão de pensamento negativo que faz que tenha medo de andar com as próprias pernas. Por exemplo, uma mulher divorciada com um filho pensava em suicídio porque seu namorado – um homem casado – havia rompido com ela. A paciente tinha uma autoimagem extremamente negativa e não acreditava que conseguiria manter um relacionamento algum dia. Tinha certeza de que acabaria sempre rejeitada

QUADRO 41
"Ficar sozinho é um castigo."
Contra-argumentos: As vantagens de ficar sozinho.

1	Ficar sozinho dá à pessoa a oportunidade de explorar o que ela realmente pensa, sente e sabe.
2	Ficar sozinho dá à pessoa a chance de experimentar todo tipo de coisas novas que podem ser mais difíceis de experimentar quando se tem um companheiro, uma esposa etc.
3	Ficar sozinho obriga você a desenvolver suas qualidades pessoais.
4	Ficar sozinho permite que você deixe as desculpas de lado e assuma a responsabilidade por si mesmo.
5	É melhor ser uma mulher sozinha do que ter um companheiro inadequado. O mesmo se aplica a um homem.
6	Ser uma mulher sozinha pode dar-lhe a oportunidade de se tornar um ser humano completo e não um apêndice de um homem.
7	Ser uma mulher sozinha pode ajudá-la a compreender melhor os problemas que as mulheres enfrentam em diversas situações. Pode ensiná-la a dar mais apoio às outras mulheres e lhe permitir desenvolver uma relação mais significativa com elas. O mesmo poderia se aplicar aos homens e sua compreensão dos vários problemas masculinos.
8	Ser uma mulher sozinha pode mostrar a ela que, mesmo que passe a viver com um homem depois, não precisa ficar o tempo todo com medo de que ele a deixe ou de que ele morra. Ela sabe que pode viver sozinha e tem dentro de si mesma o potencial para ser feliz; dessa forma, pode ter uma relação de enriquecimento mútuo e não de dependência e exigência mútuas.

e solitária. Ela escreveu em seu diário os seguintes pensamentos quando pensou em cometer suicídio:

> O espaço vazio ao meu lado na cama zomba de mim em silêncio. Estou sozinha – sozinha – meu maior medo, o que eu mais temia, é uma realidade. Sou uma mulher sozinha e, na minha cabeça, isso significa que eu não sou nada. A minha lógica é mais ou menos assim:
> 1. Se eu fosse desejável e atraente, haveria um homem ao meu lado agora.
> 2. Não há homem nenhum ao meu lado.
> 3. Logo, não sou desejável nem atraente.
> 4. Logo, não faz sentido viver.

Ela prosseguiu perguntando a si mesma no diário:

> Por que eu preciso de um homem? Um homem resolveria todos os meus problemas. Tomaria conta de mim. Ele daria sentido à minha vida e, o mais importante, me daria um motivo para sair da cama todas as manhãs, enquanto tudo o que eu quero agora é me esconder debaixo das cobertas e cair no esquecimento.

Depois ela utilizou a técnica das duas colunas como uma forma de questionar os pensamentos desagradáveis que passavam pela sua cabeça. Escreveu na coluna à esquerda "Acusações do meu lado dependente" e na coluna à direita "Contra-argumentos do meu lado independente". Em seguida travou um diálogo consigo mesma para determinar qual era realmente a questão (ver Quadro 42, a seguir).

QUADRO 42

Acusações do meu lado dependente	Contra-argumentos do meu lado independente
1. Eu preciso de um homem.	1. Por que você precisa de um homem?
2. Porque não consigo me virar sozinha.	2. Você não se virou sozinha na vida até agora?
3. Tudo bem. Só que eu me sinto solitária.	3. É, mas você tem um filho e tem amigos, e já se divertiu muito com eles.
4. É, mas eles não contam.	4. Eles não contam porque você não os considera.
5. Mas as pessoas vão pensar que homem nenhum me quer.	5. As pessoas vão pensar o que elas quiserem. O importante é o que você pensa. Só os seus pensamentos e crenças podem afetar o seu humor.
6. Eu penso que não sou nada sem um homem.	6. O que você realizou tendo um homem que não conseguiria realizar sozinha?
7. Na verdade, nada. Todas as coisas importantes eu fiz sozinha.	7. Então por que você precisa de um homem?
8. Acho que não preciso de um homem. Apenas quero um.	8. É bom querer as coisas. Elas só não podem se tornar tão importantes a ponto que a vida perca o sentido sem elas.

Depois de fazer o exercício, decidiu ler todas as manhãs o que escreveu, a fim de conquistar alguma motivação para sair da cama. Ela escreveu a seguinte conclusão em seu diário:

Aprendi a ver que há uma grande diferença entre querer e precisar. Eu quero um homem, mas já não sinto que preciso ter um para sobreviver. Depois de manter um diálogo interior mais realista comigo mesma e analisar meus pontos fortes, de relacionar e reler várias vezes a lista de coisas que conquistei sozinha, aos poucos estou começando a desenvolver mais confiança na minha capacidade de enfrentar o que possa acontecer. Acho que estou me cuidando melhor. Estou me tratando como teria tratado a um amigo querido no passado, com carinho e compaixão, sendo tolerante com os defeitos e valorizando as qualidades. Agora consigo enxergar uma situação difícil não como uma praga surgida especialmente para me atormentar, mas como uma oportunidade de praticar as habilidades que estou aprendendo, de questionar meus pensamentos negativos, de reafirmar minhas qualidades e de ter mais confiança na minha capacidade de encarar a vida.

CAPÍTULO XIII
SEU VALOR NÃO CONSISTE NO SEU TRABALHO

Um terceiro pressuposto silencioso que leva à ansiedade e à depressão é "Meu valor como ser humano é proporcional ao que realizei na vida". Essa atitude constitui a essência da cultura ocidental e da ética de trabalho protestante. Ela parece muito inocente, mas na verdade é autodestrutiva, extremamente imprecisa e perversa.

Ned, o médico descrito nos capítulos anteriores, ligou para a minha casa num domingo à noite. Ele havia passado o fim de semana todo em pânico. Seu aborrecimento foi desencadeado pelos planos de comparecer ao vigésimo encontro da sua turma da faculdade (ele formou-se numa das universidades mais importantes dos EUA). Tinha sido convidado para fazer o discurso de abertura para os alunos. Por que Ned estava assim tão apreensivo? Ele estava preocupado que pudesse encontrar nessa reunião algum colega que tivesse realizado mais coisas do que ele. E explicou por que isso era tão ameaçador: "Significaria que eu sou um fracasso."

A preocupação exagerada de Ned com as suas realizações é particularmente comum entre os homens. Embora as mulheres não estejam imunes a ter preocupações com a carreira, elas são mais propensas a ficar deprimidas por falta de amor ou aprovação. Os homens, por outro lado, são especialmente vulneráveis a preocupações com o fracasso profissional, porque foram programados desde a infância para determinar seu valor com base nas suas realizações.

O primeiro passo para mudar qualquer sistema pessoal de valor é determinar se ele é mais vantajoso ou desvantajoso para você. Concluir que medir o seu valor pelo que você produz não vai ajudar em nada é o primeiro passo decisivo para mudar a sua filosofia. Vamos começar com uma abordagem pragmática, uma análise custo-benefício.

Evidentemente, *pode* haver alguma vantagem em nivelar sua autoestima pelas suas realizações. Em primeiro lugar, você pode dizer "Estou legal" e se sentir bem consigo mesmo quando realiza alguma coisa. Por exemplo, se você vence uma partida de golfe, pode dar um tapinha nas suas costas e se sentir um pouco convencido e superior ao seu parceiro porque ele errou a tacada no último buraco. Quando sai para correr com um amigo e ele fica sem fôlego antes que você, é provável que fique orgulhoso e diga a si mesmo: "Claro que ele é gente boa, mas *eu sou um pouquinho melhor!*". Quando faz uma grande venda no trabalho, pode dizer: "Estou produzindo bastante hoje. Venho fazendo um bom trabalho. Meu chefe vai ficar satisfeito e *posso ter respeito por mim mesmo.*". Essencialmente, sua ética profissional lhe permite sentir que você ganhou valor e o direito de se sentir feliz.

Esse sistema de crenças pode lhe deixar especialmente motivado para produzir. Talvez você faça um esforço extra em sua carreira por estar convencido de que isso vai somar mais pontos ao seu valor e, assim, você se tornará uma pessoa mais atraente. Pode evitar os horrores de ser uma "pessoa comum". Em resumo, talvez se esforce mais para vencer, e quando vencer possa gostar mais de si mesmo.

Vejamos o outro lado da moeda. Quais são as desvantagens dessa sua filosofia "valor = realização"? Em primeiro lugar, se o seu negócio ou a sua carreira está indo bem, talvez você fique tão preocupado com isso que, sem perceber, acabe se afastando de outras fontes potenciais de prazer e satisfação enquanto trabalha feito um escravo desde cedo até tarde da noite. À medida que se torna cada vez mais viciado em trabalho, você se sente excessivamente compelido a produzir, pois, se não conseguir manter o ritmo, sofrerá uma grave crise de abstinência caracterizada por um vazio interior e desespero. Na falta de realizações, você se sentirá entediado e sem valor, pois não terá outra coisa que possa lhe trazer satisfação e respeito por si mesmo.

Suponhamos que, devido a uma doença, uma reviravolta nos negócios, aposentadoria ou algum outro fator além do seu controle, você perceba que é incapaz de manter essa produtividade elevada por um certo período. Talvez sofra uma depressão grave, desencadeada pela convicção de que, por não estar sendo tão produtivo, você não serve para nada. Irá sentir-se como uma latinha que já foi usada e agora pode ir para o lixo. Sua falta de autoestima pode até culminar numa tentativa de suicídio, o último preço a pagar por medir seu valor exclusivamente pelos padrões do mercado. Você quer isso? Precisa disso?

Talvez haja outros preços a pagar. Se a sua família sofre com o seu descaso, pode acumular um certo ressentimento. Eles podem guardar isso por um bom tempo, porém mais cedo ou mais tarde você receberá a conta. Sua esposa está tendo um caso e quer o divórcio. Seu filho de 14 anos foi preso por roubo. Quando você tenta conversar, ele o repudia friamente: "Por onde você andou todos esses anos, pai?". Mesmo que essas coisas lamentáveis não lhe aconteçam, você ainda tem uma grande desvantagem – a falta de autoestima verdadeira.

Recentemente, comecei a tratar de um executivo muito bem-sucedido. Ele afirma ser um dos profissionais mais bem pagos do mundo na sua área. No entanto, tem sido vítima de crises ocasionais de medo e ansiedade. E se ele caísse do seu pedestal? E se tivesse de abrir mão do seu Rolls Royce Silver Cloud e andar num Chevrolet? Isso seria insuportável! Conseguiria sobreviver? Conseguiria se amar mesmo assim? Ele não sabe se poderia ser feliz sem o *glamour* ou a glória. Seus nervos vivem à flor da pele porque ele não consegue responder a essas perguntas. Qual seria a *sua* resposta? Você continuaria a se amar e respeitar se sofresse um fracasso considerável?

Como ocorre com qualquer vício, você percebe que vai precisar de doses cada vez maiores do seu "estimulante" para permanecer "alto". Esse fenômeno de tolerância ocorre com a heroína, as anfetaminas, o álcool e os comprimidos para dormir. Acontece também com a riqueza, a fama e o sucesso. Por quê? Talvez porque, automaticamente, você passa a ter expectativas cada vez mais altas depois que atinge um determinado nível. O entusiasmo logo desaparece. Por que essa aura de satisfação dura pouco? Por que você precisa cada vez de mais? A resposta é óbvia: o sucesso não é garantia de felicidade. São duas coisas diferentes e não existe uma relação causal entre elas. Então você acaba perseguindo uma miragem. Como os seus *pensamentos* é que são os verdadeiros responsáveis pelo seu humor, e não o sucesso, a emoção da vitória esvai-se rapidamente. As realizações antigas logo tornam-se banais – você começa a sentir um vazio e fica triste e entediado quando olha para aquilo que conquistou.

Se você não entender o recado de que a felicidade não está necessariamente atrelada ao sucesso, talvez se esforce mais ainda para tentar recuperar a antiga sensação de estar no topo. Isso constitui a base do seu vício em trabalho.

Muitas pessoas buscam orientação ou terapia por causa da desilusão que começa a se abater sobre elas na meia-idade ou mais tarde. É possível que você também acabe se confrontando com essas questões: O que eu fiz da minha vida? Qual é o sentido de tudo isso? Você pode acreditar que o seu sucesso faz de você uma pessoa de valor, mas a recompensa prometida parece ser uma ilusão, sempre além do seu alcance.

Ao ler os parágrafos anteriores, você pode achar que as desvantagens de ser um viciado em sucesso superam as vantagens. Mas talvez ainda acredite que, no fundo, é *verdade* que as pessoas superempreendedoras têm mais valor – esses figurões parecem ser "especiais" de alguma forma. Você pode estar convencido de que a verdadeira felicidade, bem como o respeito dos outros, vêm principalmente das realizações. Mas será que isso é mesmo verdade?

Em primeiro lugar, considere o fato de que a maior parte dos seres humanos não é formada de grandes empreendedores, mas a maioria das pessoas são felizes e respeitadas. Na verdade, pode-se dizer que a maioria das pessoas nos Estados Unidos são amadas e felizes, mas por definição são bastante comuns. Portanto, *não pode* ser verdade que a felicidade e o amor só podem ser obtidos por meio de grandes conquistas. A depressão, assim como a peste, não faz distinção social e atinge os que moram em bairros chiques com a mesma frequência – se não mais – do que os de classe média ou abaixo da média. Evidentemente, a felicidade e as grandes realizações não estão necessariamente ligadas.

TRABALHA = TEM VALOR?

Certo, suponhamos que tenha concluído que não é vantagem para você vincular o seu valor ao seu trabalho, e também admita que as realizações não vão garantir-lhe amor, respeito ou felicidade. Talvez ainda se sinta convencido de que, de *alguma forma*, as pessoas empreendedoras são melhores que as outras. Vamos analisar essa ideia.

Primeiramente, você diria que todos os empreendedores são pessoas de grande valor só por causa de suas realizações? Adolf Hitler foi claramente um grande empreendedor no auge de sua carreira. Você diria que isso fez dele uma pessoa de grande valor? É óbvio que não. Claro, Hitler teria insistido que era um grande ser humano, porque era um líder bem-sucedido e porque nivelava seu valor pelas suas realizações. Na verdade, provavelmente estava convicto de que ele e seus companheiros nazistas eram super-homens por estarem conquistando tantas coisas. Você concordaria com eles?

Talvez possa lembrar-se de um vizinho ou alguém de quem você não gosta muito e que, apesar de conquistar muita coisa, parece extremamente ganancioso e agressivo. Na sua opinião, ele é uma pessoa de grande valor só por causa de suas conquistas? Por outro lado, talvez conheça alguém por quem você tem afeto ou respeito e que não é nenhum grande empreendedor. Você diria que, mesmo assim, essa pessoa tem valor? Se responder que sim, pergunte a si mesmo – se os outros podem ter valor sem grandes realizações, por que eu não posso?

Aqui está um segundo método. Se você insiste que o seu valor é determinado pelas suas realizações, está criando uma equação de autoestima: valor = realizações. Qual é a base dessa equação? Que provas objetivas você tem de que ela é válida? Poderia medir empiricamente o valor das pessoas e as suas realizações para descobrir se eles são mesmo iguais? Que unidades de medida você usaria para isso? A ideia toda é um absurdo.

Você não pode comprovar a equação porque ela é apenas uma convenção, um *sistema de valores*. Você está definindo valor como realização e realização como valor. Por que defini-los dessa forma? Por que não dizer que valor é valor e realização é realização? Valor e realização são mundos diferentes com significados diferentes.

Apesar dos argumentos anteriores, você ainda pode estar convencido de que as pessoas com mais realizações são melhores de alguma forma. Nesse caso, vou atingi-lo com um método mais poderoso, capaz de despedaçar essa atitude como dinamite, mesmo que pareça estar gravada em pedra.

Primeiro, eu gostaria que você fizesse o papel da Sônia ou do Bob, um velho amigo dos tempos do colégio. Você tem família e dá aulas numa escola. Eu resolvi seguir uma carreira mais ambiciosa. Em nosso diálogo, você vai presumir que o valor humano é determinado pelas realizações, e eu levarei as implicações disso às suas conclusões óbvias, lógicas e chatas. Está pronto? Espero que sim, pois você está prestes a ser tomado, da forma mais desagradável, por uma crença que ainda parece alimentar.

DAVID: Sônia (ou Bob), como é que vai?

VOCÊ (fazendo o papel do meu velho amigo): Muito bem, David. E você, como está?

DAVID: Ah, estou ótimo. Não vejo você desde o colégio. O que anda fazendo?

VOCÊ: Bom, eu me casei, estou lecionando na Parks High School e tenho uma pequena família me esperando em casa. Está tudo ótimo.

DAVID: Puxa, lamento ouvir isso. Eu me saí bem melhor que você.

VOCÊ: Como assim? O que disse?

DAVID: *Eu* fui para a faculdade, *eu* fiz doutorado e *eu* tive muito sucesso nos negócios. Estou ganhando muito dinheiro. Na verdade, hoje sou uma das pessoas mais ricas da cidade. Conquistei muita coisa na vida. De longe, bem mais do que você. Não quero ofendê-la, nada disso, mas acho que isso mostra que sou muito melhor do que você, né?

VOCÊ: Bom... Puxa, David, nem sei o que dizer. Eu me considerava uma pessoa muito feliz antes de conversar com você.

DAVID: Entendo. Você está sem palavras, mas pode muito bem encarar os fatos. Eu me dei bem, e você não. Mas fico *contente* que esteja feliz, apesar de tudo. As pessoas comuns, medíocres, também têm direito a um pouco de felicidade. Com certeza, eu não invejo as poucas migalhas que você conquistou. Mas é uma pena que não tenha feito mais coisas na vida.

VOCÊ: Você parece mudado, David. Era uma pessoa tão bacana no colégio. Tenho a impressão de que não gosta mais de mim.

DAVID: Não! Podemos continuar sendo amigos, desde que você admita que é uma pessoa inferior, de outra categoria. Só quero lembrá-la de me respeitar a partir de agora, e quero que perceba que vou tratá-la com superioridade, pois sou melhor que você. Podemos concluir isso a partir daquele nosso pressuposto: valor = realizações. Lembra daquela opinião que você defende? Eu *realizei* mais coisas, portanto tenho mais valor.

VOCÊ: Bom, espero não encontrá-lo de novo tão cedo, David. Não foi um prazer falar com você.

Esse diálogo tranquiliza rapidamente a maioria das pessoas, pois mostra que esse sistema de classificação como inferior ou superior é uma consequência lógica quando alguém nivela o seu valor pelas suas realizações. Na verdade, muitas pessoas sentem-se inferiores. A encenação pode ajudar a ver o quanto esse pressuposto é absurdo. No diálogo anterior, quem estava agindo feito um idiota? A dona de casa/professora feliz ou o executivo arrogante tentando convencer que era melhor que os outros? Espero que essa conversa imaginária o ajude a ver claramente o quanto o sistema inteiro é maluco.

Se quiser, podemos fazer uma inversão de papéis para fechar com chave de ouro. Desta vez *você* faz o papel da pessoa bem-sucedida, e quero que tente me humilhar da maneira mais sádica que puder. Você pode fingir que é a editora da revista *Cosmopolitan*, Helen Gurley Brown[21]. Estudamos juntos no colégio; hoje sou apenas um professor de Ensino Médio, e sua tarefa é argumentar que você é melhor que eu.

VOCÊ (fazendo o papel de Helen Gurley Brown): David, como tem passado? Há quanto tempo!

DAVID (fazendo o papel de um professor de Ensino Médio): Tudo bem. Eu tenho uma pequena família e dou aulas para o Ensino Médio. Sou professor de Educação Física e estou aproveitando bastante a vida. Vejo que você se deu muito bem.

VOCÊ: É, eu tive sorte, mesmo. Sou editora da *Cosmopolitan*, agora. Talvez tenha ouvido falar.

DAVID: É claro que sim. Já vi muitas entrevistas suas em programas de tevê. Ouvi dizer que ganha um dinheirão e tem até o seu próprio agente.

VOCÊ: Minha vida está boa. É, está mesmo fantástica.

DAVID: Mas só tem uma coisa que ouvi a seu respeito e que realmente não entendi. Você andou conversando com um amigo nosso e dizendo que é

---

21. Este é um diálogo totalmente imaginário, que não tem a menor relação com a verdadeira Helen Gurley Brown.

muito melhor do que eu agora que se deu bem, enquanto a minha carreira é medíocre. O que você quis dizer com isso?

Você: Bom, David, quero dizer... É só pensar em tudo que conquistei na minha vida. Aqui estou eu, influenciando milhões de pessoas, e quem já ouviu falar de David Burns na Filadélfia? Eu convivo com celebridades, e você joga basquete numa quadra com um bando de crianças. Não me leve a mal. Com certeza, você é uma pessoa normal, educada e sincera. Só que nunca se deu bem, então pode muito bem encarar os fatos!

David: Você causou um grande impacto, é uma mulher influente e famosa. Eu respeito muito isso, e parece ser bem empolgante e recompensador. Mas, por favor, perdoe a minha ignorância. Simplesmente não consigo entender como isso faz de você uma pessoa melhor. Como isso me torna inferior a você ou faz que tenha mais valor? Com a minha visão provinciana, não devo estar percebendo alguma coisa óbvia.

Você: Vamos encarar, você só fica aí sentado falando com as pessoas, sem nenhum motivo especial. Eu tenho carisma. Faço as coisas acontecerem. Isso me dá uma certa vantagem, não acha?

David: Bom, eu não falo com as pessoas sem *nenhum* motivo especial, mas talvez os meus motivos pareçam modestos comparados aos seus. Eu dou aulas de Educação Física, sou treinador dos times locais de futebol e coisas do gênero. Com certeza, o seu círculo social é maior e mais requintado que o meu. Mas eu não entendo como isso faz de você uma pessoa melhor do que eu, ou por que significa que eu sou inferior a você.

Você: Eu sou apenas mais evoluída e sofisticada. Penso em coisas mais importantes. Quando vou dar uma palestra, milhares de pessoas se reúnem para me ouvir. Escritores famosos trabalham para mim. Para quem você dá palestras? Para a APM local?

David: Em termos de realizações, dinheiro e influência, com certeza você está muito à frente de mim. Você se saiu muito bem. Você era muito inteligente, para começar, e se esforçou bastante. É um grande sucesso agora. Mas como isso faz você ter mais valor do que eu? Desculpe, mas ainda não entendi a sua lógica.

Você: Eu sou mais *interessante*. É como comparar uma ameba a um estrutura biológica altamente desenvolvida. As amebas perdem a graça depois de um tempo. Estou querendo dizer que a sua vida deve ser como a de uma ameba. Você só fica cambaleando sem rumo por aí. Eu sou uma pessoa mais interessante, dinâmica, atraente; você não tem a mesma categoria.

Você é a torrada queimada; eu sou o caviar. A sua vida é uma chatice. Não vejo como possa ser mais clara.

DAVID: A minha vida não é tão chata quanto você pode imaginar. Olhe direito. Eu fico surpreso ao ouvir o que você está dizendo, pois não vejo *nada* de chato na minha vida. O que eu faço é empolgante e indispensável para mim. As pessoas que ensino são tão importantes para mim quanto os glamurosos artistas de cinema com quem você convive. Porém, mesmo que a minha vida fosse *realmente* mais entediante e rotineira e menos interessante do que a sua, de que maneira isso a tornaria uma pessoa melhor ou de mais valor?

VOCÊ: Bom, suponho que tudo se resuma ao fato de que, se você tem uma existência de ameba, só pode julgar as coisas com base na sua mentalidade de ameba. Eu posso julgar a sua situação, mas você não pode julgar a minha.

DAVID: Qual é a base do seu julgamento? Você pode me chamar de ameba, mas não sei o que isso quer dizer. Você parece se limitar a insultos. Isso só indica que, aparentemente, minha vida não é muito interessante para você. Com certeza, eu não sou tão bem-sucedido nem tão glamuroso, mas como isso faz de você uma pessoa melhor ou de mais valor?

VOCÊ: Já estou começando a desistir.

DAVID: Não desista agora. Continue. Talvez você seja *mesmo* uma pessoa melhor!

VOCÊ: Bom, com certeza a sociedade me valoriza mais. É isso que me torna melhor.

DAVID: Você é mais valorizada pela sociedade. Sem dúvida, isso é verdade. Quero dizer, Johnny Carson não tem me procurado ultimamente para que eu apareça no seu programa de entrevistas.

VOCÊ: É, eu percebi.

DAVID: Mas como o fato de ser mais valorizada pela sociedade a torna uma pessoa melhor?

VOCÊ: Eu tenho um salário enorme. Estou valendo milhões. Quanto *você* vale, sr. Professor?

DAVID: É óbvio que você tem mais valor financeiro. Mas como isso faz de você um *ser humano de maior valor*? Como o sucesso financeiro a torna uma pessoa melhor?

VOCÊ: David, se você não vai me admirar, não vou falar com você.

DAVID: Bom, também não vejo como isso possa diminuir o meu valor. A menos que você ache que pode sair por aí decidindo o valor das pessoas com base na admiração que elas têm por você!

VOCÊ: É claro que posso!

DAVID: E isso combina com uma editora da *Cosmopolitan*? Se combina, por favor diga-me como você toma essas decisões. Se eu não tenho valor, gostaria muito de saber o porquê, assim eu posso parar de me sentir bem e de me considerar igual aos outros.

VOCÊ: Bom, deve ser porque o seu círculo social é muito pequeno e sem graça. Enquanto eu estou no meu jatinho para Paris, você está num ônibus escolar lotado indo para Sheboygan.

DAVID: Meu círculo pode ser pequeno, mas é muito gratificante. Eu gosto de lecionar. Gosto das crianças, de acompanhar o seu desenvolvimento, de ver que estão aprendendo. Às vezes elas cometem erros, e tenho de dizer isso a elas. Ali rola muita humanidade e amor verdadeiro. Muita emoção. Isso parece sem graça para você?

VOCÊ: Bom, não há muito que aprender. Não existem desafios de verdade. Tenho a impressão de que, num mundinho pequeno como o seu, a gente aprende quase tudo que há para aprender e depois fica só repetindo as coisas uma porção de vezes.

DAVID: Dá para ver que o seu trabalho é mesmo um desafio e tanto. Como eu poderia saber tudo o que há para saber sobre um único aluno sequer? Todos eles parecem complexos e empolgantes para mim. E acho que nunca compreendi *ninguém* totalmente. Você já? Trabalhar com cada um dos alunos é um desafio complexo para *todas* as minhas habilidades. Trabalhar com tantos jovens é um desafio maior do que eu poderia querer. Não entendo o que quer dizer quando afirma que meu mundo é pequeno, chato e não tem mistério nenhum.

VOCÊ: Bom, só acho que no seu mundo você tem poucas chances de encontrar pessoas que venham a evoluir tanto quanto eu.

DAVID: Não sei. Alguns dos meus alunos têm QI elevado e podem evoluir da mesma forma que você, e alguns são mentalmente inferiores e só terão uma evolução modesta. A maioria está dentro da média e, para mim, cada um deles é fascinante. O que você quis dizer quando afirmou que eles eram chatos? Por que só as pessoas que realizam grandes coisas são interessantes para você?

VOCÊ: Desisto! Eu me rendo!

Espero que você tenha mesmo "desistido" quando representou o papel do sujeito esnobe e bem-sucedido. O método que usei para contestar sua alegação de que era melhor do que eu foi muito simples. Sempre que você alegava ser uma pessoa melhor ou ter mais valor por causa de alguma qualidade específica como inteligência, influência, prestígio ou seja lá o que for, eu imediatamente *concordava*, dizendo que você era mesmo melhor naquele atributo em particular (ou conjunto de atributos), depois perguntava: "Mas como isso faz de você uma *pessoa* melhor (ou com mais valor)?". Essa pergunta *não tem como ser respondida*. Ela vai derrubar *qualquer* sistema de valores que coloca uns em posição superior aos outros.

O nome técnico desse método é "operacionalização". Nele, você precisa *dizer claramente* qual é o atributo que faz que alguém tenha mais ou menos valor do que outra pessoa. Não há como fazer isso!

É claro, dificilmente outras pessoas pensariam ou falariam coisas tão insultantes como as que foram ditas nos diálogos. A verdadeira humilhação se passa dentro da sua cabeça. Você é o único que está dizendo a si mesmo que a sua falta de prestígio, ou de realizações, ou de popularidade, ou de amor etc. faz que você tenha menos valor e seja menos atraente; portanto, é o único que poderá dar um fim a essa perseguição. Você pode fazer isso da seguinte maneira: mantenha um diálogo semelhante consigo mesmo. Seu oponente imaginário, que vamos chamar de Perseguidor, tentará argumentar que você é inferior ou tem menos valor por causa de alguma imperfeição ou carência. Você deve simplesmente concordar de forma assertiva com o fundo de verdade contido em suas críticas, mas questionar por que isso faz que você tenha menos valor. Aqui estão alguns exemplos:

1. PERSEGUIDOR: Você não é grande coisa como amante. Às vezes não consegue nem manter uma ereção. Isso significa que você é menos homem e faz de você uma pessoa inferior.

   VOCÊ: Com certeza, isso mostra que me sinto nervoso e pouco confiante em relação ao sexo e não sou nenhum especialista no assunto. Mas por que isso me torna inferior como homem ou como pessoa? Uma vez que só um homem pode se sentir nervoso com uma ereção, essa experiência parece ser especialmente "viril"; ter um bom desempenho o torna mais homem! Além do mais, ser um homem envolve muito mais coisas além de fazer sexo.

2. PERSEGUIDOR: Você não é tão esforçado ou bem-sucedido como a maioria dos seus amigos. Você é preguiçoso e não tem nada de bom.

Você: Isso quer dizer que sou menos ambicioso e esforçado. Posso até ser menos talentoso, mas por que isso significa que "sou preguiçoso e não tenho nada de bom"?

3. Perseguidor: Você não é uma pessoa de grande valor porque não se destaca em *nada*.

Você: Eu concordo que não sou campeão mundial de nada. Não sou nem o segundo melhor em alguma coisa. Na verdade, sou bem mediano na maioria das coisas. Por que isso significa que não sou uma pessoa de grande valor?

4. Perseguidor: Você não é popular, não tem muitos amigos chegados e ninguém liga muito para você. Não tem família nem sequer namoros casuais. Portanto, você é um fracasso. Uma pessoa inapta. É óbvio que há alguma coisa errada com você. Você não presta para nada.

Você: É verdade que não estou namorando, e tenho poucos amigos de quem me sinto próximo. Quantos preciso ter para ser uma "pessoa apta"? Quatro? Onze? Se eu não sou popular, pode ser que não tenha muito jeito para a vida social, e talvez precise me esforçar mais para isso. Mas por que isso significa que sou um "fracasso"? Por que não presto para nada?

Sugiro que experimente o método ilustrado antes. Anote os piores insultos que possa dirigir a si mesmo, depois responda-os. Talvez seja difícil no início, mas você vai acabar se dando conta da verdade – você pode não ser perfeito, bem-sucedido ou amado pelos outros, mas *não* tem nem um pingo de valor a menos.

QUATRO CAMINHOS PARA A AUTOESTIMA

Você pode perguntar: "Como posso adquirir autoestima se o meu valor não vem do meu sucesso, nem de amor ou aprovação? Se eliminarmos todos esses critérios um a um e os descartarmos como parâmetros inválidos para determinar o valor pessoal, parece que não vai restar nada. O que eu tenho de fazer?". Aqui estão quatro caminhos válidos para chegar à autoestima. Escolha o que parecer mais útil para você.

O primeiro caminho é pragmático e filosófico. Basicamente, você deve reconhecer que o "valor" humano é apenas uma abstração. Consequentemente, esse negócio de valor humano na verdade não existe. Portanto, você não pode tê-lo ou deixar de ter, e ele não pode ser medido. O valor não é uma "coisa", é apenas um conceito global.

É tão generalizado que não possui nenhum sentido concreto na prática. Também não é um conceito útil nem enriquecedor. É simplesmente autodestrutivo. Não faz bem algum a você. Só causa sofrimento e infelicidade. Portanto, livre-se *imediatamente* de qualquer pretensão de ser "valoroso", e você *nunca precisará comparar-se novamente* nem terá medo de ser uma pessoa "sem valor".

Perceba que "valoroso" e "sem valor" são apenas conceitos vazios quando aplicados a um ser humano. Assim como o conceito do seu "verdadeiro eu", o seu "valor pessoal" é só uma conversa fiada sem sentido. Jogue o seu "valor" no lixo! (Pode colocar o seu "verdadeiro eu" lá dentro também, se quiser.) Você vai descobrir que não tem nada a perder! Depois pode se concentrar em viver aqui e agora. Que problemas você enfrenta na vida? Como vai lidar com eles? É *isso* que importa, não a miragem fugaz do "valor".

Você pode estar com receio de abrir mão do seu "eu" ou do seu "valor". Do que você tem medo? Que coisa terrível vai acontecer? Nada! O diálogo imaginário a seguir pode ajudar a esclarecer isso. Vamos presumir que eu seja uma pessoa sem valor. Quero que você esfregue isso na minha cara e tente fazer que eu me aborreça.

Você: Burns, você não tem valor!

David: É claro que não tenho valor. Concordo plenamente. Sei que não há nada em mim que me torne "valoroso". Amor, aprovação e realizações não podem me trazer "valor" algum, por isso vou aceitar o fato de que *não tenho nenhum*! Há algum problema nisso? Algo de ruim vai acontecer comigo, agora?

Você: Bom, você deve ficar infeliz! Afinal, não tem "nada de bom".

David: Suponhamos que eu não tenha "nada de bom", e daí? Por que, especificamente, eu devo ficar infeliz? "Não ter valor" me coloca em desvantagem de alguma forma?

Você: Bom, como pode ter respeito por si mesmo? Como alguém poderia respeitá-lo? Você é simplesmente desprezível!

David: Você pode me achar desprezível, mas eu tenho respeito por mim mesmo, assim como muitas outras pessoas. Não vejo motivo para não me respeitar. *Você* pode não me respeitar, mas não vejo isso como um problema.

Você: Mas pessoas sem valor *não podem* ser felizes nem se divertir. Você deveria ser uma pessoa deprimida e mesquinha. Meu grupo de especialistas se reuniu e determinou que você é um zero à esquerda.

David: Então, vamos ligar e avisar aos jornais. Já estou vendo a manchete: "Descoberto médico da Filadélfia sem valor". Se eu sou mesmo tão ruim assim, fico mais tranquilo, pois já não tenho nada a perder. Posso viver minha vida sossegado. Além do mais, eu *sou* feliz e *estou* me divertindo, portanto ser um "zero à esquerda" *não pode* ser tão ruim. Meu lema é "Não ter valor é um favor!". Na verdade, estou pensando em mandar fazer uma camiseta assim. No entanto, pode ser que eu esteja perdendo alguma coisa. Aparentemente, você tem valor e eu não. O que esse "valor" lhe traz de bom? Ele o torna melhor do que pessoas como eu, ou coisa assim?

Talvez você se pergunte: "Se eu parasse de acreditar que o sucesso aumenta o meu valor pessoal, de que adiantaria fazer qualquer coisa?". Se você ficar na cama o dia todo, a probabilidade de encontrar alguma coisa ou alguém capaz de alegrar o seu dia é muito pequena. Além disso, você pode ter imensas alegrias no dia a dia que independem totalmente de qualquer conceito de valor pessoal. Por exemplo, eu me sinto muito empolgado enquanto estou escrevendo isso, mas não por acreditar que o fato de escrever me faz ter mais valor que os outros. O entusiasmo vem do processo criativo, de costurar as ideias, editar, ver frases capengas ganharem forma e imaginar como você vai reagir ao ler isso. Esse processo é uma excitante aventura. Ter envolvimento, comprometimento e correr riscos pode ser muito estimulante. No meu modo de pensar, isso já compensa.

Você também pode se perguntar: "Qual é o *propósito* e o *sentido* da vida sem um conceito de valor?". É simples. Em vez de se agarrar ao "valor", aspire por satisfação, prazer, aprendizado, maestria, crescimento pessoal e comunicação com os outros todos os dias de sua vida. Defina metas realistas para si mesmo e se esforce para atingi-las. Acredito que vai achar isso tão extremamente gratificante que se esquecerá completamente do "valor", que em última análise vale tanto quanto ouro de tolo.

"Mas eu sou uma pessoa humanista ou espiritualizada", você pode argumentar. "Sempre me ensinaram que *todas* as pessoas têm valor, e não quero deixar de acreditar nisso." Muito bem, se você prefere ver as coisas dessa forma, vou concordar com você, e isso nos leva ao segundo caminho para a autoestima. Reconhecer que todo mundo tem uma "unidade de valor" desde a hora em que nasce até a hora em que morre. Quando criança você não pode fazer muita coisa, mesmo assim é precioso e tem valor. E quando está velho ou doente, descansando ou dormindo, ou simplesmente "sem fazer nada", continua tendo "valor". A sua "unidade de valor" não pode ser medida, nunca muda e é igual para todos. Ao longo da sua vida, você pode aumentar sua felicidade e satisfação por meio de uma vida produtiva, ou pode agir de maneira destrutiva e se tornar infeliz. Mas a sua "unidade de valor" está sempre ali, juntamente ao seu potencial de alegria e autoestima. Uma vez que não é possível medir nem mudar isso, você não tem por que se preocupar. É melhor entregar para Deus.

Paradoxalmente, esse caminho chega à mesma conclusão que o anterior. É inútil e irresponsável mexer com o seu "valor", por isso é melhor você concentrar-se em levar uma vida produtiva! Que problemas você enfrenta hoje? Como pretende resolvê-los? Perguntas como essas são úteis e importantes, mas ficar ruminando sobre o seu "valor" pessoal não vai levá-lo a lugar nenhum.

Aqui está o terceiro caminho para a autoestima: reconhecer que só há uma maneira de você *perder* a confiança no próprio valor – ficar se atormentando com pensamentos negativos ilógicos e irracionais. Podemos definir a autoestima como a condição existente quando você, em vez de ficar se repreendendo e violentando arbitrariamente, escolhe combater esses pensamentos negativos com respostas racionais significativas. Quando fizer isso de forma eficaz, você vai experimentar uma sensação natural de alegria e autoaprovação. Basicamente, você não precisa fazer as águas rolarem – basta evitar represá-las.

Uma vez que só as distorções podem roubar a sua autoestima, isso significa que, na "realidade", nada pode tirar a sua confiança no próprio valor. Como prova disso, muitas pessoas submetidas a condições reais de privação extrema não sofrem perda de autoestima. De fato, algumas pessoas que foram prisioneiras dos nazistas durante a Segunda Guerra Mundial recusaram-se a se rebaixar ou aceitar as perseguições de seus algozes. Elas relataram um aumento real da autoestima, apesar dos sofrimentos a que foram submetidas e, em alguns casos, descreveram experiências de despertar espiritual.

Aqui está a quarta solução: a autoestima pode ser encarada como uma decisão sua de tratar a si mesmo como um amigo querido. Imagine que uma celebridade a quem você respeita aparecesse certo dia, de repente, para lhe fazer uma visita. Como você a trataria? Usaria suas melhores roupas, ofereceria seu melhor vinho, sua melhor comida e faria tudo o que pudesse para deixá-la à vontade e satisfeita. Deixaria claro o quanto ela é importante para você e como se sente honrado com sua visita. Ora, por que não tratar *a si mesmo* dessa maneira? Faça isso *o tempo todo* se puder! Afinal, em última análise, por mais que a sua celebridade favorita o impressione, você é mais importante para si mesmo do que ela. Então, por que não se tratar *no mínimo* tão bem quanto nesse caso? Você ficaria insultando e repreendendo uma visita como essa com humilhações cruéis e distorcidas? Ficaria repisando suas fraquezas e imperfeições? Então, por que faz isso consigo mesmo? Vista por esse ângulo, essa sua tortura particular parece uma grande tolice.

Você precisa *conquistar* o direito de tratar a si mesmo dessa maneira terna e afetuosa? Não, essa autoestima será uma *atitude assertiva* sua, baseada numa plena consciência e aceitação dos seus pontos fortes e fracos. Você reconhecerá plenamente os seus atributos positivos sem falsa modéstia ou superioridade e admitirá livremente todos os seus erros e imperfeições, sem qualquer sensação de inferioridade ou autodepreciação de qualquer tipo. Essa atitude incorpora a essência do amor-próprio e do respeito por si mesmo. Ela não precisa ser conquistada, e *não pode* ser conquistada de qualquer maneira.

NÃO CAIA NA ARMADILHA DA REALIZAÇÃO

Você pode estar pensando: "Essa filosofia toda sobre realização e autoestima é muito bonita. Afinal de contas, o dr. Burns tem uma bela carreira e um livro publicado, portanto é fácil para ele dizer para *eu* esquecer essa história de realização. Soa tão verdadeiro quanto um homem rico tentando explicar a um mendigo que dinheiro não é importante. A verdade nua e crua é que *ainda me sinto mal* em relação a mim mesmo quando não me saio bem, e acredito que a vida seria bem mais interessante e significativa se eu tivesse mais sucesso. As pessoas verdadeiramente felizes são os figurões, os executivos. Eu sou apenas comum. Nunca fiz nada realmente excepcional, por isso estou condenado a ser menos feliz e satisfeito. Se não é assim, então prove! Mostre o que posso fazer para mudar a forma como me sinto, e só então passarei a acreditar de verdade.".

Vamos recapitular várias coisas que você pode fazer para se libertar dessa armadilha de acreditar que precisa ter um desempenho excepcional para conquistar o direito de se sentir uma pessoa feliz e de valor.

LEMBRE-SE DE CONTESTAR

O primeiro método útil é praticar o hábito de contestar os pensamentos negativos distorcidos que o fazem sentir-se incompetente. Isso vai ajudá-lo a perceber que o problema não é o seu desempenho real, mas a maneira crítica como você se menospreza. Quando aprender a avaliar de forma realista o que faz, você sentirá mais satisfação e se aceitará melhor.

Veja o que aconteceu com Len, um jovem que tentava fazer carreira como guitarrista em bandas de rock. Ele procurou tratamento porque se sentia um músico "inferior". Desde pequeno, estava convencido de que precisava ser um "gênio" para que as pessoas o apreciassem. Ele se magoava facilmente com as críticas e costumava sofrer por ficar se comparando com músicos mais conhecidos. Sentia-se arrasado quando dizia a si mesmo: "Eu não sou nada comparado ao Fulano.". Estava certo de que seus amigos e fãs também o viam como uma pessoa medíocre, e concluiu que nunca receberia a sua parcela das coisas boas da vida: orgulho, admiração, amor etc.

Len utilizou a técnica das duas colunas para expor o caráter absurdo e irracional do que estava dizendo a si mesmo (QUADRO 43). Isso ajudou-o a ver que a causa de seus problemas *não* era a falta de talento musical, e sim o seu padrão de pensamento irrealista. Quando começou a corrigir esse pensamento distorcido, sua autoconfiança aumentou. Ele descreveu o efeito que sentiu:

> Anotar e contestar meus pensamentos ajudou-me a ver o quanto eu estava sendo duro comigo mesmo, e me deu a sensação de que eu poderia fazer alguma coisa para mudar isso. Em vez de ficar ali sentado e ser bombardeado pelas coisas que eu dizia a mim mesmo, de repente passei a ter alguma artilharia para contra-atacar.

QUADRO 43
Formulário usado por Len para registrar e contestar seus pensamentos desagradáveis sobre ser "o maior".

Pensamentos automáticos	Respostas racionais
1. Se eu não for "o maior", ninguém vai prestar atenção em mim.	1. (Pensamento "tudo ou nada"). Independentemente de eu ser "o maior" ou não, as pessoas *vão* me ouvir, elas *vão* me ver tocar e muitas *vão* reagir de forma positiva às minhas músicas.
2. Mas não é *todo mundo* que gosta do tipo de música que eu toco.	2. Isso acontece com todos os músicos, até mesmo com Beethoven ou Bob Dylan. Nenhum músico consegue agradar todo mundo. Algumas pessoas gostam das minhas músicas. Se eu curto as minhas músicas, isso deveria bastar.
3. Mas como *eu* posso curtir as minhas músicas se eu sei que não sou "o maior"?	3. Tocando músicas que mexem comigo, como eu sempre fiz! Além do mais, esse negócio de "melhor músico do mundo" não existe, então chega de pensar nisso!
4. Mas se eu fosse *mais* famoso e talentoso, teria *mais* fãs. Como posso ser feliz do lado de fora, quando os artistas renomados e carismáticos estão no centro das atenções?	4. Quantos fãs e quantas namoradas eu preciso ter para ser feliz?
5. Mas eu sinto que nenhuma garota vai me amar de verdade enquanto eu não ficar famoso.	5. Muitas pessoas são amadas mesmo sendo apenas "medianas" no que fazem. Eu preciso mesmo ser um sucesso para que alguém me ame? Muitos caras que conheço saem com um monte de gente e eles não têm nada de especial.

SE LIGUE NO QUE O DEIXA LIGADO

Um pressuposto que pode estar levando-o a se preocupar constantemente com suas conquistas é a ideia de que você só pode ser feliz de verdade se tiver sucesso na carreira. Isso não é realista, porque a maior parte das satisfações da vida não exige grandes realizações. Não é preciso nenhum talento especial para apreciar uma caminhada na mata num dia de outono. Você não precisa ser "excepcional" para se deliciar com o abraço carinhoso do seu filho pequeno. Pode curtir imensamente um bom jogo de vôlei, mesmo sendo apenas um jogador mediano. Quais são as coisas boas da vida que você já teve prazer em fazer? Música? Comida? Caminhar? Nadar? Viajar? Conversar? Ler? Aprender? Esportes? Sexo? Você não precisa ser famoso nem estar entre os melhores para apreciar essas coisas ao máximo. Veja como você pode aumentar o volume para ouvir esse tipo de música em alto e bom som.

Josh é um homem de 58 anos com um histórico de oscilações de humor maníacas e destrutivas, além de depressões incapacitantes. Quando Josh era criança, seus pais enfatizaram várias vezes que ele estava destinado a ter uma carreira extraordinária, por isso ele achava sempre que precisava ser o número um. Acabou fazendo uma contribuição excepcional em seu campo de atuação, a engenharia elétrica. Ganhou inúmeros prêmios, foi indicado para comissões presidenciais e recebeu o crédito de várias patentes. No entanto, conforme seu transtorno cíclico de humor foi se tornando cada vez mais grave, Josh passou a ter episódios "intensos". Durante esses períodos, seu discernimento ficava gravemente prejudicado, e seu comportamento era tão bizarro e destrutivo que ele precisou ser hospitalizado em várias ocasiões. Infelizmente, ao sair de um desses episódios, ele descobriu que havia perdido sua família e sua prestigiosa carreira. Sua esposa havia pedido o divórcio e ele foi obrigado a se aposentar precocemente pela empresa onde trabalhava. Vinte anos de conquistas foram por água abaixo.

Nos anos que se seguiram, Josh fez tratamento com lítio e abriu uma pequena empresa de consultoria. Ele me foi encaminhado para tratamento porque ainda sofria desagradáveis oscilações de humor, especialmente depressão, apesar do lítio.

O ponto crucial da sua depressão estava claro. Ele estava desanimado com a sua vida porque sua carreira não lhe proporcionava mais o dinheiro e o prestígio que tivera no passado. Embora tivesse gostado de ser um carismático "acumulador de tarefas" quando jovem, agora ele estava chegando aos 60 e se sentia sozinho e "no fim da linha". Como ainda acreditava que o único caminho para a verdadeira felicidade e a valorização pessoal era o das realizações criativas e superlativas, ele estava certo de que sua carreira restrita e seu estilo de vida modesto faziam dele uma pessoa inferior.

Como bom cientista que era, Josh decidiu testar sua hipótese de que estava destinado a ter uma vida medíocre usando a Planilha de previsão de prazer (descrita nos capítulos anteriores). Ele concordou em programar, a cada dia, várias atividades que pudessem lhe proporcionar uma sensação de prazer, satisfação ou crescimento pessoal. Essas atividades poderiam estar relacionadas à sua empresa de consultoria, e também a passatempos e ocupações de lazer. Antes de cada atividade, ele deveria anotar seu nível de satisfação previsto e classificá-lo entre 0% (nenhuma satisfação) e 99% (o máximo de satisfação que uma pessoa pode sentir).

Depois de preencher esses formulários por vários dias, Josh ficou surpreso ao descobrir que a vida continuava tendo o mesmo potencial de alegria e satisfação que sempre teve (ver Quadro 44). Sua descoberta de que o trabalho era, às vezes, muito gratificante e de que inúmeras outras atividades poderiam ser igualmente agradáveis, se não mais, foi para ele uma revelação. Ele ficou impressionado num sábado à noite, quando saiu para patinar com sua namorada. Enquanto moviam-se ao som da música, Josh percebeu que estava entrando em sintonia com a batida e a melodia, e à medida que ficava cada vez mais envolvido pelo ritmo, passou a sentir uma grande euforia. Os dados que ele reuniu na Planilha de previsão de prazer indicaram que ele não precisava ir a Estocolmo para receber o Prêmio Nobel a fim de obter o máximo de satisfação – bastava ir até o rinque de patinação! Sua experiência comprovou que a vida continuava repleta de oportunidades de prazer e satisfação se ele ampliasse seu foco mental, abandonando a fixação microscópica no trabalho e se abrindo para uma vasta gama de experiências enriquecedoras que a vida pode oferecer.

Não estou dizendo que sucesso e realizações são coisas indesejáveis. Isso não seria realista. Ser produtivo e se sair bem pode ser extremamente agradável e prazeroso. Contudo, não é *necessário* nem *suficiente* ser um grande empreendedor para ser feliz ao máximo. Você não precisa conquistar amor ou respeito no atropelo do dia a dia, nem precisa ser o número um, para sentir-se realizado e conhecer o significado da paz interior e da autoestima. Não acha que isso faz sentido?

QUADRO 44
Planilha de previsão de prazer

Data	Atividade para obter prazer ou satisfação	Com quem você fez isso? (Se fez sozinho, especifique)	Satisfação prevista (0-100%). (Registre isso *antes* da atividade)	Satisfação real (0-100%). (Registre isso *depois* da atividade)
18/4/1999	Trabalhar no projeto de consultoria	sozinho	70%	75%
19/4/1999	Fazer uma longa caminhada antes do café	sozinho	40%	85%
19/4/1999	Preparar relatório	sozinho	50%	50%
19/4/1999	Fazer um "apelo" a um cliente em potencial	sozinho	60%	40% (nenhum resultado)
20/4/1999	Patinar	namorada	50%	99%!

CAPÍTULO XIV
ATREVA-SE A FICAR NA MÉDIA!
COMO SUPERAR O PERFECCIONISMO

Eu o desafio a tentar ser uma pessoa comum, "na média". Essa perspectiva lhe parece chata e sem graça? Muito bem – quero que tente fazer isso só por um dia. Você aceita o desafio? Se concordar, posso prever que acontecerão duas coisas. A primeira é que você não terá muito êxito sendo uma pessoa "mediana". A segunda é que, apesar disso, você sentirá uma grande satisfação com aquilo que fizer. Acima do normal. E, se tentar manter essa "medianidade" elevada, receio que sua satisfação irá crescer ainda mais e se transformar em alegria. É disso que este capítulo trata – como acabar com o perfeccionismo e desfrutar as glórias da pura alegria.

Encare isso da seguinte maneira: existem duas portas para a iluminação. Numa delas está marcado "Perfeição", e na outra está marcado "Média". A porta da "Perfeição" é toda enfeitada, bonita e sedutora. Ela é uma tentação. Você tem muita vontade de entrar. A porta da "Média" parece comum, sem nada de mais. Argh! Quem vai querer entrar?

Então você tenta entrar pela porta da "Perfeição", mas encontra sempre uma parede de tijolos do outro lado. Ao insistir em tentar atravessá-la, acaba ficando apenas com dor de cabeça e o nariz dolorido. Do outro lado da porta da "Média", por sua vez, há um jardim encantado. Mas talvez nunca tenha lhe ocorrido abrir essa porta para dar uma olhada!

Você não acredita em mim? Não achei mesmo que acreditasse, e não precisa fazer isso. Quero que mantenha o seu ceticismo! Isso é saudável – mas, ao mesmo tempo, eu o desafio a confirmar o que estou dizendo. Prove que estou errado! Coloque meu argumento à prova. Entre por essa porta da "Média" apenas *um dia* na vida. Você pode acabar se surpreendendo!

Deixe-me explicar o porquê. A "perfeição" é a grande ilusão do homem. Isso simplesmente não existe no universo. Não há perfeição. Essa é a maior cilada do mundo; ela promete riqueza e só causa sofrimento. Quanto mais você se esforçar para ser perfeito, mais decepcionado vai ficar, pois isso é apenas uma abstração, um conceito que não se encaixa na realidade. Tudo pode ser melhorado se for encarado de maneira atenta e crítica o suficiente – toda pessoa, toda ideia, toda obra de arte, toda experiência, tudo. Portanto, se você é um perfeccionista, certamente será um fracassado em tudo o que fizer.

A "medianidade" é um outro tipo de ilusão, mas é uma decepção benigna, um constructo útil. É como uma máquina caça-níqueis que paga um dólar e cinquenta centavos para cada dólar que você coloca nela. Ela torna-o rico – em todos os níveis.

Se estiver disposto a investigar essa hipótese que parece um tanto bizarra, podemos começar. Mas cuidado para não se tornar mediano *demais*, pois você pode não estar acostumado a tanta euforia. Afinal, a bonança só costuma vir depois da tempestade!

Você se lembra da Jennifer, a estudante escritora mencionada no Capítulo IV? Ela reclamava que seus amigos e psicoterapeutas viviam lhe dizendo para deixar de ser tão perfeccionista, mas ninguém jamais se preocupou em lhe dizer como fazer isso. Este capítulo é dedicado a Jennifer. Ela não é a única que tem dificuldades em relação a isso. Nas minhas palestras e *workshops*, muitos psicoterapeutas já me pediram para elaborar um manual passo a passo ilustrando as 15 técnicas que desenvolvi para acabar com o perfeccionismo. Bem, aqui está o manual. Esses métodos funcionam. Você não tem nada a temer ou a perder, pois os efeitos não são irreversíveis.

1.

O melhor ponto de partida para sua luta contra o perfeccionismo é a sua motivação para manter essa postura. Faça uma lista das vantagens e desvantagens de ser perfeccionista. Talvez fique surpreso ao descobrir que isso não é realmente vantajoso para você. Quando entender que, na verdade, isso *não* o favorece de maneira alguma, você ficará muito mais propenso a desistir.

A lista de Jennifer é apresentada no Quadro 45. Ela concluiu que seu perfeccionismo era claramente desvantajoso para ela. Agora, faça *você* a sua lista. Depois que terminá-la, continue a ler.

2.

Ao usar a sua lista das vantagens e desvantagens do perfeccionismo, talvez você queira fazer algumas experiências para testar certas suposições suas acerca das van-

QUADRO 45
Lista de Jennifer com as vantagens e desvantagens de ser perfeccionista
Ela concluiu que "As desvantagens ultrapassam claramente
a única possível vantagem".

Vantagens de ser perfeccionista	Desvantagens
1. Isso pode resultar num bom trabalho. Eu vou me esforçar para apresentar um resultado excepcional.	1. Isso me deixa tão "tensa" e nervosa que não consigo produzir um bom trabalho.
	2. Fico com medo e relutante em correr os riscos necessários para apresentar um bom resultado.
	3. Isso me torna muito crítica comigo mesma. Não posso aproveitar a vida porque não consigo admitir meus êxitos nem me permito ficar feliz por eles.
	4. Nunca consigo relaxar, pois sempre vou encontrar algo em algum lugar que *não está perfeito*, e então começarei a me criticar.
	5. Como nunca poderei ser perfeita, sempre ficarei deprimida.
	6. Isso me torna intolerante com os outros. Acabo ficando sem muitos amigos, pois ninguém gosta de ser criticado. Encontro tantos defeitos nas pessoas que perco a capacidade de ser afetuosa e gostar delas.
	7. Outra desvantagem é que o meu perfeccionismo me impede de experimentar coisas novas e fazer descobertas. Tenho tanto medo de cometer erros que não faço quase nada além daquelas coisas de sempre que faço bem. O resultado é que isso estreita meu mundo e me deixa entediada e inquieta, pois nunca tenho novos desafios.

tagens. Como muitas pessoas, você pode acreditar que "Sem o meu perfeccionismo eu não seria nada. Não poderia desempenhar bem o meu papel". Aposto que você nunca colocou essa hipótese à prova, pois acreditar na sua incompetência é um hábito tão automático que jamais lhe ocorreu sequer questionar isso. Já parou para pensar que talvez você seja bem-sucedido como é *apesar* do seu perfeccionismo, e não por causa dele? Aqui está uma experiência que lhe permitirá chegar à verdade sobre o assunto. Procure alterar seus critérios em várias atividades para ver como o seu desempenho reage a padrões elevados, medianos e baixos. Os resultados podem surpreendê-lo. Já fiz isso com meus escritos, minhas sessões de psicoterapia e minhas corridas. Em todos os casos, fiquei impressionado ao descobrir que, ao *baixar* meus padrões, eu não apenas me sinto melhor em relação ao que faço, como tendo a fazê-lo com mais eficiência.

Por exemplo, eu comecei a correr em janeiro de 1979 pela primeira vez na vida. Eu moro numa região cheia de morros e, no início, não conseguia correr mais de 200 ou 300 m sem ter de parar e andar, pois existem ladeiras no meu caminho em todas as direções. A cada dia, eu tinha como objetivo correr a uma distância um pouco menor que a da véspera. O efeito disso era que eu sempre conseguia atingir a minha meta facilmente. Então, eu me sentia tão bem que isso me estimulava a ir mais adiante – e cada passo era lucro, mais do que eu pretendia. Depois de alguns meses eu cheguei ao ponto de conseguir correr mais de 10 km em terreno inclinado num ritmo bastante rápido. Nunca abandonei meus princípios básicos – procurar fazer menos do que na véspera. Por causa dessa regra, nunca me senti frustrado nem decepcionado nas minhas corridas. Houve vários dias em que, devido a um mal-estar ou cansaço, eu realmente *não* corria muito nem tão depressa. Hoje, por exemplo, eu só consegui correr uns 500 m, pois peguei um resfriado e meus pulmões disseram CHEGA! Então disse a mim mesmo: "Isso é o mais longe que eu *deveria* chegar". E me senti bem, pois atingi a minha meta.

Experimente fazer isso. Escolha alguma atividade e, em vez de almejar 100%, tente alcançar 80%, 60%, ou 40%. Depois veja o quanto gostou de fazer isso e como foi produtivo. Atreva-se a ter ambições medianas! É preciso coragem, mas você pode se surpreender!

3.

Se você é um perfeccionista compulsivo, talvez acredite que, sem almejar a perfeição, não poderia aproveitar a vida ao máximo nem ser feliz de verdade. Você pode colocar essa ideia à prova usando a Planilha antiperfeccionismo (Quadro 46). Registre o nível real de satisfação que você obtém a partir de uma grande variedade de atividades, como escovar os dentes, comer uma maçã, caminhar na mata, cortar a grama, tomar sol, escrever um relatório de trabalho etc. Agora estime o quanto você foi *perfeito* ao fazer cada atividade de 0% a 100%, e indique o quanto cada uma foi *satisfatória* de 0% a 100%. Isso vai ajudá-lo a romper a conexão ilusória entre perfeição e satisfação.

Veja como funciona. No Capítulo IV eu me referi a um médico que estava convencido de que precisava ser perfeito o tempo todo. Por mais que ele fizesse, sempre aumentava o seu nível de exigência um pouco mais, por isso nunca estava feliz. Eu disse que ele era o campeão da Filadélfia em matéria de pensamento "tudo ou nada"! Ele concordou, mas protestou que não sabia o que fazer para mudar. Eu o convenci a pesquisar um pouco sobre seu humor e suas realizações, usando a Planilha antiperfeccionismo. Num fim de semana, ele precisou mexer no encanamento da casa porque um cano furou e inundou a cozinha. Ele não tinha experiência nisso, mas conseguiu consertar o vazamento e arrumar a bagunça. Registrou isso na planilha com 99% de satisfação (ver Quadro 46). Como era a primeira vez que havia tentado consertar um cano, ele registrou sua eficiência como sendo de apenas 20%. Ele conseguiu realizar a tarefa, mas levou um bom tempo e precisou pedir conselhos a um vizinho. Por outro lado, obteve baixos níveis de satisfação com algumas atividades nas quais fez um excelente trabalho.

Essa experiência com a Planilha antiperfeccionismo convenceu-o de que não precisava ser perfeito em alguma coisa para gostar de fazê-la e, além disso, que o esforço para ser perfeito e ter um desempenho excepcional não era garantia de felicidade, e sim costumava estar associado mais frequentemente a uma satisfação menor. Ele concluiu que poderia desistir de sua busca compulsiva pela perfeição e se contentar com uma vida alegre e produtiva, ou dar menos importância à sua felicidade e exigir grandeza o tempo todo, conformando-se com uma angústia emocional e uma produtividade modesta. O que você preferiria? Experimente a Planilha antiperfeccionismo e coloque-se à prova.

QUADRO 46
Planilha antiperfeccionismo

Atividade	Registre a sua eficiência ao fazer isso de 0% a 100%	Registre o quanto isso foi satisfatório de 0% a 100%
Consertar o cano furado na cozinha	20% (Levei um tempão e fiz um monte de coisa errada.)	99% (Eu consegui!)
Dar palestra para os alunos de Medicina	98% (Fui aplaudido de pé.)	50% (É comum eu ser aplaudido de pé. Não fiquei assim tão empolgado com o meu desempenho.)
Jogar tênis depois do trabalho	60% (Perdi o jogo, mas joguei bem.)	95% (Eu me senti muito bem. Curti o jogo e o exercício.)
Revisar o rascunho do meu último trabalho durante uma hora	75% (Peguei firme, corrigi muitos erros e melhorei as frases.)	15% (Eu ficava dizendo a mim mesmo que ainda não era o *texto definitivo* e me senti muito frustrado.)
Conversar com um aluno sobre suas opções de carreira	50% (Não fiz nada de especial. Só o escutei e ofereci umas sugestões óbvias.)	90% (Ele pareceu ter gostado mesmo da nossa conversa, por isso me senti empolgado.)

4.

Suponhamos que você tenha decidido abandonar seu perfeccionismo pelo menos a título de experiência, só para ver o que acontece. Entretanto, você continua com a ideia persistente de que *poderia realmente* ser perfeito ao menos em algumas áreas se você se esforçasse o suficiente, e que, quando conseguir isso, alguma coisa incrível irá acontecer. Vamos analisar seriamente se essa meta é mesmo realista. Um modelo de perfeição já se encaixou *alguma vez* na realidade? Existe *alguma coisa* que você já tenha encontrado pessoalmente e que seja tão perfeito que não possa ser melhorado?

Para confirmar isso, olhe à sua volta *agora mesmo* e veja quantas coisas podem ser melhoradas. Por exemplo, as roupas de alguém, um arranjo de flores, a cor e a nitidez de uma imagem na televisão, a qualidade da voz de um cantor, a eficácia deste capítulo, *qualquer coisa*. Eu acredito que a gente *sempre* pode encontrar um jeito de melhorar alguma coisa. Quando fiz esse exercício pela primeira vez, estava andando de trem. A maioria das coisas, como os trilhos sujos e enferrujados, eram tão visivelmente imperfeitas que eu podia encontrar com facilidade várias formas de melhorá-las. Então me deparei com um problema. Um jovem negro tinha aqueles cachos naturais volumosos no cabelo. Eles pareciam perfeitamente arrumados e esculpidos, e eu não conseguia pensar em nenhuma maneira possível de melhorá-los. Comecei a entrar em pânico e vi toda a minha filosofia antiperfeccionista ir por água abaixo! Então percebi, de repente, alguns pontos grisalhos em sua cabeça. Fiquei aliviado na hora! Seu cabelo era imperfeito, afinal! Quando olhei mais de perto, notei que havia alguns fios muito compridos e fora do lugar. Quanto mais eu me aproximava para examinar, mais fios irregulares podia ver – centenas, na verdade! Isso ajudou a me convencer de que nenhum padrão de perfeição encaixa-se na realidade. Então, por que insistir? Você certamente será um fracasso se usar um critério de avaliação para o seu desempenho que *nunca* pode atingir. Para que continuar sofrendo?

5.

Outro método para acabar com o perfeccionismo implica enfrentar o medo. Talvez você não saiba que o medo sempre se esconde por trás do perfeccionismo. O medo é o combustível que move a sua compulsão de aperfeiçoar as coisas ao máximo. Se você resolver desistir do seu perfeccionismo, talvez precise enfrentar esse medo inicialmente. Está disposto? Afinal, o perfeccionismo tem uma compensação – ele protege você. Pode protegê-lo do risco de críticas, fracasso ou desaprovação. Se decidir passar a fazer as coisas com menos perfeição, pode ser que, no início, você sinta-se trêmulo como se um grande terremoto da Califórnia estivesse prestes a atingi-lo.

Se você não reconhece o importante papel desempenhado pelo medo de manter hábitos perfeccionistas, os exigentes padrões de comportamento das pessoas perfeccionistas podem lhe parecer irritantes ou incompreensíveis. Existe, por exemplo, uma estranha doença conhecida como "lentidão compulsiva", na qual a vítima fica tão obcecada em deixar tudo "em ordem" que as tarefas mais simples do dia a dia podem se tornar extremamente desgastantes. Um advogado com esse distúrbio brutal ficou preocupado com a aparência do seu cabelo. Todos os dias, ele passava horas diante do espelho com um pente e uma tesoura, tentando corrigir imperfeições. Ficava tão envolvido naquilo que precisou diminuir suas atividades jurídicas para que pudesse ter mais tempo de mexer no cabelo. A cada dia seu cabelo ficava mais curto, devido à sua fúria de apará-lo. Acabou ficando com menos de meio centímetro de comprimento na cabeça toda. Aí ele ficou preocupado em igualar o contorno do cabelo sobre a testa, e começou a raspá-lo para que ficasse "em ordem". A cada dia o contorno do cabelo ia mais para trás, até que raspou tudo e acabou ficando totalmente careca! Então sentiu-se aliviado e deixou crescer tudo outra vez, esperando que crescesse "por igual". Assim que o cabelo crescesse, ele começaria a apará-lo de novo e o ciclo inteiro se repetiria. Essa rotina absurda continuou durante anos e o deixou bastante incapacitado.

O caso dele pode parecer extremo, mas não pode ser considerado grave. Existem formas bem piores do distúrbio. Embora os hábitos estranhos das vítimas possam parecer absurdos, os efeitos são trágicos. Assim como os alcoólatras, esses indivíduos podem sacrificar a carreira e a família por causa de suas lastimáveis compulsões. Você também pode estar pagando um preço muito alto pelo seu perfeccionismo.

O que motiva essas pessoas tão exigentes e controladoras? Elas são loucas? Geralmente não. O que faz que fiquem presas a essa busca insensata pela perfeição é o medo. No momento em que tentam *parar* o que estão fazendo, elas são tomadas por uma forte inquietação que se transforma rapidamente em puro terror. Isso leva-as de volta ao seu ritual compulsivo numa tentativa patética de encontrar alívio. Querer que desistam de seu perfeccionismo maligno é como tentar convencer um homem segurando-se pelos dedos à beira de um precipício a se soltar.

Talvez você já tenha percebido em si mesmo alguma tendência compulsiva de nível bem menos grave. Já ficou procurando incansavelmente algum objeto importante, como uma caneta ou uma chave que pôs no lugar errado, quando sabia que era melhor deixar para lá e esperar até que aparecesse? Você faz isso porque é *difícil parar*. Quando tenta, fica incomodado e nervoso. Por algum motivo, você "sente-se mal" sem o objeto perdido, como se todo o sentido da sua vida estivesse em risco!

Um método para enfrentar e dominar esse medo é chamado de "prevenção de resposta". O princípio básico é simples e óbvio. Você se *recusa* a ceder ao hábito perfeccionista e se deixa invadir pelo medo e pelo desconforto. Resiste obstinadamente e não cede de jeito nenhum, por mais que isso o incomode. Aguenta firme e permite que a sua irritação atinja o nível máximo. Depois de algum tempo, a compulsão começará a diminuir até desaparecer completamente. Quando chegar a esse ponto – o que pode levar várias horas ou apenas dez a quinze minutos – você conseguiu! Derrotou o seu hábito compulsivo.

Vamos usar um exemplo simples. Suponhamos que você tenha o hábito de conferir várias vezes se trancou a porta da casa ou do carro. Claro, não há problema em conferir as coisas *uma vez*, porém mais do que isso é desnecessário e inútil. Dirija seu carro até um estacionamento, tranque as portas e saia de perto. Agora – se recuse a conferi-las! Você vai se sentir incomodado. Irá tentar se convencer a voltar lá "só para ter certeza". NÃO FAÇA ISSO. Registre seu grau de ansiedade a cada minuto no "Formulário de Prevenção de Resposta" (ver Quadro 47) até que a ansiedade tenha desaparecido. Quando isso acontecer, você terá vencido. Muitas vezes, uma única exposição como essa é o bastante para abandonar um hábito definitivamente, mas você pode precisar de inúmeras exposições, além de um reforço de vez em quando. Diversos maus hábitos prestam-se a essa técnica, incluindo diversos "rituais de verificação" (conferir se o gás do fogão está fechado ou se há correspondência na caixa do correio etc.), rituais de limpeza (lavar as mãos de forma compulsiva ou limpar excessivamente a casa), e outros. Se você estiver preparado e disposto a se livrar dessas tendências, acredito que vai achar a técnica de prevenção de resposta bastante útil.

QUADRO 47
Formulário de prevenção de resposta

Registre o seu grau de ansiedade e eventuais pensamentos automáticos
a cada um ou dois minutos até sentir-se completamente relaxado.
A experiência a seguir foi realizada por alguém que desejava acabar
com o mau hábito de conferir compulsivamente
se as portas estavam trancadas.

Horário	Percentual de ansiedade ou inquietação	Pensamentos automáticos
4h00	80%	E se alguém roubar o carro?
4h02	95%	Isso é ridículo. Por que não ir lá e ter certeza de que o carro está fechado?
4h04	95%	Alguém pode estar dentro dele agora. Eu não aguento isso!
4h06	80%	
4h08	70%	
4h10	50%	
4h12	20%	Isso é chato. Deve estar tudo bem com o carro.
4h14	5%	
4h16	0%	Opa – consegui!

6.

Talvez esteja se perguntando sobre a origem desse medo insano que o leva ao perfeccionismo compulsivo. Você pode usar o método da seta vertical descrito no Capítulo X para revelar o pressuposto silencioso que o faz encarar a vida de uma forma rígida e tensa. Fred é um universitário que ficou tão preocupado em deixar seu trabalho de conclusão "em ordem" que largou a faculdade para trabalhar nele durante um ano inteiro e evitar o horror de entregar algo com o qual não estivesse inteiramente satisfeito. Ele matriculou-se novamente quando se sentiu preparado para entregar o trabalho, mas procurou tratamento para o seu perfeccionismo, pois percebeu que poderia levar muito tempo para terminar a faculdade desse jeito!

Ele teve seu confronto com o medo quando foi obrigado a entregar outro trabalho no fim do primeiro semestre, quando voltou para a escola. Dessa vez, o professor deu-lhe um ultimato: se não o entregasse até às seis da tarde da data prevista, perderia um ponto para cada dia de atraso. Como Fred já tinha um rascunho do trabalho, ele percebeu que seria sensato tentar melhorá-lo e revisá-lo, por isso o entregou relutantemente às 4h55, mesmo sabendo que continha alguns erros de digitação e alguns capítulos com os quais não estava inteiramente satisfeito. A partir do momento em que o entregou, sua ansiedade começou a disparar. Ela aumentava a cada minuto e logo Fred foi acometido por uma crise de pânico tão grave e intensa que ligou para a minha casa tarde da noite. Ele estava convencido de que algo terrível estava prestes a acontecer com ele, uma vez que havia entregado um trabalho imperfeito.

Sugeri a ele que usasse o método da seta vertical para identificar do que, exatamente, tinha tanto medo. Seu primeiro pensamento automático foi "Eu não fiz um excelente trabalho de conclusão". Ele anotou isso (ver Quadro 48, a seguir), e depois perguntou a si mesmo: "Se isso fosse verdade, por que seria um problema para mim?". Essa pergunta gerou o pensamento desagradável que estava por trás disso, como demonstrado no Quadro 48. Fred anotou o próximo pensamento que lhe veio à cabeça, e continuou a usar a técnica da seta para baixo para revelar seus medos a um nível cada vez mais profundo. Continuou removendo as camadas dessa maneira, até que a origem mais profunda de seu pânico e seu perfeccionismo fosse descoberto. Isso exigiu apenas alguns minutos. Seus pressupostos silenciosos, então, ficaram evidentes: (1) Um único erro e minha carreira estará arruinada; (2) Os outros exigem de mim perfeição e sucesso, e serei excluído se não atingir suas expectativas.

Depois de anotar seus pensamentos automáticos desagradáveis, ele estava em condições de identificar seus erros de pensamento. Três distorções apareciam com mais frequência – pensamento "tudo ou nada", ler pensamentos e adivinhar o futuro.

QUADRO 48

Fred usou o método da seta vertical para descobrir a origem de seus temores em relação a entregar um trabalho "imperfeito" numa aula. Isso ajudou a aliviar parte do terror que ele estava sentindo.

A pergunta ao lado de cada seta vertical representa o que Fred perguntou a si mesmo a fim de descobrir o próximo pensamento automático a um nível mais profundo. Removendo as camadas desse modo, ele conseguiu revelar os pressupostos silenciosos que representavam a origem e a raiz do seu perfeccionismo (ver texto).

Pensamentos automáticos	Respostas racionais
1. Eu não fiz um excelente trabalho de conclusão. ↓ "Se isso fosse verdade, por que seria um problema para mim?"	1. Pensamento "tudo ou nada". O trabalho ficou muito bom, apesar de não estar perfeito.
2. O professor vai perceber todos os erros de digitação e os capítulos fracos. ↓ "E por que isso seria um problema?"	2. Filtro mental. Provavelmente ele vai perceber os erros, mas irá ler o trabalho inteiro. Alguns capítulos ficaram muito bons.
3. Ele vai achar que eu não dei importância. ↓ "Vamos supor que ache. E daí?"	3. Ler pensamentos. Eu não sei se ele vai pensar isso. Se *pensasse*, não seria o fim do mundo. Tem muito aluno que não se importa com os seus trabalhos. Além do mais, eu *realmente* me importo, então se ele pensasse isso estaria errado.
4. Eu vou decepcioná-lo. ↓ "Se fosse mesmo verdade e ele se sentisse assim, por que isso me incomodaria?"	4. Pensamento "tudo ou nada"; adivinhar o futuro. Não posso agradar todo mundo o tempo todo. Ele gostou da maioria dos meus trabalhos. Vai sobreviver se ficar decepcionado com este.
5. Vou tirar D ou E no trabalho. ↓ "Vamos supor que tirasse – e daí?"	5. Raciocínio emocional; adivinhar o futuro. Eu me *sinto* assim porque estou chateado. Mas não posso prever o futuro. Talvez tire B ou C, mas D ou E não é muito provável.
6. Isso iria arruinar a minha carreira acadêmica. ↓ "E o que aconteceria, então?"	6. Pensamento "tudo ou nada"; adivinhar o futuro. Outras pessoas fazem besteira às vezes, e isso não parece arruinar a vida delas. Por que não posso fazer uma besteira de vez em quando?
7. Isso significaria que eu não sou o tipo de aluno que deveria ser. ↓ "Por que isso me incomodaria?"	7. Cobrança. Quem inventou essa regra de que eu "deveria" ser de uma determinada maneira sempre? Quem disse que estou predestinado e moralmente obrigado a viver segundo um determinado critério?
8. As pessoas vão ficar bravas comigo. Eu serei um fracasso. ↓ "E se elas ficassem *mesmo* bravas e eu fosse *mesmo* um fracasso? Por que isso seria assim tão terrível?"	8. Adivinhar o futuro. Se alguém está bravo comigo, o problema é dele. Não posso ficar agradando as pessoas o tempo todo – é muito desgastante. Minha vida fica tensa, rígida, restrita, e vira uma bagunça. Talvez seja melhor eu definir meus próprios critérios e correr o risco de alguém ficar bravo comigo. Se eu não for bem no trabalho, com certeza isso não vai fazer de mim "UM FRACASSO".
9. Então eu seria excluído e ficaria sozinho. ↓ "E daí?"	9. Adivinhar o futuro. *Ninguém* vai me excluir!
10. Se eu ficar sozinho, estou condenado a ser infeliz.	10. Desqualificar os pontos positivos. Alguns dos melhores momentos que tive ocorreram quando estava sozinho. Minha "infelicidade" não tem nada a ver com o fato de estar sozinho – ela vem do medo da desaprovação e de ficar me cobrando por não atender a critérios perfeccionistas.

Por causa dessas distorções, ele estava preso a uma forma rígida, coercitiva e perfeccionista de encarar a vida em busca de aprovação. Substituí-las por respostas racionais ajudou-o a reconhecer o quanto seus temores eram pouco realistas e a amenizar seu pânico.

No entanto, Fred estava cético, pois ainda não estava totalmente convencido de que não estava prestes a acontecer uma catástrofe. Ele precisava de alguma evidência real para se convencer. Uma vez que, a vida toda, ele havia espantado os elefantes tocando trombeta, não podia ter certeza *absoluta* de que não ocorreria uma debandada se decidisse abaixar a trombeta.

Dois dias depois, Fred conseguiu a prova de que precisava: ele recebeu seu trabalho, e havia um A – bem no alto. Os erros de digitação haviam sido corrigidos pelo professor, que escreveu um bilhete atencioso no final, fazendo um grande elogio e algumas sugestões úteis.

Se você quiser abandonar seu perfeccionismo, talvez também tenha de se expor a uma certa dose de desconforto inicial, assim como Fred. Essa pode ser uma excelente oportunidade para saber mais sobre a origem dos seus temores, usando a técnica da seta vertical. Em vez de fugir do seu medo, fique parado e *enfrente* o bicho-papão! Pergunte a si mesmo: "Do que estou com medo?"; "Qual é a pior coisa que pode acontecer?". Depois anote seus pensamentos automáticos como Fred fez, e desmascare-os. *Será* assustador, mas se você aguentar firme e suportar o desconforto, vencerá seus temores, afinal eles baseiam-se em ilusões. A euforia que você sente quando passa por essa transformação de medroso para corajoso pode dar início a uma forma mais confiante e assertiva de encarar a vida.

O seguinte pensamento pode ter-lhe ocorrido: suponhamos que Fred tivesse *mesmo* tirado B, C, D ou E no trabalho. E aí? Na realidade, isso *normalmente* não acontece porque, devido ao seu perfeccionismo, você costuma deixar uma margem de segurança tão grande que, em geral, pode relaxar consideravelmente seus esforços sem que haja uma redução mensurável na qualidade do seu desempenho real. Contudo, fracassos *podem* e *vão* acontecer ao longo da vida, e nenhum de nós está totalmente imune. Talvez seja bom preparar-se de antemão para essa possibilidade, para que possa se beneficiar com a experiência. Você pode fazer isso se organizar as coisas de uma forma em que "não tem como perder".

Como você pode se beneficiar de um fracasso real? É simples! Lembre-se de que sua vida não vai acabar. Na verdade, tirar um B é uma das melhores coisas que podem lhe acontecer se você é daqueles que sempre tiram A, pois vai obrigá-lo a enfrentar e aceitar sua condição humana. Isso levará a um crescimento pessoal. A verdadeira tragédia ocorre quando um aluno é tão brilhante e compulsivo que consegue afastar qualquer chance de fracasso por meio de um esforço pessoal esmagador, e acaba se formando com nota máxima em tudo. O paradoxo dessa situação é que o sucesso tem o perigoso efeito de transformar esses alunos em deficientes ou escravos, cujas vidas tornam-se tentativas obsessivamente rígidas de afastar o temor de ser menos que perfeito. Suas carreiras são ricas em realizações, porém, muitas vezes, pobres em termos de alegria.

7.

Outro método para superar o perfeccionismo é dirigir o seu foco para o processo. Isso significa que você se baseia mais nos processos que nos resultados para avaliar as coisas. Quando abri minha clínica, eu sentia que precisava fazer um trabalho extraordinário com cada paciente em todas as sessões. Achava que meus pacientes e colegas esperavam isso de mim, então me matava de trabalhar o dia inteiro. Quando um paciente dizia que tinha se beneficiado com uma sessão, eu dizia a mim mesmo que havia sido um sucesso e me sentia no topo do mundo. Por outro lado, quando um paciente ficava me enrolando ou respondia negativamente à sessão daquele dia, eu me sentia péssimo e dizia a mim mesmo que havia fracassado.

Fiquei cansado dessa montanha-russa e analisei o problema com meu colega, o dr. Beck. Seus comentários foram extremamente úteis, por isso vou repassá-los a você. Ele sugeriu que eu me imaginasse em um emprego em que tivesse de dirigir um carro até a Prefeitura todo dia. Em alguns dias, eu pegaria a maioria dos semáforos abertos e faria o percurso depressa. Em outros, pegaria uma porção de semáforos fechados e congestionamentos, e a viagem demoraria mais. Minha habilidade como motorista seria a mesma todos os dias, então por que não me sentir igualmente satisfeito com o trabalho que fiz?

Ele propôs que eu poderia facilitar essa nova maneira de ver as coisas ao me recusar a tentar fazer um excelente trabalho com cada paciente. Em vez disso, poderia almejar um esforço constante em cada sessão, independentemente da resposta do paciente, e assim garantir 100% de sucesso para sempre.

Como você poderia estabelecer metas voltadas para o processo, uma vez que é um estudante? Poderia tornar como sua intenção: (1) assistir palestras; (2) prestar atenção e tomar notas; (3) fazer perguntas apropriadas; (4) estudar uma certa quantidade de cada matéria entre as aulas todos os dias; (5) recapitular as anotações das aulas a cada duas ou três semanas. Todos esses processos estão sob seu controle, então você pode *garantir* o sucesso. Por outro lado, sua nota final não está sob seu controle. Ela depende de como o professor se sente naquele dia, como os outros alunos se saíram, como ele define as médias etc.

Como você poderia estabelecer metas assim se estivesse se candidatando a um emprego? Poderia: (1) vestir-se de uma forma atraente e confiante; (2) enviar seu currículo para ser revisado por um amigo entendido e digitado por um profissional; (3) fazer um ou mais elogios ao potencial empregador durante a entrevista; (4) demonstrar interesse pela empresa e incentivar o entrevistador a falar de si mesmo; (5) quando o potencial empregador falar sobre o trabalho dele, dizer algo positivo, mostrando uma atitude otimista; (6) se o entrevistador fizer um comentário crítico ou negativo sobre você, *concordar* imediatamente, usando a técnica de desarmar apresentada no CAPÍTULO VI.

Nas minhas negociações para uma possível publicação deste livro, por exemplo, notei que a editora expressou uma série de reações negativas, além de algumas positivas. Achei que o uso da técnica de desarmar funcionou extremamente bem para fazer que as coisas fluíssem tranquilamente durante certas discussões que poderiam ter sido difíceis. Por exemplo:

EDITORA X: Uma das minhas preocupações, dr. Burns, envolve a ênfase dada à melhora dos sintomas no momento presente. O senhor não está desconsiderando as causas e origens da depressão?

(No primeiro rascunho deste livro, eu havia escrito vários capítulos sobre os pressupostos silenciosos que dão origem à depressão, mas aparentemente a editora não ficou muito impressionada com esse material, ou não o havia lido. Eu tinha a opção de contra-atacar de maneira defensiva – o que só teria polarizado a editora, o que a faria ficar na defensiva. Em vez disso, preferi desarmá-la da maneira a seguir.)

DAVID: Essa é uma excelente sugestão, e você está absolutamente certa. Estou vendo que leu o manuscrito, e gosto de ouvir suas ideias. Os leitores obviamente gostariam de saber mais sobre o *porquê* de ficarem deprimidos. Isso poderia ajudá-los a evitar depressões no futuro. O que você acha de aumentarmos a parte sobre pressupostos silenciosos e introduzirmos um novo capítulo que poderíamos chamar de "As raízes do problema"?

EDITORA X: Isso parece ótimo!

DAVID: Que outros pontos negativos você sente em relação ao livro? Eu gostaria de aprender o máximo que puder com você.

Então continuei encontrando uma maneira de *concordar* com cada crítica e elogiar a editora X por toda e qualquer sugestão. Isso não era falso, pois eu não tinha experiência em escrever para o público em geral, e a editora X era uma pessoa de grande talento e prestígio, que tinha condições de me oferecer uma orientação valiosa. Minha forma de negociar deixou claro para ela que eu a respeitava, e mostrou que poderíamos manter uma relação profissional produtiva.

Suponhamos que eu tivesse me concentrado no *resultado*, e não no processo de negociação, quando a editora me entrevistou. Eu teria ficado tenso e preocupado com uma única coisa – será que ela vai ou não me fazer uma oferta pelo livro? Então teria visto cada crítica dela como uma ameaça, e todo o processo interpessoal poderia ter-se voltado a um foco desagradável.

Portanto, quando estiver se candidatando a um emprego, *não* tenha como objetivo *conseguir* o emprego! Especialmente se você o *quiser!* O resultado depende de inúmeros fatores que estão definitivamente fora do seu controle, entre eles o número de candidatos, suas qualificações, quem conhece a filha do seu chefe etc. Na verdade, seria melhor você tentar obter o máximo possível de rejeições, pela seguinte razão: Suponhamos que, em média, sejam necessárias 10 a 15 entrevistas para cada oferta de emprego aceitável que você receba na sua profissão (uma média típica entre as pessoas que eu conheço que estiveram procurando emprego recentemente). Isso significa que você tem de sair e passar por essas 9 a 14 rejeições para conseguir o emprego que deseja! Por isso, todas as manhãs, diga: "Eu vou tentar obter o máximo possível de rejeições hoje.". E cada vez que você for *mesmo* rejeitado, pode dizer: "Consegui ser rejeitado. Isso me fez avançar um passo importante em direção ao meu objetivo.".

8.

Outra forma de superar o perfeccionismo implica assumir a responsabilidade pela sua vida definindo prazos rigorosos para todas as suas atividades durante uma semana. Isso irá ajudá-lo a mudar sua perspectiva, de modo que possa se concentrar no curso natural da vida e aproveitá-la.

Se você é perfeccionista, provavelmente é um autêntico procrastinador por insistir em fazer as coisas de forma tão minuciosa. O segredo da felicidade é traçar metas modestas para poder conseguir realizá-las. Se quer ser infeliz, então agarre-se ao seu perfeccionismo e procrastinação com todas as forças. Se gostaria de mudar, ao programar seu dia pela manhã, determine a quantidade de tempo que dedicará a cada atividade. Pare ao fim do tempo reservado, mesmo que não a tenha completado, e passe para o projeto seguinte. Se você toca piano e tende a fazê-lo por muitas horas ou não tocar nada, decida-se a tocar apenas uma hora por dia, em vez disso. Acho que ficará mais satisfeito e melhorará consideravelmente sua produtividade dessa maneira.

9.

Aposto que você tem medo de errar! O que há de tão terrível em cometer um erro? O mundo vai acabar se você fizer alguma coisa errada? Mostre-me um homem que não suporta estar errado e eu lhe mostrarei um homem que tem medo de correr *riscos* e abriu mão da capacidade de crescer. Um método particularmente eficaz de derrotar o perfeccionismo implica aprender a cometer erros.

Veja como você pode fazer isso. Escreva um texto em que explique claramente por que é *irracional* e *autodestrutivo* tentar ser perfeito ou ter medo de errar. O texto a seguir foi escrito por Jennifer, a estudante já mencionada:

POR QUE É ÓTIMO PODER ERRAR

1.

Eu tenho medo de errar porque vejo tudo em termos absolutos, perfeccionistas – *um único erro e está tudo arruinado*. Isso está errado. Com certeza, um pequeno erro não arruina totalmente algo que estaria bom se não fosse por isso.

2.

É bom cometer erros porque a gente aprende – na verdade, *nunca* vamos aprender sem errar. Não se pode evitar cometer erros – e já que vai acontecer de qualquer jeito, podemos muito bem aceitar e aprender com isso.

3.

Reconhecer os nossos erros ajuda-nos a mudar o nosso comportamento para que possamos obter os resultados que mais nos agradam – então, podemos dizer que os erros acabam servindo *para nos tornar mais felizes e deixar as coisas melhores*.

4.

Quando temos medo de errar, ficamos paralisados – temos receio de fazer ou tentar qualquer coisa, já que podemos (na verdade, provavelmente iremos) cometer algum erro. Quando restringimos nossas atividades para não errar, estamos prejudicando a nós mesmos. Quanto mais tentarmos e mais erros cometermos, mais depressa aprenderemos e mais felizes seremos no final.

5.

A maioria das pessoas não vai ficar furiosa conosco nem deixar de gostar de nós porque erramos – todo mundo comete erros, e a maioria se sente pouco à vontade perto de pessoas "perfeitas".

6.

Não vamos morrer se cometermos um erro.

Embora um texto assim não seja uma *garantia* de que você vai mudar, pode ajudá-lo a caminhar na direção certa. Jennifer relatou uma melhora enorme, uma semana depois que escreveu o texto. Ela achou útil para os seus estudos concentrar-se em aprender, em vez de ficar o tempo todo obcecada sobre ser excelente ou não. Como resultado, sua ansiedade diminuiu e sua produtividade aumentou. Esse clima descontraído e confiante durou até o período dos exames finais, no fim do primeiro semestre – uma época de extrema ansiedade para a maioria de seus colegas. Ela explicou: "Percebi que não *precisava* ser perfeita. Vou cometer minha parcela de erros. E daí? Posso aprender com os meus erros, então não tenho *nada* com que me preocupar.". E ela tinha razão!

Escreva um bilhete a si mesmo nesse sentido. Lembre que o mundo não vai acabar se você cometer um erro, e ressalte os possíveis benefícios. Depois leia o bilhete toda manhã durante duas semanas. Acho que isso será um grande avanço para ajudá-lo a se juntar à raça humana!

10.

Com seu perfeccionismo, sem dúvida você é ótimo em identificar todos os seus pontos fracos. Tem o mau hábito de destacar as coisas que você não fez e ignorar as que fez. Passa a vida catalogando todos os seus erros e deficiências. Não admira que se sinta incompetente! Alguém está obrigando você a fazer isso? Você *gosta* de se sentir assim?

Aqui está um método simples de reverter essa tendência absoluta e dolorosa. Use seu contador de pulso para marcar as coisas que você faz *direito* todos os dias. Veja quantos pontos consegue acumular. Talvez isso pareça tão simples que você esteja convicto de que não vai ajudar. Se for o caso, experimente fazer isso por duas semanas. Aposto que você passará a se concentrar mais nas coisas positivas da vida e, consequentemente, se sentirá melhor consigo mesmo. Isso parece simples porque realmente é! Mas quem se importa, se funciona?

11.

Outro método útil implica expor o absurdo do pensamento "tudo ou nada" que dá origem ao seu perfeccionismo. Olhe ao seu redor e pergunte a si mesmo quantas coisas no mundo podem ser divididas em categorias do tipo "tudo ou nada". As paredes ao seu redor estão totalmente limpas? Ou estão pelo menos *um pouco* sujas? Eu estou totalmente correto em tudo que escrevo? Ou parcialmente correto? Com certeza, nem todos os parágrafos deste livro estão primorosamente escritos e são incrivelmente úteis. Você conhece alguém que seja *totalmente* calmo e confiante o tempo *todo*? A sua artista de cinema favorita é perfeita?

QUADRO 49
*Como substituir os pensamentos "tudo ou nada"
por outros que estejam mais de acordo com a realidade.
Esses exemplos foram fornecidos por várias pessoas.*

Pensamento "tudo ou nada"	Pensamentos realistas
1. Que dia péssimo!	1. Aconteceram algumas coisas ruins, mas nem tudo foi um desastre.
2. Essa comida que eu fiz ficou horrível.	2. Não é a melhor comida que eu já fiz, mas tudo bem.
3. Estou velho demais.	3. Velho demais para quê? Para se divertir? Não. Para fazer sexo de vez em quando? Não. Para encontrar os amigos? Não. Para amar ou ser amado? Não. Para ouvir música? Não. Para fazer alguma atividade produtiva? Não. Então para que eu estou "velho demais"? Isso realmente não faz o menor sentido!
4. Ninguém me ama.	4. Bobagem. Tenho família e muitos amigos. Posso não ter *todo* o amor que quero e quando quero, mas posso me esforçar para isso.
5. Eu sou um fracasso.	5. Tive sucesso em algumas coisas e fracassei em outras, como todo mundo.
6. Estou no fim da linha.	6. Já não posso fazer tudo que fazia quando era mais novo, mas ainda posso trabalhar, ser produtivo e criativo, então por que não aproveitar?
7. Minha palestra foi um fiasco!	7. Não foi a melhor palestra que já fiz. Na verdade, foi abaixo da média. Mas consegui transmitir alguns pontos importantes e posso me esforçar para melhorar nas próximas. Lembre-se – metade das palestras vai ficar abaixo da média, e metade vai ficar acima!
8. Meu namorado não gosta de mim!	8. Ele não gosta de mim o suficiente para quê? Ele pode não querer casar comigo, mas me leva para sair, então *tem* de gostar um pouco de mim.

Após reconhecer que o pensamento "tudo ou nada" não se encaixa na realidade com muita frequência, preste atenção nos pensamentos como esses que você tem ao longo do dia e, quando perceber algum, conteste-o e derrube-o. Você se sentirá melhor. Alguns exemplos de como várias pessoas diferentes combatem seus pensamentos "tudo ou nada" são mostrados no Quadro 49 (p. 303).

12.

O próximo método para combater o perfeccionismo exige que você se exponha. Se você se sente nervoso ou incompetente numa determinada situação, compartilhe isso com as pessoas. Aponte as coisas que você acha que não fez direito, em vez de encobri-las. Peça sugestões de como melhorar e, se as pessoas quiserem rejeitá-lo por não ser perfeito, deixe que façam isso e pronto. Se tiver dúvidas quanto à sua situação, pergunte a elas se ficam decepcionadas com você quando comete um erro.

Se fizer isso, é claro, você deve estar preparado para lidar com a possibilidade de que as pessoas possam *mesmo* subestimá-lo por causa das suas imperfeições. Isso aconteceu de verdade comigo durante uma aula que estava conduzindo para um grupo de terapeutas. Eu apontei um erro que acreditava ter cometido ao ficar zangado com uma paciente difícil e manipuladora. Então perguntei se algum dos terapeutas presentes ficou decepcionado comigo depois de ouvir sobre a minha fraqueza. Fui pego de surpresa quando um deles respondeu que sim, e tivemos a seguinte conversa:

TERAPEUTA (na plateia): Tenho dois pensamentos. Um deles é positivo. Admiro que tenha assumido o risco de apontar seu erro na frente do grupo, pois eu teria medo de fazer isso. Acho que é preciso muita coragem da sua parte para isso. Mas tenho de admitir que me sinto dividido em relação a você, agora. Agora eu sei que você *comete* erros, o que é realista, mas... estou decepcionado com você. Com toda a sinceridade, estou.

DAVID: Bem, eu *sabia* como lidar com a paciente, mas fiquei tão dominado pela minha raiva que me deixei levar no momento e revidei. Reagi de modo excessivamente ríspido com ela e admito que agi muito mal.

TERAPEUTA: Ao considerar que você tem tantos pacientes toda semana, há tantos anos, acho que o fato de cometer uma gafe dessas, definitivamente, não é o fim do mundo. Ela não vai morrer por causa disso. Mas fico desapontado, tenho de admitir.

DAVID: Mas *não é* um erro isolado, incomum. Imagino que todos os terapeutas cometam várias gafes todo santo dia. Algumas óbvias, outras mais sutis. Pelo menos eu cometo. Como vai encarar esse fato? Parece que está muito decepcionado comigo por não ter lidado da forma adequada com essa paciente.

TERAPEUTA: Estou mesmo. Achei que você tivesse um repertório comportamental vasto o bastante para lidar facilmente com quase *qualquer coisa* que um paciente lhe dissesse.

DAVID: Bom, isso não é verdade. Às vezes eu encontro coisas muito úteis para dizer em situações difíceis, mas às vezes não sou tão eficiente quanto gostaria. Ainda tenho muito de aprender. Mesmo sabendo disso, você continua me subestimando?

TERAPEUTA: É, eu continuo, sim. Tenho de dizer isso. Pois agora vejo que existe um tipo de conflito razoavelmente simples que pode perturbá-lo. Você foi incapaz de lidar com isso sem demonstrar sua vulnerabilidade.

DAVID: É verdade. Pelo menos *dessa vez* eu não lidei bem com isso. É uma área em que preciso concentrar meus esforços e crescer como terapeuta.

TERAPEUTA: Bem, isso mostra que, ao menos nesse caso, e presumo que em outros, você não lida tão bem com as coisas como eu pensava.

DAVID: Acho que está correto. Mas a questão é: por que você me subestima pelo fato de eu não ser perfeito? Por que está me desprezando? Para você, isso me torna uma pessoa inferior?

TERAPEUTA: Está exagerando as coisas agora, e não acho necessariamente que você tenha menos valor como ser humano ou coisa assim. Mas, por outro lado, acho que não é tão bom como terapeuta quanto eu pensava que fosse.

DAVID: É verdade. Você me subestima por causa disso?

TERAPEUTA: Como terapeuta?

DAVID: Como terapeuta *ou* como pessoa. Você me subestima?

TERAPEUTA: É, suponho que sim.

DAVID: Por quê?

TERAPEUTA: Bom, nem sei como dizer isso. Eu o conheço principalmente como "terapeuta". Fico decepcionado ao saber que você é tão imperfeito. Eu tinha uma expectativa maior de você. Mas talvez seja melhor em outras áreas da sua vida.

DAVID: Detesto desapontá-lo, mas irá descobrir que em muitos outros aspectos da minha vida eu sou *mais* imperfeito ainda. Portanto, se está me desprezando como terapeuta, presumo que vai me desprezar mais ainda como pessoa.

TERAPEUTA: Bom, eu realmente o subestimo como pessoa. Acho que isso descreve bem o meu sentimento em relação a você.

DAVID: Você me subestima pelo fato de não corresponder ao seu critério de perfeição? Eu sou um ser humano e não um robô.

TERAPEUTA: Não tenho certeza se entendi a pergunta. Eu julgo as pessoas pelo seu desempenho. Você fez uma besteira, por isso tem de encarar o fato de que vou julgá-lo negativamente. É duro, mas é a realidade. Eu achava que você devia se sair melhor por ser nosso preceptor e nosso professor. Esperava *mais* de você. Agora parece que até eu poderia ter lidado melhor com aquela paciente do que você!

DAVID: Bem, eu acho que você *poderia* ter se saído melhor do que eu com aquela paciente naquele dia, e essa é uma área em que eu acho que posso aprender com você. Mas por que me subestimar por isso? Se ficar decepcionado e perder o respeito toda vez que perceber que eu cometi um erro, muito em breve você se sentirá péssimo e não terá respeito algum por mim, pois venho cometendo erros todos os dias desde que nasci. Você quer mesmo esse desconforto? Se quiser continuar a apreciar nossa amizade, e espero que faça isso, terá de aceitar o fato de que não sou perfeito. Talvez esteja disposto a observar os erros que cometo e apontá-los, para que eu possa aprender com você enquanto estou lhe ensinando. Quando eu parar de errar, perderei boa parte da minha capacidade de crescer. Reconhecer e corrigir meus erros – e aprender com eles – é um dos meus maiores trunfos. E se puder aceitar que sou humano e imperfeito, talvez possa aceitar que você também é. Talvez queira sentir que você também pode cometer erros.

Esse tipo de diálogo transcende a possibilidade de você sentir-se rejeitado. Reivindicar seu direito de errar, paradoxalmente, faz de você um ser humano superior. Se o outro ficar desapontado, a culpa é dele, mesmo por ter criado uma expectativa pouco realista de que você é mais do que humano. Se não embarcar nessa expectativa absurda, você não terá de ficar com raiva ou na defensiva quando fizer alguma besteira – nem precisará sentir vergonha ou constrangimento. A escolha é clara:

você pode tentar ser perfeito e acabar infeliz, ou pode almejar ser humano e imperfeito e se sentir melhor. O que você escolhe?

13.

O próximo método é se concentrar mentalmente numa época da sua vida em que você era realmente feliz. Que imagem vem à sua cabeça? Para mim, é a imagem de descer até o Havasupai Canyon nas férias de verão, quando eu estava na faculdade. Esse desfiladeiro é uma parte isolada do Grand Canyon, onde só é possível chegar a pé ou a cavalo. Eu fui com um amigo. Havasupai, uma palavra indígena que significa "povo das águas verde-azuladas", é o nome de um rio azul-turquesa que brota no chão do deserto e transforma o estreito desfiladeiro num paraíso exuberante com vários quilômetros de extensão, até finalmente desaguar no rio Colorado. Há várias cachoeiras com dezenas de metros de altura e, no final de cada uma delas, uma substância verde contida na água se deposita no fundo e nas margens do rio, que se tornam lisos e brilhantes como uma piscina azul-turquesa. Uma profusão de Álamos e arbustos com flores roxas em forma de trombetas acompanha o rio. Os índios que vivem ali são pacatos e acolhedores. É uma lembrança feliz. Talvez você tenha alguma lembrança como essa. Então pergunte a si mesmo – o que essa experiência teve para ser *perfeita*? No meu caso, *nada*! Não havia banheiros e dormimos ao ar livre, em sacos de dormir. Eu não ando em trilhas com perfeição nem nado com perfeição, e nada ali era perfeito. Não havia eletricidade na maior parte do vilarejo por causa do seu isolamento, e a única coisa que tinha para comer no armazém era feijão em lata e salada de frutas – nada de carne ou verduras. Mas a comida ficava deliciosa depois de caminhar e nadar o dia inteiro. Então, quem precisa de perfeição?

Como você pode usar uma lembrança feliz como essa? Quando está tendo uma experiência supostamente prazerosa – comer fora, fazer uma viagem, ir ao cinema etc. –, você pode estragá-la fazendo um balanço de tudo que está faltando e dizendo a si mesmo que não pode se divertir. Mas isso é besteira – é a sua *expectativa* que o aborrece. Vamos supor que a cama do hotel seja muito desconfortável e você tenha pago uma boa quantia pelo quarto. Você já ligou para a recepção e eles não têm nenhuma outra cama ou quarto disponível. Que azar! Você pode aumentar seu problema exigindo perfeição, ou evocar sua lembrança "feliz e imperfeita". Lembra do tempo em que você ia acampar, dormia no chão e adorava? Então, com certeza você pode se divertir nesse quarto de hotel se quiser! Mais uma vez, a escolha é sua.

14.

Um outro método de superar o perfeccionismo é a "técnica da ganância". Ela baseia-se no simples fato de que a maioria de nós tenta ser perfeito para progredir na vida. Talvez não tenha lhe ocorrido que você pode acabar tendo muito mais sucesso se os seus critérios forem menos rigorosos. Por exemplo, quando iniciei minha carreira acadêmica, passei mais de dois anos escrevendo o primeiro trabalho de pesquisa que publiquei. Foi um trabalho excelente e tenho muito orgulho dele até hoje. Mas percebi que, no mesmo período, muitos dos meus colegas que tinham a mesma capacidade escreveram e publicaram inúmeros trabalhos. Então me perguntei – é melhor para mim ter uma publicação contendo 98 "unidades de excelência" ou dez trabalhos que valem, cada um, somente 80 "unidades de excelência"? Nesse último caso, na verdade eu acabaria com 800 "unidades de excelência" e abriria uma grande vantagem. Essa constatação foi extremamente persuasiva para mim, e resolvi ser um pouco menos rigoroso com meus critérios. Minha produtividade aumentou drasticamente, assim como meus níveis de satisfação.

Como isso pode funcionar para você? Vamos supor que tenha uma tarefa e perceba que está avançando muito devagar. Você pode achar que já chegou ao ponto em que o rendimento começa a diminuir, e que seria melhor passar para a próxima tarefa. Não estou lhe dizendo que deve abandonar as coisas, mas talvez descubra que você e os outros ficarão igualmente satisfeitos, se não mais, com várias realizações satisfatórias do que com uma única obra-prima estressante.

15.

E aqui está o último método. Ele envolve uma lógica simples. Premissa 1: Todos os seres humanos cometem erros. Concorda? Certo, agora me diga: O que você é? Um ser humano, você diz? Muito bem. Então, o que isso significa? É claro – você *vai* e *deve* cometer erros! Diga isso a si mesmo toda vez que ficar se atormentando por ter errado. Basta dizer: "Eu *devia* ter cometido esse erro porque sou humano!" ou "Como é humano da minha parte ter cometido esse erro.".

Além disso, pergunte-se: "O que posso aprender com o meu erro? Isso pode me trazer algo de bom?". A título de experiência, pense em algum erro que cometeu e escreva tudo que aprendeu com ele. Algumas das melhores coisas só podem ser aprendidas ao errar e aprender com os erros. Afinal de contas, foi assim que você aprendeu a falar, a andar e a fazer quase tudo. Você estaria disposto a abrir mão desse tipo de crescimento? Talvez chegue ao ponto de dizer que as suas imperfeições e mancadas são alguns dos seus maiores trunfos. Dê valor a eles! Nunca abra mão da sua capacidade de errar, senão você perde a capacidade de evoluir. Na verdade, basta pensar como seria se você *fosse* perfeito. Não haveria *nada* a aprender, *nenhum jeito* de melhorar, e a vida seria totalmente desprovida de desafios e da satisfação vinda da possibilidade de dominar algo que exige esforço. Seria como ir ao jardim da infância pelo restante da vida. Você saberia todas as respostas e venceria todos os jogos. Todo projeto seria um sucesso garantido porque você faria tudo corretamente. As conversas com outras pessoas não teriam nada a oferecer, pois você já saberia tudo. E o mais importante, ninguém conseguiria amar ou se relacionar com você. Seria impossível sentir qualquer amor por alguém que não tivesse falhas e soubesse tudo. Isso não parece meio solitário, chato e triste? Tem certeza de que ainda deseja a perfeição?

PARTE IV

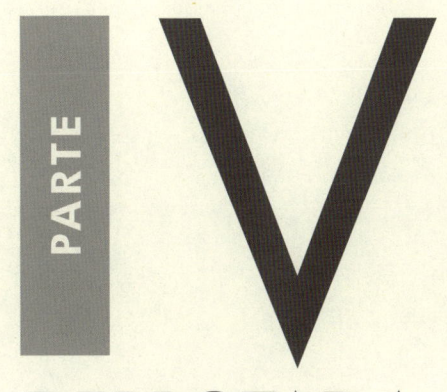

DERROTAR A FALTA DE ESPERANÇA E O SUICÍDIO

CAPÍTULO XV
A VITÓRIA FINAL:
UMA ESCOLHA PELA VIDA

O dr. Aaron T. Beck relatou num estudo que os anseios suicidas estavam presentes em aproximadamente um terço dos indivíduos que passaram por uma depressão leve, e em quase três quartos das pessoas que sofreram depressão grave.[22] Estima-se que até 5% dos pacientes deprimidos morrem efetivamente em consequência do suicídio. Isso corresponde a aproximadamente 25 vezes a taxa de suicídio na população em geral. Na verdade, quando uma pessoa com uma doença depressiva morre, a probabilidade de que o suicídio tenha sido a causa da morte é de uma em seis.

Nenhuma faixa etária, classe social ou profissional está imune ao suicídio; pense nas pessoas famosas que você sabe que se mataram. Particularmente chocante e grotesco – mas nem por isso raro – é o suicídio entre os mais jovens. Num estudo realizado com alunos de sétima e oitava séries numa escola paroquial de subúrbio na Filadélfia, quase um terço dos jovens eram consideravelmente deprimidos e tinham pensamentos suicidas. Até *crianças* submetidas à separação materna podem desenvolver uma síndrome depressiva que pode causar problemas de crescimento e até a morte autoprovocada por inanição.

Antes que você fique perturbado, deixe-me ressaltar o lado positivo da moeda. Primeiro, o suicídio é desnecessário, e esse impulso pode ser dominado e eliminado rapidamente com o uso de técnicas cognitivas. Em nosso estudo, as tendências suicidas diminuíram consideravelmente nos pacientes tratados com terapia cognitiva *ou* antidepressivos. A melhora na perspectiva de vida ocorreu em menos de uma ou duas semanas em muitos dos pacientes que receberam tratamento cognitivo. A ênfase constante dada atualmente à prevenção de episódios depressivos em indivíduos

---

22. BECK, Aaron T. *Depression*: Causes and Treatment. Filadélfia: Universidade da Pensilvânia, 1972. p. 30-1.

propensos a oscilações de humor também deve resultar numa diminuição dos impulsos suicidas a longo prazo.

Por que as pessoas deprimidas pensam em suicídio com tanta frequência, e o que pode ser feito para prevenir esses impulsos? Você vai entender isso se analisar o pensamento das pessoas ativamente suicidas. Suas ideias são dominadas por uma visão pessimista generalizada. A vida parece não passar de um pesadelo infernal. Quando olham para o passado, só conseguem lembrar-se de momentos de depressão e sofrimento.

Quando você sente-se no fundo do poço, às vezes pode ficar tão triste que tem a sensação de que nunca foi realmente feliz e nunca será. Se algum amigo ou parente tenta mostrar que, ao tirar esses períodos de depressão você foi muito feliz, pode concluir que eles estão enganados ou só estão tentando animá-lo. Isso porque, quando está deprimido, você distorce as lembranças do passado. É simplesmente incapaz de evocar qualquer lembrança de períodos de satisfação ou alegria, por isso conclui erroneamente que eles nunca existiram. E assim, conclui por engano que sempre foi e sempre será infeliz. Se alguém insistir que você já foi feliz, talvez diga o mesmo que um jovem paciente respondeu no meu consultório outro dia: "Ah, essa época não vale. A felicidade é uma espécie de ilusão. O meu verdadeiro eu é deprimido e incompetente. Eu só estava me enganando quando achava que era feliz.".

Por pior que você se sinta, isso seria suportável se você tivesse a convicção de que as coisas um dia vão melhorar. A decisão crítica de cometer suicídio é resultado de sua convicção irracional de que seu humor *não tem como* melhorar. Você tem certeza de que o futuro só lhe reserva mais dor e sofrimento! Como alguns pacientes deprimidos, talvez consiga sustentar sua previsão pessimista com uma série de dados que, para você, parecem ser extremamente convincentes.

Um corretor de valores de 49 anos, vítima da depressão, disse-me há pouco tempo:

> Doutor, eu já passei por seis psiquiatras em dez anos. Já fiz tratamentos de choque e usei todo tipo de antidepressivos, tranquilizantes e outros remédios. Mas, apesar disso tudo, essa depressão não diminui um minuto sequer. Eu já gastei mais de 80 mil dólares tentando ficar bom. Agora, estou esgotado emocional e financeiramente. Todos os médicos me disseram: "Você vai sair dessa. Levante a cabeça.". Mas agora vejo que não era verdade. Estavam todos mentindo para mim. Eu sou guerreiro, por isso lutei para valer. Mas é melhor reconhecer quando somos derrotados. Tenho de admitir que seria melhor morrer.

Pesquisas demonstraram que a sua sensação irreal de não ter esperanças é um dos fatores mais críticos para o desenvolvimento de um desejo suicida grave. Por causa do seu pensamento distorcido, você se vê numa armadilha que parece não ter saída.

Tira a conclusão de que seus problemas não têm solução. Como o seu sofrimento torna-se insuportável e parece não ter fim, você conclui erroneamente que o suicídio é a sua única forma de escapar.

Se você já teve pensamentos assim no passado, ou se está pensando seriamente em fazer isso no momento, quero declarar a mensagem deste capítulo em alto e bom som:

VOCÊ ESTÁ ERRADO EM ACREDITAR QUE O SUICÍDIO É A ÚNICA OU A MELHOR SOLUÇÃO PARA O SEU PROBLEMA.

Deixe-me repetir isso. *Você está errado!* Quando pensa que não existe saída nem esperança, seu pensamento é irracional, distorcido e deturpado. Por mais que esteja convencido, e mesmo que outras pessoas concordem com você, está simplesmente *enganado* em acreditar que pode ser aconselhável cometer suicídio em caso de depressão. Essa não é a solução mais sensata para o seu sofrimento. Vou explicar esse ponto de vista e ajudar a indicar a saída da armadilha do suicídio.

AVALIAR SEUS IMPULSOS SUICIDAS

Embora as ideias suicidas sejam comuns até mesmo em quem não tem depressão, a ocorrência de um impulso suicida quando se *está* deprimido sempre deve ser considerada um sintoma perigoso. É importante que você saiba identificar os impulsos suicidas mais ameaçadores. No checklist de depressão de Burns do Capítulo II, as questões 23, 24 e 25 referem-se a pensamentos e impulsos suicidas. Se você assinalou 1, 2, 3 ou 4 nessas questões, as fantasias suicidas estão presentes e é importante avaliar sua gravidade e intervir se necessário (ver p. 43).

O erro mais grave que você poderia cometer em relação aos seus impulsos suicidas é ficar muito inibido para falar sobre eles com um terapeuta. Muitas pessoas têm medo de falar sobre fantasias e tendências suicidas por medo de desaprovação ou por acreditarem que o simples fato de falar sobre elas vai levar a uma tentativa de suicídio. Essa visão não se justifica. O mais provável é que você sinta um grande alívio ao discutir seus pensamentos suicidas com um profissional e, consequentemente, terá uma chance bem maior de dissipá-los.

Se você tem ideias suicidas, pergunte a si mesmo se está levando essas ideias a sério. Há momentos em que gostaria de estar morto? Se a resposta é sim, sua vontade de morrer é ativa ou passiva? Na vontade passiva, você preferia estar morto, mas não está disposto a tomar a iniciativa para que isso aconteça. Um rapaz me confessou:

"Doutor, toda noite, quando vou dormir, rezo a Deus para acordar com câncer. Assim poderia morrer em paz, e minha família compreenderia.".

A vontade de morrer *ativa* é mais perigosa. Se estiver planejando seriamente uma tentativa real de suicídio, é importante saber o seguinte: Você já pensou num método? Qual é o seu método? Você fez planos? Que providências específicas você já tomou? Como regra geral, quanto mais concretos e bem formulados os seus planos, mais provável é que você possa cometer realmente uma tentativa de suicídio. A hora de buscar ajuda profissional é agora!

Você já tentou se suicidar alguma vez? Se tentou, deve encarar qualquer impulso suicida como um sinal de alerta para procurar ajuda imediatamente. Para muitas pessoas, essas tentativas anteriores parecem ser uma espécie de "aquecimento" em que elas flertam com o suicídio, mas ainda não dominam o método específico escolhido. O fato de um indivíduo ter feito essa tentativa sem sucesso várias vezes no passado indica um risco maior de sucesso no futuro. É um mito perigoso o fato de que as tentativas de suicídio malsucedidas sejam simples gestos ou meios de chamar a atenção e, portanto, não devam ser levadas a sério. Pode ser um grande erro encarar os pensamentos e atitudes suicidas como um "pedido de socorro". Para muitos pacientes suicidas, o que eles *menos* querem é ajuda, pois estão 100% convencidos de que são casos perdidos e estão além de qualquer ajuda. Por causa dessa crença irracional, o que eles realmente querem é morrer.

O seu grau de desespero é da maior importância para avaliar se você está ou não correndo o risco de cometer uma tentativa de suicídio ativa a qualquer momento. Esse fator parece estar mais ligado às tentativas reais de suicídio que a qualquer outro. Você deve se perguntar: "Eu acredito que não tenho absolutamente nenhuma chance de melhorar? Sinto que já esgotei todas as possibilidades de tratamento e que nada pode me ajudar? Estou convencido, sem sombra de dúvida, de que meu sofrimento é insuportável e nunca vai chegar ao fim?". Se você responder sim a essas perguntas, seu grau de desespero é alto e indica-se tratamento profissional agora! Gostaria de ressaltar que a falta de esperança é um sintoma indicativo de depressão, do mesmo modo que a tosse é um sintoma indicativo de pneumonia. A sensação de desespero *não* prova realmente que você não tem esperança, assim como uma tosse não prova que você está condenado a morrer de pneumonia. Ela só prova que você está sofrendo de uma doença, neste caso, a depressão. Essa sensação de desespero *não* é razão para cometer uma tentativa de suicídio, mas lhe dá um sinal claro para procurar um tratamento competente. Portanto, se você sente-se assim, procure ajuda! Não pense nem mais um minuto em se suicidar!

O último fator importante diz respeito às coisas que impedem-no de fazer isso. Pergunte a si mesmo: "Existe algo que esteja me impedindo de cometer suicídio?

Será que eu me contenho por causa da minha família, dos amigos, ou por motivos religiosos?". Se você não tiver nenhum impedimento, a possibilidade de considerar uma tentativa real de suicídio é maior.

EM RESUMO: Se você é suicida, é muito importante avaliar esses impulsos de maneira imparcial, usando o seu bom senso. Os fatores a seguir colocam-no num grupo de alto risco:

1. Se você tem depressão grave e perdeu a esperança;
2. Se você tem um histórico de tentativas de suicídio anteriores;
3. Se você já fez planos e preparativos concretos para o suicídio; e
4. Se não há nada que o esteja impedindo de fazer isso.

Se um ou mais desses fatores se aplicam a você, é fundamental procurar intervenção e tratamento profissional imediatamente. Embora eu acredite firmemente que a atitude de autoajuda é importante para todas as pessoas com depressão, é óbvio que você deve procurar orientação profissional agora mesmo.

A (FALTA DE) LÓGICA DO SUICIDA

Você acha que as pessoas deprimidas têm o "direito" de cometer suicídio? Alguns indivíduos equivocados e terapeutas inexperientes preocupam-se demais com essa questão. Se você está orientando ou tentando ajudar um indivíduo com depressão crônica que está desiludido e ameaça pôr fim à própria vida, talvez se pergunte: "Devo intervir de forma ostensiva ou deixar que ele vá em frente? Quais são seus direitos como ser humano em relação a isso? Sou responsável por evitar essa tentativa, ou devo dizer a ele para ir em frente e exercitar sua liberdade de escolha?".

Considero isso uma questão absurda e cruel, que se desvia totalmente do foco. A verdadeira questão não é se uma pessoa deprimida tem o direito de cometer suicídio, mas se ela está sendo *realista* em seus pensamentos quando pensa em fazer isso. Quando converso com um suicida, procuro descobrir por que ele está se sentindo assim. Poderia perguntar: "Qual é o seu motivo para querer se matar? Que problema tão terrível você tem na vida que não tenha solução?". Então ajudaria a pessoa a revelar o pensamento irracional que se esconde por trás do impulso suicida o mais depressa possível. Quando você começar a pensar de forma mais realista, sua sensação de desespero e o desejo de acabar com a sua vida vão desaparecer e você terá vontade de viver. Portanto, recomendo alegria e não a morte a indivíduos suicidas, e procuro mostrar a eles como alcançá-la o mais rápido possível! Vejamos como isso pode ser feito.

Holly era uma moça de 19 anos que me foi encaminhada para tratamento por um psicanalista infantil de Nova York. Ele havia tratado dela com terapia analítica por vários anos sem sucesso, desde o surgimento de uma grave depressão persistente no início de sua adolescência. Outros médicos também não haviam conseguido ajudá-la. Sua depressão originou-se durante um período de turbulência familiar que levou à separação e ao divórcio de seus pais.

Sua tristeza crônica era pontuada por inúmeros episódios em que cortara os pulsos. Ela dizia que, durante os períodos em que a frustração e o desespero aumentavam, era dominada pela vontade de se ferir e só sentia alívio quando via o sangue escorrendo pela sua pele. Na primeira vez em que me encontrei com Holly, notei várias cicatrizes brancas sobre os seus pulsos que atestavam esse comportamento. Além desses episódios de automutilação, que não eram tentativas de suicídio, ela havia tentado se matar em diversas ocasiões.

Apesar de todos os tratamentos que havia feito, sua depressão não diminuía. Às vezes tornava-se tão grave que ela precisava ser hospitalizada. Holly havia passado vários meses internada numa ala fechada de um hospital em Nova York na época em que me foi encaminhada. O médico que a encaminhou recomendou mais três anos seguidos de internação no mínimo, e parecia concordar com Holly que seu prognóstico para uma melhora significativa, pelo menos num futuro próximo, não era nada bom.

Ironicamente, ela era inteligente, articulada e tinha boa aparência. Havia se saído bem no colégio, apesar de não frequentar as aulas durante os períodos em que esteve internada em hospitais. Precisou de algumas aulas com professores particulares. Como muitos pacientes adolescentes, o sonho de Holly era tornar-se um profissional de saúde mental, mas seu terapeuta anterior disse a ela que isso não era possível devido aos seus próprios problemas emocionais, de natureza explosiva e incurável. Essa opinião foi mais um duro golpe para Holly.

Após terminar o colégio, ela passou a maior parte do tempo internada em clínicas psiquiátricas, pois foi considerada demasiado doente e incontrolável para a terapia ambulatorial. Numa tentativa desesperada de conseguir ajuda, seu pai entrou em contato com a Universidade da Pensilvânia, pois havia lido sobre nosso trabalho com a depressão. Ele solicitou uma consulta para determinar se existia alguma alternativa de tratamento promissora para sua filha.

Depois de falar comigo por telefone, o pai de Holly obteve a custódia dela e veio até a Filadélfia para que eu pudesse conversar com ela e avaliar as possibilidades de tratamento. Quando os conheci, suas personalidades contrastavam com as minhas expectativas. Ele mostrou-se uma pessoa tranquila e descontraída; ela era extremamente atraente, simpática e prestativa.

Eu apliquei vários testes psicológicos em Holly. O Inventário de Depressão de Beck indicou depressão grave, e outros testes confirmaram um elevado grau de desespero e séria intenção de suicídio. Holly me disse claramente "Eu quero me matar". O histórico da família indicava que vários parentes haviam tentado o suicídio – dois deles com sucesso. Quando perguntei a Holly por que queria se matar, ela me disse que era uma pessoa preguiçosa. E explicou que, por ser preguiçosa, não era digna e merecia morrer.

Eu quis descobrir se ela reagiria favoravelmente à terapia cognitiva, então usei uma técnica que eu esperava que atraísse a sua atenção. Propus que fizéssemos uma encenação e ela imaginasse que dois advogados estavam discutindo o seu caso no tribunal. Aliás, por acaso o pai dela era um advogado especializado em erros médicos! Como eu era um terapeuta principiante na época, isso aumentou ainda mais a minha ansiedade e insegurança de lidar com um caso tão complicado. Eu disse a Holly para fazer o papel do promotor e tentar convencer o júri de que ela merecia a pena de morte. Disse a ela que eu faria o papel do advogado de defesa e questionaria toda acusação que ela fizesse. Expliquei que, dessa forma, poderíamos avaliar suas razões para viver e suas razões para morrer, e ver em que ponto estava a verdade:

HOLLY: Para este indivíduo, o suicídio seria uma forma de se libertar da vida.

DAVID: Esse argumento poderia se aplicar a qualquer pessoa do mundo. Por si só, ele não é um motivo convincente para morrer.

HOLLY: A promotoria responde que a vida da paciente é tão infeliz que ela não pode aguentar nem mais um minuto.

DAVID: Ela conseguiu aguentar até agora, então talvez possa aguentar um pouco mais. Ela nem sempre foi infeliz no passado, e não há nenhuma prova de será sempre infeliz no futuro.

HOLLY: A promotoria ressalta que a vida dela é um fardo para sua família.

DAVID: A defesa enfatiza que o suicídio não resolverá esse problema, uma vez que sua morte pode se mostrar um golpe ainda pior para sua família.

HOLLY: Mas ela é uma pessoa egoísta, preguiçosa e sem valor, e merece morrer!

DAVID: Que percentual da população é preguiçosa?

HOLLY: Provavelmente 20%... Não, eu diria que apenas 10%.

DAVID: Isso significa que 20 milhões de americanos são preguiçosos. A defesa ressalta que eles não devem morrer por causa disso, portanto não há razão para que a paciente seja escolhida para morrer. Vossa Excelência acredita que preguiça e apatia sejam sintomas de depressão?

HOLLY: Provavelmente.

DAVID: A defesa ressalta que, na nossa cultura, as pessoas não são condenadas à morte por apresentar sintomas de alguma doença, seja ela pneumonia, depressão ou qualquer outra. Além disso, a preguiça pode desaparecer quando a depressão acabar.

Holly parecia estar mesmo envolvida nessa argumentação e se divertindo com ela. Após uma série de acusações e defesas como essas, ela admitiu que não tinha nenhum motivo convincente para morrer, e que qualquer júri sensato iria decidir em favor da defesa. O mais importante é que Holly estava aprendendo a questionar e responder aos seus pensamentos negativos sobre si mesma. Esse processo trouxe a ela um alívio emocional parcial, mas imediato, o primeiro que ela havia sentido em muitos anos. Ao fim da sessão de consulta, ela me disse: "Não me lembro de ter me sentido tão bem alguma vez. Mas agora me vem à cabeça o pensamento negativo 'Pode ser que essa nova terapia não seja tão boa como parece'.". Em resposta a isso, ela sentiu uma súbita onda de depressão novamente. Eu lhe garanti:

> Holly, a defensoria ressalta que isso não é um problema real. Se a terapia não for tão boa como parece, você vai descobrir isso em poucas semanas, e ainda terá a opção de ficar internada por um longo período. Não terá perdido nada. Além do mais, a terapia pode ser em parte tão boa como parece, ou quem sabe até melhor. Talvez você esteja disposta a tentar.

Diante dessa proposta, ela decidiu voltar à Filadélfia para o tratamento.

O desejo de Holly de cometer suicídio era apenas resultado de distorções cognitivas. Ela confundiu os sintomas de sua doença, como a letargia e a perda de interesse pela vida, com sua verdadeira identidade e se rotulou de "preguiçosa". Como Holly equiparava seu valor como ser humano às suas realizações, ela concluiu que era uma pessoa sem valor e merecia morrer. Tirou a conclusão precipitada de que jamais conseguiria se recuperar, e de que sua família ficaria melhor sem ela. Magnificou seu desconforto dizendo "Não posso aguentar". Sua sensação de desespero era resultado de querer adivinhar o futuro – sem a menor lógica, ela tirou a conclusão de que não poderia melhorar. Quando Holly viu que só estava presa a uma armadilha criada por seus pensamentos pouco realistas, sentiu-se aliviada de repente. Para continuar melhorando, tinha de aprender a corrigir seu pensamento negativo permanentemente, e isso exigia grande esforço! Ela não ia se entregar assim tão fácil!

Após a nossa consulta inicial, Holly foi transferida para um hospital da Filadélfia, onde eu a visitava duas vezes por semana para iniciar a terapia cognitiva. Ela teve uma passagem turbulenta pelo hospital, com mudanças drásticas de humor, mas conseguiu receber alta após um período de cinco semanas, e eu a convenci a se matricular num curso de meio período durante o verão. Por algum tempo, seu humor continuou a oscilar como um ioiô, mas ela apresentava uma melhora geral. Às vezes Holly afirmava sentir-se muito bem por vários dias. Isso representou um grande avanço, pois eram os primeiros períodos felizes que ela tinha desde os 13 anos.

Então, de repente, ela tinha uma recaída para um estado de depressão grave. Nessas ocasiões, tornava-se ativamente suicida outra vez, e fazia de tudo para tentar me convencer de que não valia a pena viver. Como muitos adolescentes, parecia sentir raiva da humanidade toda, e insistia que não fazia sentido continuar vivendo.

Além de ter sentimentos negativos em relação ao seu próprio valor, Holly havia desenvolvido uma visão extremamente negativa e desiludida do mundo inteiro. Ela não apenas via-se presa a uma depressão sem fim e incurável, mas, como muitos adolescentes de hoje, havia adotado uma teoria pessoal de niilismo. Essa é a forma mais radical de pessimismo. O niilismo é a crença de que não existe verdade ou significado em coisa alguma, e que *tudo* na vida envolve sofrimento e agonia. Para um niilista como Holly, o mundo não oferece *nada* a não ser desgraça. Ela estava convencida de que a verdadeira essência de cada pessoa e objeto no universo era maligna e terrível. Sua depressão, portanto, era o inferno na terra. Holly vislumbrava a morte como a única saída possível e ansiava por ela. Vivia reclamando e discursando cinicamente sobre as crueldades e as desgraças da vida. Insistia que a vida era completamente insuportável o tempo todo, e que os seres humanos eram totalmente desprovidos de qualidades redentoras.

A tarefa de fazer que uma jovem tão inteligente e persistente enxergasse e admitisse o quanto seu pensamento estava distorcido foi um verdadeiro desafio para este terapeuta! O longo diálogo a seguir ilustra suas atitudes extremamente negativas, bem como o meu esforço para ajudá-la a perceber a falta de lógica do seu pensamento:

HOLLY: Não vale a pena viver, pois no mundo há mais coisas ruins do que boas.
DAVID: Suponhamos que eu fosse o paciente deprimido, você fosse meu terapeuta e eu lhe dissesse isso. O que você diria?

(Usei essa estratégia com a Holly, pois sabia que seu objetivo na vida era ser terapeuta. Imaginei que diria algo sensato e otimista, mas ela foi mais esperta.)

HOLLY: Eu diria que não posso discutir com você!
DAVID: Então, se eu fosse um paciente seu com depressão e lhe dissesse que não valia a pena viver, você me aconselharia a me atirar pela janela?
HOLLY (rindo): Sim. Quando penso a respeito, é a melhor coisa a fazer. Se você pensar em todas as coisas ruins que estão acontecendo no mundo, o certo é ficar muito chateado e entrar em depressão.
DAVID: E qual é a vantagem de fazer isso? Vai ajudar a corrigir o que está errado no mundo, por acaso?
HOLLY: Não. Mas *não dá* para corrigir essas coisas.
DAVID: Não dá para corrigir *todas* as coisas ruins do mundo, ou não dá para corrigir *algumas* delas?

HOLLY: Não dá para corrigir nada importante. Acho que dá para corrigir coisas pequenas. Mas isso não vai fazer diferença na ruindade do universo.

DAVID: Ora, se eu dissesse isso a mim mesmo ao fim de cada dia, quando fosse para casa, poderia realmente ficar chateado. Em outras palavras, ou eu pensaria nas pessoas que ajudei durante o dia e me sentiria bem, ou pensaria em todas as milhares de pessoas que nunca terei a chance de ver e tentar ajudar, e me sentiria desanimado e impotente. Isso me incapacitaria, e não acho que seja vantajoso para mim ficar incapacitado. Você acha?

HOLLY: Na verdade, não. Quer dizer, não sei.

DAVID: Você *gosta* de ficar incapacitada?

HOLLY: Não. A menos que eu ficasse totalmente incapacitada.

DAVID: Como seria isso?

HOLLY: Eu estaria morta, e acho que seria melhor assim.

DAVID: Você acha que estar morta é agradável?

HOLLY: Bom, eu nem sei como é. Acho que pode ser horrível estar morto e não sentir nada. Quem sabe?

DAVID: Então pode ser horrível, ou pode não ser nada. O mais próximo de não sentir nada é quando você está anestesiada. Isso é agradável?

HOLLY: Não é agradável, mas também não é desagradável.

DAVID: Fico feliz por reconhecer que isso não é agradável. E você tem razão, realmente não há nada de agradável em não sentir nada. Mas existem coisas agradáveis na vida.

(Nesse ponto eu achei que houvesse realmente causado impressão. Mas, novamente, com sua insistência adolescente de que a vida não tinha nada de bom, ela continuava a me enrolar e a contradizer tudo o que eu dizia. Sua resistência tornava meu trabalho com ela desafiador e um bocado frustrante, às vezes.)

HOLLY: Mas veja, existem tão *poucas* coisas agradáveis na vida, e tantas outras que você precisa aguentar para ter essas coisas agradáveis, que me parece não fazer diferença.

DAVID: Como você fica quando está se sentindo bem? Acha que não faz diferença nessas horas, ou só fica assim quando está se sentindo mal?

HOLLY: Tudo depende de onde quero manter o meu foco, certo? A única maneira de não ficar deprimida é não pensar em todas as coisas horríveis do universo que me deixam deprimida. Entendeu? Então, quando estou me sentindo bem, significa que estou mantendo o foco nas coisas boas. Mas todas as coisas ruins continuam lá. Como há muito mais coisas ruins do que boas, olhar apenas para o que é bom e me sentir bem ou feliz é falso e desonesto, e é por isso que o suicídio é a melhor coisa a fazer.

DAVID: Bem, existem dois tipos de coisas ruins no universo. Uma delas é a pseudorruim. Não é ruim de verdade, apenas um produto da nossa imaginação, criado pelo modo como encaramos as coisas.

HOLLY (interrompendo): Bom, quando leio os jornais, vejo estupros e assassinatos. Isso me parece uma coisa ruim *de verdade*.

DAVID: Certo. Isso é o que eu chamo de ruim de verdade. Mas vamos falar das pseudorruins, primeiro.

HOLLY: Tipo o quê? O que você entende por pseudorruim?

DAVID: Bem, vejamos a sua afirmação de que a vida não tem nada de bom. Isso é um exagero e é incorreto. Como você ressaltou, a vida tem elementos positivos, elementos negativos e elementos neutros. Portanto, a afirmação de que a vida não tem nada de bom ou de que tudo está perdido é exagerada e pouco realista. É isso que entendo por pseudorruim. Por outro lado, existem os problemas reais da vida. É verdade que algumas pessoas são assassinadas e outras têm câncer, mas a minha experiência mostra que essas coisas desagradáveis podem ser enfrentadas. Na verdade, em sua vida você provavelmente vai decidir se comprometer com algum aspecto dos problemas do mundo, em que acha que pode contribuir para uma solução. Mas, até mesmo aí, a atitude adequada envolve interagir com o problema de uma forma positiva, em vez de se deixar dominar por ele e ficar sentado se lamentando.

HOLLY: Bom, é isso mesmo que eu faço. Simplesmente me deixo dominar pelas coisas ruins que encontro, então fico achando que devo me matar.

DAVID: Exatamente. Claro, seria bom se existisse um universo onde não houvesse problemas nem sofrimento, mas aí também não haveria oportunidade para as pessoas crescerem ou resolverem esses problemas. Um dia desses, provavelmente você escolherá um dos problemas do mundo, e contribuir para a solução dele se tornará uma fonte de satisfação para você.

HOLLY: Bom, não é justo usar os problemas dessa maneira.

DAVID: Por que não faz o teste? Não quero que acredite em nada do que eu digo sem testar por si mesma e descobrir se é verdade. A forma de testar isso é começar a se envolver com as coisas, frequentar as aulas, fazer seu trabalho e se relacionar com as pessoas.

HOLLY: Já estou começando a fazer isso.

DAVID: Bem, você pode ver como as coisas rolam durante um tempo, e talvez descubra que ir a um curso de verão e fazer uma contribuição a este mundo, encontrar amigos e se envolver em atividades, fazer seu trabalho e tirar boas notas, experimentar uma sensação de conquista e prazer por fazer o que pode – tudo isso pode não ser satisfatório para você, e talvez conclua "Putz, a depressão era melhor" e "Eu não gosto de ser feliz". Talvez diga "Putz, eu não gosto de me envolver nas coisas". Se isso for verdade, você sempre pode voltar a ficar deprimida e sem esperança. Não vou tirar nada de você. Mas não despreze a felicidade antes de tentar. Faça o teste. Descubra como é a vida quando você se envolve e se empenha. Então veremos no que vai dar.

Mais uma vez, Holly sentiu um alívio emocional considerável ao perceber, pelo menos em parte, que sua forte convicção de que o mundo não tinha nada de bom e de que não valia a pena viver era apenas resultado de sua forma irracional de ver as coisas. Ela estava cometendo o erro de se concentrar apenas nos pontos negativos (o filtro mental) e insistindo arbitrariamente que as coisas positivas do mundo não contavam (desqualificar os pontos positivos). Consequentemente, tinha a impressão de que tudo era negativo e não valia a pena viver. Quando aprendeu a corrigir esse erro do seu pensamento, começou a se sentir um pouco melhor. Embora continuasse a ter muitos altos e baixos, a frequência e a gravidade das suas oscilações de humor diminuíram com o tempo. Ela fez um trabalho tão bom em seu curso de verão que foi aceita como aluna numa das faculdades mais importantes do país no segundo semestre. Embora fizesse muitas previsões pessimistas de que seria reprovada por não ter capacidade para o meio acadêmico, para sua grande surpresa Holly saiu-se excepcionalmente bem nas aulas. Quando aprendeu a transformar sua intensa negatividade numa atividade produtiva, ela tornou-se uma das melhores alunas.

Nossos caminhos se separaram menos de um ano depois do início de nossas sessões semanais. No meio de uma discussão, ela saiu do consultório, bateu a porta e jurou nunca mais voltar. Pode ser que não conhecesse nenhuma outra forma de dizer adeus. Acho que sentia que estava pronta para tentar fazer as coisas por conta própria. Talvez finalmente tenha se cansado de tentar me derrotar; afinal, eu era tão teimoso quanto ela! Holly me ligou recentemente para contar como estavam as coisas. Embora ainda sofra com seus humores às vezes, hoje ela está no último ano e é a primeira da turma. Seu sonho de fazer pós-graduação e seguir uma carreira profissional parece ser uma certeza. Deus a abençoe, Holly!

O pensamento de Holly apresenta muitas das armadilhas mentais que podem levar a um impulso suicida. Quase todos os pacientes suicidas têm em comum um senso irracional de desespero e a convicção de estar enfrentando um dilema sem solução. Uma vez que revelar as distorções em seu pensamento, você sentirá um alívio emocional considerável. Isso pode lhe dar um motivo para ter esperança e ajudá-lo a evitar uma perigosa tentativa de suicídio. Além disso, o alívio emocional pode lhe dar um certo fôlego para que possa continuar a fazer mudanças significativas em sua vida.

Pode ser que você ache difícil se identificar com uma adolescente turbulenta como Holly, então vamos dar uma rápida olhada em outra das causas mais comuns de pensamentos e tentativas de suicídio – a sensação de desilusão e desespero que às vezes nos atinge na meia-idade ou na velhice. Ao rever o passado, talvez você conclua que não realizou muita coisa na vida, em comparação com os sonhos que tinha na juventude. Isso tem sido chamado de crise da meia-idade – aquele estágio em que você reflete sobre o que fez de fato com a sua vida, comparado às suas esperanças e planos. Se não conseguir resolver essa crise, pode sentir uma amargura tão intensa e uma decepção tão profunda que acabe tentando suicídio. Mais uma vez, revela-se que o problema tem pouco ou nada a ver com a realidade. Em vez disso, seu distúrbio baseia-se num pensamento distorcido.

Louise era uma mulher casada na faixa dos 50 anos que havia emigrado da Europa para os Estados Unidos durante a Segunda Guerra Mundial. Sua família trouxe-a ao meu consultório um dia, após ter recebido alta de uma unidade de tratamento intensivo onde fora internada por causa de uma tentativa de suicídio quase bem-sucedida e totalmente inesperada. A família não sabia que ela vinha sofrendo de uma grave depressão, portanto sua súbita tentativa de suicídio foi uma surpresa total. Quando falei com Louise, ela me contou amargurada que não estava feliz com sua vida. Nunca havia sentido a alegria e satisfação com que sonhava quando era moça: queixava-se de uma sensação de incompetência e estava convencida de que era um fracasso como ser humano. Ela me disse que não havia realizado nada de importante e concluiu que não valia a pena viver.

Como senti que era necessária uma intervenção rápida para evitar uma segunda tentativa de suicídio, usei técnicas cognitivas para demonstrar a ela o mais rápido possível a falta de lógica do que estava dizendo a si mesma. Primeiro, pedi a ela para me entregar uma lista das coisas que havia realizado na vida para colocar à prova sua crença de que não havia tido êxito em nada de importante.

LOUISE: Bem, eu ajudei minha família a fugir do terrorismo nazista e se estabelecer neste país durante a Segunda Guerra Mundial. Além disso, aprendi a falar várias línguas fluentemente – cinco – quando era criança. Quando cheguei aos Estados Unidos, sujeitei-me a um emprego desagradável para que minha família tivesse dinheiro suficiente. Meu marido e eu criamos um excelente rapaz, que foi para a faculdade e hoje é um executivo muito bem-sucedido. Eu sou uma boa cozinheira; e além de ser, talvez, uma boa mãe, meus netos parecem achar que sou uma boa avó. Essas seriam as coisas que acredito ter realizado durante a minha vida.

DAVID: Diante de todo isso, como pode me dizer que não realizou nada?

LOUISE: Veja bem, *todos* na minha família falam cinco línguas. Sair da Europa foi apenas uma questão de sobrevivência. Meu emprego era comum e não exigia nenhum talento especial. Uma mãe tem obrigação de cuidar da família e qualquer boa dona de casa deve aprender a cozinhar. Como tudo isso é coisa que eu tinha mesmo de fazer, ou que qualquer um podia ter feito, elas não são realizações de verdade. São apenas coisas comuns, e é por isso que resolvi cometer suicídio. Minha vida não vale a pena.

Percebi que Louise estava se aborrecendo sem necessidade por dizer "Isso não conta" para tudo de bom em relação a si mesma. Essa distorção cognitiva comum, chamada "desqualificar os pontos positivos", era sua maior inimiga. Louise concentrava-se *somente* em suas imperfeições ou erros, e insistia que seus êxitos não eram nada de mais. Se desconsiderar suas realizações dessa forma, você vai criar a ilusão mental de que não tem valor nenhum.

Para demonstrar seu erro mental de maneira drástica, propus a Louise que fizéssemos uma encenação. Disse a ela que faria o papel de um psiquiatra deprimido e ela seria minha terapeuta, que tentaria descobrir por que ando tão deprimido.

LOUISE (como terapeuta): Por que se sente deprimido, dr. Burns?

DAVID (como psiquiatra deprimido): Bom, percebi que não realizei nada na minha vida.

LOUISE: Então acha que não realizou nada? Mas isso não faz sentido. Você deve ter realizado alguma coisa. Por exemplo, você cuida de muitos pacientes que sofrem de depressão, e soube que publica artigos sobre sua pesquisa e faz palestras. Parece que você já realizou muita coisa para alguém tão jovem.

DAVID: Não. Nenhuma dessas coisas conta. Veja, todo médico tem obrigação de cuidar de seus pacientes. Então, isso não conta – só estou fazendo o que devia fazer. Além do mais, é meu dever na universidade fazer pesquisa e publicar os resultados. Portanto, não são realizações *de verdade*. Todos os membros da faculdade fazem isso e, de qualquer modo, minha pesquisa não é muito importante. Minhas ideias são apenas comuns. No fundo, minha vida é um fracasso.

Louise (rindo de si mesma – não mais como terapeuta): Estou vendo que andei me criticando desse jeito nos últimos dez anos.

David (novamente como terapeuta): Agora, como se sente quando fica dizendo a si mesma que "Isso não conta" toda vez que pensa nas coisas que realizou?

Louise: Fico deprimida quando digo isso a mim mesma.

David: E faz sentido pensar nas coisas que não fez e gostaria de ter feito, e ignorar as coisas que você fez e deram certo, e que foram resultado de muito esforço e determinação?

Louise: Não faz o menor sentido.

Como resultado dessa intervenção, Louise conseguiu ver que estava se prejudicando arbitrariamente ao repetir várias vezes "O que eu fiz não é bom o bastante". Quando reconheceu o quanto era arbitrário fazer isso consigo mesma, sentiu um alívio emocional imediato, e sua vontade de cometer suicídio desapareceu. Louise percebeu que, por mais coisas que tivesse realizado na vida, caso quisesse se aborrecer, sempre poderia olhar para trás e dizer "Não foi o bastante". Isso indicou a ela que seu problema não era *real*, apenas uma armadilha mental em que havia caído. A inversão de papéis parecia lhe evocar a sensação de algo divertido e engraçado. Essa estimulação do seu senso de humor pareceu ajudá-la a reconhecer o absurdo da sua autocrítica, e ela adquiriu um sentimento de compaixão por si mesma de que muito necessitava.

Vamos recapitular por que essa sua convicção de que você é um "caso perdido" é irracional e autodestrutiva. Primeiro, lembre-se de que o transtorno depressivo é geralmente, se não sempre, autolimitante, e na maioria dos casos acaba desaparecendo mesmo sem tratamento. A finalidade do tratamento é acelerar o processo de recuperação. Hoje existem vários métodos eficazes de terapia com medicamentos e psicoterapia, e outros estão sendo rapidamente desenvolvidos. A medicina está em constante evolução. Atualmente, estamos passando por um renascimento em nossa forma de lidar com os transtornos depressivos. Como ainda não é possível prever com total certeza quais intervenções psicológicas ou medicamentos serão mais úteis para um determinado paciente, às vezes será necessário aplicar várias técnicas até que se encontre a chave certa para libertar o potencial de felicidade armazenado. Embora isso exija paciência e empenho, é fundamental ter em mente que o fato de não reagir a uma ou mesmo a várias técnicas não indica que todos os métodos vão fracassar. Na verdade, em geral acontece o contrário. Por exemplo, pesquisas recentes sobre medicamentos demonstraram que os pacientes que não reagem a um antidepressivo têm uma chance superior à média de reagir a um outro. Isso significa que, se você não reagir a um dos agentes, suas chances de melhorar com o uso de outro podem realmente ser maiores. Se você considerar que existe um grande número de antidepressivos, intervenções psicoterapêuticas e técnicas de autoajuda eficazes, a probabilidade de uma eventual recuperação torna-se extremamente alta.

Quando está deprimido, às vezes você tende a confundir sentimentos com fatos. Sua falta de esperança e a sensação de total desespero são apenas *sintomas* do transtorno depressivo, e não fatos. Se você acha que é um "caso perdido", naturalmente vai sentir-se assim. Seus sentimentos apenas acompanham o padrão irracional do seu pensamento. Só um especialista, que já tratou centenas de pessoas deprimidas, teria condições de oferecer um prognóstico satisfatório de recuperação. Seu impulso suicida indica apenas que você precisa de tratamento. Portanto, sua convicção de que é um "caso perdido" quase sempre prova que não é. O indicado é a terapia, não o suicídio. Embora não se deva generalizar, deixo me guiar pela seguinte regra: os pacientes que se *consideram* um caso perdido *nunca são realmente* casos perdidos.

Essa convicção é um dos aspectos mais curiosos do transtorno depressivo. Na verdade, a falta de esperança sentida pelos pacientes com depressão grave que apresentam um excelente prognóstico costuma ser maior do que a de pacientes de câncer terminal com prognóstico ruim. É de grande importância revelar a falta de lógica por trás desse sentimento o mais rápido possível, a fim de evitar uma tentativa real de suicídio. Talvez você esteja convicto de ter um problema insolúvel na sua vida. Talvez sinta-se preso numa armadilha da qual não existe saída. Isso pode levar a uma enorme frustração e até ao impulso de se matar como sendo a única saída. No entanto, quando confronto um paciente sobre exatamente em que tipo de armadilha ele se encontra, e me concentro no "problema insolúvel" da pessoa, invariavelmente descubro que o paciente está iludido. Nessa situação, você é como um mágico malvado, e cria uma ilusão infernal com a magia da sua mente. Seus pensamentos suicidas são falsos, distorcidos e irracionais. São os seus pensamentos deturpados e as suas suposições equivocadas, e não a realidade, que causam o seu sofrimento. Quando aprender a olhar por trás dos espelhos, verá que está enganando a si mesmo, e seu impulso suicida irá desaparecer.

Seria ingênuo dizer que as pessoas deprimidas e os suicidas nunca têm problemas "reais". *Todos* nós temos problemas reais, sejam financeiros, de saúde, de relacionamento etc. Mas essas dificuldades quase sempre podem ser superadas de forma sensata, sem o suicídio. Na verdade, enfrentar esses desafios pode ser uma forma de melhorar o humor e promover um crescimento pessoal. Além disso, como ressaltado no Capítulo IX, problemas reais nunca podem deprimi-lo, por menores que sejam. Somente pensamentos distorcidos podem roubar suas esperanças ou sua autoestima. Nunca vi um paciente deprimido com um problema "real" que fosse tão "completamente insolúvel" a ponto de lhe indicar o suicídio.

PARTE VI
ENFRENTAR O ESTRESSE E AS PRESSÕES DO DIA A DIA

CAPÍTULO XVI
COMO PRATICO AQUILO QUE PREGO

> MÉDICO, CURA-TE A TI MESMO.
> Lc 4,23

Um estudo recente sobre o estresse indicou que uma das ocupações mais exigentes do mundo – em termos de tensão emocional e incidência de ataques cardíacos – é a do controlador de tráfego aéreo que fica na torre de controle de um aeroporto. O trabalho exige precisão, e o controlador de tráfego precisa ficar alerta o tempo todo – um erro poderia resultar em tragédia. No entanto, eu me pergunto se essa função é mais desgastante do que a minha. Afinal, os pilotos colaboram e desejam decolar e aterrissar com segurança. Mas as naves que controlo às vezes estão numa rota de colisão intencional.

Veja o que aconteceu durante um período de 30 minutos na manhã da última quinta-feira. Às 10h25 eu recebi a correspondência e vi uma carta longa, confusa e furiosa de um paciente chamado Félix pouco antes do início da minha sessão das 10h30. Félix anunciava seus planos de promover um "banho de sangue" em que mataria três médicos, entre eles dois psiquiatras que haviam tratado dele no passado! Em sua carta, Félix afirmava: "Estou só esperando até que tenha disposição suficiente para me dirigir até a loja e comprar o revólver e as balas.". Como não consegui falar com Félix pelo telefone, iniciei minha sessão das 10h30 com Harry. Ele estava muito magro e parecia um prisioneiro de um campo de concentração. Recusava-se a comer por acreditar que suas entranhas haviam se "fechado", e já tinha perdido mais de 30 quilos. Enquanto discutia a opção desagradável de internar Harry num hospital para ser alimentado à força por uma sonda e evitar sua morte por inanição, recebi um telefonema de emergência de um paciente chamado Jerome, que interrompeu a sessão. Ele me informou que havia amarrado uma corda em volta do pescoço e estava pensando seriamente em se enforcar antes que sua esposa chegasse do trabalho. Anunciou que não estava disposto a continuar o tratamento ambulatorial e insistia que seria inútil interná-lo.

Resolvi essas três emergências até o fim do dia e fui para casa descansar. Quase na hora de dormir, recebi uma ligação de uma nova paciente – uma mulher famosa indicada por um outro paciente meu. Ela dizia que andava deprimida há vários meses e que, pouco antes, estivera em frente ao espelho ensaiando para cortar a garganta com uma lâmina. Explicou que só estava me ligando para tranquilizar o amigo que havia me indicado, mas não tinha a intenção de marcar uma consulta porque estava convencida de que o seu caso "não tinha esperança".

Nem todos os dias são tão angustiantes como esse! Mas às vezes parece realmente que vivo numa panela de pressão. Isso me oferece uma série de oportunidades para aprender a lidar com uma enorme incerteza, ansiedade, frustração, irritação, decepção e culpa. E me dá a chance de aplicar minhas técnicas cognitivas em mim mesmo e verificar pessoalmente se elas funcionam. Há vários momentos sublimes e alegres, também.

Se você já foi a um psicoterapeuta ou a um conselheiro, é provável que o terapeuta tenha passado quase o tempo todo ouvindo e esperando que você falasse. É que muitos terapeutas são treinados para serem relativamente passivos e não diretivos – uma espécie de "espelho humano" que apenas reflete o que você está dizendo.[23] Esse estilo de comunicação de mão única pode ter lhe parecido pouco produtivo e frustrante. Talvez você tenha se perguntado: "Como o meu psiquiatra é, realmente? Que tipo de sentimentos ele tem? Como lida com eles? Que pressões ele sofre ao lidar comigo e com os outros pacientes?".

Muitos pacientes já me perguntaram diretamente: "dr. Burns, o senhor realmente pratica aquilo que prega?". A verdade é que, vira e mexe, arranco uma folha de papel no trem em que volto para casa à noite, e traço uma linha vertical no meio da folha para aplicar a técnica das duas colunas a algum resquício emocional do dia que ainda esteja me incomodando. Se está curioso para saber o que acontece nos bastidores, ficarei feliz em compartilhar algumas das minhas atividades de autoajuda com você. Essa é a sua chance de ficar sentado ouvindo, enquanto o *psiquiatra* fala! Ao mesmo tempo, pode ter uma ideia de como as técnicas que você aprendeu para superar a depressão clínica podem ser aplicadas a todos os tipos de frustrações e tensões cotidianas que inevitavelmente fazem parte da vida de todos nós.

---

23. Algumas formas mais modernas de tratamento psiquiátrico, como a terapia cognitiva, permitem um diálogo mais natural e equilibrado entre o paciente e o terapeuta, que trabalham em conjunto como membros de uma equipe em condições de igualdade.

LIDAR COM A HOSTILIDADE: O HOMEM QUE DISPENSOU 20 MÉDICOS

Uma situação de grande tensão que costumo enfrentar envolve o contato com pessoas zangadas, exigentes e insensatas. Acho que tratei de alguns campeões da costa leste em matéria de raiva. Essas pessoas costumam expressar seu ressentimento com as pessoas que mais se importam com eles, e às vezes isso me inclui.

Hank era um jovem mal-humorado. Já havia dispensado 20 médicos quando foi encaminhado a mim. Hank reclamava de dores frequentes nas costas, e estava convencido de que sofria de algum grave distúrbio médico. Como nunca havia surgido qualquer evidência de alguma anormalidade física, mesmo com longas avaliações e exames sofisticados, vários médicos lhe disseram que as suas dores, muito provavelmente, eram resultado de tensões emocionais, como uma dor de cabeça. Hank tinha dificuldade para aceitar isso, e achava que os médicos o estavam ignorando e não lhe davam a mínima. Por diversas vezes, ele explodiu de raiva, dispensou seu médico e procurou alguém novo. Finalmente, concordou em consultar um psiquiatra. Ele se ressentiu com a indicação e, após cerca de um ano sem fazer nenhum progresso, dispensou seu psiquiatra e procurou tratamento em nossa Clínica do Humor.

Hank estava muito deprimido, e comecei a lhe ensinar as técnicas cognitivas. À noite, quando sua dor nas costas se manifestava, Hank acabava se entregando a uma raiva frustrada e, impulsivamente, ligava para minha casa (ele havia me convencido a lhe dar meu telefone para não ter de passar pelo serviço de atendimento). Ele começava a praguejar e me acusar de ter errado no seu diagnóstico. Insistia que o seu problema era médico, e não psiquiátrico. Depois fazia alguma exigência absurda na forma de um ultimato: "dr. Burns, ou o senhor dá um jeito de me conseguir um tratamento de choque para amanhã, ou vou sair e cometer suicídio esta noite.". Em geral era difícil para mim, quando não impossível, cumprir a maioria de suas exigências. Eu não administro tratamento de choque, por exemplo, e também não achava que esse tipo de tratamento fosse indicado para Hank. Quando tentava explicar isso com diplomacia, ele explodia e ameaçava cometer algum ato destrutivo sem pensar.

Durante nossas sessões de psicoterapia, Hank tinha o hábito de ressaltar cada uma das minhas imperfeições (que são bastante reais). Costumava esbravejar pelo consultório, bater nos móveis, despejando insultos e ofensas contra mim. O que me incomodava particularmente era a acusação de Hank de que eu não me importava com ele. Dizia que eu só me importava com dinheiro e em manter um alto índice de sucesso na terapia. Isso me colocava num dilema, pois havia um fundo de verdade em suas críticas – ele costumava atrasar vários meses no pagamento de sua terapia, e eu me preocupava que pudesse abandonar o tratamento antes da hora e acabar ainda mais desiludido. Além disso, eu estava *mesmo* ansioso para acrescentá-lo à minha lista de casos bem-sucedidos. Como havia um pouco de verdade nos ataques verbais de Hank, eu me sentia culpado e ficava na defensiva quando ele se dirigia a mim. Ele, é claro, percebia isso e, consequentemente, o volume de suas críticas aumentava.

Pedi orientações aos meus colegas da Clínica do Humor sobre como lidar melhor com os acessos de Hank e com os meus próprios sentimentos de frustração. O conselho que recebi do dr. Beck foi especialmente útil. Primeiro, ele ressaltou que eu tinha uma "sorte extraordinária" por Hank estar me dando uma oportunidade de ouro para aprender a lidar melhor com a crítica e a raiva. Isso foi uma surpresa completa para mim; não havia percebido a grande sorte que tinha. Além de me incentivar a usar as técnicas cognitivas para reduzir e eliminar meu próprio sentimento de irritação, o dr. Beck propôs que eu experimentasse uma estratégia incomum para interagir com Hank quando ele estivesse de mau humor. Os pontos essenciais desse método eram: (1) Não afaste Hank se defendendo. Em vez disso, faça o contrário – peça que ele diga as piores coisas que puder a seu respeito; (2) Procure encontrar um fundo de verdade em todas as suas críticas e então concorde com ele; (3) Depois disso, ressalte qualquer ponto de divergência de forma direta e educada, sem discutir; (4) Enfatize a importância de se unirem, apesar dessas divergências ocasionais. Eu poderia lembrar a Hank que a frustração e as brigas podem retardar a nossa terapia de vez em quando, mas que isso não precisa destruir o relacionamento ou impedir que o nosso trabalho acabe sendo proveitoso.

Eu apliquei essa estratégia na vez seguinte em que Hank começou a esbravejar pelo consultório gritando comigo. Como havia planejado, pedi a Hank para continuar e dizer as piores coisas que pudesse pensar a meu respeito. O resultado foi drástico e imediato. Em poucos instantes, ele ficou totalmente sem ação – toda a sua revolta parecia ter se esvaído. Começou a se comunicar de maneira sensata e calma, e sentou-se. Na verdade, quando concordei com algumas de suas críticas, ele subitamente começou a me defender e disse algumas coisas boas a meu respeito! Fiquei tão impressionado com esse resultado que comecei a usar a mesma abordagem com outras pessoas explosivas e mal-humoradas, e passei a apreciar seus acessos de hostilidade porque tinha uma maneira eficaz de lidar com eles.

Também usei a técnica das duas colunas para registrar e contestar meus pensamentos automáticos depois de um dos telefonemas de Hank à meia-noite (ver Quadro 50, a seguir). Como meus colegas sugeriram, procurei ver as coisas sob a ótica dele para adquirir um certo grau de empatia. Esse foi o antídoto específico que dissolveu em parte minha própria frustração e raiva, fazendo que eu me sentisse bem menos chateado e defensivo. Isso me ajudou a encarar seus acessos mais como uma defesa de sua própria autoestima do que como um ataque pessoal contra mim,

QUADRO 50
Lidar com a hostilidade

Pensamentos automáticos	Respostas racionais
1. Dediquei mais energia ao meu trabalho com o Hank do que com qualquer um, e é isso que eu ganho – ofensas!	1. Pare de reclamar. Você tá parecendo o Hank! Ele está com medo, frustrado e enclausurado em seu ressentimento. Só porque você se empenha muito por alguém, isso não significa necessariamente que ele vai se sentir grato. Talvez se sinta algum dia.
2. Por que ele não confia em mim em relação ao seu diagnóstico e tratamento?	2. Porque está em pânico, sentindo-se extremamente desconfortável e com dor, e ainda não obteve nenhum resultado significativo. Ele vai acreditar em você quando começar a ficar bom.
3. Mas, enquanto isso, ele deveria pelo menos me tratar com respeito!	3. Você espera que ele demonstre respeito o tempo *todo* ou *parte* do tempo? Em geral, ele se esforça imensamente em seu programa de autoajuda e trata você com respeito. Está determinado a ficar bom – se você não esperar perfeição, não precisará se sentir frustrado.
4. Mas é justo ele ligar tantas vezes para a minha casa à noite? E precisa ser tão ofensivo?	4. Converse com ele sobre isso quando vocês dois estiverem mais tranquilos. Sugira a ele que complemente sua terapia individual participando de um grupo de autoajuda em que os pacientes liguem uns para os outros para dar apoio moral. Isso vai ajudar a fazer que ele ligue menos para você. Mas, por enquanto, lembre-se de que ele não *planeja* essas emergências, e que elas são muito assustadoras e reais para ele.

e pude compreender seus sentimentos de futilidade e desespero. Recordei a mim mesmo que ele era bastante esforçado e colaborador durante grande parte do tempo, e que era tolice de minha parte exigir que colaborasse totalmente o tempo inteiro. À medida que passei a me sentir mais tranquilo e confiante em meu trabalho com Hank, nosso relacionamento melhorou cada vez mais.

Por fim, a depressão e as dores de Hank se acalmaram, e ele terminou seu trabalho comigo. Eu já não o via há vários meses quando recebi uma mensagem do meu serviço de atendimento de que Hank queria que eu ligasse para ele. De repente, fiquei apreensivo; lembranças de seus discursos exaltados invadiram minha mente, e os músculos do meu estômago se retesaram. Com certa hesitação e uma mistura de sentimentos, disquei o número dele. Era uma tarde de sábado ensolarada, e eu estava ansioso por um descanso merecido após uma semana particularmente desgastante. Hank atendeu ao telefone: "dr. Burns, aqui é o Hank. Lembra de mim? Faz algum tempo que estou querendo lhe dizer uma coisa...". Ele fez uma pausa, e me preparei para a explosão iminente. "Estou praticamente livre da dor e da depressão desde que terminamos, um ano atrás. Saí da invalidez e arrumei um emprego. Sou também o líder de um grupo de autoajuda aqui da minha cidade."

Aquele não era o Hank de quem eu me lembrava! Senti uma onda de alívio e satisfação quando ele continuou a explicar:

Mas não é por isso que estou ligando. O que eu quero lhe dizer é... – houve um outro momento de silêncio – ...que sou grato pelos seus esforços, e agora sei que estava certo o tempo todo. Não havia nada terrivelmente errado comigo, eu estava apenas me atormentando com meu pensamento irracional. Mas não podia admitir isso até que tivesse certeza. Agora me sinto um homem por inteiro, e tinha de ligar para lhe contar como estou... Foi difícil para mim, e desculpe ter demorado tanto para lhe dizer isso.

Obrigado, Hank! Quero que saiba que algumas lágrimas de alegria e orgulho de você me vêm aos olhos ao escrever isso. Valeu a pena a angústia pela qual nós dois passamos uma centena de vezes!

LIDAR COM A INGRATIDÃO:
A MULHER QUE ERA INCAPAZ DE DIZER OBRIGADA

Você já se deu ao trabalho de fazer um favor a alguém que respondeu aos seus esforços com indiferença e grosseria? As pessoas *não deviam* ser tão ingratas, não é mesmo? Se você pensar assim, provavelmente vai ficar encucado com isso por vários dias, lembrando do episódio uma porção de vezes. Quanto mais provocativos seus pensamentos e fantasias se tornam, mais zangado e incomodado você vai se sentir.

Deixe-me contar a você sobre a Susan. Após a formatura do colégio, Susan procurou tratamento para uma depressão recorrente. Ela não acreditava muito que eu pudesse ajudá-la e me lembrava o tempo todo de que era um caso perdido. Havia passado várias semanas numa crise de histeria porque não conseguia se decidir entre duas faculdades. Agia como se o mundo fosse acabar se não tomasse a decisão "certa", mas não conseguia fazer sua escolha. Sua insistência em eliminar toda e qualquer incerteza provocava nela uma frustração sem fim, pois era simplesmente impossível fazer isso.

Ela chorava e soluçava excessivamente. Era hostil e agressiva com seu namorado e sua família. Uma dia ela me telefonou para me pedir ajuda. Tinha de tomar uma decisão. Susan rejeitava todas as sugestões que eu dava, e exigia furiosamente que eu apresentasse uma abordagem melhor. Continuava insistindo: "O fato de não conseguir tomar essa decisão prova que sua terapia cognitiva não vai funcionar comigo. Seus métodos não tão bons assim. Nunca vou conseguir me decidir, e não posso melhorar.". Uma vez que ela estava tão chateada assim, organizei minha agenda no período da tarde para que pudesse fazer uma consulta de emergência a um colega. Ele ofereceu várias sugestões excelentes; eu liguei para Susan na hora e lhe dei várias dicas de como resolver a sua indecisão. Ela conseguiu chegar a uma decisão satisfatória em menos de 15 minutos e sentiu uma onda de alívio imediata.

Quando chegou para sua próxima sessão regular, ela relatou que estava se sentindo tranquila desde a nossa conversa e já havia tomado todas as providências necessárias para frequentar a faculdade escolhida. Eu esperava enormes demonstrações de gratidão pelo grande esforço que havia feito por ela, e perguntei se ainda estava convencida de que as técnicas cognitivas não dariam certo com ela. Susan declarou:

> Com certeza! Isso apenas comprova o que eu disse. Eu estava contra a parede, e *tinha* de tomar uma decisão. O fato de estar me sentindo bem agora não conta, pois isso não vai durar muito. Essa terapia estúpida não pode me ajudar. Vou ficar deprimida pelo restante da minha vida.

Meu pensamento foi: "Meu Deus! Como consegue ser tão irracional? Eu poderia transformar barro em ouro e ela não iria nem perceber!". Meu sangue fervia, então decidi usar a técnica das duas colunas naquele dia para tentar acalmar meus ânimos e me sentir menos perturbado e ofendido (ver Quadro 51).

Depois de anotar meus pensamentos automáticos, consegui identificar o pressuposto irracional responsável por me deixar aborrecido com a sua ingratidão. Era: "Se eu fizer alguma coisa para ajudar uma pessoa, ela tem o dever de se sentir grata e me recompensar por isso.". Seria bom se as coisas funcionassem assim, só que não é esse o caso. Ninguém tem obrigação moral ou legal de me dar qualquer crédito pela minha inteligência nem de elogiar meus esforços em seu favor. Então, por que esperar ou exigir isso? Resolvi me adequar à realidade e adotar uma atitude mais realista:

QUADRO 51
Lidar com a ingratidão

Pensamentos automáticos	Respostas racionais
1. Como uma garota tão inteligente pode ser tão irracional?	1. Fácil! Seu pensamento irracional é a causa da sua depressão. Se ela não se concentrasse o tempo todo em coisas negativas e desqualificasse as positivas, não ficaria deprimida tantas vezes. É tarefa sua ajudá-la a superar isso.
2. Mas eu não consigo. Ela está determinada a acabar comigo. Não vai me dar um pingo de satisfação.	2. Ela não tem de lhe dar satisfação nenhuma. Só você pode fazer isso. Esqueceu que só os *seus* pensamentos afetam o seu humor? Por que você mesmo não assume o crédito pelo que fez? Não fique esperando por ela. Você aprendeu coisas interessantes sobre como orientar as pessoas a tomar decisões. Isso não conta?
3. Mas ela devia reconhecer que eu a ajudei! Devia ficar agradecida!	3. "Devia" por quê? Isso é história da carochinha. Se ela conseguisse fazer isso, provavelmente faria, mas ainda não consegue. Com o tempo isso vai acontecer, mas ela terá de reverter um padrão de pensamento irracional arraigado que vem dominando sua mente há mais de uma década. Talvez tenha *medo* de admitir que está conseguindo ajuda para não acabar desiludida outra vez. Ou tenha medo de que você diga "Eu avisei". Faça como Sherlock Holmes e tente resolver esse quebra-cabeça. Não adianta exigir que ela seja diferente do que é.

"Se eu fizer alguma coisa para ajudar uma pessoa, o mais provável é que ela *vai* ficar agradecida, e isso vai ser bom. Mas, de vez em quando, alguém não vai reagir como eu espero. Se ela reagir de forma irracional, isso refletirá um problema dela, e não meu, então por que me aborrecer com isso?". Essa postura tornou a minha vida bem mais agradável e, em geral, tenho sido abençoado com mais gratidão de meus clientes do que poderia desejar. A propósito, recebi um telefonema da Susan outro dia mesmo. Ela havia se saído bem na faculdade e estava prestes a se formar. Seu pai andava deprimido, e ela queria uma indicação de um bom terapeuta cognitivo! Talvez este fosse o seu jeito de dizer obrigado!

LIDAR COM A INCERTEZA E A FALTA DE ESPERANÇA: A MULHER QUE RESOLVEU COMETER SUICÍDIO

Quando estou indo para o consultório na segunda-feira, eu sempre me pergunto o que a semana irá me reservar. Numa manhã de segunda eu tive um choque inesperado. Quando abri a porta do consultório, encontrei alguns papéis que haviam sido deixados por debaixo da porta – uma carta de 20 páginas de uma paciente chamada Annie. Ela me havia sido encaminhada vários meses antes, no seu vigésimo aniversário, após oito anos de tratamento extremamente bem-sucedidos com vários terapeutas por causa de um horrível e grotesco transtorno de humor. Dos 20 anos em diante, a vida de Annie tinha se transformado num pesadelo de depressão e automutilação. Ela adorava retalhar os braços com objetos pontiagudos, chegando a levar 200 pontos numa das vezes. Também fez várias tentativas de suicídio que quase se concretizaram.

Fiquei tenso ao pegar sua carta. Havia pouco tempo, Annie manifestara um profundo sentimento de desespero. Além da depressão, ela sofria de um grave distúrbio alimentar, e na semana anterior havia passado três dias numa orgia alimentar bizarra, comendo de forma compulsiva e incontrolável. De restaurante em restaurante, ela ficava horas se empanturrando sem parar. Depois vomitava tudo e comia mais um pouco. Em sua carta, ela se descrevia como um "triturador de lixo humano" e explicava que não tinha mais esperança. Dizia que tinha decidido parar de tentar pois percebeu que, no fundo, ela era "um nada".

Sem ler o restante, liguei para o apartamento dela. Seus amigos disseram que ela havia feito as malas e "saído da cidade" por três dias sem dizer para onde nem por quê. Um alarme soou na minha cabeça! Era exatamente o que havia feito em suas últimas tentativas de suicídio antes do tratamento – ela dirigia até um hotel de beira de estrada, registrava-se com um nome falso e se entupia de remédios. Continuei a ler a carta. Nela, Annie afirmava:

> Estou esgotada, como se fosse uma lâmpada queimada. Você pode ligá-la à eletricidade, mas ela não vai acender. Desculpe, mas acho que é tarde demais. Não vou mais ter falsas esperanças... Nesses últimos instantes, não me sinto particularmente triste. De tempos em tempos eu tento me agarrar à vida, esperando segurar alguma coisa, qualquer coisa – mas continuo de mãos vazias, sem nada.

Aquilo parecia um autêntico bilhete suicida, embora não anunciasse nenhuma intenção explícita. De repente fui dominado por uma enorme incerteza e impotência – ela havia desaparecido sem deixar rastros. Senti raiva e angústia. Como não podia fazer nada por ela, resolvi anotar os pensamentos automáticos que passavam pela minha cabeça. Esperava que alguma resposta racional me ajudasse a enfrentar a enorme incerteza que eu estava sentindo (ver QUADRO 52, a seguir).

Depois de registrar meus pensamentos, resolvi ligar para o meu colega, o dr. Beck, para consultá-lo. Ele concordava que eu deveria supor que ela estava viva até que se provasse o contrário. Sugeriu que, se ela fosse encontrada morta, eu poderia aprender a lidar com um dos desafios profissionais de trabalhar com a depressão. Se estivesse viva, como acreditávamos, ele enfatizou a importância de persistir no tratamento até que sua depressão finalmente cessasse.

O efeito dessa conversa e do exercício por escrito foi magnífico. Eu percebi que não tinha obrigação nenhuma de imaginar "o pior", e que tinha o direito de escolher não me sentir péssimo com sua possível tentativa de suicídio. Decidi que não podia assumir a responsabilidade pelos seus atos, só pelos meus, e que tinha feito um bom trabalho com ela e estava determinado a continuar fazendo até que nós dois finalmente conseguíssemos derrotar a sua depressão e sentir o gosto da vitória.

Minha angústia e minha raiva desapareceram completamente, e me senti tranquilo e sossegado até receber as notícias por telefone, na quarta de manhã. Ela havia sido encontrada inconsciente num hotel de beira de estrada a cerca de 80 km da Filadélfia. Era sua oitava tentativa de suicídio, mas ela estava viva e reclamando como de costume na Unidade de Terapia Intensiva de um hospital da periferia. Ia sobreviver, mas precisaria fazer uma cirurgia plástica para repor a pele dos cotovelos e tornozelos, por causa das feridas que havia adquirido durante o longo período inconsciente. Providenciei sua transferência para a Universidade da Pensilvânia, onde voltaria para as minhas implacáveis garras cognitivas novamente!

Quando falei com ela, estava extremamente amargurada e sem esperanças. Os dois meses de terapia seguintes foram especialmente turbulentos. Mas a depressão finalmente começou a melhorar no décimo primeiro mês e, exatamente um ano depois de ser encaminhada, no seu aniversário de 21 anos, os sintomas da depressão desapareceram.

QUADRO 52
Lidar com a incerteza

Pensamentos automáticos	Respostas racionais
1. Ela provavelmente tentou se suicidar – e conseguiu.	1. Não há prova nenhuma de que ela esteja morta. Por que não presumir que está viva até que se prove o contrário? Assim não precisará se preocupar nem ficar obcecado enquanto isso.
2. Se ela estiver morta, significa que eu a matei.	2. Não, você não é um assassino. Está tentando ajudar.
3. Se eu tivesse feito algo diferente na semana passada, poderia ter evitado isso. A culpa é minha.	3. Você não é adivinho – não pode prever o futuro. Faz o melhor que pode baseado no que sabe – reconheça o seu limite e respeite-se com base nisso.
4. Isso não devia ter acontecido – eu me esforcei tanto.	4. Seja o que for que tenha acontecido, já aconteceu. Só porque você se esforça ao máximo, não pode garantir o resultado. Não pode controlar o que ela faz, apenas o seu próprio esforço.
5. Isso significa que o meu método não é grande coisa.	5. O seu método é um dos melhores já desenvolvidos, e você o aplica com grande empenho e dedicação, obtendo excelentes resultados. Você *é* grande coisa.
6. Os pais dela vão ficar bravos comigo.	6. Talvez fiquem, talvez não. Eles sabem o quanto você se esforçou por ela.
7. O dr. Beck e os meus colegas vão ficar bravos comigo – eles irão saber que sou um incompetente, e vão me olhar com desprezo.	7. É extremamente improvável. Todos nós ficamos desapontados ao perder um paciente que fizemos todo o possível para ajudar, mas seus colegas não vão achar que você os decepcionou. Se está tão preocupado, ligue para eles! Pratique aquilo que você prega, Burns.
8. Vou me sentir péssimo e culpado até descobrir o que aconteceu. Todos esperam que eu me sinta assim.	8. Você só vai se sentir péssimo se pensar de forma negativa. O mais provável é que (a) ela está viva e (b) ela irá melhorar. Acredite nisso e vai se sentir bem! Você não tem obrigação nenhuma sentir-se mal – tem o *direito* de se recusar a ficar chateado.

A RECOMPENSA

Minha alegria foi imensa. As mulheres devem sentir isso quando veem seu filho pela primeira vez após o parto – todo o desconforto da gravidez e a dor do parto são esquecidos. É a celebração da vida – uma experiência arrebatadora. Acho que, quanto mais grave e crônica a depressão, mais intensa se torna a batalha terapêutica. Mas, quando o paciente e eu finalmente descobrimos a combinação capaz de abrir as portas para a sua paz interior, as riquezas existentes lá dentro ultrapassam de longe qualquer esforço ou frustração que tenha ocorrido pelo caminho.

PARTE **VII**

A QUÍMICA DO HUMOR

CAPÍTULO XVII
A BUSCA PELA "BILE NEGRA"

Algum dia, os cientistas talvez possam nos oferecer uma tecnologia assustadora que nos permitirá alterar nosso humor à vontade. Essa tecnologia pode vir na forma de um medicamento seguro e de ação rápida que alivie a depressão em questão de horas, com pouco ou nenhum efeito colateral. Essa inovação representará um dos avanços mais extraordinários e filosoficamente desconcertantes da história humana. Num certo sentido, será quase como descobrir o Jardim do Éden novamente – e podemos enfrentar novos dilemas éticos. As pessoas provavelmente farão perguntas como essas: Quando devemos usar esse comprimido? Temos o direito de ser felizes o tempo todo? Às vezes a tristeza é uma emoção normal e saudável, ou sempre deve ser considerada uma anormalidade que precisa de tratamento? Onde termina uma e começa a outra?

Algumas pessoas acham que essa tecnologia já chegou na forma de um comprimido chamado Prozac. Ao ler os próximos capítulos, você verá que não é bem assim. Embora tenhamos uma grande quantidade de antidepressivos que funcionam para algumas pessoas, muitas não apresentam uma resposta satisfatória a esses medicamentos e, quando elas apresentam alguma melhora, muitas vezes, esta não é completa. Obviamente, ainda estamos muito longe de atingir o nosso objetivo.

Além disso, ainda não sabemos realmente como o cérebro produz as emoções. Não sabemos por que algumas pessoas são mais propensas a apresentar pensamento negativo e melancolia ao longo da vida, enquanto outras parecem eternos otimistas, sempre bem-dispostos e com uma visão positiva das coisas. Será que a depressão tem um componente genético? Ou se deve a algum tipo de desequilíbrio químico ou hormonal? Nós já nascemos com ela, ou é algo que adquirimos? As respostas para essas perguntas ainda fogem do nosso conhecimento. Muitas pessoas acreditam indevidamente que já temos essas respostas.

As respostas para as perguntas sobre o tratamento também são pouco claras. Quais pacientes devem ser tratados com medicamentos? Quais pacientes precisam de psicoterapia? A combinação dos dois tipos é melhor do que um único tratamento isolado? Você verá que as respostas para perguntas tão fundamentais são mais controversas do que se poderia esperar.

Neste capítulo, eu abordo essas questões. Discuto se a depressão é mais causada pela biologia (natureza) ou pelo ambiente (criação). Explico como o cérebro funciona, e analiso as evidências de que a depressão possa ser causada por um desequilíbrio químico do cérebro. Também descrevo como os antidepressivos tentam corrigir esse desequilíbrio.

No Capítulo XVIII, discuto o "problema mente-corpo" e falo sobre as atuais controvérsias quanto aos tratamentos que afetam a "mente" (por exemplo, a terapia cognitiva) *versus* aqueles que afetam o "corpo" (por exemplo, os antidepressivos). Nos Capítulos XIX e XX, fornecerei informações práticas sobre todos os medicamentos antidepressivos que são prescritos atualmente para problemas de humor.

QUEM TEM UM PAPEL MAIS IMPORTANTE NA DEPRESSÃO – AS INFLUÊNCIAS GENÉTICAS OU AMBIENTAIS?

Embora muitas pesquisas ainda estejam sendo conduzidas para tentar esclarecer a relação de forças existente entre as influências genéticas e ambientais sobre a depressão, os cientistas ainda não sabem quais são as mais importantes. No que diz respeito à doença bipolar (maníaco-depressiva), as evidências são muito fortes: os fatores genéticos parecem ter um papel preponderante. Por exemplo, se um de dois gêmeos idênticos desenvolve uma doença maníaco-depressiva bipolar, há uma grande probabilidade de que o outro também desenvolva esse distúrbio (de 50% a 75%). Por outro lado, quando um de dois gêmeos não idênticos desenvolve uma doença bipolar (maníaco-depressiva), as chances de que o outro desenvolva a mesma doença são menores (de 15% a 25%). As possibilidades de desenvolver uma doença bipolar se um dos pais ou um irmão que não seja gêmeo tiver esse distúrbio são de aproximadamente 10%. Todas essas probabilidades são bem mais altas do que a de um indivíduo qualquer desenvolver doença bipolar – o risco ao longo da vida é inferior a 1%.

Lembre-se de que os gêmeos idênticos possuem genes idênticos, enquanto os não idênticos compartilham apenas a metade dos seus genes. Provavelmente é por isso que a probabilidade de uma doença bipolar (maníaco-depressiva) é bem mais alta se você tiver um irmão gêmeo idêntico do que um não idêntico com esse distúrbio; isso também explica por que esses índices são bem mais altos do que os de doença bipolar na população em geral. O maior risco de doença bipolar entre gêmeos idênticos é real, mesmo que eles sejam separados no nascimento e criados por famílias diferentes. Embora a adoção de gêmeos idênticos por famílias separadas seja rara, às vezes isso acontece. Em alguns desses casos, os cientistas conseguiram localizar os gêmeos posteriormente para determinar o quanto estavam parecidos ou diferentes. Essas experiências "naturais" podem nos dizer muita coisa sobre a relação de importância entre os genes e o meio ambiente, pois os gêmeos idênticos criados separadamente possuíam genes idênticos, mas viviam em ambientes diferentes. Esses estudos ressaltam a importância da forte influência genética no transtorno bipolar.

Com relação à depressão comum sem episódios maníacos incontroláveis, bem mais frequente, as evidências dos fatores genéticos ainda não estão muito definidas. Parte do problema enfrentado pelos pesquisadores genéticos vem do fato de que o diagnóstico da depressão é bem menos claro que o da doença bipolar (maníaco-depressivo). A doença maníaco-depressiva bipolar é um distúrbio tão incomum, pelo menos em suas formas mais graves, que muitas vezes o diagnóstico é óbvio. O paciente apresenta uma mudança de personalidade repentina e alarmante, que se manifesta sem o uso de drogas ou álcool, juntamente a sintomas como:

- euforia intensa, muitas vezes com irritabilidade;
- energia incrível, com exercícios constantes, inquietação ou movimentos corporais agitados;
- pouquíssima necessidade de sono;
- falar depressa e sem parar;
- pensamentos acelerados que pulam de um assunto para outro;
- ilusões grandiosas (por exemplo, alguém acreditar de repente que tem um plano para conseguir a paz mundial);
- atitudes impulsivas, irresponsáveis e inadequadas (como gastar dinheiro à toa);
- comportamento leviano e atividade sexual imprópria e excessiva;
- alucinações (em casos graves).

Em geral, esses sintomas são inconfundíveis e muitas vezes tão incontroláveis que o paciente pode precisar de internação e tratamento médico. Após a recuperação, geralmente o indivíduo volta a levar uma vida absolutamente normal outra vez. Essas características distintas da doença bipolar tornam a pesquisa genética relativamente simples, pois em geral não é difícil determinar quando os indivíduos têm o distúrbio e quando não têm. Além disso, esse distúrbio geralmente manifesta-se bem cedo, sendo que o primeiro episódio costuma ocorrer por volta dos 20 a 25 anos de idade.

Por sua vez, o diagnóstico da depressão é bem menos óbvio. Onde termina a tristeza normal e começa a depressão clínica? A resposta é um tanto arbitrária, mas a decisão terá um grande impacto nos resultados da pesquisa. Outra questão difícil que os pesquisadores genéticos enfrentam é esta: Quanto tempo se deve esperar antes de determinar se uma pessoa desenvolveu ou não uma depressão clínica durante a vida? Suponhamos, por exemplo, que um indivíduo com um forte histórico familiar de depressão morra num acidente de automóvel aos 21 anos anos sem nunca ter apresentado qualquer episódio de depressão clínica. Podemos concluir que ele não herdou a tendência para a depressão. Mas, se esse indivíduo não tivesse morrido, poderia ter apresentado um episódio de depressão posteriormente, uma vez que o primeiro episódio de depressão muitas vezes ocorre depois dos 21 anos.

Problemas como esse não são insolúveis, mas dificultam a pesquisa genética sobre a depressão. Na verdade, muitos estudos publicados anteriormente sobre a genética da depressão são bastante falhos e não nos permitem tirar nenhuma conclusão inequívoca sobre a importância da hereditariedade *versus* a do ambiente nesse distúrbio. Felizmente, estudos mais sofisticados já estão em andamento, e talvez tenhamos melhores respostas para essas perguntas nos próximos cinco a dez anos.

A DEPRESSÃO É CAUSADA POR UM "DESEQUILÍBRIO QUÍMICO" DO CÉREBRO?

Ao longo dos tempos, o homem sempre procurou as causas da depressão. Até mesmo na Antiguidade, havia uma suspeita de que a melancolia se devesse a um desequilíbrio na química corporal. Hipócrates (460-377 a.C.) acreditava que a "bile negra" fosse a culpada. Nos últimos anos, os cientistas encabeçaram uma intensa busca pela elusiva bile negra. Eles tentaram identificar os desequilíbrios na química cerebral que poderiam causar a depressão. Existem alguns indícios sobre a resposta, porém, mesmo com instrumentos de pesquisa cada vez mais sofisticados, os cientistas ainda não descobriram as causas da depressão.

Ao menos dois argumentos principais foram propostos para sustentar a ideia de que algum tipo de desequilíbrio químico ou alteração cerebral possa desempenhar algum papel na depressão clínica. Em primeiro lugar, os sintomas físicos (somáticos) de depressão grave sustentam a ideia de que possa haver alterações orgânicas envolvidas. Esses sintomas físicos incluem agitação (maior atividade do sistema nervoso, como andar de um lado para o outro ou retorcer as mãos) ou enorme fadiga (apatia sem movimento – você se sente como uma tonelada de tijolos e não faz nada). Você também pode sofrer uma variação "diurna" no seu humor, isto é, os sintomas da depressão pioram pela manhã e vão melhorando ao longo do dia. Outros sintomas físicos da depressão incluem perturbações do sono (a insônia é a mais comum), prisão de ventre, mudanças no apetite (que geralmente diminui, às vezes aumenta), dificuldade de concentração e perda de interesse sexual. Como esses sintomas de depressão são "sentidos" fisicamente, há uma tendência a achar que as causas da depressão são físicas.

Um segundo argumento para uma causa fisiológica da depressão é que ao menos alguns transtornos de humor parecem ocorrer em famílias, sugerindo uma influência de fatores genéticos. Se existe uma anomalia hereditária que predisponha certos indivíduos à depressão, esta pode se manifestar na forma de um distúrbio na química corporal, como ocorre com tantas doenças genéticas.

O argumento genético é interessante, mas os dados não são conclusivos. As evidências da influência genética na doença maníaco-depressiva bipolar são bem mais fortes do que as da influência genética nas formas mais comuns de depressão que afligem a maioria das pessoas. Além disso, muitos fatores que não apresentam causas genéticas ocorrem em famílias. Por exemplo, nos Estados Unidos as famílias quase sempre falam inglês, e no México as famílias quase sempre falam espanhol. Podemos dizer que a tendência a falar um certo idioma também é algo que ocorre em famílias, mas o idioma que você fala é aprendido e não herdado.

Isso não significa que estou desconsiderando a importância dos fatores genéticos. Estudos recentes com gêmeos idênticos que foram separados no nascimento e cresceram em famílias diferentes demonstram que muitos traços que acreditamos serem aprendidos são, na verdade, herdados. Até mesmo traços de personalidade como a tendência à timidez ou à sociabilidade parecem ser parcialmente hereditários. Certas preferências pessoais, como gostar de sorvete de um determinado sabor, também podem ser fortemente influenciadas pelos nossos genes. Parece plausível que possamos herdar também uma tendência a ver as coisas de forma positiva e otimista, ou de forma negativa e triste. Muitas outras pesquisas serão necessárias para esclarecer essa possibilidade.

COMO FUNCIONA O CÉREBRO?

O cérebro é, essencialmente, um sistema elétrico que se assemelha de certa forma a um computador. Cada parte do cérebro é especializada em um tipo de função diferente. Por exemplo, a camada mais superficial do cérebro localizada na parte de trás da cabeça é chamada de "córtex occipital". É ali que se processa a visão. Se você tivesse um derrame que afetasse essa região do cérebro, teria problemas com a sua visão. Uma pequena região na superfície do hemisfério esquerdo do cérebro é chamada de "área de broca". Essa é a parte do seu cérebro que lhe permite conversar com as outras pessoas. Se essa região fosse lesada por um derrame, você teria dificuldade para falar. Possivelmente seria capaz de pensar no que gostaria de dizer, mas acharia que tivesse "esquecido" como falar as palavras. Acredita-se que uma parte primitiva do seu cérebro chamada "sistema límbico" esteja ligada ao controle de emoções como a alegria, a tristeza, o medo ou a raiva. No entanto, nosso conhecimento sobre o local onde o cérebro produz as emoções positivas e negativas e como elas são produzidas ainda é muito limitado.

Sabemos que os neurônios são os "fios" que compõem os circuitos elétricos do cérebro. A parte fina e comprida de um neurônio chama-se "axônio". Quando um neurônio é estimulado, ele envia um sinal elétrico que percorre o axônio até a extremidade. Contudo, um neurônio é bem mais complexo do que um simples fio elétrico. Por exemplo, um neurônio pode receber informações de dezenas de milhares de outros neurônios. Uma vez estimulado, seu axônio pode enviar sinais para dezenas de milhares de outros neurônios. É que o axônio pode se dividir e criar várias ramificações. Cada uma delas divide-se em mais ramificações ainda, do mesmo modo que o tronco de uma árvore se divide cada vez em mais galhos. Por causa dessa tendência a se ramificar, um único neurônio cerebral pode enviar sinais a até 25 mil outros localizados por todo o cérebro.

Como os neurônios do seu cérebro transmitem seus sinais elétricos a outros? Para entender isso, veja o QUADRO 53. Ela mostra um diagrama simplificado de dois neurônios. A região onde eles se encontram é chamada de "sinapse". Talvez você não esteja familiarizado com esse termo, mas não se deixe intimidar por isso. Ele significa apenas o espaço entre dois neurônios. O neurônio à esquerda é chamado "neurônio pré-sináptico", e aquele à direita, "neurônio pós-sináptico". Mais uma vez, esses termos não têm nenhum outro significado especial ou complicado. Eles apenas se referem ao neurônio que termina (pré-sináptico) ou começa (pós-sináptico) do lado esquerdo ou direito da sinapse no quadro.

O modo como o sinal elétrico é transmitido por meio dessa sinapse é importante para entendermos como o cérebro funciona. A região sináptica entre o neurônio pré-sináptico à esquerda e o neurônio pós-sináptico à direita é cheia de líquido. Essa descoberta foi um grande avanço na história da neurociência. Na verdade, ela não é assim tão surpreendente se considerarmos que nosso corpo é composto principalmente de água. No entanto, os cientistas ficaram intrigados, pois sabiam que os impulsos elétricos dos neurônio eram muito fracos para atravessar o líquido sinápti-

QUADRO 53
*Quando o neurônio pré-sináptico dispara,
pequenos "pacotes" contendo moléculas de serotonina
(neurotransmissores) são liberados na sinapse.
Eles nadam até os receptores existentes na superfície
do neurônio pós-sináptico.*

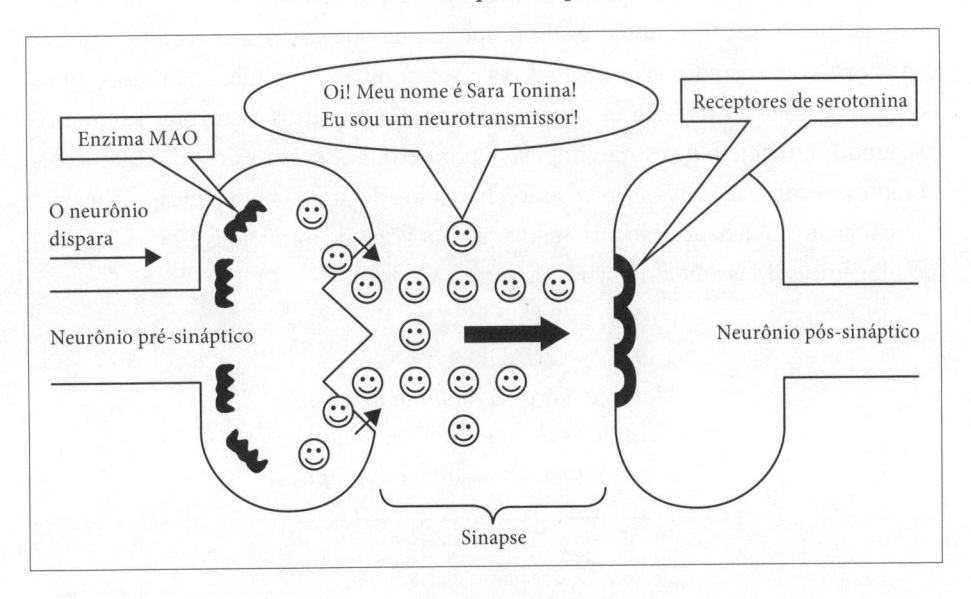

co. Então, como o neurônio pré-sináptico à esquerda no QUADRO 53 envia seu sinal elétrico através da sinapse cheia de líquido até o neurônio pós-sináptico?

Para fazermos uma analogia, imagine que você esteja caminhando no campo e encontre um rio. Você precisa chegar ao outro lado, mas o rio é muito fundo. Além disso, não há nenhuma ponte, e ele é muito largo para você pular por cima. Como chegar ao outro lado? Você pode precisar de uma canoa, ou talvez tenha de nadar.

Os neurônios enfrentam um problema semelhante. Como seus impulsos elétricos são fracos demais para saltar sobre a sinapse, os neurônios enviam pequenos nadadores até o outro lado com suas mensagens. Esses pequenos nadadores são substâncias químicas chamadas "neurotransmissores". O neurônio do QUADRO 53 usa um neurotransmissor chamado serotonina.

Você pode ver no QUADRO 53 que, quando o neurônio pré-sináptico dispara, ele libera minúsculos "pacotinhos" de serotonina na sinapse. Uma vez liberados, esses mensageiros químicos migram ou "nadam" através da sinapse cheia de líquido por meio de um processo chamado difusão. Do outro lado da sinapse, as moléculas de serotonina ligam-se aos receptores existentes na superfície do neurônio pós-

-sináptico. Esse sinal avisa ao neurônio pós-sináptico para disparar, como ilustra o Quadro 54.

Cada tipo de neurônio usa um tipo diferente de neurotransmissor. Há um grande número desses neurotransmissores no cérebro. Quimicamente, muitos deles são classificados como "aminas biogênicas", pois são produzidos a partir dos aminoácidos contidos nos alimentos que comemos. Eles são os mensageiros bioquímicos do cérebro. Três desses transmissores do grupo amina que atuam nas regiões límbicas (emocionais) do cérebro são chamados de serotonina, norepinefrina e dopamina. Acredita-se que eles tenham um papel importante em vários distúrbios psiquiátricos, tendo sido objeto de estudo intensivo por pesquisadores na área da Psiquiatria. Como esses mensageiros químicos são chamados de aminas biogênicas, as teorias que associam-nos à depressão ou à mania são por vezes denominadas teorias das aminas biogênicas. Mas ainda não chegamos nessa parte.

QUADRO 54
*As moléculas de serotonina ligam-se
aos receptores do neurônio pós-sináptico.
Isso estimula o neurônio a disparar.*

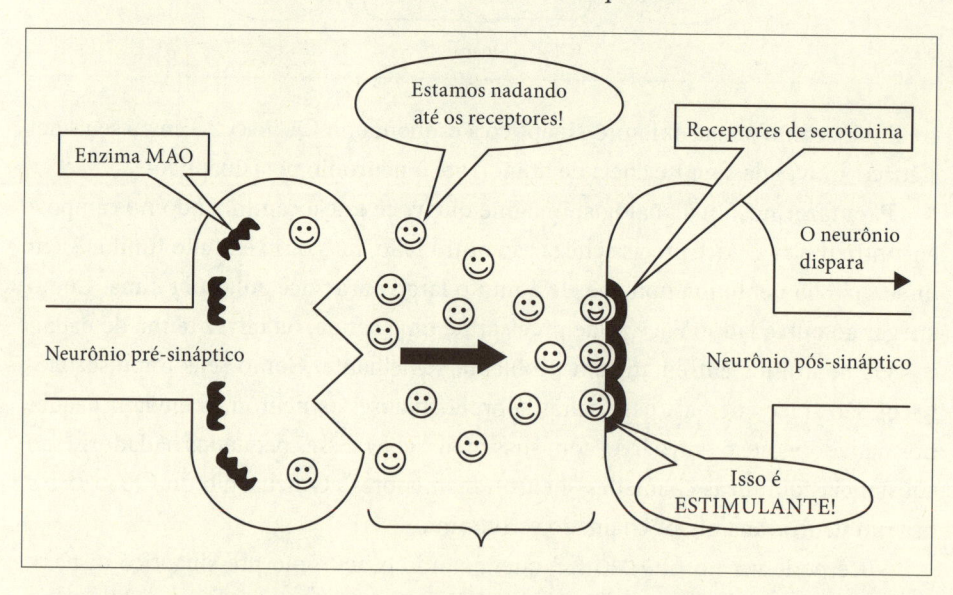

Como um mensageiro químico faz o neurônio pós-sináptico disparar depois que se liga a ele? Vamos imaginar por um instante que o transmissor químico do neurônio pré-sináptico seja a serotonina. (Eu poderia ter escolhido qualquer um, pois todos atuam de forma semelhante.) Na superfície do neurônio pós-sináptico existem minúsculas áreas chamadas "receptores de serotonina". Você pode pensar nesses receptores como sendo fechaduras, pois não podem ser abertos sem a chave certa. Eles ficam nas membranas que formam a superfície externa dos neurônios. Essas membranas são mais ou menos como a pele que reveste o seu corpo.

QUADRO 55
As moléculas de serotonina nadam de volta para o neurônio pré-sináptico, onde são bombeadas de volta para dentro.
Uma vez lá dentro, elas são destruídas pela enzima MAO.

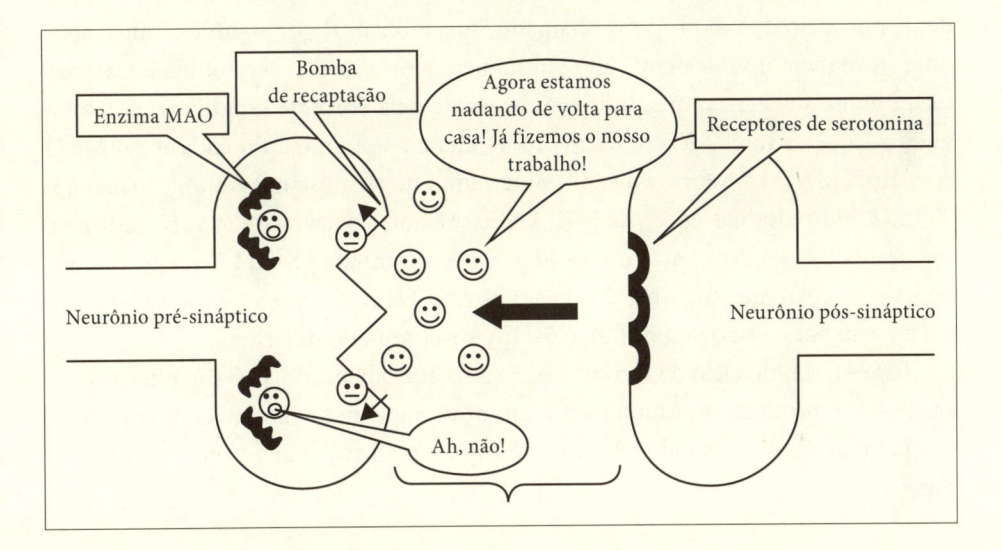

[Diagrama: Neurônio pré-sináptico com Enzima MAO e Bomba de recaptação; moléculas de serotonina dizendo "Agora estamos nadando de volta para casa! Já fizemos o nosso trabalho!" e "Ah, não!"; Receptores de serotonina no Neurônio pós-sináptico]

Agora, pense na serotonina como sendo a chave que abre a fechadura do neurônio pós-sináptico. Assim como uma chave de verdade, a serotonina só funciona porque tem um formato específico. Há muitas outras substâncias químicas flutuando na região sináptica, mas elas não abrem a fechadura da serotonina porque não têm o formato molecular certo. Quando a chave se encaixa na fechadura, esta se abre. Isso desencadeia outras reações químicas que fazem o neurônio pós-sináptico disparar eletricamente. Quando o neurônio dispara, a serotonina (a chave) é liberada a partir do receptor (a fechadura) do neurônio pós-sináptico e vai para o líquido sináptico outra vez. Por fim, ela "nada" de volta para o neurônio pré-sináptico (novamente, por meio de um processo chamado difusão), como ilustrado anteriormente no QUADRO 55.

A serotonina fez o seu trabalho, e o neurônio pré-sináptico precisa livrar-se dela; do contrário, ela ficará vagando pela sinapse e pode acabar voltando para o neurônio pós-sináptico outra vez. Isso poderia causar confusão, pois o neurônio pós-sináptico pode achar que há um novo sinal e ser estimulado a disparar novamente.

Para resolver esse problema, o neurônio pré-sináptico tem uma bomba em sua superfície. Quando a serotonina retorna, ela liga-se a um receptor (outra "fechadura") na superfície do neurônio pré-sináptico e é bombeada de volta para dentro dele por um elemento chamado "bomba de membrana" ou "bomba de recaptação", como se pode ver no Quadro 55.

Depois que a serotonina é bombeada de volta para dentro, o neurônio pré-sináptico pode reciclá-la ou destruir o excesso de serotonina se já tiver uma quantidade suficiente armazenada para o próximo sinal elétrico. Ele destrói a serotonina excedente por meio de um processo chamado "metabolismo", que significa transformar uma substância química em outra substância. Nesse caso, a serotonina é transformada numa substância que pode ser absorvida pela corrente sanguínea. A enzima que realiza essa tarefa dentro do neurônio chama-se monoaminoxidase, ou MAO. A enzima MAO transforma a serotonina numa nova substância química chamada "ácido 5-hidroxindolacético", ou 5-HIAA. Esse é outro palavrão, mas você pode pensar nele como sendo apenas um resíduo da serotonina. O 5-HIAA sai do cérebro, penetra na corrente sanguínea e vai para os rins. Estes retiram o 5-HIAA do sangue e o enviam para a bexiga. Por fim, o 5-HIAA é eliminado na urina.

Esse é o fim do ciclo da serotonina. É claro que o neurônio pré-sináptico precisa continuar a produzir constantemente um novo suprimento de serotonina para ser usada no disparo neuronal, a fim de que a quantidade total de serotonina nunca se esgote.

O QUE SAI ERRADO NA DEPRESSÃO?

Antes de mais nada, quero ressaltar novamente que os cientistas ainda não conhecem a causa da depressão nem de qualquer outro distúrbio psiquiátrico. Há muitas teorias interessantes, mas nenhuma delas foi comprovada ainda. Um dia, talvez tenhamos a resposta e recordemos o pensamento dessa época como uma curiosidade histórica pitoresca. No entanto, a ciência precisa começar por algum lugar, e as pesquisas sobre o cérebro estão avançando num ritmo avassalador. Sem dúvida, outras teorias bem diferentes surgirão na próxima década.

As explicações neste capítulo serão bastante simplificadas. O cérebro é imensamente complexo, e nosso conhecimento sobre o modo como ele funciona ainda é extremamente primitivo. Há uma vastidão de coisas que não sabemos sobre o *hardware* e o *software* cerebrais. Como o disparo de um neurônio ou de uma série de neurônios se traduz num pensamento ou sensação? Esse é um dos mistérios mais profundos da ciência, tão extraordinário para mim quanto as perguntas sobre a origem do universo.

Nem tentaremos responder a essas questões aqui; por ora, nossos objetivos são bem mais modestos. Se você compreendeu os QUADROS 53 a 55, deve ser bem fácil para você compreender as teorias vigentes sobre o que sai errado na depressão.

Você já aprendeu que os neurônios cerebrais enviam mensagens uns aos outros por meio de mensageiros químicos chamados neurotransmissores. Sabe também que alguns neurônios do sistema límbico do cérebro usam a serotonina, a norepinefrina e a dopamina como seus mensageiros químicos. Alguns cientistas levantaram a hipótese de que a depressão possa resultar de uma deficiência em uma ou mais dessas substâncias transmissoras aminobiogênicas no interior do cérebro, enquanto a mania (estados de extrema euforia ou exaltação) pode resultar de um excesso de uma ou mais delas. Alguns pesquisadores acreditam que a serotonina desempenha o papel mais importante na depressão e na mania; outros acreditam que alterações na norepinefrina ou na dopamina também podem interferir.

Uma decorrência dessas teorias sobre as aminas biogênicas é a de que os antidepressivos podem elevar os níveis ou a atividade da serotonina, da norepinefrina ou da dopamina em pacientes deprimidos. Falaremos um pouco mais sobre como esses remédios agem daqui a pouco.

O que aconteceria se um mensageiro químico como a serotonina se esgotasse a partir do neurônio pré-sináptico do QUADRO 53? Nesse caso, aquele neurônio não poderia enviar corretamente seus sinais nervosos ao neurônio pós-sináptico através das sinapses. A rede de fios no interior do cérebro apresentaria falhas de conexão, e o resultado seria uma estática mental e emocional, mais ou menos como o chiado que sai de um rádio com um fio solto no botão de sintonia. Um dos tipos de estática emocional (deficiência de serotonina) causaria a depressão, e um outro tipo de estática (excesso de serotonina) causaria a mania.

Ultimamente, essas teorias sobre as aminas têm sido modificadas. Alguns cientistas não acreditam mais que uma deficiência ou excesso de serotonina cause depressão ou mania. Em vez disso, eles sugerem que alterações em um ou mais receptores possam levar a alterações do humor. Observe o QUADRO 54 novamente, e imagine que exista algo de errado com os receptores de serotonina no neurônio pós-sináptico. Pode não haver receptores suficientes, por exemplo. O que aconteceria com a comunicação entre os neurônios? Mesmo que houvesse uma profusão de moléculas de serotonina na sinapse, os neurônios pós-sinápticos não poderiam disparar regularmente quando os neurônios pré-sinápticos o fizessem. E se houvesse receptores demais, isso poderia ter o efeito oposto e causar uma atividade excessiva no sistema da serotonina.

Até hoje, pelo menos 15 tipos diferentes de receptores de serotonina já foram identificados por todo o cérebro, e novos tipos são o tempo todo. Provavelmente, cada um desses receptores tem um efeito diferente sobre os hormônios, os sentimentos e o comportamento. Os cientistas ainda não têm uma imagem muito clara do que esses diferentes receptores fazem, nem sabem se uma alteração em algum deles pode causar depressão ou mania. As pesquisas nessa área estão evoluindo num ritmo extremamente rápido, e teremos mais informações sobre os efeitos fisiológicos e psicológicos desses vários receptores de serotonina num futuro próximo.

Embora nosso conhecimento sobre o papel dos receptores de serotonina na função cerebral ainda seja bastante limitado, há evidências de que o número de receptores nos neurônios pós-sinápticos pode se alterar em resposta à terapia com antidepressivos. Por exemplo, se você administrar um medicamento que aumente os níveis de serotonina nas sinapses entre os neurônios, o número de receptores de serotonina nas membranas dos neurônios pós-sinápticos irá diminuir após algumas semanas. Isso pode ser uma forma de os neurônios tentarem compensar a estimulação excessiva – eles estão tentando abaixar o volume do sinal, digamos assim. Esse tipo de reação é chamado de "regulação negativa" (*down-regulation*). Por outro lado, se você esgotar a serotonina do neurônio pré-sináptico do QUADRO 53, uma quantidade bem menor de serotonina será liberada na sinapse. Após várias semanas, os neurônios pós-sinápticos podem compensar isso aumentando o número de receptores de serotonina. Os neurônios estão tentando aumentar o volume do sinal. Esse tipo de reação é chamado de "regulação positiva" (*up-regulation*).

Mais uma vez, esses palavrões têm um significado simples. "Regulação positiva" significa "mais receptores" e "regulação negativa" significa "menos receptores". Podemos dizer também que regulação positiva significa aumentar o sistema, e regulação negativa significa diminuir o sistema – como o volume de um rádio.

Sabe-se que os remédios antidepressivos geralmente precisam de várias semanas ou mais para fazer efeito. Os pesquisadores estão tentando descobrir o motivo. Alguns deles especulam que a regulação negativa possa explicar o efeito desses remédios contra a depressão. Em outras palavras, talvez os antidepressivos funcionem não por estimularem o sistema serotonínico, como se propunha originalmente, mas sim por restringirem o sistema depois de várias semanas. Nesse caso, a redução dos níveis de serotonina poderia não ser a causa da depressão, afinal. Ela poderia ser causada por um *aumento* na atividade da serotonina no cérebro. Talvez os antidepressivos corrijam isso depois de várias semanas por restringirem o sistema serotonínico.

Até que ponto essas teorias estão fundamentadas e comprovadas? Nem um pouco. Como já sugeri, é muito fácil formular uma teoria, mas é bem mais difícil comprová-la. Até hoje, não foi possível validar nem refutar nenhuma dessas teorias de modo convincente. Além disso, não existe nenhum teste clínico ou de laboratório que pudéssemos aplicar em grupos ou em pacientes individuais para detectar de forma confiável qualquer desequilíbrio químico capaz de causar depressão.

O principal valor das teorias vigentes é estimular a pesquisa, para que o nosso conhecimento da função cerebral possa se aprimorar com o tempo. No fim das contas, acredito que poderemos desenvolver teorias bem mais refinadas e ferramentas muito melhores para testá-las.

Você pode estar pensando agora: "Isso encerra o assunto?". Basta os cientistas dizerem que "A depressão pode ser causada por um excesso ou uma deficiência desse ou daquele transmissor ou receptor no cérebro"?. Até certo ponto, isso realmente encerra o assunto. Parte do problema é que nossos modelos cerebrais ainda são muito primitivos, e por isso nossas teorias sobre a depressão também não são muito sofisticadas.

Talvez se descubra que a depressão não é causada por nenhum problema relacionado a algum transmissor ou receptor químico. Um dia podemos descobrir que, na verdade, a depressão é mais um problema de "*software*" que de "*hardware*". Em outras palavras, se você tem um computador, sabe que tal tipo de máquina trava o tempo todo. Às vezes isso pode ser causado por algum problema no *hardware*. Um defeito no seu disco rígido, por exemplo. Porém, na maioria das vezes, há algum problema com o *software* – um erro que faz que o programa não funcione direito em certas situações. Portanto, com relação às pesquisas sobre o cérebro e a depressão, talvez estejamos procurando um problema no "*hardware*" (por exemplo, um desequilíbrio químico congênito) quando o verdadeiro problema está no "*software*" (por exemplo, um padrão de pensamento negativo baseado na aprendizagem). Os dois tipos de problema seriam "orgânicos", uma vez que envolvem o tecido cerebral, mas as soluções para cada um deles seriam radicalmente diferentes.

Um outro grande problema enfrentado pelos pesquisadores da depressão é o dilema do ovo e da galinha. As alterações verificadas no cérebro são a causa da depressão ou o resultado? Para ilustrar esse problema, vamos conduzir uma experiência mental envolvendo um cervo na floresta. O cervo está feliz e contente. Imagine que tenhamos uma máquina especial que nos permita visualizar a atividade química e elétrica no cérebro do cervo. Poderíamos ter, por exemplo, algum aparelho portátil do futuro capaz de produzir imagens cerebrais a distância, como as pistolas a *laser* que a polícia usa para medir a que velocidade você está dirigindo. No entanto, o cervo não sabe que estamos monitorando a sua atividade cerebral. De repente, ele avista um bando de lobos famintos se aproximando. Ele entra em pânico! Nosso aparelho detecta alterações profundas e imediatas na atividade elétrica e química do cérebro do cervo. Essas alterações químicas e elétricas são a causa do medo ou resultantes dele? Podemos dizer que o cervo está com medo porque sofreu um "desequilíbrio químico" repentino em seu cérebro?

Do mesmo modo, há todo tipo de alterações químicas e elétricas no cérebro dos pacientes com depressão. Nosso cérebro muda drasticamente quando estamos alegres, com raiva ou assustados. Quais dessas mudanças cerebrais são resultado das emoções fortes que sentimos, e quais são as causas? Separar a causa do efeito é um dos maiores desafios enfrentados pelos pesquisadores da depressão. Esse problema não é impossível de ser resolvido, mas também não é fácil, e aqueles que estão ansiosos para validar as teorias atuais sobre a depressão nem sempre o admitem.

Evidentemente, as pesquisas necessárias para testar qualquer uma dessas teorias podem ser desencorajadoras. Um problema grave é que ainda é muito difícil obter informações precisas sobre os processos químicos e elétricos do cérebro humano. Não podemos simplesmente abrir o cérebro de uma pessoa deprimida e ver o que tem lá dentro! E mesmo que pudéssemos, não saberíamos exatamente onde ou como olhar. Mas novas tecnologias, como a tomografia e a ressonância magnética, permitem que esse tipo de pesquisa seja possível. Pela primeira vez, os cientistas podem começar a "ver" a atividade dos neurônios e os processos químicos no interior do cérebro humano. Essas pesquisas ainda estão engatinhando, e podemos esperar um grande progresso na próxima década.

COMO OS ANTIDEPRESSIVOS AGEM?

A era moderna das pesquisas sobre a química da depressão teve um grande impulso inesperado no início da década de 1950, quando os pesquisadores testavam um novo medicamento para a tuberculose chamado iproniazida.[24] Como se descobriu, a iproniazida não era um tratamento eficaz para a tuberculose. No entanto, os pesquisadores perceberam elevações de humor acentuadas em vários pacientes que receberam esse medicamento, e levantaram a hipótese de que a iproniazida tivesse propriedades antidepressivas. Isso levou a um crescimento acelerado das pesquisas por parte dos laboratórios farmacêuticos que queriam ser os primeiros a desenvolver e comercializar medicamentos antidepressivos.

---

24. SCHATZBERG, A. F.; COLE, J. O.; DEBATTISTA, C. *Manual of Clinical Psychopharmacology*. 3. ed. Washington, D.C.: American Psychiatric Press, 1997. [Dados da edição brasileira: SCHATZBERG, A. F.; COLE, J. O.; DEBATTISTA, C. *Manual de Psicofarmacologia Clínica*. 6. ed. Porto Alegre: Artmed, 2009. (N.T.)]

Os pesquisadores sabiam que a iproniazida era um inibidor da enzima MAO, mencionada anteriormente. Portanto, a droga foi classificada como um inibidor da MAO (IMAO). Vários outros medicamentos que tinham uma estrutura química semelhante à da iproniazida foram desenvolvidos. Dois deles, a fenelzina (Nardil) e a tranilcipromina (Parnate), ainda são usados atualmente. Um terceiro IMAO chamado selegilina (comercializada com o nome de Jumexil) foi aprovado para tratamento do mal de Parkinson. Esse medicamento também é usado ocasionalmente no tratamento dos transtornos de humor. Outros IMAOs em uso no exterior podem vir a ser comercializados nos Estados Unidos.

Os IMAOs já não são mais prescritos com tanta frequência como costumavam ser. É que eles podem elevar perigosamente a pressão arterial do paciente se forem combinados a certos alimentos, como queijo. Os IMAOs também podem provocar intoxicações quando são combinados a certos medicamentos. Por causa desses riscos, foram desenvolvidos antidepressivos mais modernos e seguros. Essas novas drogas agem de forma bem diferente dos IMAOs. Mesmo assim, os IMAOs podem ser extremamente úteis para alguns pacientes com depressão que não respondem a outros medicamentos, e podem ser usados com segurança se o paciente e o médico seguirem algumas orientações que descreverei no Capítulo XX.

A descoberta da iproniazida ajudou a inaugurar uma nova era na pesquisa biológica sobre a depressão. Os cientistas estavam ansiosos para descobrir como os IMAOs agiam. Sabia-se que os IMAOs impediam a quebra da serotonina, da norepinefrina e da dopamina, os três mensageiros químicos que se concentram nas regiões límbicas do cérebro. Os cientistas levantaram a hipótese de que uma deficiência em uma ou mais delas poderia causar depressão e que as drogas antidepressivas poderiam agir aumentando os níveis dessas substâncias. Na verdade, foi assim que se originaram as teorias das aminas biogênicas.

Agora vamos ver o quanto você aprendeu sobre o funcionamento do cérebro. Observe novamente os Quadros 53 a 55. Quando o neurônio pré-sináptico dispara, a serotonina é liberada na sinapse. Depois de se ligar a um receptor no neurônio pós-sináptico, ela retorna ao pré-sináptico, onde é bombeada novamente para dentro desse neurônio e destruída pela enzima MAO. Agora pergunte-se: O que aconteceria se impedíssemos a enzima MAO de destruir a serotonina?

Como você provavelmente já adivinhou, haveria um acúmulo de serotonina no neurônio pré-sináptico, pois esse neurônio está sempre produzindo mais serotonina. Se ele não conseguisse se livrar dela, a concentração de serotonina nesse neurônio continuaria a aumentar. Toda vez que o neurônio pré-sináptico disparasse, liberaria muito mais serotonina do que o normal na região sináptica cheia de líquido. O excesso de serotonina na sinapse produziria um estímulo maior que o esperado no neurônio pós-sináptico. Isso seria o equivalente químico de aumentar o volume do rádio. Esses efeitos dos antidepressivos IMAOs são ilustrados no Quadro 56.

Poderia ser esse o motivo pelo qual os medicamentos do tipo IMAO produzem uma elevação do humor? Isso é possível, e os cientistas acreditam que é exatamente assim que esses remédios agem. Estudos confirmaram que, quando esses medicamentos são administrados a seres humanos ou animais, os níveis de serotonina, norepinefrina e dopamina aumentam. No entanto, não se sabe ao certo se os efeitos antidepressivos resultam de um aumento em uma dessas aminas biogênicas, ou de algum outro efeito dessas drogas no cérebro.

QUADRO 56
Os IMAOs bloqueiam a enzima MAO no interior do neurônio pré-sináptico, então os níveis de serotonina aumentam. O excesso de serotonina é liberado na região sináptica sempre que o neurônio dispara. Isso proporciona uma estimulação maior do neurônio pós-sináptico.

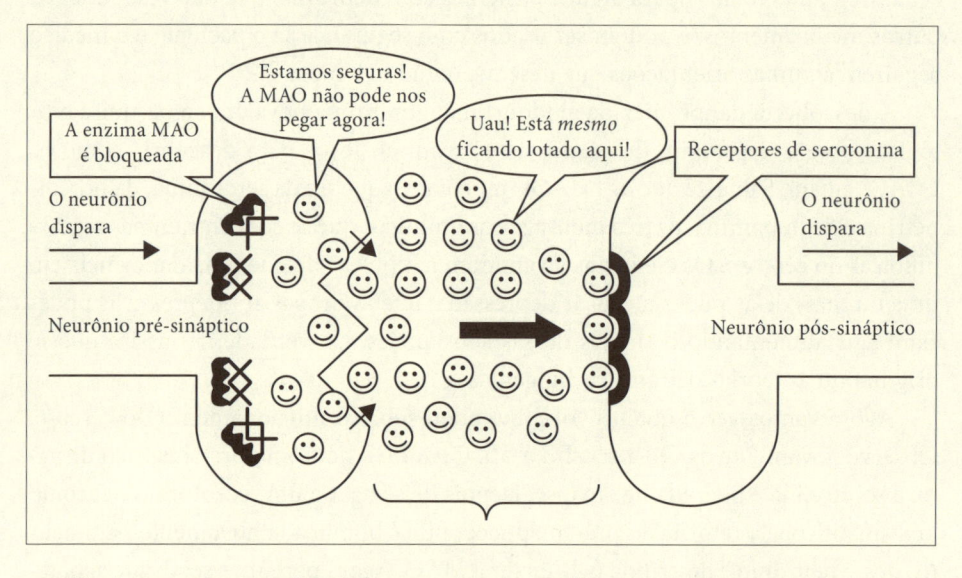

Você consegue imaginar outra teoria que explique por que ou como esses medicamentos poderiam agir? A elevação do humor precisa resultar da maior estimulação do neurônio pós-sináptico, ou poderia haver outra explicação possível? Pense no que leu sobre a regulação negativa (*down-regulation*) no capítulo anterior e veja se consegue apresentar uma resposta antes de prosseguir.

Provavelmente você se recorda de que, depois de várias semanas, os efeitos sobre os neurônios pós-sinápticos podem ser o oposto daqueles que ocorrem quando se toma a droga pela primeira vez. Toda a serotonina extra liberada na sinapse pode provocar uma regulação negativa (*down-regulation*) dos receptores de serotonina pós-sinápticos após várias semanas, e essa regulação negativa pode corresponder aos efeitos antidepressivos. (Lembre-se de que, embora alguns cientistas acreditem que a depressão seja resultante de uma deficiência de serotonina, outros pensam que a depressão resulta de um aumento na atividade da serotonina no cérebro.) Se você pensou nisso, mostra que está realmente aprendendo sobre neuroquímica. Tirou nota 10 nesse teste surpresa!

Se você disse que os efeitos antidepressivos dos IMAOs poderiam resultar dos efeitos sobre algum outro sistema do cérebro, também tirou nota 10. Essas teorias sobre o modo como as drogas antidepressivas aliviam a depressão não são fatos comprovados. Os efeitos dos IMAOs no cérebro são muito mais complexos do que o simples modelo representado no Quadro 56. Os efeitos de qualquer antidepressivo provavelmente não se limitam a uma região específica do cérebro ou a um tipo específico de neurônio cerebral. Lembre-se de que cada neurônio se conecta a milhares de outros e, por sua vez, todos eles se conectam a vários milhares de outros. Quando você toma um antidepressivo, ocorrem grandes mudanças em inúmeros sistemas químicos e elétricos por todo o cérebro. Qualquer uma dessas mudanças poderia ser responsável pela melhora no seu humor. Tentar descobrir exatamente qual dessas drogas funciona ainda é mais ou menos como procurar uma agulha num palheiro. Mas o importante por enquanto é que elas parecem ajudar alguns pacientes deprimidos, independentemente de como ou porque elas funcionam.

Como mencionei, vários tipos diferentes de antidepressivos têm sido desenvolvidos e comercializados desde a década de 1950. Ao contrário dos IMAOs, os antidepressivos mais modernos não provocam um acúmulo de transmissores como a serotonina no neurônio pré-sináptico representado no Quadro 56. Em vez disso, eles simulam os efeitos das substâncias transmissoras naturais do cérebro ao se ligar aos receptores na superfície dos neurônios pré-sinápticos ou pós-sinápticos.

Para entender como esses antidepressivos mais modernos conseguem fazer isso, lembre-se da nossa analogia sobre a chave e a fechadura. Uma substância transmissora natural é como uma chave, e o receptor na superfície do neurônio é como uma fechadura. A chave só é capaz de abrir a fechadura porque tem um certo formato. Mas, se você fosse um mágico, como o famoso Harry Houdini, poderia facilmente abrir a fechadura sem a chave.

Um remédio antidepressivo é como uma chave falsa fabricada por um laboratório farmacêutico. Como os químicos conhecem o formato tridimensional de um transmissor natural como a serotonina, a norepinefrina ou a dopamina, eles podem criar novas drogas com um formato bem parecido. Essas drogas vão se encaixar nos receptores existentes na superfície dos neurônios e simular os efeitos dos transmissores naturais. O cérebro não sabe que é um antidepressivo que está na fechadura – ele foi induzido a pensar que o transmissor químico natural é que está ligado ao receptor na superfície do neurônio.

Em tese, a chave artificial (o antidepressivo) pode fazer duas coisas quando se liga ao receptor: ela pode abrir a fechadura, ou travar a fechadura sem abri-la de fato. As drogas que abrem as fechaduras são chamadas de "agonistas". Os agonistas são simplesmente drogas que simulam os efeitos dos transmissores naturais. As drogas que travam essas fechaduras são chamadas de "antagonistas". Os antagonistas bloqueiam os efeitos dos transmissores naturais e impedem que tenham uma ação eficaz.

Podemos imaginar várias formas diferentes pelas quais as drogas antidepressivas poderiam interferir nos receptores dos neurônios pré-sinápticos e pós-sinápticos. Para o propósito dessa discussão, imagine que o transmissor usado pelo neurônio pré-sináptico seja a serotonina, mas as mesmas considerações aplicam-se a qualquer transmissor. O que aconteceria se bloqueássemos os receptores na bomba de recaptação? O neurônio pré-sináptico não poderia mais bombear a serotonina da sinapse de volta para dentro. Toda vez que o neurônio disparasse, uma quantidade cada vez maior de serotonina seria liberada na região sináptica. Por conseguinte, a sinapse ficaria saturada de serotonina.

É exatamente assim que age a maioria dos antidepressivos prescritos atualmente. Como se pode ver no Quadro 57, a seguir, eles bloqueiam os receptores das bombas de recaptação nos neurônios pré-sinápticos, e assim os transmissores acumulam-se na região sináptica. O resultado final desse processo é semelhante aos efeitos do uso das drogas IMAOs discutidas antes. Nos dois casos, os níveis de serotonina acumulam-se na região sináptica. Quando o neurônio pré-sináptico disparar, uma quantidade de serotonina acima do normal vai "nadar" até o neurônio pós-sináptico e estimulá-lo a disparar. Mais uma vez, nós "aumentamos" o sistema serotonínico, digamos assim.

Isso é bom? É por isso que essas drogas antidepressivas podem melhorar nosso humor? Essa é a teoria atual, mas ninguém sabe realmente as respostas para essas perguntas ainda.

Cada antidepressivo bloqueia uma bomba de amina diferente e alguns deles têm efeitos mais específicos do que os dos outros. Os antidepressivos "tricíclicos" mais antigos, como a amitriptilina (Tryptanol), a imipramina (Tofranil) e outros, bloqueiam as bombas de recaptação de serotonina e norepinefrina. (Tricíclico significa "de três rodas", como um triciclo, porque a estrutura química dessas drogas assemelha-se a três anéis interligados.) Portanto, esses transmissores acumulam-se no cérebro se você tomar uma dessas drogas. Alguns antidepressivos tricíclicos têm efeitos relativamente mais fortes na bomba de serotonina, e alguns deles, na bomba de norepinefrina. As drogas com efeitos mais fortes na bomba de serotonina são chamadas de "serotoninérgicos", e aquelas com tais efeitos na bomba de norepinefrina são chamadas de "noradrenérgicos". Como você acha que se chamaria uma droga com um forte efeito na bomba de dopamina? Se você pensou em "dopaminérgico", acertou!

QUADRO 57
A maioria dos antidepressivos bloqueia as bombas de recaptação, por isso a serotonina permanece na sinapse depois que o neurônio dispara. Como a serotonina acumula-se na região sináptica, a estimulação do neurônio pós-sináptico é maior.

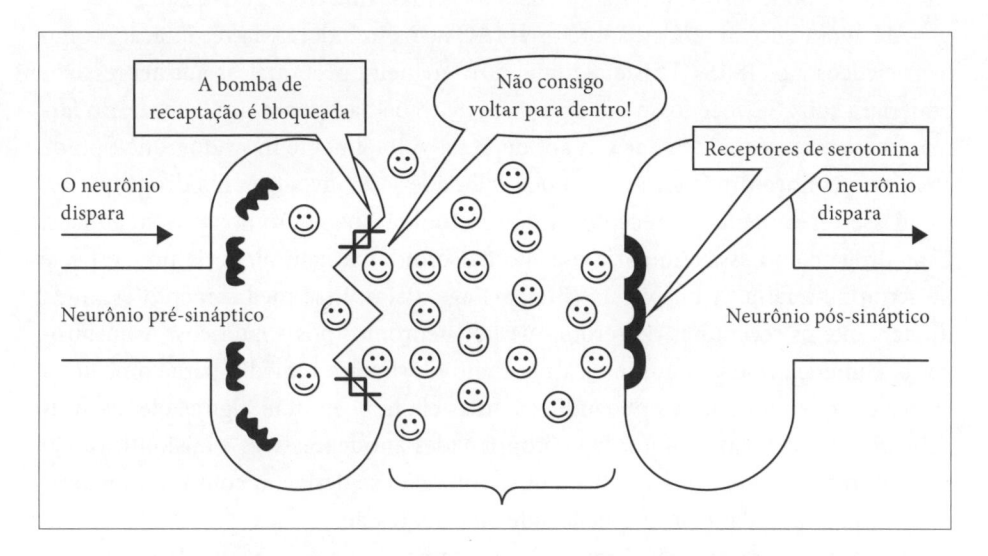

Alguns antidepressivos mais recentes, como a fluoxetina (Prozac), diferem dos compostos tricíclicos mais antigos por terem efeitos extremamente seletivos e específicos sobre a bomba de serotonina. Se quisermos usar uma das nossas palavras novas, podemos dizer que o Prozac é altamente "serotoninérgico" porque os níveis de serotonina acumulam-se no cérebro quando se toma Prozac. No entanto, como essa droga bloqueia apenas a bomba de serotonina, os níveis dos outros transmissores, como a norepinefrina e a dopamina, não vão se acumular. O Prozac é classificado como um inibidor seletivo da recaptação de serotonina (ISRS) por causa de seus efeitos seletivos e específicos sobre a bomba de serotonina. Novamente, ISRS é um nome intimidador com um significado simples. ISRS significa "esta droga só bloqueia a bomba de serotonina e não bloqueia nenhuma outra bomba". Cinco ISRSs são prescritos atualmente nos Estados Unidos e serão discutidos em detalhes no Capítulo XX.* Alguns antidepressivos modernos não são assim tão seletivos – eles bloqueiam mais de um tipo de bomba de recaptação. Por exemplo, a venlafaxina (Effexor) bloqueia as bombas de serotonina e norepinefrina, sendo por isso denominada inibidor duplo da recaptação. O laboratório farmacêutico que fabrica a venlafaxina promove a ideia de que esse medicamento pode ser mais eficaz por aumentar os níveis de dois transmissores (serotonina e norepinefrina), e não de apenas um. Na verdade, isso não é assim tão inovador. Como você acabou de aprender, a maioria dos antidepressivos mais antigos (e bem mais baratos) faz exatamente a mesma coisa. Além disso, não há nenhuma evidência de que a venlafaxina tenha uma ação melhor ou mais rápida que a dos medicamentos mais antigos. Entretanto, a venlafaxina tem menos efeitos colaterais que alguns dos antidepressivos tricíclicos mais antigos. Isso pode justificar o maior custo da venlafaxina em alguns casos.

Até agora você aprendeu sobre os IMAOs e os inibidores da recaptação, como os tricíclicos e os ISRSs. Existe alguma outra maneira pela qual os antidepressivos poderiam agir? Se você fosse um químico que trabalhasse para um laboratório farmacêutico e quisesse inventar um antidepressivo totalmente inovador, que tipo de efeitos a sua nova droga teria? Uma possibilidade seria inventar uma droga que estimulasse diretamente os receptores de serotonina dos neurônios pós-sinápticos. Uma droga como essa simularia o efeito da serotonina natural. Seria uma espécie de serotonina falsa. A buspirona (BuSpar) age assim. Esse medicamento estimula diretamente os receptores de serotonina nos neurônios pós-sinápticos. A buspirona foi comercializada alguns anos atrás como o primeiro remédio para combater a ansiedade que não causava dependência, mas ela também tem alguns efeitos antidepressivos leves. No entanto, suas propriedades antidepressivas e ansiolíticas não são muito fortes. Por conseguinte, a buspirona não se destacou como um medicamento muito popular contra a ansiedade ou a depressão.

Por que a buspirona não é mais eficaz contra a depressão? Na verdade, os cientistas não sabem a resposta. Lembre-se, porém, de que existem pelo menos quinze tipos diferentes de receptores de serotonina em todo o cérebro. Todos esses receptores têm diferentes funções que ainda não foram totalmente estudadas. Talvez as drogas que estimulassem diferentes tipos de receptores de serotonina tivessem efeitos antidepressivos mais fortes. Como você deve ter percebido, as coisas vão se complicando rapidamente à medida que aprendemos mais coisas sobre o funcionamento do cérebro.

Se você fosse um químico de um laboratório farmacêutico, também poderia inventar drogas que bloqueassem os receptores de serotonina nos neurônios pós-

---

*. Atualmente são comercializados seis ISRSs nos EUA e no mundo todo. (N.R.T.)

QUADRO 58
*Os antagonistas da serotonina bloqueiam
os receptores de serotonina no neurônio pós-sináptico,
por isso ela não consegue estimular o neurônio pós-sináptico
depois que pré-sináptico dispara.*

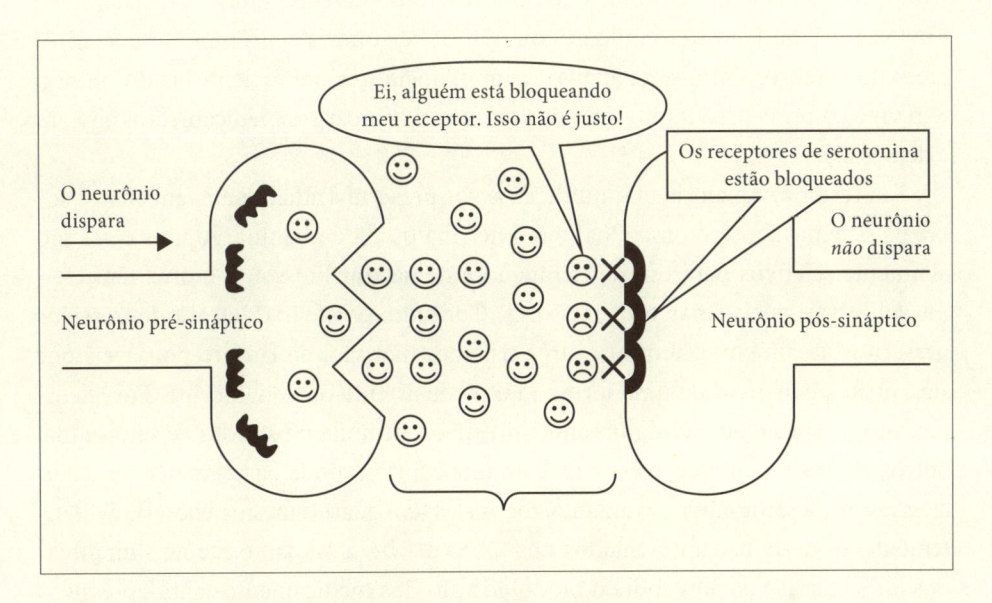

-sinápticos, como ilustrado anteriormente no Quadro 58. Como essas drogas impediriam que a serotonina natural exercesse seus efeitos, teoricamente elas fariam a depressão piorar. Na verdade, já foram inventadas drogas que bloqueiam os receptores de serotonina. Duas delas chamam-se nefadozona (Serzone) e trazodona (Donarem). Embora sejam classificadas como "antagonistas da serotonina", essas drogas também são usadas como antidepressivos.

Algumas drogas têm efeitos complexos sobre vários tipos de receptores neuronais pré e pós-sinápticos. A mirtazapina (Remeron) é um antidepressivo mais recente que se encontra disponível nos Estados Unidos desde 1996. Ela parece bloquear os receptores de serotonina dos neurônios pós-sinápticos, mas também estimula os receptores dos neurônios pré-sinápticos que usam a norepinefrina como transmissor. Isso provoca um aumento na liberação de norepinefrina por esses neurônios. Portanto, quando se toma mirtazapina, o sistema da serotonina aumenta e o da norepinefrina diminui.

Os efeitos antidepressivos da nefazodona, da tradozona e da mirtazapina são exatamente o contrário do que se poderia prever a partir da teoria da serotonina.

Embora desativem o sistema serotonínico, eles são antidepressivos. Como isso é possível? Se você está começando a ficar confuso, bem-vindo ao clube! Lembre-se de que existem vários tipos de receptores de serotonina no cérebro e que todos eles possuem diversos tipos de efeitos. Lembre-se, também, de que ocorrem muitas interações complexas e velozes entre os diferentes circuitos cerebrais. Quando perturbamos um sistema de neurônios de uma região do cérebro, quase imediatamente provocamos mudanças em milhares ou milhões de outros neurônios em outras regiões do cérebro. Em última análise, nem os melhores neurocientistas do mundo têm uma compreensão muito clara de por que ou como esses medicamentos aliviam a depressão.

Em resumo, a maioria dos antidepressivos prescritos atualmente tem efeitos sobre os sistemas da serotonina, da norepinefrina ou da dopamina. Alguns deles são altamente seletivos para um determinado sistema transmissor, e outros têm efeitos sobre vários sistemas transmissores. Contudo, os efeitos dos antidepressivos prescritos atualmente sobre esses três sistemas não são, de fato, responsáveis por seus efeitos benéficos de uma forma muito consistente ou convincente. Por exemplo, você já aprendeu que alguns antidepressivos estimulam os níveis de serotonina, outros bloqueiam os receptores de serotonina e outros ainda parecem não ter efeito algum sobre a serotonina. No entanto, todos eles têm quase a mesma eficácia. Evidentemente, os desenhos apresentados nos Quadros 56 a 58 são bastante simplificados, e as teorias vigentes sobre o modo de ação dos medicamentos antidepressivos parecem estar, na melhor das hipóteses, incompletas.

Não quero parecer demasiadamente negativo. Lembre-se de que não estou questionando a eficácia dos antidepressivos prescritos atualmente; só estou dizendo que nossas teorias sobre o modo de ação desses medicamentos não levam em conta todos os fatos.

Felizmente, hoje em dia a maioria dos pesquisadores no campo da neurociência reconhece isso. O foco da pesquisa tem se ampliado muito. Em vez de se concentrar estritamente nos níveis de uma ou outra amina biogênica, os pesquisadores estão adotando uma grande variedade de estratégias que se concentram em mecanismos regulatórios de todo o cérebro, e novas teorias têm sido propostas. Essas teorias abordam outros transmissores cerebrais, ou uma série de receptores pré ou pós-sinápticos, ou sistemas do "segundo mensageiro" no interior dos neurônios, ou o fluxo de íons através das membranas neuronais, além de sistemas neuroendócrinos, sistemas imunológicos e alterações no ritmo biológico. Acredito que essa rede mais ampla que está sendo lançada agora acabará levando a uma compreensão bem maior da forma como o cérebro regula o humor.

As pesquisas sobre o cérebro vêm se tornando cada vez mais sofisticadas e isso vai se acelerar ainda mais na próxima década. Espera-se que essas pesquisas resultem em melhorias como:
- testes clínicos para o desequilíbrio químico que causa a depressão (se, de fato, esse desequilíbrio existir realmente);
- testes para detectar anomalias genéticas que tornem certos indivíduos mais vulneráveis à depressão e à doença maníaco-depressiva;
- medicamentos mais seguros, com menos efeitos colaterais – como você vai aprender no Capítulo XX, já foram feitos avanços significativos nessa área;
- drogas e tratamentos psicoterapêuticos que sejam mais eficazes e de ação mais rápida;
- drogas e tratamentos psicoterapêuticos que minimizem ou evitem totalmente recaídas depressivas após a recuperação.

Embora o nosso nível de conhecimento atual ainda seja primitivo, um importante esforço científico já foi iniciado. Talvez um dia esse esforço possa nos levar até mesmo à identificação da misteriosa "bile negra".

CAPÍTULO XVIII
O PROBLEMA MENTE-CORPO

Desde a época do filósofo francês René Descartes, os estudiosos ficam intrigados com o problema "mente-corpo". Ele refere-se à ideia de que os seres humanos possuem ao menos dois níveis distintos de existência – a mente e o corpo. Nossa mente é constituída pelos nossos pensamentos e emoções, que são invisíveis ou etéreos. Sabemos que estão presentes porque podemos senti-los, mas não sabemos por que ou como eles existem.

Por sua vez, nosso corpo é constituído de tecidos – sangue, ossos, músculos, gordura e assim por diante. O tecido é constituído essencialmente de moléculas, e as moléculas são formadas por átomos. Esses materiais de construção do nosso corpo são inertes – presume-se que os átomos não têm consciência. Então, como o tecido inerte do nosso cérebro pode dar origem à nossa mente consciente, capaz de ver, sentir, ouvir, amar e odiar?

Segundo Descartes, nossa mente e nosso corpo devem estar ligados de alguma maneira. Descartes chamou a parte do cérebro que une essas duas entidades distintas de "morada da alma". Durante séculos, os filósofos tentaram localizar a "morada da alma". Na era moderna, os neurocientistas continuam essa busca enquanto tentam descobrir como o nosso cérebro produz as emoções e os pensamentos conscientes.

A crença de que nossa mente e nosso corpo são coisas distintas reflete-se em nossos tratamentos para problemas como a depressão. Temos tratamentos biológicos, que atuam no "corpo", e tratamentos psicológicos, que atuam na "mente". Os tratamentos biológicos geralmente envolvem medicamentos, e os psicológicos, algum tipo de terapia verbal.

Muitas vezes, há uma concorrência acirrada entre o campo da "terapia medicamentosa" e o da "terapia verbal". Em geral, a maioria dos psiquiatras são mais propensos ao campo da terapia com remédios. Isso porque os psiquiatras são primeiramente formados como médicos. Eles podem prescrever medicamentos, e tendem a ser influenciados pelo modelo médico de diagnóstico e tratamento. Se você estiver deprimido e for a um psiquiatra, há uma boa chance de que ele lhe diga que sua depressão é causada por um desequilíbrio químico no seu cérebro, e recomende o tratamento com um medicamento antidepressivo. Se o médico da família for tratar a sua depressão, o tratamento com remédios também será bastante provável. É que muitos clínicos gerais têm pouco treinamento em psicoterapia e muito pouco tempo para conversar com os pacientes sobre os problemas que afetam a vida deles.

Por outro lado, os psicólogos, os assistentes sociais clínicos e outros profissionais que oferecem aconselhamento são mais propensos ao campo da terapia verbal. Eles não possuem treinamento médico nem podem prescrever medicamentos.[25] Sua formação geralmente concentra-se mais nos fatores psicológicos e sociais que podem causar a depressão. Se você estiver deprimido e for a um profissional do campo da terapia verbal, é mais provável que ele se concentre na sua criação, nas suas atitudes ou em acontecimentos estressantes, como a perda do amor ou a perda do seu emprego. Seu terapeuta provavelmente vai recomendar também um tratamento psicoterapêutico, como a terapia cognitiva comportamental. No entanto, existem várias exceções a essa generalização. Muitos terapeutas que não são médicos acreditam que os fatores biológicos têm um papel importante na depressão, e muitos psiquiatras são talentosos psicoterapeutas. Os psiquiatras e os terapeutas às vezes trabalham juntos em equipes para que seus pacientes possam se beneficiar dos dois tipos de tratamento.

Entretanto, a divisão entre as escolas da mente (psicológica) e do corpo (biológica) é nítida, e o diálogo entre elas costuma ser intenso, combativo e áspero. Considerações políticas e financeiras às vezes parecem influenciar mais o tom dessas discussões do que as descobertas científicas. Alguns estudos recentes sugerem que pode estar havendo muito barulho por nada, e que a dicotomia entre a mente e o cérebro pode ser ilusória. Esses estudos indicam que os antidepressivos e a psicote-

---

25. Alguns psicólogos estão se mobilizando pelo direito de prescrever medicamentos, e alguns das Forças Armadas já obtiveram licença para prescrevê-los. Há uma grande polêmica em torno dos méritos dessa proposta. Alguns desses profissionais argumentam que o direito de prescrever medicamentos é conveniente porque os coloca em pé de igualdade para disputar os pacientes com os psiquiatras. Outros argumentam que a prescrição de medicamentos exige uma extensa formação médica e que a profissão perderá uma parte importante de sua identidade se os psicólogos conquistarem esse direito. Eles também ressaltam que o papel do psiquiatra, especialmente em casos de assistência médica gerenciada (*managed care*), perdeu grande parte de seu apelo. Muitos psiquiatras que trabalham em centros de saúde privados são hoje obrigados a atender uma quantidade enorme de pacientes em consultas extremamente breves, que consistem apenas em discussões sobre medicamentos, sem tempo para usar psicoterapia ou para saber mais sobre os problemas que afetam a vida de seus pacientes.

rapia podem ter efeitos semelhantes na nossa mente e no nosso cérebro – em outras palavras, podem agir do mesmo modo.

Por exemplo, num estudo clássico publicado na revista *Archives of General Psychiatry* em 1992, os doutores Lewis R. Baxter Jr., Jeffrey M. Schwartz, Kenneth S. Bergman e seus colegas da Escola de Medicina da Universidade da Califórnia, em Los Angeles, estudaram mudanças na química cerebral de 18 pacientes com transtorno obsessivo-compulsivo (TOC). Metade desses pacientes foram tratados com terapia cognitiva comportamental (sem remédios) e a outra metade, com antidepressivos (sem psicoterapia).[26] Os pacientes do grupo sem remédios receberam psicoterapia individual e em grupo, o qual teve dois elementos principais. O primeiro elemento foi a Exposição e Prevenção de Respostas. Essa é uma técnica de terapia comportamental que incentiva os pacientes a não cederem aos seus anseios compulsivos de conferir se as portas estão trancadas, lavar as mãos repetidamente e assim por diante. O segundo elemento foi a terapia cognitiva nos moldes descritos neste livro. Lembre-se de que os pacientes desse grupo não receberam nenhum medicamento.

Esses pesquisadores usaram a tomografia por emissão de pósitrons (PET) para estudar o metabolismo do açúcar (glicose) em várias regiões do cérebro antes e depois de um tratamento de dez semanas com medicamentos ou psicoterapia. Esse método de mapeamento cerebral avalia a atividade dos neurônios em diferentes áreas do cérebro. Uma região de particular interesse para eles era o núcleo caudado no hemisfério cerebral direito.

Os dois tratamentos foram eficazes: a maioria dos pacientes de ambos os grupos apresentou melhora, e não houve diferenças significativas entre os dois tratamentos. Isso não causou surpresa; pesquisadores anteriores já haviam relatado que os medicamentos e a psicoterapia cognitiva comportamental tinham efeitos semelhantes no tratamento do TOC. No entanto, os resultados do estudo com a tomografia foram bastante surpreendentes. Os pesquisadores relataram reduções comparáveis na atividade do núcleo caudado direito entre os pacientes que obtiveram sucesso no tratamento – independentemente de terem sido tratados com medicamentos e sem psicoterapia, ou com psicoterapia e sem medicamentos. Além disso, os sintomas e padrões de pensamento dos dois grupos apresentaram um grau de melhora semelhante – nenhum dos tratamentos foi superior ao outro. Por fim, a melhora dos sintomas apresentou uma relação significativa com o grau de alteração no núcleo caudado direito. Em outras palavras, os pacientes que mais melhoraram tiveram, em média, as maiores reduções na atividade cerebral do núcleo caudado di-

---

26. BAXTER, L. R. et al. Caudate glucose metabolic rate changes with both drug and behavioral therapy for obsessive-compulsive disorders. *Archives of General Psychiatry*, 49, p. 681-9, 1992.

reito. A atividade reduzida indicava que os neurônios dessa região do cérebro tinham se acalmado, independentemente de terem sido tratados com medicamentos ou com psicoterapia.

Uma implicação desse estudo é que a atividade excessiva do núcleo caudado direito poderia ter algum papel no desenvolvimento ou na manutenção dos sintomas do transtorno obsessivo-compulsivo. Uma segunda implicação importante é que os antidepressivos e a terapia cognitiva comportamental poderiam ser igualmente eficazes para restabelecer a estrutura e o funcionamento do cérebro de volta ao normal.

Como a maioria dos estudos publicados, este teve algumas falhas bastante significativas. Um dos problemas é que qualquer alteração cerebral observada num determinado distúrbio psiquiátrico poderia representar apenas efeitos "posteriores" e não efeitos causais de verdade. Em outras palavras, a maior atividade neuronal no núcleo caudado direito dos pacientes com transtorno obsessivo-compulsivo poderia simplesmente refletir um padrão mais genérico de desconforto por todo o cérebro e talvez não ser a causa dos sintomas, como discutimos antes.

Outro problema é que o número de pacientes estudados foi extremamente pequeno, e o de regiões cerebrais que os pesquisadores estudaram, razoavelmente grande, por isso é possível – até mesmo provável – que essas descobertas sejam fruto do acaso. Essa possibilidade é condizente com o fato de outros pesquisadores já terem relatado diferentes padrões de atividade cerebral em pacientes tratados com antidepressivos. É por isso que são necessárias repetições com mais pacientes conduzidas por pesquisadores independentes, antes que os resultados de qualquer estudo possam ser aceitos. Apesar dessas limitações, o relatório do dr. Baxter e de seus colegas foi o primeiro do gênero e pode abrir as portas para um novo e importante tipo de pesquisa integrada sobre as formas como os medicamentos e a psicoterapia podem afetar a função cerebral e as emoções.

Outros estudos demonstraram que os antidepressivos podem ajudar os pacientes deprimidos a modificar seus padrões de pensamento negativo. De fato, numa pesquisa conduzida na Escola de Medicina da Universidade de Washington em St. Louis, os doutores Anne D. Simons, Sol L. Garfield e George E. Murphy distribuíram aleatoriamente pacientes deprimidos para serem tratados apenas com antidepressivos ou apenas com terapia cognitiva. Eles estudaram as mudanças nos padrões de pensamento negativo dos dois grupos de pacientes. Descobriram que o pensamento negativo dos pacientes que responderam aos antidepressivos melhorou tanto quanto o pensamento negativo dos pacientes deprimidos que responderam à terapia cognitiva.[27] Lembre-se de que os pacientes dos medicamentos não receberam psi-

---

27. SIMONS, A. D.; GARFIELD, S. L.; MURPHY, G. E. The process of change in cognitive therapy and pharmacotherapy for depression. *Archives of General Psychiatry*, 41, p. 45-51, 1984.

coterapia, e os pacientes da terapia cognitiva não receberam medicamentos. Assim, esse estudo indicou que os antidepressivos alteram os padrões de pensamento negativos praticamente da mesma forma que a terapia cognitiva. O efeito desses medicamentos nas atitudes e pensamentos podem explicar seus efeitos antidepressivos tão bem ou até melhor do que novas explicações biológicas sobre seus efeitos nos diferentes sistemas transmissores do cérebro.

Esses estudos notáveis sugerem que talvez fosse melhor deixarmos de lado essa divisão "corpo-mente" e começarmos a pensar como esses diferentes tratamentos podem atuar em conjunto sobre a mente e o cérebro. Essa abordagem combinada poderia promover um maior trabalho em equipe entre terapeutas e pesquisadores que abordasse o problema de diferentes ângulos e pudesse levar a avanços mais rápidos no nosso conhecimento dos transtornos emocionais. Mesmo que exista algum tipo de distúrbio genético ou biológico em algumas depressões pelo menos, a psicoterapia muitas vezes pode ajudar a corrigir esses problemas, até mesmo sem medicamentos. Muitos estudos recentes, bem como a minha própria experiência clínica, já comprovaram que pacientes com depressão grave que parecem bastante deprimidos "biologicamente", com muitos sintomas físicos, costumam reagir rapidamente apenas com a terapia cognitiva, sem o uso de qualquer medicamento.[28]

Isso também pode funcionar ao contrário. Já trabalhei com vários pacientes deprimidos que não saíam do lugar, mesmo depois de eu ter tentado inúmeras intervenções psicoterapêuticas. Quando prescrevi um remédio antidepressivo, muitos desses pacientes começaram a reagir, e a psicoterapia passou a dar mais resultado. Parecia que o medicamento realmente estava ajudando a modificar seus padrões de pensamento negativos à medida que se recuperavam da depressão.

SE A DEPRESSÃO É HEREDITÁRIA, NÃO DEVERIA SER TRATADA COM REMÉDIOS?

No Capítulo XVII falamos sobre o fato de ainda não sabermos ao certo até que ponto a genética tem influência nas formas mais comuns de depressão que não envolvem a mania. Mas suponhamos que os cientistas venham a descobrir que quase todas as formas de depressão são hereditárias, pelo menos em parte. Isso significa que ela deva ser tratada com remédios?

---

28. ANTONUCCIO, D. O.; DANTON, W. G.; DENELSKY, G. Y. Psychotherapy versus medication for depression: Challenging the conventional wisdom with data. *Professional Psichology: Research and Practice*, 26, 6, p. 574-85, 1995.

A resposta é: não necessariamente. Por exemplo, acredita-se que a fobia de sangue seja ao menos parcialmente genética, mas ela quase sempre pode ser tratada de maneira fácil e rápida com a terapia comportamental. O tratamento de escolha para a maioria das fobias é expor a pessoa à situação que a amedronta e fazer que a enfrente e suporte a ansiedade até que o medo diminua e desapareça. A maioria dos pacientes fica tão apavorada que resiste ao tratamento no início, mas quando é convencida a persistir, o índice de sucesso é extraordinariamente alto.

Posso atestar isso pessoalmente. Quando era criança, eu tinha pavor de sangue. Na escola de Medicina, quando chegou a hora de tirarmos sangue do braço dos colegas, fiquei tão desanimado que larguei o curso. No ano seguinte, resolvi trabalhar no laboratório de análises clínicas do Hospital Universitário de Stanford para tentar superar meu medo. Eles me deram um emprego em que eu não fazia outra coisa a não ser tirar sangue do braço das pessoas o dia inteiro. Nas primeiras vezes isso me deixava muito nervoso, mas depois desses momentos iniciais de ansiedade, acabei me acostumando. Pouco tempo depois, estava *adorando* meu novo emprego. Isso mostra que pelo menos algumas tendências genéticas podem responder a um tratamento comportamental sem remédios.

Para citar um exemplo ainda mais comum, todos nós herdamos uma tendência a ter um determinado tipo de corpo. Alguns são geneticamente mais altos ou mais baixos que os outros. Uns têm uma constituição física maior; outros, menor. Mas nossa alimentação e nossos hábitos influem profundamente no tipo de corpo que temos quando ficamos adultos. Muitos fisiculturistas profissionais eram franzinos e tinham vergonha de sua aparência quando eram crianças. Isso motivou-os a ir a uma academia se exercitar. Esse esforço intenso transformou muitos deles em campeões. Seus genes podem ter influenciado bastante o modo como eles eram ao nascer, mas seu comportamento e determinação acabaram definindo o que eles se tornaram.

A recíproca também é verdadeira. Se fosse revelado que a depressão era totalmente causada pelo ambiente, sem influências genéticas, isso não diminuiria o valor potencial dos remédios antidepressivos. Por exemplo, se você ficar perto de alguém que está com uma inflamação na garganta causada por estreptococos, pode ficar com a garganta inflamada, uma vez que essas bactérias serão muito infecciosas. Podemos dizer que as causas da sua inflamação são quase totalmente ambientais e não genéticas. Mesmo assim, trataríamos sua inflamação com um antibiótico, e não com terapia comportamental!

Com relação à doença maníaco-depressiva bipolar, a resposta é clara. Esse distúrbio parece ter uma causa biológica extremamente forte, e embora ainda não saibamos exatamente qual pode ser essa causa, o tratamento com um estabilizador do humor como o lítio ou o ácido valproico (Depakene) costuma ser imprescindível.

Outros medicamentos também serão usados durante episódios graves de depressão ou mania. No entanto, uma boa psicoterapia também pode fazer uma grande contribuição no tratamento do transtorno bipolar. Na minha experiência, a combinação de uma droga como o lítio ou o ácido valproico, junto à terapia cognitiva, tem se mostrado bem mais eficaz do que o tratamento realizado apenas com medicamentos.

Do ponto de vista prático, a questão que enfrento como clínico é essa: Como posso tratar melhor cada paciente que esteja sofrendo de depressão, seja qual for a causa? Independentemente de haver ou não uma influência genética, às vezes os remédios podem ajudar, e às vezes a psicoterapia. E, às vezes, uma combinação de psicoterapia e medicamentos antidepressivos parece ser a melhor abordagem.

É MELHOR SER TRATADO COM REMÉDIOS OU COM PSICOTERAPIA?

Uma série de estudos comparou a eficácia do tratamento com antidepressivos em relação à da terapia cognitiva.[29-32] De um modo geral, esses estudos indicaram que, durante a fase aguda do tratamento, quando os pacientes buscam tratamento para sua depressão pela primeira vez, os dois métodos parecem funcionar razoavelmente bem. Após a recuperação, o quadro é um pouco diferente. Vários estudos de longo prazo indicam que os pacientes tratados com terapia cognitiva, sozinha ou combinada a medicamentos antidepressivos, parecem ficar mais tempo livres da depressão que aqueles tratados apenas com antidepressivos e sem psicoterapia.[33] Provavelmente, isso acontece porque os pacientes tratados de forma cognitiva aprenderam várias ferramentas de enfrentamento para ajudá-los a lidar com qualquer problema de humor que pudessem enfrentar no futuro.

Caso você queira saber mais sobre pesquisas recentes que comparam a eficácia dos remédios e a da psicoterapia, pode ler um excelente artigo sobre esse assunto dos doutores David O. Antonuccio e William G. Danton, da Universidade de

---

29. Ver nota 28.
30. DOBSON, K. S. A meta-analysis of the efficacy of cognitive therapy for depression. *Journal of Consulting and Clinical Psychology*, 57, 3, p. 414-9, 1989.
31. HOLLON, S. D.; BECK, A. T. Cognitive and cognitive behavioral therapies. In: BERGIN, A. E.; GARFIELD, S. L. (Eds.). *Handbook of Psychotherapy and Behavioral Change*. Nova York: John Wiley & Sons, Inc, 1994. Cap. 10. p. 428-66.
32. ROBINSON, L. A.; BERMAN, J. S.; NEIMEYER, R. A. Psychotherapy for the treatment of depression: Comprehensive review of controlled outcome research. *Psychological Bulletin*, 108, p. 30-49, 1990.
33. Ver nota 28.

Nevada, e Gurland Y. DeNelsky, da Clínica Cleveland.[34] Esses autores revisaram a literatura científica mundial sobre a eficácia da psicoterapia *versus* medicamentos para a depressão, e chegaram a algumas conclusões surpreendentes, que diferem bastante da percepção popular sobre esses tratamentos. Eles argumentam que a terapia cognitiva parece ser ao menos tão eficaz, se não mais, do que os remédios no tratamento da depressão. Concluem que isso aplica-se até mesmo para depressões graves que parecem ser "biológicas", por terem muitos efeitos colaterais físicos como a fadiga ou a perda de interesse sexual. Os autores também questionam os métodos usados pelos laboratórios farmacêuticos para testar novos antidepressivos. Esse artigo acadêmico e provocativo está escrito de uma forma clara, então dê uma conferida se estiver curioso.

Minha própria experiência clínica convenceu-me de que o puro "tratamento de laboratório" realizado apenas com remédios não é a resposta para a maioria dos pacientes. Parece haver um papel definido para intervenções psicológicas eficazes, mesmo quando se tem a sorte de reagir a um medicamento antidepressivo. Se você aprender técnicas de terapia cognitiva para autoajuda como as descritas neste livro, acredito que estará mais bem preparado para enfrentar qualquer problema de humor que volte a surgir no futuro.

Minha prática clínica sempre baseou-se numa abordagem integrada. Na minha clínica na Filadélfia, aproximadamente 60% do nossos pacientes eram tratados com terapia cognitiva sem o uso de remédios, e aproximadamente 40% com uma combinação de terapia cognitiva e antidepressivos. Os pacientes de ambos os grupos obtinham bons resultados, e considerávamos que os dois métodos de tratamento tinham o seu valor. Nós não tratávamos pacientes apenas com remédios e sem psicoterapia porque, na minha experiência, essa abordagem não foi satisfatória.

Pode ser que, em certos tipos de depressão, a inclusão do antidepressivo adequado para auxiliar seu programa de tratamento deixe-o mais receptivo a um programa racional de autoajuda e acelere bastante a terapia. Como mencionei anteriormente, sei de vários indivíduos deprimidos que pareceram "enxergar a luz no fim do túnel" mais depressa, em relação aos seus pensamentos negativos distorcidos e sem lógica, depois que começaram a tomar um antidepressivo. A minha filosofia pessoal é a seguinte: sou a favor de qualquer método razoavelmente seguro que possa ajudar você!

Acredito que os seus sentimentos em relação ao tipo de tratamento que você faz podem ser importantes para o resultado. Se você é mais voltado para o lado biológico, pode dar-se melhor num tratamento com remédios. Por outro lado, se é mais

---

34. Ver nota 28.

voltado para o lado psicológico, pode se dar melhor com a psicoterapia. Se você e o seu terapeuta não estiverem de acordo, você pode perder a confiança e resistir ao tratamento, e isso pode diminuir as chances de um resultado bem-sucedido. Por outro lado, se o tratamento fizer sentido para você, vai se sentir mais seguro, ter mais esperança e confiança no seu médico. Consequentemente, suas chances de ter um resultado positivo vão aumentar.

Também já percebi que certas atitudes negativas e pensamentos irracionais podem interferir tanto no tratamento com o remédio adequado como no tratamento psicoterapêutico. Gostaria de apresentar 12 mitos prejudiciais nessa hora. Os 8 primeiros dizem respeito ao tratamento com remédios e os 4 últimos, à psicoterapia. Com relação aos medicamentos, acredito que cautela e esclarecimento são aconselháveis ao se tomar qualquer remédio, mas uma atitude excessivamente conservadora baseada em meias-verdades pode ser igualmente destrutiva. Também acredito que devemos ser suficientemente céticos e cautelosos em relação à psicoterapia, mas que o excesso de pessimismo também pode interferir num tratamento eficaz.

MITO Nº 1

"Se eu tomar esse remédio, não serei eu mesmo de verdade. Agirei de modo estranho e me sentirei esquisito." Nada pode estar mais longe da verdade. Embora esses remédios possam eliminar a depressão às vezes, eles não costumam produzir elevações anormais do humor e, exceto em casos raros, não vão fazer você sentir-se fora do normal, estranho ou "nas nuvens". Na verdade, muitos pacientes relatam que se sentem bem *mais* parecidos consigo mesmos depois que tomam um antidepressivo.

MITO Nº 2

"Esses remédios são muito perigosos." Errado. Se você estiver sob supervisão médica e colaborar com o seu médico, não terá motivos para ter receio da maioria dos antidepressivos. Reações adversas são raras e geralmente podem ser controladas de forma segura e eficaz quando você e o seu médico trabalham em conjunto como uma equipe. Os antidepressivos são bem mais seguros do que a depressão em si. Afinal, se não for tratada, a depressão pode matar – por meio do suicídio!

Isso não significa que você deva ser complacente em relação aos antidepressivos – ou a qualquer remédio que tomar, aliás, incluindo a aspirina. Nos capítulos a seguir, você vai saber mais sobre os efeitos colaterais e tóxicos dos diferentes antidepressivos e agentes estabilizadores do humor. Se estiver tomando um ou mais desses remédios, instrua-se e leia sobre eles no Capítulo XX. Isso não deve ser difícil, e a informação vai aumentar suas chances de ter uma experiência segura e eficaz com o antidepressivo prescrito pelo seu médico.

MITO Nº 3

"Mas os efeitos colaterais serão insuportáveis." Não, os efeitos colaterais são leves e, em geral, podem ser quase imperceptíveis se a dose for ajustada corretamente. Se mesmo assim você sentir algum incômodo com a medicação, geralmente poderá trocá-la por outra que seja igualmente eficaz e com menos efeitos colaterais.

Lembre-se de que, se não for tratada, a depressão também pode ter muitos "efeitos colaterais", como sensação de cansaço, aumento ou diminuição do apetite, dificuldade para dormir, falta de motivação e energia, perda de interesse sexual etc. E se você tiver uma resposta positiva a um antidepressivo, esses "efeitos colaterais" normalmente vão desaparecer.

MITO Nº 4

"Mas eu posso perder o controle e usar esses remédios para cometer suicídio." Alguns antidepressivos podem *realmente* ser letais se forem tomados em dose excessiva ou combinados a certas substâncias, mas você não precisa se preocupar com isso se discutir o assunto com seu médico. Se você tem pensamentos suicidas, talvez seja melhor receber apenas um suprimento para alguns dias ou para uma semana de cada vez. Assim, provavelmente não terá uma quantidade letal à disposição. Seu médico também pode decidir tratá-lo com um dos antidepressivos mais modernos, que são bem mais seguros que os antigos em caso de overdose acidental ou intencional. Lembre-se de que, quando o remédio começar a agir, você vai pensar menos em suicídio. Também é importante visitar o seu terapeuta com frequência e receber terapia intensiva, independentemente de estar internado ou não, até que os impulsos suicidas tenham passado.

MITO Nº 5

"Vou ficar viciado e dependente, como os drogados na rua. Se eu tentar largar o remédio, vou piorar outra vez. Vou depender dessa droga para sempre." Errado de novo. Ao contrário dos soníferos, opiáceos, barbitúricos e calmantes leves (benzodiazepínicos), o potencial de dependência dos antidepressivos é extremamente baixo. Depois que o remédio estiver agindo, você *não* precisará tomar doses maiores para manter o efeito antidepressivo. Como observado antes, se você estiver aprendendo técnicas de terapia cognitiva e se concentrando em prevenir recaídas, na maioria dos casos sua depressão não vai voltar quando você parar de tomar o remédio.

Quando chegar a hora de parar com o medicamento, seria aconselhável fazer isso de forma gradual, diminuindo aos poucos ao longo de uma ou duas semanas. Isso vai minimizar qualquer desconforto que possa ocorrer com a interrupção brusca do medicamento, e ajudá-lo a cortar pela raiz qualquer chance de recaída.

Atualmente, muitos médicos defendem uma terapia de manutenção a longo prazo para pacientes com depressões graves que retornam com frequência. Às vezes, você pode conseguir um efeito profilático se tomar o antidepressivo por um período de um ano ou dois após a recuperação. Isso pode diminuir a probabilidade da sua depressão voltar. Se você já teve sérios problemas com episódios recorrentes de depressão durante anos, essa pode ser uma atitude sensata para você. Mas pode ficar tranquilo, pois os antidepressivos definitivamente *não* causam dependência. Nos meus anos de experiência, tive pouquíssimos pacientes que precisaram tomar antidepressivos por mais de um ano, e quase nenhum que continuou a ingerir esses remédios indefinidamente.

MITO Nº 6

"Eu não vou tomar nenhum remédio psiquiátrico porque eu não estou louco." Há uma grande confusão aqui. Os antidepressivos são remédios para depressão, não para "loucura". Se o seu médico recomenda um antidepressivo, é sinal de que ele está convencido de que você tem um distúrbio de humor. Isso *não* significa que ele acha que você está louco. Mas *seria* loucura recusar um antidepressivo com base nisso, pois poderia lhe causar ainda mais angústia e sofrimento. Paradoxalmente, o remédio pode ajudar você a se sentir normal mais depressa.

MITO Nº 7

"Mas os outros vão me olhar com deprezo se eu tomar um antidepressivo. Eles vão achar que sou inferior." Esse medo não é realista. As outras pessoas não vão saber que você está tomando um antidepressivo a menos que você conte – elas não poderiam saber de outra maneira. Se você contar a alguém, é mais provável que a pessoa sinta-se aliviada. Se elas se preocuparem com você, provavelmente farão uma ideia *melhor* a seu respeito, pois você está fazendo alguma coisa para acabar com seu doloroso transtorno de humor.

Claro, é possível que alguém o questione quanto à necessidade de tomar um remédio, ou até critique a sua decisão. Isso vai lhe dar uma oportunidade de ouro para aprender a lidar com a desaprovação e a crítica nos moldes discutidos no CAPÍTULO VI. Mais cedo ou mais tarde, você terá de se decidir a acreditar em si mesmo e parar de se render ao terror incapacitante de que alguém possa ou não concordar com algo que você faz.

MITO Nº 8

"É uma vergonha ter de tomar comprimidos. Eu devia ser capaz de acabar com a depressão sozinho." Pesquisas sobre transtornos de humor conduzidas no mundo todo indicaram claramente que muitas pessoas *conseguem* se recuperar sem comprimidos quando se envolvem num programa de autoajuda ativo e estruturado do tipo descrito neste livro.[35-40]

No entanto, também fica claro que a psicoterapia não funciona para todos, e que alguns pacientes deprimidos recuperam-se mais rápido com a ajuda de um antidepressivo. Além disso, em muitos casos um antidepressivo pode facilitar seus esforços para ajudar a si mesmo, conforme descrito antes.

Será que faz mesmo sentido ficar se lamentando e sofrendo sem parar, insistindo teimosamente que você precisa "resolver isso sozinho", sem um medicamento? Obviamente, você precisa resolver isso – com ou sem uma ajuda farmacológica. Um antidepressivo pode lhe dar aquela pequena vantagem que você precisa para começar a enfrentar o problema de uma forma mais produtiva. Isso pode acelerar o processo natural de cura.

---

35. Ver nota 28.
36. SCOGIN, F.; JAMISON, C.; GOCHNEAUT, K. The comparative efficacy of cognitive and behavioral bibliotherapy for mildly and moderately depressed older adults. *Journal of Consulting and Clinical Psychology*, 57, p. 403-7, 1989.
37. SCOGIN, F.; HAMBLIN, D.; BEUTLER, L. Bibliotherapy for depressed older adults: A self-help alternative. *The Gerontologist*, 27, p. 383-7, 1987.
38. SCOGIN, F.; JAMISON, C.; DAVIS, N. A two-year follow-up of the effects of bibliotherapy for depressed older adults. *Journal of Consulting and Clinical Psychology*, 58, p. 665-7, 1990.
39. JAMISON, C.; SCORGIN, F. Outcome of cognitive bibliotherapy with depressed adults. *Journal of Consulting and Clinical Psychology*, 63, p. 644-50, 1995.
40. SMITH, N. M. et al. Three-year follow-up of bibliotherapy for depression. *Journal of Consulting and Clinical Psychology*, 65, 2, p. 324-7, 1997.

MITO Nº 9

"Eu me sinto tão deprimido e sufocado que só um remédio pode me ajudar." Tanto os remédios como a psicoterapia têm muito a oferecer no tratamento da depressão grave. Acredito que a atitude passiva de deixar que um remédio resolva o seu problema é pouco sensata. Minha própria pesquisa já indicou que a disposição de fazer alguma coisa para se ajudar pode ter poderosos efeitos antidepressivos, independentemente de estar ou não tomando um medicamento também. A atividade de autoajuda que os pacientes completam entre as sessões também parece acelerar a recuperação.[41-42] Portanto, se combinar o medicamento a uma boa forma de psicoterapia, você terá mais armas em seu arsenal.

Como já afirmei, muitos pacientes que tratei apenas com remédios não se recuperaram completamente. Quando acrescentei a terapia cognitiva, muitos deles melhoraram. Acredito que a combinação de remédios e psicoterapia pode funcionar melhor e mais rápido do que os remédios apenas e frequentemente leva a melhores resultados a longo prazo. Isso parece aplicar-se tanto a casos de depressões leves, como de depressões graves. Por exemplo, nós tratamos vários pacientes com depressão grave internados no Hospital Universitário de Stanford com técnicas de terapia cognitiva em grupo. Essas técnicas eram semelhantes às que você aprendeu neste livro. Descobrimos que o formato em grupo pode ser especialmente útil. Já vi muitos desses pacientes melhorarem consideramente durante essas terapias em grupo. Muitas vezes, a melhora ocorre efetivamente dentro da sessão de terapia. No momento em que o paciente descobre como contestar seus pensamentos negativos de maneira convincente, costuma ocorrer uma melhora grande e imediata em seu humor e perspectiva. Lembre-se de que esses pacientes internados também recebem antidepressivos prescritos pelos psiquiatras que os atendem. Portanto, quase todos eles são tratados com uma combinação de remédios e psicoterapia – não somos puristas dedicados somente a uma ou outra abordagem apenas.

Lembro-me de uma mulher que tinha uma depressão tão grave que se desfazia em lágrimas quase toda vez que tentava falar. O simples ato de olhar para ela parecia ser o bastante para desencadear um acesso de choro incontrolável. Perguntei a ela o que estava pensando quando estava chorando. Ela respondeu que estava pensando numa coisa que seu psiquiatra havia dito. Ele disse que sua depressão era "biológica"

---

41. BURNS, D. D.; NOLEN-HOEKSEMA, S. Coping styles, homework compliance and the effectiveness of cognitive-behavioral therapy. *Journal of Consulting and Clinical Psychology*, 59, 2, p. 305-11, 1991.

42. BURNS, D. D.; AUERBACH, A. H. Do self-help assignments enhance recovery from depression?. *Psychiatric Annals*, 22, 9, p. 464-9, 1992.

e que as causas eram genéticas. A paciente concluiu que, se a depressão era genética, ela devia tê-la transmitido aos seus filhos e netos. Um de seus filhos, de fato, estava passando por maus momentos. Ela atribuía isso ao seu "gene da depressão" e se culpava por arruinar a vida dele. Castigava-se até por ter se casado e tido filhos primeiro, e tinha certeza de que todos eles enfrentariam um sofrimento horrível para sempre. Enquanto explicava isso, ela começou a chorar outra vez.

Do seu ponto de vista, talvez a autoacusação dela não pareça nem um pouco realista. Sua insistência de que todos os seus filhos e netos levarão uma vida de sofrimento infinito e irreversível pode parecer igualmente irrealista. Mas, do ponto de vista dela, suas autocríticas pareciam ser totalmente justificadas, e as previsões negativas pareciam ter total fundamento. Sua raiva de si mesma e seu sofrimento eram extremamente intensos.

Depois que parou de chorar, perguntei o que ela diria a uma outra mulher deprimida com filhos. Será que seria tão dura com ela? Essa intervenção não deu certo. Ela nem parecia compreender o que eu dizia. Em vez de responder a minha pergunta, soluçava tanto que seu corpo inteiro tremia enquanto as lágrimas escorriam pelo seu rosto.

Algum tempo depois, ela parou de chorar novamente. Perguntei se outras duas pacientes poderiam se oferecer para ajudá-la com uma encenação. Chamei esse exercício de "externalização de vozes" porque verbalizamos os pensamentos negativos que temos na cabeça e aprendemos a contestá-los. Eu queria que as outras pacientes ilustrassem de que modo ela poderia contestar seus próprios pensamentos negativos; assim, tudo que teria de fazer era observar. Pedi que imaginasse que essas outras mulheres eram muito parecidas com ela. Estavam deprimidas e tinham filhos e netos.

A primeira voluntária fez o papel do lado negativo da sua mente e disse em voz alta o tipo de coisa que a mulher deprimida andava pensando: "Se a minha depressão é meio genética, isso significa que sou a culpada pela depressão do meu filho". A segunda voluntária fez o papel do lado mais positivo, realista e confiante da sua mente. Essa voluntária contestou o pensamento negativo nos seguintes termos:

> Com certeza, eu não culparia uma outra mulher deprimida pela depressão do seu filho, por isso não faz sentido eu me culpar, também. Se existe um conflito com o meu filho, se ele está tendo problemas, posso tentar ajudá-lo. É isso que qualquer mãe dedicada tentaria fazer.

Depois elas continuaram com esse diálogo e simularam formas pelas quais poderia contestar seus demais pensamentos autocríticos. As duas voluntárias revezaram-se no papel dos pensamentos negativos e dos positivos.

Depois que a encenação terminou, perguntei à paciente chorosa qual das vozes estava ganhando e qual estava perdendo. A voz negativa ou a positiva? Qual das vozes era mais realista, mais confiável? Ela disse que a voz negativa não era realista, e que a positiva estava ganhando. Ressaltei que as voluntárias, na verdade, estavam verbalizando as autocríticas dela própria.

Embora sua depressão não tenha melhorado de forma drástica ao fim daquela sessão, parecia que as nuvens haviam se dissipado um pouquinho. Na sessão seguinte em que a vi, seu humor já havia melhorado bastante. Ela estava com ótima aparência e conseguiu falar sem chorar pela primeira vez desde a sua internação. Disse que gostaria de praticar a encenação no grupo para aprender como fazer. Também queria uma indicação de um terapeuta cognitivo perto da sua casa, depois que tivesse alta, para que pudesse dar continuidade ao trabalho que estava sendo tão útil para ela.

O método que ajudou essa paciente também é chamado de "técnica de duplo critério". Ele baseia-se na ideia de que muitos de nós agimos segundo um critério duplo. Podemos julgar a nós mesmos de uma forma severa, crítica e exigente, mas julgar os outros de uma forma mais tolerante e razoável. A ideia é abandonar esse critério duplo e concordar em julgar todas as pessoas, inclusive a nós mesmos, segundo um único conjunto de regras baseado na verdade e na tolerância, em vez de usar um outro critério, distorcido e cruel, quando julgamos a nós mesmos.

MITO Nº 10

"É uma vergonha fazer terapia, pois isso indica que sou um fraco ou um neurótico. É melhor tomar remédio, pois isso indica que tenho um problema médico, como diabetes." Na verdade, essa sensação de vergonha é comum em pacientes deprimidos que são tratados com remédios *ou* com psicoterapia. Muitas vezes, a técnica de duplo critério descrita antes pode ser útil. Imagine, por exemplo, que você acabou de descobrir que um querido amigo seu fez terapia contra depressão e achou que o tratamento o ajudou. Pergunte a si mesmo o que diria a esse seu amigo. Por exemplo: "Ah, a terapia só mostra o quanto você é fraco, neurótico e cheio de defeitos. Devia ter tomado um remédio em vez disso. O que você fez foi vergonhoso". Se você não diria isso a um amigo, então por que passa essas mensagens a si mesmo? Essa é a essência da técnica do duplo critério.

MITO Nº 11

"Meus problemas são reais, por isso a terapia não pode me ajudar." Na verdade, a terapia cognitiva parece funcionar melhor com pessoas deprimidas que têm problemas concretos em suas vidas, como os de saúde trágicos como um câncer terminal ou uma amputação, endividamento excessivo ou sérias dificuldades de relacionamento. Em muitos casos, eu tenho visto pessoas com problemas assim, as quais melhoraram com meia dúzia de sessões de terapia cognitiva. Por outro lado, pessoas com depressão crônica que não é desencadeada por nenhum problema evidente, muitas vezes, são mais difíceis de tratar. Embora o prognóstico seja excelente, elas podem exigir um tratamento mais intensivo e prolongado.

MITO Nº 12

"Meus problemas não têm solução, por isso nenhuma terapia ou remédio pode me ajudar." É a sua depressão quem está dizendo isso, e não a realidade. A falta de esperança é um sintoma horrível, mas comum da depressão, que é baseado num pensamento distorcido, assim como os outros sintomas. Uma das distorções é chamada de "raciocínio emocional". O indivíduo deprimido pode raciocinar: "Eu *sinto* que sou um caso perdido, portanto devo *ser* um caso perdido.". Uma outra distorção cognitiva que leva à sensação de desespero é adivinhar o futuro – você está fazendo uma previsão negativa de que nunca vai melhorar, e presumindo que essa previsão é realmente um fato. Outras distorções também podem levar à sensação de desespero, como:

- pensamento "tudo ou nada" – você pensa em si mesmo como alguém totalmente feliz ou totalmente deprimido; não existem meios-termos, então se não está totalmente feliz ou totalmente recuperado, você presume que está totalmente deprimido e sem esperança;
- generalização excessiva – você enxerga os seus atuais sentimentos provocados pela depressão como um padrão interminável de derrota e sofrimento;
- filtro mental – você pensa de forma seletiva em todas as vezes que ficou deprimido, e acaba achando que a sua vida inteira vai ser ruim para sempre;
- ignorar as coisas positivas – você insiste que as ocasiões em que não ficou deprimido não contam;
- cobranças – você consome toda a sua energia dizendo a si mesmo que "não devia" estar deprimido (ou que "não devia" ter ficado deprimido outra vez), em vez de agir de forma sistemática para superar esses sentimentos;
- rotulagem – você diz a si mesmo que é um caso perdido e não tem salvação, e conclui que nunca poderá se sentir uma pessoa de valor, feliz ou realizada de verdade.

Outras distorções cognitivas, como a magnificação ou a personalização, também podem levar à falta de esperança. Embora esses sentimentos não sejam realistas, eles podem agir como profecias autorrealizáveis. Se você se entregar, nada vai mudar e você concluirá que era mesmo um caso perdido.

Os pacientes que perdem a esperança geralmente não conseguem perceber que estão prejudicando a si mesmos. Eles quase sempre estão convencidos de que seus sentimentos são totalmente coerentes. Quando consigo convencê-los a questionar esses sentimentos e tentar melhorar – mesmo que sintam em seus corações que isso é impossível –, eles geralmente começam a melhorar, devagar no início e depois mais depressa, até se sentirem bem melhor.

Uma das tarefas mais importantes de qualquer terapeuta é a de ajudar os pacientes deprimidos a encontrar coragem e determinação para resistir e lutar contra essa falta de esperança. Essa batalha costuma ser feroz, e raramente fácil, mas quase sempre gratificante no fim das contas.

CAPÍTULO XIX
O QUE VOCÊ PRECISA SABER SOBRE OS ANTIDEPRESSIVOS MAIS COMUNS

Este capítulo contém informações práticas em geral sobre o uso de antidepressivos. Você vai aprender quem tem a maior – e a menor – probabilidade de se beneficiar com o uso de um antidepressivo, como saber se um antidepressivo está mesmo fazendo efeito, que tipo de melhora você pode esperar, quanto tempo deve continuar a tomá-lo e o que pode fazer se não tiver resultado. Também vai aprender a monitorar e minimizar os efeitos colaterais e a prevenir interações potencialmente perigosas entre os antidepressivos e outros remédios que você possa tomar, incluindo medicamentos controlados e também remédios vendidos sem receita médica que podem ser comprados em farmácias e outros estabelecimentos. No capítulo a seguir, fornecerei informações específicas sobre cada tipo de antidepressivo e estabilizador do humor utilizado atualmente.

Ao ler este capítulo, tenha em mente que o uso de antidepressivos ainda é uma mistura de ciência e arte. Cada profissional tem uma filosofia um pouco diferente, e a abordagem do seu médico pode ser diferente da minha. Logo de cara, já adianto quais são as minhas tendências.

Em primeiro lugar, eu sou muito exigente em relação ao que espero de um antidepressivo. Acredito que qualquer medicamento antidepressivo deve ter um efeito muito drástico e profundo para justificar o seu uso contínuo. Além disso, acredito profundamente que todo paciente que estivesse tomando antidepressivos deveria fazer um teste de humor como o do Capítulo II pelo menos uma vez por semana. A sua pontuação nesse teste (ou em qualquer outro teste de depressão adequado) é um medidor altamente confiável do quanto o seu antidepressivo está fazendo efeito. Eu não incentivo os pacientes a continuarem tomando remédios que tenham um efeito benéfico apenas modesto ou questionável sobre o seu humor. Se a pontuação no teste diminuísse apenas um pouco (uma melhora de 30% ou 40%, por exemplo), eu ficaria inclinado a dizer que se trata de um efeito placebo e não de um efeito real do remédio. Esse grau de melhora pode ocorrer devido ao passar do tempo, à psicoterapia ou à crença de que o remédio irá funcionar. Se a melhora no humor for mínima, e ao se supor que o paciente já tenha tomado uma dose suficiente do medicamento por um período de tempo suficiente, provavelmente suspenderia o uso do remédio e tentaria um outro medicamento, uma combinação de medicamento e psicoterapia, ou a psicoterapia apenas.

É provável que alguns leitores estejam pensando agora: "Mas uma melhora de 40% no meu humor me parece muito bom. Parece ser uma melhora *de verdade*. Já estou quase 50% melhor.". Com certeza, qualquer melhora é bem-vinda, mas estudos recentes indicam que placebos inativos também podem ter grandes efeitos antidepressivos. Foi demonstrado que uma melhora de 40% é uma resposta típica a um placebo. A única justificativa para se tomar qualquer remédio antidepressivo é essa: ele está cumprindo a sua função? No meu modo de pensar, o objetivo do tratamento é recuperar-se da depressão. A maioria dos pacientes quer se recuperar completamente, e não apenas uma melhora discreta ou moderada no seu humor. Se um antidepressivo não está atingindo esse objetivo após uma tentativa razoável, eu recomendaria mudar para um outro remédio ou método de tratamento.

Em segundo lugar, eu nunca trato os pacientes apenas com medicamentos. Quando prescrevo um antidepressivo para um paciente, sempre combino o tratamento medicamentoso com a psicoterapia. Embora tenha experimentado o tratamento feito exclusivamente com medicamentos em um grande número de pacientes no início da minha carreira, quase nunca considerei essa abordagem satisfatória.

Por exemplo, quando fui bolsista de pós-doutorado após o meu período de residência na Universidade da Pensilvânia, eu dirigia a clínica de lítio do Hospital dos Veteranos da Filadélfia. Tratei diversos veteranos deprimidos que sofriam de doença maníaco-depressiva bipolar com uma combinação de lítio e outros antidepressivos. Embora os medicamentos parecessem ajudar, os resultados não foram muito animadores. A maioria desses pobres veteranos ficava entrando e saindo do hospital quase o tempo todo, e poucos conseguiam levar uma vida produtiva, feliz e estável. Posteriormente, quando descobri a terapia cognitiva, passei a tratar todos os meus pacientes maníaco-depressivos com uma combinação de medicamentos e psicoterapia. Os resultados foram muito melhores. Desde então, só me recordo de um paciente maníaco-depressivo tratado por mim que precisou ser internado por causa de um episódio maníaco.

Os resultados com pacientes deprimidos foram semelhantes. No início da minha carreira, eu tratava os pacientes deprimidos apenas com remédios, ou com remédios combinados à psicoterapia de apoio tradicional. Aplicava um teste de depressão como o do Capítulo II a todos os pacientes em todas as sessões. Eu podia ver claramente que, embora alguns deles fossem muito beneficiados pelos antidepressivos, muitos não eram. Um monte de pacientes apresentava apenas uma ligeira melhora, e alguns nem isso. Posteriormente, passei a combinar os antidepressivos com as novas técnicas de terapia cognitiva que estava aprendendo, e vi resultados bem melhores. Acabei desistindo de tratar os pacientes apenas com remédios.

Em terceiro lugar, eu costumo usar um medicamento por vez, e não uma combinação de vários tipos de remédios diferentes, embora haja certamente muitas exceções a essa ou a qualquer outra regra. A ideia por trás da polifarmácia é a de que, se um remédio é bom, usar dois, três ou mais será melhor ainda. Alguns médicos usam também remédios complementares para tentar combater os efeitos colaterais de que o paciente esteja tomando. Os potenciais inconvenientes da polifarmácia são muitos, entre eles, mais efeitos colaterais e maiores chances de interações medicamentosas adversas. Eu discuto sobre a polifarmácia em detalhes no fim do Capítulo XX e descrevo uma série de situações específicas em que o uso de mais de um remédio pode se justificar.

Por fim, não costumo manter o uso de antidepressivos por tempo indeterminado depois que os pacientes se recuperam. Em vez disso, vou reduzindo gradualmente depois que eles já estão se sentindo bem por vários meses. Descobri que, na maioria dos casos, os pacientes que já se recuperaram conseguem permanecer livres da depressão sem o uso de medicamentos. Lembre-se de que todos os meus pacientes receberam terapia cognitiva, independentemente de terem ou não recebido também um antidepressivo. A terapia cognitiva provavelmente é responsável pelos bons resultados a longo prazo, porque os pacientes aprendem ferramentas que podem usar pelo restante da vida, sempre que se sentirem chateados.

Muitos médicos têm uma prática bem diferente. Eles dizem aos pacientes que devem continuar tomando seus antidepressivos por tempo indeterminado para corrigir um "desequilíbrio químico no cérebro" e evitar recaídas da depressão. Embora a recaída seja uma questão importante, descobri que acostumar os pacientes a usar suas ferramentas de terapia cognitiva sempre que for necessário parece manter a melhora após a recuperação. Na verdade, alguns estudos controlados de acompanhamento a longo prazo confirmaram que isso funciona melhor que os remédios para evitar recaídas.

Embora esta seja, em poucas palavras, a minha filosofia, lembre-se de que não existe uma única abordagem "correta", e a filosofia do seu médico pode ser diferente da minha. Além disso, toda regra tem várias exceções, e o seu diagnóstico ou o seu histórico pessoal podem exigir uma abordagem diferente da que acabei de descrever. Se você tem alguma dúvida sobre o seu tratamento, discuta suas preocupações com seu médico. Pela minha experiência, o trabalho em equipe e o respeito mútuo ainda são os ingredientes mais importantes de qualquer tratamento bem-sucedido.

SE ESTOU DEPRIMIDO, SIGNIFICA QUE TENHO UM "DESEQUILÍBRIO QUÍMICO" NO CÉREBRO?

Existe uma crença quase supersticiosa em nossa cultura de que a depressão é resultante de algum tipo de desequilíbrio químico ou hormonal no cérebro. Mas isso é uma teoria não comprovada, e não um fato. Como discutido no Capítulo XVII, ainda não sabemos a causa da depressão e não sabemos como ou por que os antidepressivos funcionam. A teoria de que a depressão resulta de um desequilíbrio químico já existe há pelo menos 2 mil anos, mas ainda não existe nenhuma prova disso, portanto ainda não se tem certeza. Além disso, não existe nenhum teste ou sintoma clínico capaz de demonstrar que um determinado paciente ou grupo de pacientes tem um "desequilíbrio químico" que esteja causando a depressão.

SE ESTOU DEPRIMIDO, SIGNIFICA QUE DEVO TOMAR UM ANTIDEPRESSIVO?

Muitas pessoas também acreditam que, se você está deprimido, deve fazer uso de um antidepressivo. Entretanto, eu não afirmo que todo paciente deprimido precisa tomar um antidepressivo. Um grande número de estudos controlados publicados em revistas científicas conceituadas indicam que as formas mais modernas de psicoterapia podem ser tão eficazes quanto os antidepressivos, e às vezes até mais.

Com certeza, muitas pessoas deprimidas tiveram êxito no tratamento com antidepressivos e confiam plenamente neles. São ferramentas valiosas e fico feliz por tê-los à disposição em meu arsenal de tratamento. Às vezes os antidepressivos são úteis, mas quase nunca resolvem totalmente o problema, e muitas vezes não são necessários.

COMO SABER SE DEVO OU NÃO TOMAR UM ANTIDEPRESSIVO?

Eu sempre pergunto aos meus pacientes nas primeiras avaliações se eles gostariam ou não de tomar um antidepressivo. Quando um paciente está convicto de que prefere ser tratado sem o uso de um antidepressivo, eu utilizo apenas a terapia cognitiva, e o tratamento geralmente é bem-sucedido. No entanto, quando o paciente já vem se esforçando na terapia por seis a dez semanas sem melhora alguma, às vezes eu sugiro que tentemos acrescentar um antidepressivo para dar uma "turbinada" no tratamento, digamos assim. Em alguns casos, isso aumenta a eficácia da psicoterapia.

Se o paciente mostra-se convicto de que gostaria de usar um antidepressivo na avaliação inicial, eu já inicio o tratamento com uma combinação de um medicamento antidepressivo e psicoterapia. Entretanto, quase nunca trato os pacientes apenas com antidepressivos, como já observei. Na minha experiência, a abordagem só com remédios não foi satisfatória. A combinação de medicamentos com psicoterapia parece produzir melhores resultados a curto e a longo prazo do que o tratamento feito apenas com remédios.

Talvez pareça pouco científico decidir a medicação com base nas preferências do paciente, e com certeza há casos excepcionais em que eu sinto que devo fazer uma indicação que não corresponde aos desejos dele. Mas, na maior parte das vezes, descobri que os pacientes vão bem quando são tratados pelo método com o qual se sentem mais à vontade.

Portanto, se você está deprimido e tem a convicção positiva de que um antidepressivo vai ajudá-lo, isso aumenta a probabilidade de que você seja beneficiado por um desses medicamentos. E se estiver convicto de que prefere ser tratado com uma forma de terapia sem o uso de remédios, a probabilidade de ter um bom resultado também é grande. Mas eu o aconselharia a ser flexível em seu pensamento. Se você está tomando uma medicação, acredito profundamente que a psicoterapia cognitiva ou interpessoal pode melhorar sua recuperação. Se está fazendo psicoterapia e seu progresso é lento, um antidepressivo poderia acelerar a recuperação.

QUALQUER UM PODE TOMAR ANTIDEPRESSIVOS?

A maioria das pessoas pode, mas o acompanhamento de um médico competente é imprescindível. Por exemplo, são necessárias precauções especiais se você tiver histórico de epilepsia, problema de fígado, rim ou coração, pressão alta ou alguns outros distúrbios. No caso de pessoas muito jovens ou idosas, alguns medicamentos devem ser evitados e talvez seja indicado usar dosagens menores. E, como observado antes, se você está ingerindo algum outro remédio além do antidepressivo, às vezes precisa tomar precauções especiais. Administrado corretamente, um antidepressivo é seguro e pode salvar vidas. Mas não tente controlá-lo ou administrá-lo por conta própria. O acompanhamento médico é imprescindível.

Uma mulher grávida deve usar um antidepressivo? Muitas vezes, essa questão delicada exige uma consulta entre o psiquiatra e o obstetra. Uma vez que podem ocorrer malformações fetais, o potencial benefício, a gravidade da depressão, o estágio da gravidez, tudo isso deve ser levado em conta. Em geral, outros métodos de tratamento devem ser empregados primeiro, e um programa ativo de autoajuda do tipo descrito neste livro poderia eliminar a necessidade de medicação. Isso ofereceria a melhor proteção para a criança em desenvolvimento, é claro. Por outro lado, se a depressão for muito grave, pode haver casos em que faz sentido usar um antidepressivo.

QUEM TEM MAIS – OU MENOS – CHANCES DE SE BENEFICIAR COM O USO DE UM ANTIDEPRESSIVO?

Suas chances de responder a um remédio adequado podem ser maiores se:
1. Você é incapaz de realizar suas atividades diárias por causa da depressão.
2. A sua depressão é caracterizada por vários sintomas orgânicos, como insônia, agitação, retardo, piora dos sintomas pela manhã ou incapacidade de se alegrar com acontecimentos positivos.
3. A sua depressão é grave.
4. A sua depressão teve um início razoavelmente claro.
5. Seus sintomas são bem distintos do modo como você se sente normalmente.
6. Você tem um histórico familiar de depressão.
7. Você já teve uma resposta positiva ao uso de antidepressivos no passado.
8. Você está convicto de que gostaria de tomar um antidepressivo.
9. Você está profundamente empenhado em se recuperar.
10. Você é casado.

Suas chances de responder a um remédio adequado podem ser menores se:
1. Você está com muita raiva.
2. Você tem tendência a reclamar e culpar os outros.
3. Você tem um histórico de sensibilidade exagerada a efeitos colaterais de medicamentos.
4. Você tem um histórico de múltiplas queixas físicas que seu médico foi incapaz de diagnosticar, como cansaço, dor de estômago, dor de cabeça, ou dores no peito, no estômago, nos braços ou nas pernas.
5. Você tem um longo histórico de outro transtorno psiquiátrico ou de alucinações anterior à sua depressão.
6. Você está convicto de que não quer tomar um antidepressivo.
7. Você faz uso abusivo de drogas ou álcool e não está disposto a iniciar um programa de recuperação.

8. Você está tendo alguma compensação financeira com a sua depressão, ou espera ter. Por exemplo, se você recebe auxílio-doença por causa da depressão, ou está envolvido num processo e espera receber alguma compensação financeira por causa da sua depressão, qualquer forma de tratamento será difícil. É porque, se você se recuperar, vai perder dinheiro. Isso é um conflito de interesses.
9. Você não respondeu ao tratamento com outros antidepressivos.
10. Por algum motivo, você tem sentimentos contraditórios quanto a se sentir melhor.

Essas orientações são de caráter geral e não pretendem ser exaustivas nem exatas. Nossa capacidade de prever quem vai reagir melhor a um medicamento ou à psicoterapia ainda é extremamente limitada. Muitas pessoas com todos os indicadores positivos podem deixar de responder a antidepressivos, e muitas pessoas com todos os indicadores negativos podem responder maravilhosamente ao primeiro remédio que tomarem. No futuro, esperamos que o uso de antidepressivos venha a se tornar mais exato e científico como o dos antibióticos.

Se você tem muitos indicadores negativos, isso é ruim? Não creio. A maioria dos pacientes com todos os indicadores negativos pode ter muito êxito em seu tratamento, mas talvez demore um pouco mais. Além disso, como já enfatizei várias vezes, a combinação de um medicamento com uma boa psicoterapia nos moldes descritos neste livro pode ser mais eficaz que o tratamento feito apenas com antidepressivos.

QUANTO TEMPO OS ANTIDEPRESSIVOS DEMORAM PARA AGIR E ATÉ QUE PONTO ELES SÃO EFICAZES?

A maioria dos estudos indica que aproximadamente 60% a 70% dos pacientes deprimidos responderão ao uso de um medicamento antidepressivo. Como aproximadamente 30% a 50% dos pacientes deprimidos responderão também a um comprimido de açúcar (placebo), esses estudos indicam que um antidepressivo vai aumentar suas chances de recuperação.

Entretanto, lembre-se de que a palavra "responder" é diferente da palavra "recuperar", e muitas vezes a melhora obtida com um antidepressivo é apenas parcial. Em outras palavras, sua pontuação num teste de humor como o do Capítulo II pode melhorar sem entrar na faixa considerada realmente feliz (abaixo de 5). É por isso que eu quase sempre combino o tratamento com antidepressivos com técnicas cognitivas e comportamentais como as descritas neste livro. A maioria das pessoas não está interessada apenas numa melhora parcial. Elas querem ficar curadas de verdade. Querem acordar de manhã e dizer "Puxa, como é bom estar vivo!".

Como já ressaltei, a maioria das pessoas deprimidas e ansiosas de que tratei tem problemas na vida, como um conflito conjugal ou uma dificuldade na carreira, e quase todas elas ficam se acusando por meio de pensamentos negativos. Pela minha experiência, a terapia medicamentosa costuma ser mais eficaz – e mais gratificante – quando combinada à psicoterapia. Muitos médicos prescrevem apenas medicamentos, sem psicoterapia, mas eu não considero essa abordagem satisfatória.

QUAIS SÃO OS ANTIDEPRESSIVOS MAIS EFICAZES?

Todos os remédios antidepressivos prescritos atualmente tendem a apresentar um desempenho equivalente e a agir com similar rapidez, para a maioria dos pacientes. Até hoje, nenhum novo tipo de antidepressivo mostrou ser mais eficaz ou ter ação mais rápida do que os remédios mais antigos que já estão no mercado há várias décadas. No entanto, existem enormes diferenças no custo dos vários tipos de antidepressivos e nos efeitos colaterais que eles provocam. Basicamente, os medicamentos mais recentes são bem mais caros, pois ainda têm suas patentes protegidas. No entanto, são bem mais populares, pois costumam ter menos efeitos colaterais do que os remédios mais antigos e baratos. Se você tiver certos problemas de saúde, alguns antidepressivos serão relativamente mais seguros para você do que outros. Discutirei essas questões em maiores detalhes no Capítulo XX.

Às vezes um paciente irá responder muito bem a um determinado antidepressivo ou tipo de antidepressivo. Em geral, infelizmente isso não pode ser previsto com antecedência, portanto a maioria dos médicos usa um método de tentativa e erro. Porém, existem algumas generalizações quanto aos tipos de antidepressivos que funcionam melhor para certos tipos de problemas. Por exemplo, os remédios que têm efeitos mais fortes sobre os sistemas serotonínicos do cérebro geralmente são considerados eficazes para pacientes que sofrem de transtorno obsessivo-compulsivo (também chamado de TOC). Esses pacientes têm pensamentos irracionais recorrentes (como o medo de que o fogão acenda sozinho e pegue fogo na casa) e executam rituais compulsivos repetidamente (como conferir várias vezes para ter certeza de que o gás está apagado). Os remédios comumente prescritos para o TOC incluem vários antidepressivos tricíclicos, entre eles a clomipramina (Anafranil), um dos ISRSs, como a fluoxetina (Prozac) ou a fluvoxamina (Luvox), ou um dos IMAOs, como a tranilcipromina (Parnate).

Quando um paciente deprimido também apresenta sintomas de ansiedade, como ataques de pânico ou fobia social, o médico pode escolher também um dos antidepressivos do tipo ISRS ou IMAO, pois em geral eles parecem ser muito eficazes.

Ou então o médico pode escolher um dos antidepressivos de efeito sedativo, como a trazodona (Donarem) ou a doxepina (Sinequan*), por considerar que o relaxamento pode ajudar a reduzir a ansiedade.

Na minha atividade clínica, já tratei muitos pacientes com um tipo especialmente complicado de depressão grave e crônica conhecido como transtorno de personalidade *borderline* (conhecido pela sigla TPB). Os pacientes com esse distúrbio apresentam estados de humor negativos com oscilações intensas e constantes como depressão, ansiedade e raiva. Os pacientes com TPB também passam por muitos períodos turbulentos em suas relações pessoais. Na minha experiência, alguns pacientes com TPB tiveram uma resposta drástica aos antidepressivos IMAO, por isso eu ficaria mais inclinado a escolher um IMAO para pacientes com essas características. Claro, alguns pacientes com TPB têm dificuldade de controlar seus impulsos e poderiam dar-se melhor com um dos antidepressivos mais modernos e seguros. É que os IMAOs podem ser muito perigosos se os pacientes misturarem esses remédios com certos alimentos e medicamentos proibidos que descreverei em detalhes no Capítulo XX.

Há uma série de outras orientações também, mas elas não devem ser levadas muito ao pé da letra, pois existem várias exceções. A conclusão é a seguinte: qualquer paciente deprimido tem uma chance razoavelmente boa de apresentar uma resposta positiva a praticamente qualquer medicamento antidepressivo se ele for prescrito na dose correta, por um período de tempo razoável. Você pode perguntar ao seu médico se ele tem alguma razão para lhe recomendar um determinado antidepressivo. No entanto, a maioria dos médicos receitará os antidepressivos com que estão mais acostumados. Essa é uma boa prática. Poucos médicos conseguem dominar a infinidade de detalhes envolvendo todos os antidepressivos prescritos atualmente, por isso a maioria deles procura se familiarizar com um ou dois tipos que usam com mais frequência. Dessa forma, terão mais experiência com o medicamento que estão recomendando a você.

COMO POSSO SABER SE MEU REMÉDIO ESTÁ MESMO FAZENDO EFEITO?

Minha filosofia pessoal é usar um teste de depressão como o do Capítulo II como guia. Faça o teste uma ou duas vezes por semana durante o tratamento. Isso é *muito* importante. O teste vai mostrar se você melhorou, e em que medida. Se você não estiver melhorando, ou se estiver piorando, sua pontuação não irá se alterar.

---

*. O produto comercial Sinequan (lab. Pfizer) teve sua comercialização suspensa no Brasil. (N.R.T.)

Se a sua pontuação estiver melhorando continuamente, isso indica que o remédio provavelmente está ajudando.

Infelizmente, a maioria dos médicos não exige que seu paciente faça um teste de humor como o do Capítulo II entre as sessões de terapia. Em vez disso, eles confiam no seu próprio parecer clínico para avaliar a eficácia do tratamento. Isso é lamentável, pois estudos já indicaram que os médicos costumam ser incapazes de avaliar corretamente como um pacientes está se sentindo.

QUE TIPO DE MELHORA EU POSSO ESPERAR?

Seu objetivo deve ser o de reduzir a pontuação no teste de depressão do Capítulo II até que esteja na faixa considerada normal e feliz. Isso aplica-se quer você esteja sendo tratado com um antidepressivo, quer com psicoterapia, quer com uma combinação dos dois. O tratamento não pode ser considerado totalmente bem-sucedido se a sua pontuação continuar na faixa da depressão.

SE UM ANTIDEPRESSIVO FIZER ALGUM EFEITO, TOMAR DOIS OU MAIS ANTIDEPRESSIVOS AO MESMO TEMPO VAI SER MELHOR AINDA?

Como regra geral, normalmente não é necessário (ou mesmo benéfico) tomar dois ou mais antidepressivos diferentes ao mesmo tempo. Os dois remédios podem interagir de maneiras imprevisíveis, e os efeitos colaterais podem aumentar consideravelmente. Existem exceções, é claro. Por exemplo, se você está muito agitado e com dificuldades para dormir, seu médico pode acrescentar à noite uma pequena dose de um segundo antidepressivo, com efeito mais sedativo, para ajudá-lo a ter uma boa noite de sono. Ou talvez seu médico acrescente uma pequena dose de um segundo antidepressivo para tentar aumentar a eficácia do primeiro. Essa estratégia é chamada de "potencialização" e será discutida em maiores detalhes no Capítulo XX. Mas, em geral, um remédio por vez normalmente funciona melhor.

QUANTO TEMPO VAI DEMORAR PARA EU COMEÇAR A ME SENTIR MELHOR?

Normalmente, leva pelo menos duas ou três semanas para que um antidepressivo comece a melhorar seu humor. Alguns remédios podem demorar ainda mais. O Prozac, por exemplo, pode levar cinco a oito semanas para fazer efeito. Não se sabe por que os antidepressivos têm esse efeito retardado (e quem descobrir o motivo provavelmente será um bom candidato ao prêmio Nobel). Muitos pacientes têm ímpetos de interromper o uso dos antidepressivos em menos de três semanas por não terem esperanças e acreditarem que o remédio não está fazendo efeito. Isso não tem lógica, pois não é comum que esses medicamentos façam efeito logo de cara.

O QUE EU POSSO FAZER SE MEU ANTIDEPRESSIVO NÃO FIZER EFEITO?

Já vi muitos pacientes que não tiveram uma resposta adequada a um ou vários antidepressivos. Na verdade, em minha clínica na Filadélfia, a maioria dos pacientes foi encaminhada a mim após tratamentos malsucedidos com uma variedade de remédios antidepressivos e também de terapia. Na maior parte das vezes, acabamos conseguindo um excelente efeito antidepressivo, muitas vezes por meio de uma combinação de terapia cognitiva e um outro medicamento que o paciente ainda não havia experimentado. O importante é você manter-se persistente em seus esforços até se recuperar. Às vezes isso exige enorme dedicação e fé. Os pacientes muitas vezes têm vontade de desistir, mas a persistência quase sempre compensa.

Já mencionei que a falta de esperança é provavelmente o pior aspecto da depressão. Esse sentimento às vezes leva a tentativas de suicídio, pois os pacientes sentem-se convictos de que as coisas nunca irão melhorar. Eles acham que as coisas sempre foram assim e que os seus sentimentos de inutilidade e desespero vão durar para sempre. Além disso, há uma espécie de genialidade na depressão. Os pacientes podem ser tão persuasivos quanto ao fato de não terem salvação que até seus médicos e familiares podem começar a acreditar neles depois de algum tempo. No início da minha carreira eu passei por isso e muitas vezes senti-me tentado a desistir de alguns casos particularmente complicados. Mas um colega de confiança convenceu-me a jamais ceder à crença de que um paciente não tivesse salvação. Durante toda a minha carreira, valeu a pena manter essa política. Não importa que tipo de tratamento você faça, fé e persistência podem ser as chaves do sucesso. Nunca é demais salientar isso.

POR QUANTO TEMPO DEVO TOMAR UM ANTIDEPRESSIVO SE ELE NÃO PARECE ESTAR FAZENDO EFEITO?

Obviamente, você sempre deve consultar seu médico antes de fazer qualquer mudança na sua medicação, mas, em geral, uma experiência de quatro ou cinco semanas deve ser suficiente. Se você não tiver uma melhora clara e drástica no seu humor, provavelmente é melhor trocar de remédio. No entanto, é importante que a dose seja ajustada corretamente durante esse período, pois doses muito altas ou muito baixas podem não ser eficazes. Às vezes o seu médico pode pedir um exame de sangue para ter certeza de que a dose que está tomando é adequada para você.

Um dos erros mais comuns que o seu médico pode cometer é manter o uso de um determinado antidepressivo por vários meses (ou até anos) quando não há nenhuma evidência clara de que você tenha melhorado. Isso não faz o menor sentido para mim! No entanto, já vi muitas pessoas com depressão grave afirmarem ter sido tratadas de forma contínua com o mesmo antidepressivo durante anos, sem identificar nenhum efeito benéfico obtido com o uso do medicamento. Suas pontuações no teste de humor do Capítulo II geralmente indicavam que elas continuavam gravemente deprimidas. Quando eu lhes perguntava por que estavam tomando o remédio há tanto tempo, costumavam responder que seus médicos diziam que era necessário tomá-lo, ou que era preciso por causa de seu "desequilíbrio químico". Se o seu humor não apresentar melhoras, parece claro que o remédio não está funcionando, então por que continuar tomando? Se um remédio não apresenta efeitos benéficos muito significativos, como indicado por uma melhora clara e constante na sua pontuação num teste de depressão como o do Capítulo II, geralmente é melhor substituí-lo por um outro medicamento antidepressivo.

QUANTO TEMPO DEVO CONTINUAR TOMANDO O ANTIDEPRESSIVO SE ELE ESTIVER ME FAZENDO BEM?

Você e o seu médico terão de tomar essa decisão juntos. Se este for o seu primeiro episódio de depressão, provavelmente você poderá interromper a ingestão do remédio depois de seis a doze meses e continuar se sentindo bem. Em alguns casos, interrompi os antidepressivos depois de apenas três meses com bons resultados, e raramente achei que o tratamento por mais de seis meses fosse necessário. Mas cada médico tem uma opinião diferente em relação a isso.

Um dos maiores prognosticadores de recaídas em estudos de pesquisa é o grau de melhora ao fim do tratamento. Em outras palavras, se você está feliz e totalmente livre da depressão, e isso for documentado por uma pontuação abaixo de 5 no teste de depressão do Capítulo II, a probabilidade de passar um longo período livre da depressão é alta. Por outro lado, se você teve uma melhora parcial mas sua pontuação ainda é um tanto elevada, a probabilidade de que a depressão venha a piorar ou retornar no futuro é bem maior, independentemente se você continuar ou não tomando um medicamento antidepressivo.

Essa é outra razão pela qual eu gosto de combinar medicamentos antidepressivos com terapia cognitiva comportamental. Os pacientes costumam apresentar uma resposta bem melhor, e pouquíssimos pacientes da minha clínica particular pareciam ter recaídas e voltar para novos tratamentos após a recuperação.

E SE O MEU MÉDICO DISSER QUE PRECISO CONTINUAR TOMANDO O ANTIDEPRESSIVO POR TEMPO INDETERMINADO?

É quase certo que os pacientes com determinados tipos de depressão precisarão tomar medicamentos por um prazo prolongado. Por exemplo, se um paciente sofre de transtorno bipolar (maníaco-depressivo) com incontroláveis altos e baixos, o tratamento a longo prazo com um medicamento estabilizador do humor como o lítio, o ácido valproico ou a carbamazepina pode ser necessário.

Se você teve muitos anos de depressão incessante ou se anda propenso a muitas crises recorrentes de depressão, talvez queira considerar a terapia de manutenção por um período de tempo mais longo. Como os médicos estão cada vez mais conscientes da natureza recidivante dos transtornos de humor, o uso de antidepressivos por um prazo prolongado ou como profilático vem ganhando popularidade.

Alguns médicos recomendam regularmente a terapia com antidepressivos por tempo indeterminado, do mesmo modo que insistiriam que os pacientes com diabetes precisam tomar insulina diariamente para regular sua glicemia. Várias pesquisas sugerem que essa terapia de manutenção pode reduzir a incidência de recaídas depressivas. Entretanto, as pesquisas também indicam que o tratamento com as técnicas de terapia cognitiva descritas neste livro também pode reduzir as recaídas depressivas. Além disso, esses estudos sugerem que o efeito preventivo da terapia cognitiva pode ser maior do que o dos medicamentos antidepressivos. Uma vantagem importante da terapia cognitiva comportamental é que você aprende novas habilidades capazes de minimizar ou prevenir depressões futuras. Por exemplo, o simples exercício de anotar e questionar seus pensamentos negativos quando está sob tensão pode ser de valor inestimável.

Na minha clínica particular, a grande maioria dos pacientes deprimidos de que tratei não precisaram ficar tomando antidepressivos indefinidamente após a recuperação. A maioria deles saiu-se muito bem sem qualquer medicação, usando apenas as habilidades de terapia cognitiva que aprenderam, sempre que ficavam chateados novamente. Isso é muito animador, e mostra que você pode fazer muita coisa não só para tratar a sua própria depressão, mas também para diminuir a probabilidade de ter depressões graves e prolongadas no futuro. Sugere também que, se você está tomando um antidepressivo, poderia ser muito útil estudar e praticar os métodos deste livro.

Após descobrir como modificar seus padrões de pensamento negativos usando as técnicas que descrevo, você pode pensar que conseguirá manter-se livre da depressão sem qualquer medicamento. Mas, com certeza, vai querer discutir isso com seu médico. Nunca é bom interromper o uso de um remédio ou alterar a dose de uma medicação sem conversar primeiro com seu médico sobre isso.

E SE EU COMEÇAR A FICAR MAIS DEPRIMIDO QUANDO ESTIVER PARANDO COM O REMÉDIO?

Na verdade isso é bastante comum, e vou lhe contar como costumo agir. Primeiro, eu me certifico de que o paciente continue a fazer o teste de depressão do CAPÍTULO II ao menos uma ou duas vezes por semana enquanto estiver interrompendo o uso do medicamento. Depois elaboro um plano para reduzir lentamente a dose do antidepressivo. Digo aos pacientes que, se começarem a se sentir deprimidos outra vez enquanto estiverem parando com o remédio, e isso for refletido por uma pontuação mais alta no teste de depressão, então eles devem aumentar um pouco a dose temporariamente por uma ou duas semanas. Em geral, isso faz o humor melhorar novamente. Depois eles podem continuar diminuindo o remédio aos poucos outra vez. Essa abordagem os tranquiliza, pois é controlada pelo paciente. Depois de algumas tentativas como essa, a maioria dos pacientes conseguiu parar com os antidepressivos sem ficar deprimido novamente.

O QUE DEVO FAZER SE A DEPRESSÃO VOLTAR NO FUTURO?

Se a sua depressão voltar, há excelentes chances de você responder novamente ao mesmo remédio que o ajudou na primeira vez. Ele pode ser a "chave" biológica adequada para você. Então você provavelmente pode usar esse remédio outra vez em qualquer episódio futuro de depressão. Se algum parente consanguíneo seu desenvolver uma depressão, esse remédio também pode ser uma boa escolha para ele, porque a resposta de uma pessoa aos antidepressivos, assim como a própria depressão, parece ser influenciada por fatores genéticos.

O mesmo raciocínio aplica-se às técnicas de psicoterapia. Descobri que, para a maioria as pessoas, os mesmos tipos de acontecimento (por exemplo, ser criticado por uma figura de autoridade) tendem a desencadear a depressão, e as mesmas técnicas de terapia cognitiva costumam revertê-la num determinado paciente. Na maioria dos casos, os pacientes puderam reverter um novo episódio de depressão muito rapidamente sem precisar tomar a medicação outra vez. Eu incentivo meus pacientes a virem para fazer uma "revisão" caso voltem a ficar deprimidos no futuro. Muitas vezes essas "revisões" consistiam de apenas uma ou duas sessões de terapia, pois geralmente conseguíamos reaplicar a mesma técnica que os havia ajudado tanto na primeira vez em que os tratei.

QUAIS SÃO OS EFEITOS COLATERAIS MAIS COMUNS DOS ANTIDEPRESSIVOS?

Como discutido no Capítulo XVII, todos os medicamentos prescritos para depressão, ansiedade e outros problemas psiquiátricos podem causar diversos tipos de efeitos colaterais. Por exemplo, muitos antidepressivos mais antigos (como a amitriptilina, comercializada com o nome de Tryptanol) produzem efeitos colaterais bastante evidentes, como boca seca, sonolência, tontura e ganho de peso, entre outros. Muitos antidepressivos mais recentes (como a fluoxetina, comercializada com o nome de Prozac) podem causar nervosismo, transpiração, indisposição estomacal ou perda de interesse sexual, além de dificuldade para atingir o orgasmo.

Descreverei os efeitos colaterais específicos de cada antidepressivo no Capítulo XX. Você verá que alguns medicamentos produzem muitos efeitos colaterais, outros produzem bem poucos.

O formulário Controle de efeitos colaterais das p. 401-3 pode fornecer a você e ao seu médico informações extremamente precisas sobre qualquer efeito colateral que você apresentar enquanto estiver tomando um medicamento. Se você fizer esse teste umas duas vezes por semana, verá como os efeitos colaterais mudam com o tempo.

Lembre-se, porém, de que muitos desses chamados efeitos colaterais podem ocorrer mesmo que você não esteja tomando nenhum medicamento, pois muitos deles são também sintomas da depressão. Sentir-se cansado, ter dificuldades para dormir à noite e perder o interesse sexual seriam bons exemplos. Portanto, pode ser muito útil preencher esse formulário pelo menos uma ou duas vezes antes de iniciar qualquer medicação. Assim, você pode saber se um efeito colateral começou antes ou depois que você iniciou o remédio. Evidentemente, se você já apresentava o efeito colateral antes de começar a tomá-lo, provavelmente ele não tem nada a ver com isso.

É bom lembrar também que os pacientes que tomam apenas medicamentos placebos (comprimidos de açúcar) durante estudos de pesquisa tendem a relatar muitos efeitos colaterais. É que eles acham que estão tomando um remédio de verdade. Portanto, não há prova nenhuma de que um determinado efeito colateral seja provocado necessariamente pelo medicamento que você está tomando. Na dúvida, converse sobre isso com seu médico.

Gostaria de dar um exemplo particularmente realista de como a mente pode nos pregar peças de vez em quando. Certa vez, tratei de uma professora de Ensino Médio com depressão. Ela não estava reagindo bem à psicoterapia e tive um palpite de que se adaptaria a um antidepressivo em particular chamado tranilcipromina (Parnate), o qual é descrito no CAPÍTULO XX. Entretanto, ela era um tanto teimosa e tinha muito medo de tomar qualquer medicamento. Queixava-se de que não conseguiria tolerar os efeitos colaterais. Expliquei que pretendia receitar uma dose baixa e que, pela minha experiência, a maioria dos pacientes não tinha muitos efeitos colaterais com esse medicamento, especialmente quando a dose era baixa. Mas meus esforços foram em vão – ela insistia que os efeitos do remédio seriam insuportáveis e se recusava a aceitar uma receita.

Perguntei se estaria disposta a fazer uma pequena experiência para confirmar isso. Disse que lhe daria comprimidos suficientes para duas semanas, em 14 envelopes separados. Cada envelope tinha uma etiqueta com a data e o dia da semana em que deveria tomar os comprimidos que estavam dentro dele. Expliquei que alguns envelopes continham comprimidos de placebo que não poderiam ter nenhum efeito colateral. Metade dos comprimidos seriam amarelos e metade vermelhos, mas ela não saberia se estava tomando o remédio de verdade ou um placebo em qualquer um dos dias. O envelope do primeiro dia continha um comprimido amarelo e o do segundo continha um vermelho. Os envelopes do terceiro e do quarto dia continham dois comprimidos amarelos cada, e os envelopes do quinto e do sexto dia continham dois comprimidos vermelhos cada. Por fim, cada envelope da segunda semana continha três comprimidos amarelos ou três vermelhos.

Pedi a ela que preenchesse o Controle de Efeitos Colaterais todos os dias e registrasse a data. Expliquei como essa experiência nos ajudaria a determinar se qualquer efeito colateral que ela apresentasse num determinado dia era devido ao remédio de verdade ou ao efeito placebo. Ela concordou relutantemente, mas insistiu que seu organismo era muito sensível a remédios e previu que a experiência apenas comprovaria o quanto eu estava errado.

Assim que começou a tomar os comprimidos, ela passou a me ligar quase todos os dias com relatos alarmantes sobre graves efeitos colaterais, especialmente nos dias em que tomava os comprimidos amarelos. Disse que esses efeitos também estendiam-se aos dias em que tomava os comprimidos vermelhos. Expliquei que os efeitos colaterais costumavam diminuir com o tempo e a incentivei a continuar.

CONTROLE DE EFEITOS COLATERAIS*

Instruções: Faça um X ao lado de cada item para indicar se você teve esse tipo de efeito colateral nos últimos dias. **Responda todos os itens.**	0 – Nem um pouco	1 – Um pouco	2 – Mais ou menos	3 – Muito	4 – Extremamente
Boca e estômago					
1. Boca seca					
2. Sede frequente					
3. Perda de apetite					
4. Náusea ou vômito					
5. Cólica ou indisposição estomacal					
6. Ter mais apetite ou comer demais					
7. Ganhar ou perder peso					
8. Prisão de ventre					
9. Diarreia					
Olhos e ouvidos					
10. Visão turva					
11. Sensibilidade exagerada à luz					
12. Alterações na visão, como halos em torno dos objetos					
13. Zumbido nos ouvidos					
Pele					
14. Transpiração excessiva					
15. Erupções cutâneas					
16. Excesso de queimaduras quando exposto ao sol					
17. Mudanças na cor da pele					
18. Sangramento ou manchas roxas frequentes					
Sexo					
19. Perda de interesse sexual					
20. Dificuldade de se excitar sexualmente					
21. Dificuldade de conseguir uma ereção (homens)					
22. Dificuldade de atingir o orgasmo					
23. Problemas com o ciclo menstrual (mulheres)					

(*cont.*)

	0 – Nem um pouco	1 – Um pouco	2 – Mais ou menos	3 – Muito	4 – Extremamente
Estimulação e nervosismo					
24. Ficar estimulado					
25. Ficar agitado					
26. Ficar ansioso, preocupado ou nervoso					
27. Sentir-se estranho ou "distante"					
28. Excesso de energia					
Problemas para dormir					
29. Sentir-se cansado ou exausto					
30. Perda de energia					
31. Dormir demais					
32. Dificuldade de pegar no sono					
33. Sono agitado ou perturbado					
34. Acordar muito cedo pela manhã					
35. Pesadelos ou sonhos estranhos					
Músculos e coordenação					
36. Trancos ou contrações musculares					
37. Fala enrolada					
38. Tremor					
39. Dificuldade de andar ou perda de equilíbrio					
40. Sentir-se mais lento					
41. Rigidez nos braços, nas pernas ou na língua					
42. Sentir-se inquieto, como se tivesse de ficar mexendo os braços ou as pernas					
43. Retorcer as mãos					
44. Balançar a perna de forma constante, regular e ritmada					
45. Movimentos anormais no rosto, nos lábios ou na língua					
46. Movimentos anormais em outras partes do corpo, como os dedos ou os ombros					
47. Espasmos musculares na língua, no queixo ou no pescoço					

(cont.)	0 – Nem um pouco	1 – Um pouco	2 – Mais ou menos	3 – Muito	4 – Extremamente
Outros					
48. Dificuldade de lembrar-se das coisas					
49. Vertigem, tontura ou desmaio					
50. Sentir o coração disparar ou bater mais forte					
51. Inchaço nos braços ou nas pernas					
52. Dificuldade de urinar					
53. Dor de cabeça					
54. Inchaço ou aumento das mamas					
55. Secreção leitosa nos mamilos					
Descreva qualquer outro efeito colateral observado:					

*. Copyright © 1998 Dr. David D. Burns.

Num domingo à noite, ela pediu ao serviço de atendimento que entrasse em contato comigo em casa porque tratava-se uma emergência. Declarou que os efeitos colaterais não diminuíram e estavam ficando piores. Na verdade, eram tão graves que ela não podia mais trabalhar. Estava tonta, confusa e exausta. Sua boca estava seca como algodão. Ela cambaleava quando tentava andar e mal conseguia sair da cama. Tinha fortes dores de cabeça. Disse que não tomaria mais nenhum comprimido e queria saber por que eu a havia feito passar por tanto sofrimento.

Eu me desculpei, pedi que parasse com os medicamentos imediatamente e marquei uma consulta para ela no primeiro horário na segunda de manhã, para uma sessão de emergência. Garanti que nenhum dos sintomas parecia representar risco de vida, embora ela estivesse evidentemente muito angustiada. Pedi que trouxesse para a sessão seus controles diários de efeitos colaterais e prometi que esclareceríamos o mistério juntos na manhã seguinte para descobrir em que dias ela havia tomado os placebos e em que dias havia tomado os comprimidos de verdade.

Na manhã seguinte, expliquei que *todos* os comprimidos que ela havia tomado eram placebos que eu havia conseguido com o farmacêutico do hospital. Havia apenas placebos vermelhos e placebos amarelos – não existia nenhum comprimido de Parnate em qualquer um dos envelopes.

Essa informação a surpreendeu, e lágrimas começaram a escorrer pelo seu rosto. Ela admitiu que jamais teria acreditado que sua mente pudesse causar efeitos tão poderosos no seu corpo. Havia ficado totalmente convencida de que os efeitos colaterais eram reais. Então foi em frente, tomou o Parnate em pequenas doses, e seu humor melhorou consideravelmente em um ou dois meses. Também passou a se dedicar bastante à sua lição de casa entre as sessões de psicoterapia. Continuou a preencher o Teste de Depressão e o Controle de Efeitos Colaterais uma vez por semana, mas não relatou muitos efeitos colaterais.

Não estou querendo sugerir que todos os efeitos colaterais são coisas da sua cabeça. Em raras ocasiões isso pode ocorrer, mas na maior parte das vezes esses efeitos são bem reais, e a grande maioria dos meus pacientes relatou-os com precisão. Se usar o Controle de Efeitos Colaterais diariamente, isso ajudará você e o seu médico a avaliar o tipo específico e a gravidade de qualquer sintoma que você possa apresentar. Assim será possível fazer os ajustes necessários na medicação se os efeitos colaterais forem excessivos ou perigosos.

POR QUE OS ANTIDEPRESSIVOS TÊM EFEITOS COLATERAIS?

Você aprendeu no Capítulo XVII que os remédios antidepressivos podem estimular ou bloquear os receptores dos neurotransmissores químicos usados pelos neurônios para transmitir mensagens entre si. Naquele capítulo concentramos-nos na serotonina, pois acredita-se que esse transmissor esteja envolvido na regulação do humor. Uma das descobertas mais úteis e importantes das duas últimas décadas é a de que os antidepressivos também podem interagir com os receptores de vários outros transmissores químicos do cérebro. Essas interações parecem ser responsáveis por muitos efeitos colaterais dos antidepressivos.

Os três receptores cerebrais que vêm sendo estudados de forma mais intensiva chamam-se receptores de histamina, receptores alfa-adrenérgicos e receptores muscarínicos. Eles estão localizados nos neurônios que usam a histamina, a norepinefrina e a acetilcolina, respectivamente, como seus transmissores químicos. Os remédios que bloqueiam os receptores de histamina são chamados de "anti-histamínicos", um termo do qual você provavelmente já ouviu falar. Os remédios que bloqueiam os receptores alfa-adrenérgicos são chamados de "alfabloqueadores", e os que bloqueiam os receptores muscarínicos são chamados de "anticolinérgicos".

Cada tipo de receptor é responsável por certos efeitos colaterais. Podemos prever os efeitos colaterais de qualquer remédio se compreendermos com que intensidade o remédio afeta cada um desses três sistemas cerebrais. Os medicamentos antidepressivos provocam muitos de seus efeitos colaterais por bloquearem os receptores histamínicos, os receptores alfa-adrenérgicos e os receptores colinérgicos (que são também chamados de receptores "muscarínicos"), localizados na superfície dos neurônios no interior do seu cérebro e também por todo o seu corpo. Caso você não lembre o que é um "receptor", trata-se simplesmente de uma área na superfície de um neurônio que pode ligá-lo ou desligá-lo. Os receptores de histamina estão localizados nos neurônios que usam a histamina como transmissor químico; os receptores alfa-adrenérgicos, nos neurônios que usam a norepinefrina como transmissor químico; e os colinérgicos, nos neurônios que usam a acetilcolina como transmissor químico. Se bloquearmos qualquer um desses três tipos de receptores, desligaremos os neurônios. Os efeitos dos diferentes medicamentos antidepressivos sobre esses três receptores ajudam a explicar muitos efeitos colaterais desses remédios.

Por exemplo, a amitriptilina (Tryptanol) é um antidepressivo mais antigo que pode causar muitos efeitos colaterais, como sonolência, ganho de peso, tontura, boca seca, visão turva e esquecimento, isso para citar apenas alguns dos mais comuns. A maioria desses efeitos colaterais não apresenta perigo, mas eles podem ser incômodos. Vamos tentar entender um pouco melhor esses efeitos analisando os efeitos da amitriptilina nos três tipos de receptores neuronais.

Os cientistas descobriram que a amitriptilina bloqueia os receptores colinérgicos, histamínicos e alfa-adrenérgicos do cérebro. Vamos analisar seus efeitos anticolinérgicos primeiro. O que esses neurônios colinérgicos fazem normalmente? Entre outras coisas, eles controlam a lubrificação da boca. Se você estimular os neurônios colinérgicos, sairá mais líquido das glândulas localizadas nas suas bochechas para dentro da sua boca.

O que aconteceria se você desligasse esses neurônios que normalmente lubrificam sua boca? Você sentiria a boca seca. Talvez já tenha sentido isso quando ficou muito nervoso (xerostomia) ou caso tenha se exercitado sob o sol por muito tempo sem beber água. Os neurônios colinérgicos também diminuem a frequência cardíaca, e por isso drogas anticolinérgicas, como a amitriptilina, vão fazer o coração acelerar. Os remédios anticolinérgicos também podem provocar esquecimento, confusão, visão turva, prisão de ventre e dificuldade de urinar.

A amitriptilina também bloqueia os receptores alfa-adrenérgicos nos neurônios que usam a norepinefrina como substância transmissora. Se você estimular esses receptores alfa-adrenérgicos, sua pressão arterial deve aumentar. Em contrapartida, se você bloqueá-los, sua pressão arterial deve diminuir. É por isso que a amitriptilina pode causar uma queda da pressão arterial em certas pessoas. Esse problema pode ser notado especialmente quando você se levanta de repente, pois a queda da pressão arterial deixa-o tonto. A tontura ao se levantar é um efeito colateral comum da amitriptilina e de muitos outros antidepressivos.

Como observado anteriormente, a amitriptilina também bloqueia os receptores de histamina do cérebro. Os remédios que bloqueiam esses receptores são chamados de "anti-histamínicos". Você provavelmente já tomou um anti-histamínico se teve alguma alergia ou o nariz entupido. Os remédios que bloqueiam os receptores de histamina podem deixá-lo sonolento e com fome. É por isso que a amitriptilina, como muitas outras drogas antidepressivas que bloqueiam os receptores de histamina, provocam cansaço e ganho de peso.

Muitos remédios antidepressivos mais antigos são classificados como antidepressivos "tricíclicos". Os tricíclicos têm efeitos relativamente fortes sobre esses três tipos de receptores cerebrais, por isso tendem a provocar muitos efeitos colaterais. De fato, nas p. 431-2 do Capítulo XX, você encontrará um quadro que relaciona cada um dos antidepressivos tricíclicos e mostra a intensidade dos seus efeitos sobre cada um desses três tipos de receptores cerebrais. Essa informação indica qual será a intensidade dos diferentes efeitos colaterais para cada medicamento.

Por outro lado, muitos antidepressivos mais modernos (como o Prozac e os outros ISRSs) costumam ter apenas efeitos fracos sobre os receptores histamínicos, alfa-adrenérgicos e colinérgicos do cérebro. Consequentemente, costumam provocar menos efeitos colaterais do que os remédios mais antigos, como a amitriptilina. Por exemplo, os ISRSs têm menos probabilidade de causar sonolência, excesso de apetite, tontura, boca seca, prisão de ventre e assim por diante. Os ISRSs também têm pouco efeito sobre a frequência ou ritmo cardíaco.

No entanto, estamos descobrindo agora que os ISRSs, como o Prozac, possuem efeitos colaterais próprios, diferentes dos outros. Por exemplo, cerca de 30% a 40% dos pacientes que tomam esses remédios enfrentam problemas sexuais como perda de interesse sexual e dificuldade de atingir o orgasmo. Eles também podem provocar indisposição estomacal, perda de apetite, ganho de peso, nervosismo, dificuldade para dormir, fadiga, tremor, transpiração excessiva e uma série de outros efeitos colaterais.

O QUE POSSO FAZER PARA EVITAR OU MINIMIZAR ESSES EFEITOS COLATERAIS?

A probabilidade e a gravidade de qualquer efeito colateral costumam depender a dose do medicamento que você está tomando. Como regra geral, se você começar com uma dose pequena e for aumentando-a aos poucos, os efeitos colaterais podem ser minimizados. Além disso, muitos efeitos colaterais tendem a diminuir com o tempo. Às vezes uma redução da dose vai minimizar os efeitos colaterais sem reduzir a eficácia de um antidepressivo; em outras, será necessário mudar para um outro tipo de antidepressivo. Se você e o seu médico trabalharem em conjunto, provavelmente conseguirão encontrar um medicamento que tenha um efeito benéfico sobre o seu humor, sem excesso de efeitos colaterais.

Seu médico pode também acrescentar um segundo medicamento para ajudar a combater os efeitos colaterais de um antidepressivo ou estabilizador do humor. Às vezes isso é necessário e se justifica; às vezes, não. Discutirei essa questão em maiores detalhes no CAPÍTULO XX, mas darei dois exemplos específicos aqui.

Vamos supor que você esteja tomando lítio para doença maníaco-depressiva. Um efeito colateral comum do lítio é um tremor das mãos. Talvez você tenha dificuldade de escrever seu nome com clareza, ou sua mão trema quando você tenta segurar uma xícara de café. Um dos meus pacientes tremia tanto que chegava a derramar o café para fora da xícara. Evidentemente, um efeito colateral assim tão grave é inaceitável.

Seu médico pode acrescentar um dos remédios chamados betabloqueadores para ajudar a combater o tremor. O propranolol (Rebaten) é usado com frequência para esse propósito. No entanto, os betabloqueadores têm fortes efeitos sobre o coração e também podem apresentar seus próprios efeitos colaterais. Além disso, tanto o lítio como os betabloqueadores têm o potencial de apresentar interações adversas com outros remédios que o seu psiquiatra ou clínico-geral possa prescrever e, assim, a situação logo acaba ficando complicada. Na minha cabeça, a questão passa a ser: esse tremor é tão grave e incapacitante que justifica o acréscimo de um remédio forte para o coração? Existe outra maneira de lidar com esse efeito colateral sem acrescentar mais remédios? Seria indicado reduzir a dose? Às vezes o betabloqueador pode se justificar; em outras, ele pode não ser necessário.

O mesmo tipo de raciocínio aplica-se aos antidepressivos. Às vezes é necessário um segundo remédio para combater um efeito colateral, mas essa não costuma ser a melhor opção. Suponhamos que você esteja sendo tratado com fluoxetina (Prozac) para depressão. Três efeitos colaterais comuns do Prozac são insônia, ansiedade e problemas sexuais. Vamos analisar como o seu médico poderia lidar com cada um deles.

- Se você está muito agitado por causa do Prozac e tem dificuldades para dormir, seu médico pode acrescentar uma pequena dose de um segundo antidepressivo, de efeito mais sedativo, à noite. Costuma-se usar 50 a 100 mg de trazodona (Donarem), por exemplo. Esse é um ótimo procedimento porque,

ao contrário da maioria dos soníferos, a trazodona não causa dependência. Entretanto, talvez você consiga combater o excesso de agitação tomando uma dose menor de Prozac e num horário mais cedo. Dessa forma, talvez não precise acrescentar um segundo remédio;
- O Prozac pode causar ansiedade ou agitação, especialmente quando se começa a tomá-lo. Talvez o seu médico queira acrescentar um benzodiazepínico (tranquilizante menor) como clonazepan (Klonopin) ou alprazolam (Xanax) para combater o nervosismo. Mas os benzodiazepínicos podem causar dependência quando são tomados diariamente por mais de três semanas, e a ansiedade geralmente pode ser controlada sem acrescentar um desses agentes. Muitas vezes, uma redução na dose do Prozac ajuda. A eficácia dos antidepressivos ISRS, como o Prozac, não parece depender da dose, por isso há pouca justificativa para se tomar uma dose que cause desconforto excessivo. Em geral, as coisas também vão melhorar com o passar do tempo, pois a ansiedade causada pelo Prozac parece diminuir ou desaparecer após as primeiras semanas.

Alguns pacientes apresentam uma segunda onda de nervosismo e inquietação depois de tomar Prozac por algumas semanas ou meses. Às vezes esse tipo de agitação é chamado de "acatisia" – uma síndrome em que seus braços e pernas ficam tão inquietos que você simplesmente não consegue ficar parado. Esse efeito colateral extremamente incômodo é muito comum nas drogas neurolépticas usadas para tratamento de esquizofrenia, mas ocorrem com uma frequência bem menor na maioria dos antidepressivos. Entretanto, o Prozac é eliminado da corrente sanguínea muito lentamente, por isso os níveis aumentam cada vez mais durante as cinco primeiras semanas de uso. Mesmo que uma determinada dose de Prozac, como 20 mg ou 40 mg por dia, possa ter sido boa para você no início, após cerca de um mês essa mesma dose pode se tornar muito elevada. Uma redução drástica na dose poderia reduzir bastante os efeitos colaterais, sem reduzir os efeitos antidepressivos. No entanto, muitos pacientes com acatisia precisam parar com o Prozac e mudar para outro medicamento porque a síndrome tornou-se muito grave e incômoda. Seu médico pode acrescentar outro remédio temporariamente para combater a acatisia, mas parece aconselhável reduzir a dose do Prozac ou interromper totalmente o uso do remédio se a acatisia surgir.
- Como observado anteriormente, até 40% dos homens e mulheres que tomam Prozac (assim como os outros antidepressivos ISRS) desenvolvem problemas sexuais, como perda de interesse sexual e dificuldade de atingir o orgasmo. Talvez o seu médico queira acrescentar um dos vários remédios

(bupropiona, buspirona, ioimbina ou amantadina) usados atualmente para tentar combater esses efeitos colaterais sexuais. Mais uma vez, o potencial benefício deve ser ponderado diante dos riscos desses agentes, e estratégias alternativas podem ser consideradas. Eu raramente, ou nunca, deixei um paciente tomando um ISRS por tempo indeterminado, por isso a maioria deles preferiu tolerar esse efeito colateral, ciente de que o problema não duraria muito tempo. Se o ISRS está causando uma melhora drástica no humor e não há outros efeitos colaterais, a perda de interesse sexual por vários meses pode ser um preço razoável a pagar. Mas, evidentemente, essas questões são subjetivas e você terá de decidir por si mesmo em relação a essa questão após discutir as opções com seu médico.

No próximo capítulo, você verá que eu não recomendo a combinação de terapias medicamentosas para a maioria dos pacientes que tomam antidepressivos. Quando você toma mais de um remédio ao mesmo tempo, aumenta as chances de interações medicamentosas perigosas. Além disso, a segunda medicação pode causar outros efeitos colaterais diferentes. Na maioria dos casos, se você e o seu médico trabalharem em conjunto e usarem um pouco de bom senso, não será necessário tratar os efeitos colaterais do antidepressivo acrescentando outros remédios.

COMO POSSO EVITAR INTERAÇÕES PERIGOSAS ENTRE ANTIDEPRESSIVOS E OUTROS REMÉDIOS, COMO OS QUE SÃO VENDIDOS SEM RECEITA MÉDICA?

Nos últimos anos, os médicos tornaram-se cada vez mais conscientes de que certos tipos de remédios podem interagir entre si de formas que podem ser perigosas. Dois remédios podem ser bastante seguros e apresentar pouco ou nenhum efeito colateral se você tomar qualquer um dos dois separadamente; porém, se você ingeri-los ao mesmo tempo, pode haver sérias consequências por causa do modo como os remédios interagem um com o outro.

Esse problema das interações medicamentosas vem ganhando importância nos últimos anos por dois motivos. Primeiro, há uma tendência cada vez maior entre os psiquiatras de prescrever a vários de seus pacientes mais de um remédio psiquiátrico por vez. Essa não é uma abordagem com a qual eu me sinta totalmente à vontade, mas é muito comum. Cada novo remédio aumenta a possibilidade de interações medicamentosas, pois drogas psiquiátricas diferentes podem interagir entre si de formas potencialmente perigosas. E, como observei no capítulo anterior, cada vez mais pacientes são submetidos a antidepressivos (e a outros tipos de drogas psiquiátricas) por períodos prolongados, às vezes indefinidamente. Essa também não é uma abordagem com a qual eu me sinta à vontade, e descobri que, para a maioria dos pacientes com depressão, o tratamento medicamentoso de longa duração não é necessário. Mas muitos psiquiatras prescrevem remédios por períodos prolongados – essa prática encontra-se em voga. E se você ingerir uma droga psiquiátrica por um longo período, provavelmente vai acabar tendo um ou mais remédios receitados por outros médicos para outros problemas de saúde. Por exemplo, seu médico pode receitar um medicamento para uma alergia, pressão alta, dor ou uma infecção. Além disso, você pode tomar um remédio vendido sem receita médica por causa de um resfriado, tosse, dor de cabeça ou indisposição estomacal. Agora é preciso considerar a possibilidade de interações medicamentosas, pois esses remédios podem reagir com a droga psiquiátrica que você está tomando.

Claro, nem é preciso dizer que as drogas psiquiátricas também podem interagir com o tabaco e o álcool, além de drogas ilícitas como a cocaína e as anfetaminas. Em alguns casos, essas interações também podem ser muito perigosas e até fatais. Alguns antidepressivos interagem de forma extremamente perigosa com remédios comuns, como aqueles vendidos sem receita médica. Não pretendo com isso ser excessivamente alarmista. Com um pouco de informação e um bom entrosamento com seu médico, você pode tomar um antidepressivo com segurança.

Neste capítulo explicarei como e por que ocorrem as interações medicamentosas. Além disso, no Capítulo XX, descreverei algumas interações importantes para cada remédio ou categoria de remédio que você possa estar tomando. Lembre-se de que o conhecimento sobre essas interações está evoluindo rapidamente. Novas informações surgem quase todos os dias. Assegure-se de que cada médico que você consultar tenha uma lista completa e precisa de todos os medicamentos que você está tomando, inclusive daqueles de venda livre (sem receita médica) que você toma. Pergunte ao seu médico se há alguma interação medicamentosa importante. Faça a mesma pergunta ao seu farmacêutico. Se eles não tiverem certeza, peça que confirmem isso para você. É praticamente impossível guardar na cabeça todas as potenciais interações entre os medicamentos, pois muitas informações novas surgem o tempo todo. Fontes de consulta e programas de computador com listas das interações perigosas são facilmente encontrados e podem ajudar nessa tarefa. Se você for devidamente assertivo e tiver um pouco de informação sobre o assunto, terá mais condições de ter uma discussão inteligente com seu médico sobre os remédios que está tomando.

Você verá no Capítulo XX que preparei quadros detalhados com as interações medicamentosas dos antidepressivos ou estabilizadores do humor específicos que você possa estar tomando. Então, se você estiver tomando Prozac, por exemplo, pode consultar o quadro que mostra suas interações com outros medicamentos. Isso deve levar apenas um ou dois minutos.

Você pode achar que não devia ter de analisar esses quadros, porque o seu médico deveria saber tudo sobre qualquer interação perigosa entre medicamentos e garantir que nada de ruim lhe aconteça. Há vários problemas nessa linha de raciocínio. Primeiro, por mais que o seu médico possa ser entendido no assunto, ele também é humano e não pode manter-se a par de todas as novas informações que surgem. Segundo, mesmo que o seu médico o informasse sobre todas as interações possíveis, não tem como você se lembrar de todas elas! E terceiro, nessa época de assistência médica gerenciada (*managed care*), os médicos estão tendo de cuidar de um número cada vez maior de pacientes, e você pode dispor de apenas alguns minutos com o médico que receitou seu medicamento, em intervalos pouco frequentes, para avaliar os sintomas e ajustar a dose. Pode não haver tempo suficiente para discutir todas as possíveis interações de que você precisa saber.

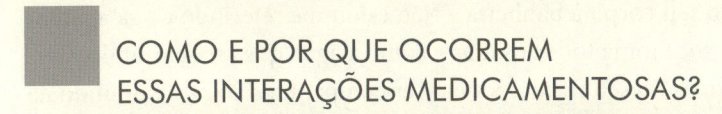

COMO E POR QUE OCORREM ESSAS INTERAÇÕES MEDICAMENTOSAS?

Existem quatro maneiras básicas pelas quais dois remédios podem interagir. Na primeira, um dos medicamentos pode aumentar o nível do segundo no seu sangue – às vezes a um grau alarmante, mesmo que você esteja tomando apenas uma dose "normal" dos dois remédios. Quais são as consequências de um aumento repentino no nível de um medicamento no seu sangue? Primeiro, você pode sofrer mais efeitos colaterais, pois eles geralmente estão relacionados à dose. Segundo, muitas drogas psiquiátricas perdem sua eficácia quando a dose é alta ou baixa demais. E terceiro, pode haver reações tóxicas e até fatais quando o nível sanguíneo de algum remédio fica muito elevado.

Um segundo tipo de interação medicamentosa é exatamente o contrário. Um dos remédios pode diminuir o nível do outro no seu sangue. Isso pode fazer que o segundo remédio deixe de ter algum efeito, mesmo que você esteja tomando uma dose normal. Você e o seu médico podem concluir indevidamente que o remédio não está funcionando com você, quando o verdadeiro problema é que o seu nível sanguíneo está muito baixo.

Um terceiro tipo de interação é quando os dois remédios têm efeitos semelhantes ou colaterais que intensificam um ao outro. Suponhamos, por exemplo, que você esteja fazendo tratamento para pressão alta e comece a tomar uma droga psiquiátrica que também abaixe a pressão como um efeito colateral. Como resultado, você pode sofrer uma queda repentina na pressão arterial e talvez até desmaiar ao se levantar de repente.

Um quarto tipo de interação medicamentosa, mais ameaçador, não está relacionado a alterações nos níveis sanguíneos, e sim aos efeitos tóxicos de certas combinações de remédios. Em outras palavras, dois remédios que são seguros quando ingeridos separadamente podem levar a interações extremamente perigosas quando você toma os dois juntos.

Agora vamos analisar mais detalhadamente os dois primeiros tipos. Por que às vezes um remédio faz o nível de um segundo aumentar ou diminuir drasticamente? Bem, uma maneira simples de entender isso seria imaginar que você está tentando encher uma banheira. Se o ralo estiver destampado, a tendência é a de que a água saia tão depressa quanto entra. Por conseguinte, o nível de água na banheira nunca ficará alto o suficiente para tomar um banho, não importa quanto tempo você deixe a torneira aberta. Por outro lado, se o ralo estiver tampado e você não fechar a torneira, a banheira irá transbordar.

Agora compare o seu corpo à banheira. (Não estou me referindo à sua aparência!) O remédio que você toma todos os dias é como a água que está entrando. Certos sistemas enzimáticos do seu fígado podem ser comparados ao ralo no fundo da banheira. Essas enzimas transformam quimicamente os remédios em outras substâncias (chamadas "metabólitos") que podem ser mais facilmente eliminadas pelos seus rins. Esse processo é chamado de "metabolismo". Os metabólitos dos remédios que você toma geralmente vão para a sua urina.

Quando você acrescenta um segundo remédio, seu fígado pode levar mais tempo para metabolizar o primeiro. Isso seria como tampar o ralo da banheira. Então, como você continua tomando o primeiro remédio, seu nível sanguíneo fica muito elevado, do mesmo jeito que o nível de água na banheira fica alto demais, o que leva a derramá-la . Ou então, o segundo remédio que você tomar pode ter o efeito oposto de deixar o ralo da banheira bem maior. Nesse caso, o metabolismo do seu fígado fica mais rápido e o seu corpo elimina o primeiro remédio bem mais depressa. Você pode continuar tomando a mesma dose do primeiro remédio todo dia, mas o seu nível sanguíneo permanece baixo demais para obter o efeito antidepressivo desejado. Nesse caso, a água sai da banheira tão depressa quanto entra.

O princípio básico é mais ou menos esse. Os medicamentos mais prováveis de interagir uns com os outros são aqueles metabolizados pelas enzimas do sistema "citocromo P450" do fígado. Existem vários sistemas enzimáticos como esse, e cada um metaboliza um tipo diferente de medicamento. Somente certos remédios ou combinações deles irão estimular ou inibir qualquer desses sistemas. As drogas psiquiátricas podem interagir com outras, psiquiátricas ou não, como os antibióticos, anti-histamínicos ou analgésicos. Em outras palavras, os remédios psiquiátricos podem afetar outros remédios que o seu médico possa prescrever (como um comprimido para pressão alta), do mesmo modo que esses outros remédios podem ter impacto sobre qualquer remédio psiquiátrico que você esteja tomando. A conclusão disso é que o nível de qualquer remédio que você toma pode ficar alto ou baixo demais se você tomar outro ao mesmo tempo.

Agora, quero dar alguns exemplos específicos dessas interações medicamentosas. Suponhamos que você esteja tomando um dos inibidores seletivos da recaptação de serotonina mais recentes chamado paroxetina (comercializado com o nome de Aropax). Esse medicamento é muito semelhante ao Prozac. Vamos supor que a paroxetina não esteja fazendo muito efeito, o que às vezes acontece, e você continue se sentindo deprimido. Talvez o seu médico resolva acrescentar um segundo antidepressivo. Se ele escolher a desipramina (comercializada com o nome de Norpramin), a paroxetina que você está tomando terá o efeito de "tampar o ralo da banheira". Agora o seu corpo não será capaz de metabolizar tão bem o novo remédio (desipramina). Por conseguinte, o nível de desipramina no seu sangue pode ficar três ou quatro vezes mais alto que o esperado. A maioria dos psiquiatras está ciente dessa interação e terá o cuidado de prescrever a desipramina numa dose mínima se o paciente estiver tomando um ISRS como a paroxina. Mas se o psiquiatra não tivesse conhecimento dessa interação medicamentosa em particular e resolvesse administrar uma dose "normal" de desipramina, você poderia sofrer uma intoxicação por excesso de desipramina no sangue.

Isso é grave? Bem, existem três possíveis problemas. Primeiro, a desipramina não faz efeito em níveis sanguíneos excessivamente elevados. Segundo, em níveis elevados há muito mais efeitos colaterais. E terceiro, em casos raros, níveis excessivos de desipramina no sangue podem provocar arritmias cardíacas e às vezes até causar a morte.

Esse tipo de interação medicamentosa é raro? Não. Os níveis sanguíneos dos antidepressivos podem aumentar ou diminuir drasticamente quando combinados a remédios comuns vendidos sem receita médica que você pode tomar sem pensar. Os quadros do Capítulo XX vão delinear as interações mais importantes de qualquer antidepressivo que você possa estar tomando.

Por fim, algumas interações tóxicas e perigosas não dependem necessariamente das doses ou níveis sanguíneos. Por exemplo, muitos antidepressivos mais recentes como o Prozac têm fortes efeitos sobre os sistemas serotonínicos do cérebro. Os inibidores da monoaminoxidase (IMAOs) também afetam os sistemas serotonínicos do cérebro, mas por um mecanismo diferente. O antidepressivo tranilcipromina (comercializado com o nome de Parnate) é um exemplo dessas drogas MAOIs. Se você tomar Prozac e Parnate ao mesmo tempo, a combinação poderia desencadear uma reação extremamente perigosa conhecida como "síndrome serotoninérgica". Os sintomas podem incluir febre, rigidez muscular e alterações bruscas na pressão arterial, além de agitação, delírio, convulsões, coma e morte. É óbvio que essa combinação de remédios não deve ser administrada!

Você verá no Capítulo XX que muitos medicamentos podem ser perigosos se você estiver tomando um IMAO. A lista de remédios proibidos inclui vários antidepressivos, alguns descongestionantes (especialmente os que contêm dextrometorfano, um componente comum dos remédios para resfriado), anti-histamínicos, anestésicos locais, alguns anticonvulsivantes, alguns analgésicos como a meperidina (Dolantina), antiespasmódicos como a ciclobenzaprina (Miosam) e remédios para emagrecer. Alguns desses medicamentos provocarão a síndrome serotoninérgica descrita anteriormente, enquanto outros, uma outra reação perigosa conhecida como "crise hipertensiva". Em casos extremos, os sintomas de uma crise hipertensiva incluem hemorragia cerebral, paralisia, coma e morte. Certos alimentos comuns como o queijo também estão na lista dos "proibidos" se você estiver tomando um IMAO, pois podem igualmente provocar uma crise hipertensiva.

Muitos médicos não prescrevem os IMAOs por causa da preocupação com essas interações tóxicas. Você também pode pensar: "Bom, basta eu tomar um remédio mais seguro, assim não preciso me preocupar". Isso faz sentido, pois existem vários medicamentos mais seguros disponíveis. No entanto, muitos antidepressivos comumente prescritos podem causar interações perigosas. Por exemplo, dois antidepressivos comuns, a nefazodona (Serzone)* e a fluvoxamina (Luvox) não devem ser combinados com vários remédios receitados com frequência, porque essas combinações podem provocar uma arritmia cardíaca que pode resultar em morte súbita. Esses remédios incluem a terfenadina (comercializada com o nome de Teldane** e usada para alergias), o astemizol (comercializado com o nome de Hismanal e usado também para alergias) e a cisaprida (comercializada com o nome de Propulsid, um estimulante do trato gastrointestinal).

Não quero passar a impressão de que é perigoso tomar antidepressivos. Pelo contrário, eles geralmente são muito seguros e eficazes, e as interações desastrosas que descrevi, felizmente, são raras. Além disso, a maioria dos psiquiatras faz todo o possível para se informar sobre os últimos progressos e procura manter-se a par das novidades a respeito de efeitos colaterais e interações medicamentosas. Mas, no

---

*. A comercialização da Nefazodona foi descontinuada em 2003 pela Bristol-Myers Squibb em razão de diversos relatos de hepatotoxicidade associada ao seu uso. (N.R.T.)

**. Sua comercialização foi suspensa no Brasil e em outros países pelo elevado risco de arritmias cardíacas associadas ao seu uso. (N.R.T.)

mundo real em que vivemos, nenhum médico é perfeito, assim como nenhum pode ter um conhecimento profundo sobre todas as interações medicamentosas possíveis. Por exemplo, talvez o seu clínico-geral não esteja familiarizado com um antidepressivo mais moderno que o seu psiquiatra prescreveu. Portanto, seria útil para você pesquisar um pouco a respeito. Enquanto consumidor esclarecido, você pode ler sobre qualquer medicamento antidepressivo que estiver tomando no Capítulo XX e em outras fontes de consulta disponíveis como o *Physician's Desk Reference (PDR)*.[*] Esses livros podem ser encontrados em qualquer biblioteca, livraria ou farmácia. O *PDR* pode ser encontrado também no consultório do seu médico. Você também pode consultar a bula que vem junto com o medicamento. Não leva mais do que cinco ou dez minutos para ler essas informações. Assim você pode realizar perguntas bem informado e tirar o máximo proveito do seu médico. O trabalho em equipe pode lhe proporcionar uma experiência melhor e mais segura com o seu antidepressivo. Definitivamente, esse é um dos casos em que um grama de prevenção pode valer mais do que um quilo de cura.

---

[*] No Brasil, a fonte mais utilizada para consultas sobre medicamentos é o Dicionário de especialidades farmacêuticas (DEF). (N.R.T.)

# CAPÍTULO XX
GUIA COMPLETO DO CONSUMIDOR PARA A TERAPIA COM DROGAS ANTIDEPRESSIVAS[43]

Neste capítulo, fornecerei a você informações práticas sobre o custo, as doses, os efeitos colaterais e as interações medicamentosas de todos os remédios antidepressivos e estabilizadores do humor disponíveis atualmente. Recomendo que use este capítulo como uma fonte de consulta, em vez de tentar ler tudo do começo ao fim – há muitas informações detalhadas para serem digeridas de uma só vez. Se quiser saber mais sobre um determinado medicamento que você ou alguém da sua família esteja tomando, o QUADRO DE ANTIDEPRESSIVOS a seguir o ajudarão a localizar a informação desejada neste capítulo. Suponhamos, por exemplo, que você esteja tomando fluoxetina (Prozac). Você pode ler a parte sobre os antidepressivos ISRS que iniciam na p. 440. Além disso, a parte sobre o custo dos medicamentos que começa nesta página, assim como as informações que começam na p. 521, devem ser de interesse geral a todos os leitores.

CUSTO DOS MEDICAMENTOS ANTIDEPRESSIVOS

Muitas vezes achamos que "mais caro" quer dizer "melhor", mas esse nem sempre é o caso dos antidepressivos. A realidade é que existem diferenças brutais no

---

[43] Gostaria de agradecer ao dr. Joe Bellenoff, colega de Psicofarmacologia da Escola de Medicina da Universidade Stanford, e ao dr. Greg Tarasoff, residente psiquiátrico sênior da Stanford, por suas valiosas sugestões durante a revisão deste capítulo. Além disso, muitas informações úteis foram obtidas por meio do excelente *Manual of Clinical Psychopharmacology*, 3. ed., dos doutores Alan F. Schatzberg, Jonathan Cole e Charles DeBattista (Washington: American Psychiatric Press, 1997). Esse livro acadêmico, mas de leitura extremamente acessível, é uma fonte de consulta inestimável. Eu o recomendo muito às pessoas que gostariam de ter mais informações sobre os medicamentos usados atualmente no tratamento de problemas emocionais. [Dados da edição brasileira: *Manual de psicofarmacologia clínica*. 6. ed. Porto Alegre: Artmed, 2009. (N.T.)]

QUADRO DE ANTIDEPRESSIVOS

Classe de antidepressivos	Nome químico (e designação comercial)[a]	Página
Antidepressivos tricíclicos	amitriptilina (Tryptanol) clomipramina (Anafranil) desipramina (Norpramin, Pertofrane)* doxepina (Sinequan) imipramina (Tofranil) nortriptilina (Pamelor) protriptilina (Vivactil)* trimipramina (Surmontil)*	421
Antidepressivos tetracíclicos	amoxapina (Asendin)* maprotilina (Ludiomil)	421
Antidepressivos ISRS	citalopram (Cipramil) fluoxetina (Prozac) fluvoxamina (Luvox) paroxetina (Aropax) sertralina (Zoloft)	440
Inibidores da MAO	isocarboxazida (Marplan)* fenelzina (Nardil)* selegilina (Jumexil) tranilcipromina (Parnate)	450
Antagonistas da serotonina	nefazodona (Serzone) trazodona (Donarem)	477
Outros antidepressivos	bupropiona (Wellbutrin) venlafaxina (Effexor) mirtazapina (Remeron)	482 486 490
Estabilizadores do humor	carbamazepina (Tegretol) gabapentina (Neurontin) lamotrigina (Lamictal) lítio (Carbolitium) ácido valproico (Depakene) e divalproato de sódio (Depakote)	508 516 517 491 503

*. Estes produtos não são comercializados no Brasil. (N.R.T.)
a. Muitos antidepressivos estão disponíveis atualmente como genéricos (ver QUADRO 59) [No Brasil também temos os similares, além dos originais e genéricos (N.R.T.)]. Apenas as designações comerciais das marcas originais estão relacionadas neste quadro.

custo desses medicamentos que não refletem diferenças em termos de eficácia. Em outras palavras, às vezes um remédio que é bem mais barato será igualmente eficaz, ou até mais, do que um outro que custa 40 vezes mais. Portanto, se o custo do medicamento é motivo de preocupação para você, um pouco de informação pode lhe poupar muito dinheiro.

O custo e a dosagem dos antidepressivos e agentes estabilizadores do humor mais comuns estão relacionados no QUADRO 59, p. 422-5. Observe que menciono o *preço de atacado mais barato* para cada antidepressivo no Q㎜ 59. O preço de varejo que você vai pagar pelo mesmo medicamento na drogaria provavelmente será maior. Se você escolher uma marca diferente do mesmo medicamento, seu custo pode ser maior ainda. Tenha isso em mente em todas as discussões a seguir sobre custo de medicamentos.

Se você comparar o custo dos diferentes tipos de remédio e das diferentes dosagens, vai obter algumas informações interessantes. Verá, por exemplo, que muitos medicamentos tricíclicos e tetracíclicos mais antigos estão disponíveis atualmente na forma de genéricos. Quando uma droga é fabricada pela primeira vez, o laboratório farmacêutico adquire uma patente de 17 anos para comercializar o medicamento com exclusividade. O custo relativamente alto dos remédios mais recentes que ainda estão protegidos por patentes ajuda a cobrir os custos de pesquisa, desenvolvimento e testes. Depois que a patente expira, outros laboratórios concorrentes podem passar a fabricar o remédio, o que reduz drasticamente o preço.

Você verá no Q㎜ 59 que os chamados medicamentos "genéricos" são bem mais baratos que os remédios mais recentes, que ainda estão sob patente. Suponhamos que o seu médico prescreva uma dose de 150 mg por dia de imipramina para tratar sua depressão. O custo dos três comprimidos de 50 g que você vai tomar será inferior a 10 cents por dia, ou cerca de 3 dólares por mês. É que a imipramina está disponível atualmente em forma de genérico. Por sua vez, se o seu médico prescrever dois comprimidos de 20 mg de Prozac por dia, seu custo será de quase US$ 4,50 por dia ou US$ 135 por mês – mais de 40 vezes superior ao da imipramina. E se ele prescrever quatro comprimidos de Prozac – a dose máxima –, seu custo será de US$ 270 por mês. Esse é um preço bem alto para muita gente. Não se esqueça de que esses preços são de *atacado* – talvez você pague ainda mais.

Será que o Prozac é de 40 a 100 vezes mais eficaz do que a imipramina? Definitivamente não. Como você vai descobrir a seguir, a maioria dos antidepressivos costuma ser comparável em matéria de eficácia. Os estudos não confirmaram que o Prozac é mais eficaz do que a imipramina – na verdade, talvez ele seja um pouco menos eficaz em caso de depressões graves. No entanto, a grande vantagem do Prozac é que ele apresenta menos efeitos colaterais (como boca seca ou sonolência) do que a imipramina. Para algumas pessoas, isso pode ser muito importante e compensar a diferença de preço. Por outro lado, você vai descobrir que o Prozac tem seus próprios efeitos colaterais, como disfunções sexuais (dificuldade de atingir o orgasmo) em cerca de 30% a 40% dos pacientes, talvez até mais. As pessoas que não gostam desse efeito colateral em particular podem realmente preferir o remédio mais barato.

Você também verá no QUADRO 59 que os comprimidos com uma quantidade maior de um certo medicamento não são necessariamente mais caros do que os que contêm uma quantidade menor. Isso aplica-se especialmente se você estiver tomando um dos remédios mais novos que ainda estão sob patente, por isso talvez você consiga economizar ao comprar comprimidos que contenham uma dose maior. Por exemplo, você verá no QUADRO 59 que o custo de cem comprimidos de nefazodona (Serzone) é de US$ 83,14 na versão de 100 mg. O preço para cem comprimidos das versões maiores (150 mg a 250 mg) é exatamente o mesmo. Portanto, se você estiver tomando uma dose grande, digamos 500 mg por dia, tanto poderia tomar cinco comprimidos de cem mg (custo de US$ 4,16 por dia) como dois comprimidos de 250 mg (custo de US$ 1,66 por dia).*

Além disso, muitas vezes é possível economizar comprando um medicamento num tamanho maior e partindo o comprimido ao meio. Para continuar usando o mesmo exemplo, se você estiver tomando comprimidos de 250 mg, vai gastar mais ou menos a metade se comprar comprimidos de 500 mg e parti-los ao meio.

No caso dos medicamentos genéricos, a coisa é diferente. Normalmente, os custos em geral são baixos e dependem da dosagem, e a economia nas doses maiores não é tão drástica. Além disso, pelo fato de tantos laboratórios diferentes fabricarem esses medicamentos, os preços para as diversas dosagens nem sempre são compatíveis – às vezes uma dose menor vai acabar custando mais que uma maior. Por exemplo, observe os preços do antidepressivo tricíclico desipramina (comercializado com o nome de Norpramin) na p. 422. Você verá que cem comprimidos de 10 mg custam US$ 15,75, enquanto cem comprimidos de 25 mg custam apenas US$ 7,14. Portanto, o comprimido maior acaba saindo mais barato. Isso porque os dois tamanhos são fabricados por laboratórios diferentes.

Para deixar as coisas ainda mais confusas, há outros casos em que uma dose maior custa bem mais caro, e você pode economizar tomando um comprimido menor. Por exemplo, observe novamente os custos da desipramina na p. 422. Você verá que cem comprimidos de 75 mg custam US$ 12,42 e que cem comprimidos de 150 mg custam US$ 109,95 (mais uma vez, por serem fabricantes diferentes). Portanto, você pode economizar bastante se tomar dois comprimidos de 75 mg em vez de um comprimido de 150 mg. Novamente, isso ocorre porque as versões de 75 mg e 150 mg são fabricadas por laboratórios diferentes. Pode parecer estranho, mas em alguns casos a estrutura de preços é totalmente incoerente.

---

*. Preferimos manter os valores em dólar porque no Brasil existe uma ampla variedade de preços já que existem muitos genéricos e similares além dos originais. Os preços também variam com o local da venda e não se mantêm estáveis ao longo do tempo devido a inflação. (N.R.T.)

Se você ou alguém da sua família estiver tomando um antidepressivo, não deixe de analisar o Quadro 59 e discutir essas questões de custo com seu farmacêutico. Um pesquisada rápida pode resultar em uma grande economia para você.

Um outro ponto importante, que não é mostrado no quadro, é que o custo do mesmo medicamento genérico na mesma dose pode variar bastante porque os genéricos costumam ter vários fabricantes diferentes. Na lista do Quadro 59, eu incluí sempre o genérico mais barato de cada comprimido; outras versões mais caras do mesmo comprimido não estão incluídas. Por exemplo, cem comprimidos de imipramina de 50 mg fabricados pelo laboratório HCFA FFP custarão apenas US$ 3,08. Como esse era o genérico mais barato, eu o incluí na lista do Quadro 59. Em contrapartida, cem comprimidos de imiprazina do mesmo tamanho fabricados pela Novartis, um outro laboratório farmacêutico, custarão US$ 74,12 – mais de 20 vezes mais caro. Lembre-se de que, se o seu médico prescrever o antidepressivo pelo seu nome químico (conforme listado no Quadro 59), o farmacêutico terá a liberdade de oferecer o genérico mais barato, caso haja algum disponível.

Meu objetivo não é promover nenhum medicamento ou classe de medicamentos. Todos os antidepressivos têm seus méritos, e todos têm alguns inconvenientes. O ponto fundamental é: "mais caro" nem sempre quer dizer "melhor". Se você analisar os custos desses remédios, pode trabalhar em conjunto com seu médico e com o farmacêutico para escolher o medicamento e a marca mais adequados para você.

TIPOS ESPECÍFICOS DE ANTIDEPRESSIVOS

ANTIDEPRESSIVOS TRICÍCLICOS E TETRACÍCLICOS

Os primeiros medicamentos relacionados no Quadro de antidepressivos da p. 418 são chamados de "tricíclicos" e "tetracíclicos". Os antidepressivos tricíclicos e tetracíclicos apresentam ligeiras diferenças em sua estrutura química. "Tri" significa três e "tetra" significa quatro. "Cíclico" se refere a um círculo ou anel. Os compostos tricíclicos são formados por três anéis moleculares interligados, enquanto os tetracíclicos, por quatro.

Você verá que oito antidepressivos tricíclicos e dois tetracíclicos são listados no quadro. Os oito medicamentos tricíclicos são a amitriptilina (Tryptanol), a clomipramina (Anafranil), a desipramina (Norpramin), a doxepina (Sinequan), a imipramina (Tofranil), a nortriptilina (Pamelor), a protriptilina (Vivactil) e a trimipramina (Surmontil). Esses oito medicamentos tricíclicos costumavam ser os antidepressivos mais receitados.

QUADRO 59
Nomes, dosagens e custos dos medicamentos antidepressivos

Nome químico[a]	Designação comercial (marca)[b]	Tamanhos disponíveis (mg) e custo no atacado para 100 comprimidos[c]		Faixa de dosagem diária[d]	Genérico disponível[e]
Antidepressivos tricíclicos					
Amitriptilina	Tryptanol	10 mg	US$ 1,73	75-300 mg	Sim
		25 mg	US$ 1,85		
		50 mg	US$ 2,78		
		75 mg	US$ 3,53		
		100 mg	US$ 4,28		
		150 mg	US$ 2,09		
Clomipramina	Anafranil	25 mg	US$ 78,29	150-250 mg	Não
		50 mg	US$ 105,57		
		75 mg	US$ 138,97		
Desipramina	Norpramin*	10 mg	US$ 15,75	150-300 mg	Sim
		25 mg	US$ 7,14		
		50 mg	US$ 10,91		
		75 mg	US$ 12,42		
		100 mg	US$ 40,89		
		150 mg	US$ 109,95		
Doxepina	Sinequan	10 mg	US$ 3,98	150-300 mg	Sim
		25 mg	US$ 4,43		
		50 mg	US$ 6,60		
		75 mg	US$ 8,93		
		100 mg	US$ 11,25		
		150 mg	US$ 14,96		
Cloridrato de imipramina	Tofranil	10 mg	US$ 1,88	150-300 mg	Sim
		25 mg	US$ 2,33		
		50 mg	US$ 3,08		
Pamoato de imipramina	Tofranil-PM (liberação sustentada)	75 mg	US$ 103,67	150-300 mg	Não
		100 mg	US$ 136,29		
		125 mg	US$ 169,95		
		150 mg	US$ 193,73		

(cont.)

Nome químico[a]	Designação comercial (marca)[b]	Tamanhos disponíveis (mg) e custo no atacado para 100 comprimidos[c]		Faixa de dosagem diária[d]	Genérico disponível[e]
Nortriptilina	Pamelor	10 mg	US$ 11,55	50-150 mg	Sim
		25 mg	US$ 15,90		
		50 mg	US$ 19,43		
		75 mg	US$ 24,83		
Protriptilina	Vivactil*	5 mg	US$ 46,46	15-60 mg	Não
		10 mg	US$ 67,36		
Trimipramina	Surmontil*	25 mg	US$ 64,08	150-300 mg	Não
		50 mg	US$ 108,14		
		100 mg	US$ 157,20		
Antidepressivos tetracíclicos					
Amoxapina	Asendin*	25 mg	US$ 32,87	150-450 mg	Sim
		50 mg	US$ 53,44		
		100 mg	US$ 89,16		
		150 mg	US$ 43,87		
Maprotilina	Ludiomil	25 mg	US$ 19,43	150-225 mg[f]	Sim
		50 mg	US$ 29,10		
		75 mg	US$ 40,88		
Antidepressivos ISRS					
Citalopram	Cipramil	20 mg	US$ 161,00	20-60 mg	Não
		40 mg	US$ 168,00		
Fluoxetina	Prozac	10 mg	US$ 218,67	10-80 mg	Não
		20 mg	US$ 224,54		
Fluvoxamina	Luvox	50 mg	US$ 198,67	50-300 mg	Não
		100 mg	US$ 204,37		
Paroxetina	Aropax	10 mg	US$ 189,33	10-50 mg	Não
		20 mg	US$ 189,20		
		30 mg	US$ 214,80		
Sertralina	Zoloft	50 mg	US$ 176,23	25-200 mg	Não
		100 mg	US$ 176,23		
Inibidores da MAO					
Fenelzina	Nardil*	15 mg	US$ 40,24	15-90 mg	Não
Selegilina	Jumexil	5 mg	US$ 215,90	20-50 mg	Não

(cont.)

Nome químico[a]	Designação comercial (marca)[b]	Tamanhos disponíveis (mg) e custo no atacado para 100 comprimidos[c]		Faixa de dosagem diária[d]	Genérico disponível[e]
Tranilcipromina	Parnate	10 mg	US$ 45,80	10-50 mg	Não
Isocarboxazida	Marplan*	10 mg	indisponível	10-50 mg	indisponível
Antagonistas da serotonina					
Nefazodona	Serzone*	100 mg	US$ 83,14	300-500 mg	Não
		150 mg	US$ 83,14		
		200 mg	US$ 83,14		
		250 mg	US$ 83,14		
Trazodona	Donarem	50 mg	US$ 5,03	150-300 mg	Sim
		100 mg	US$ 11,70		
		150 mg	US$ 58,43		
Outros antidepressivos					
Bupropiona	Wellbutrin	75 mg	US$ 62,17	200-450 mg	Não
		100 mg	US$ 82,96		
Venlafaxina	Effexor	25 mg	US$ 105,53	75-375 mg	Não
		37,5 mg	US$ 108,68		
		50 mg	US$ 111,93		
		75 mg	US$ 118,66		
		100 mg	US$ 125,78		
	Effexor XR (cápsulas de liberação prolongada)	37,5 mg	US$ 193,88	75-375 mg	Não
		75 mg	US$ 217,14		
		150 mg	US$ 236,53		
Mirtazapina	Remeron	15 mg	US$ 198,00	15-45 mg	Não
Estabilizadores do humor[g]					
Lítio	Carbolitium	150 mg	US$ 7,63	900-1500 mg[h]	Sim
		300 mg	US$ 5,25		
		600 mg	US$ 13,23		
	Carbolitium, Carbolitium CR (liberação sustentada)	300 mg	US$ 15,53		
		450 mg	US$ 35,80		
Carbamazepina	Tegretol	100 mg	US$ 14,67	800-1200 mg	Sim
		200 mg	US$ 10,08		

(cont.)

Nome químico[a]	Designação comercial (marca)[b]	Tamanhos disponíveis (mg) e custo no atacado para 100 comprimidos[c]		Faixa de dosagem diária[d]	Genérico disponível[e]
Ácido valproico	Depakene	250 mg	US$ 12,98	750-3000 mg	Sim
Divalproato de sódio	Depakote[i]	125 mg	US$ 30,95	750-3000 mg	Não
		250 mg	US$ 60,76		
		500 mg	US$ 112,08		
Lamotrigina	Lamictal	25 mg[j]	–	50-150 mg[k]	Não
		100 mg	US$ 175,54		
		150 mg	US$ 184,43		
		200 mg	US$ 193,33		
Gabapentina	Neurontin	100 mg	US$ 37,80	900-2000 mg	Não
		300 mg	US$ 94,50		
		400 mg	US$ 113,40		

*. Produtos não comercializados no Brasil. (N.R.T.)
a. Se o seu médico prescrever o nome químico ou "genérico" na receita, muitas vezes o farmacêutico pode substituí-lo por uma outra marca, que pode sair bem mais barata do que os medicamentos de referência.
b. Somente a marca do medicamento de referência é mostrada. As versões genéricas desses medicamentos têm suas próprias marcas.
c. Fonte consultada: *Mosby's GenRX*: The Complete Reference Guide for Generic and Brand Drugs. 8. ed. St. Louis: Mosby, 1998 [Não há versão brasileira para este livro (N.R.T.)]. Foi relacionado o preço médio de atacado para cem comprimidos da marca mais barata disponível. Esse é o preço que a sua farmácia local teria de pagar pelo produto sem nenhum desconto especial. O preço que você vai pagar será maior e dependerá da margem de lucro da sua farmácia. [Os custos dos respectivos medicamentos estão de acordo com a publicação original. (N.E.)]
d. As doses seriam usadas para tratamento de um episódio de depressão. Alguns pacientes podem se beneficiar com dosagens superiores ou inferiores à faixa normal. Se for necessário um tratamento prolongado após a recuperação, uma dose menor pode ser suficiente. Consulte sempre o seu médico antes de alterar a dose.
e. Esses são os medicamentos com genéricos disponíveis em 1998. Outros antidepressivos atuais se tornarão disponíveis em versões genéricas quando as patentes de seus medicamentos originais expirarem.
f. A dose de maprotilina não deve exceder 175 mg por dia se o paciente for submetido ao medicamento por um período prolongado. O fabricante indica que a dose não deve exceder o limite máximo de 225 mg por períodos de até seis semanas.
g. A dosagem de vários estabilizadores do humor deve ser monitorada por exames de sangue, portanto será extremamente personalizada de acordo com cada paciente e vai depender da sua idade, sexo, peso, diagnóstico e metabolismo individual, e também de outros medicamentos que você esteja tomando.
h. Podem ser necessárias doses mais elevadas durante crises maníacas, pois o organismo parece metabolizar o lítio mais depressa durante esses episódios.
i. Também disponível como Depakote Sprinkle (125 mg), que pode ser espalhado sobre a comida.
j. O preço do Lamictal 25 g não foi mencionado na fonte *Mosby's GenRx* (edição de 1998).
k. Essa é a faixa de dosagem recomendada para epilepsia quando administrado em conjunto com o ácido valproico. Quando administrado isoladamente, a faixa de dosagem recomendada para epilepsia é de 300 mg a 500 mg por dia.

Eles ainda estão entre os mais eficazes. Muitos deles são também os mais baratos, pois já estão disponíveis na forma de genéricos. Entretanto, os tricíclicos tendem a apresentar mais efeitos colaterais que os remédios mais recentes, por isso são menos populares do que antigamente. De qualquer forma, eles têm sido receitados há várias décadas e possuem um longo histórico de razoável eficácia e segurança.

Os dois antidepressivos tetracíclicos listados no quadro são chamados de amoxapina (Asendin) e maprotilina (Ludiomil). Esses dois medicamentos foram sintetizados e lançados depois que os tricíclicos já estavam em uso havia algum tempo. Esperava-se que eles significassem avanços importantes no tratamento, sendo mais eficazes em certos tipos de depressão ou tendo menos efeitos colaterais.

Infelizmente, esses avanços esperados não se concretizaram de fato. Em sua maioria, a eficácia, o mecanismo de ação e os efeitos colaterais dos oito antidepressivos tricíclicos e dos dois tetracíclicos são bastante semelhantes.

DOSAGEM DOS ANTIDEPRESSIVOS TRICÍCLICOS E TETRACÍCLICOS

O Quadro 59, p. 422-5, relaciona os custos e as faixas de dosagem dos oito medicamentos antidepressivos tricíclicos e dos dois tetracíclicos. Como observado antes, muitos deles são baratos porque não estão mais sob patente e são facilmente encontrados na forma de genéricos. Porém, não se deixe enganar achando que os antidepressivos mais baratos são menos eficazes. Uma série de estudos sugere que eles podem ser ligeiramente mais eficazes do que muitos antidepressivos mais recentes como o Prozac.

O erro mais comum que o seu médico pode cometer é prescrever uma dose muito baixa de um antidepressivo tricíclico. Essa afirmação pode contrariá-lo se você acha que deveria tomar a dose mais baixa possível. No caso dos tricíclicos, se a dose prescrita for muito baixa, o medicamento não será eficaz. Se você insiste em tomar uma dose baixa demais, é provável que esteja perdendo seu tempo. Ele simplesmente não irá ajudá-lo. Por outro lado, dosagens acima das recomendadas no Quadro 59 podem ser perigosas e fazer a sua depressão piorar.

Dito isso, quero dizer também que existem casos em que as pessoas respondem a doses menores do que as citadas (especialmente idosos), e também situações em que podem ser necessárias doses maiores. Uma razão para isso é que pode haver uma diferença considerável na rapidez com que as pessoas metabolizam os remédios antidepressivos. Essa diferença é, em parte, genética e se deve ao nível de certas enzimas do fígado, como descrito anteriormente. Se você é um "metabolizador rápido", vai precisar de uma dose maior para manter um nível sanguíneo eficaz, e se for um "metabolizador lento", precisará de uma dose menor. Além disso, você vai aprender a seguir sobre outras drogas que podem fazer o nível sanguíneo dos tricíclicos diminuir e perder sua eficácia ou aumentar e tornar-se mais tóxico.

Se você suspeita de que possa estar tomando uma dose inadequada, consulte as faixas de dosagem do Quadro 59 e discuta suas preocupações com seu médico.

O nível sanguíneo da maioria dos antidepressivos tricíclicos pode ser facilmente verificado por meio de exames, e seu médico pode solicitar um exame de sangue para ter certeza de que a dose que está tomando não é alta nem baixa demais para você.

A melhor maneira de começar a tomar um medicamento tricíclico é iniciar com uma dose pequena e aumentar a quantidade a cada dia até atingir uma dosagem que esteja dentro da faixa terapêutica normal. Em geral, esse avanço gradual pode ser concluído em uma ou duas semanas. Por exemplo, uma posologia típica para a imipramina, um dos antidepressivos tricíclicos mais comuns listados no Quadro 59, poderia ser a seguinte:

1º dia – 50 mg antes de dormir
2º dia – 75 mg antes de dormir
3º dia – 100 mg antes de dormir
4º dia – 125 mg antes de dormir
5º dia – 150 mg antes de dormir

Você e o seu médico talvez prefiram aumentar a dose de forma um pouco mais gradual. Doses de até 150 mg por dia podem ser comodamente tomadas uma vez por dia, à noite. A ação do antidepressivo vai durar o dia todo, e os efeitos colaterais mais incômodos ocorrerão à noite, quando serão menos notados. Se forem necessárias doses superiores a 150 mg por dia, a quantidade excedente deve ser dividida em várias doses durante o dia.

No caso dos antidepressivos tricíclicos de efeito mais sedativo, pode-se tomar até metade da dose máxima indicada uma vez por dia, antes de dormir. Essa dosagem provoca sonolência. Vários antidepressivos tricíclicos, como a desipramina, a nortriptilina e a protriptilina, podem ser estimulantes. Eles podem ser divididos em várias doses pela manhã e na hora do almoço. Se forem tomados muito tarde, podem atrapalhar o sono.

Se você diminuir a dose de um antidepressivo tricíclico ou resolver parar de tomar o remédio, é melhor reduzir a dose aos poucos e nunca abruptamente. A interrupção repentina de qualquer antidepressivo pode provocar efeitos colaterais. Entre eles, indisposição estomacal, transpiração, dor de cabeça, ansiedade e insônia. Normalmente, você pode parar com um antidepressivo tricíclico de forma segura e satisfatória reduzindo a dose aos poucos durante um período de uma ou duas semanas.

EFEITOS COLATERAIS DOS ANTIDEPRESSIVOS TRICÍCLICOS

Os efeitos colaterais mais frequentes dos antidepressivos tricíclicos estão relacionados no Quadro 60, p. 431-2. Você verá nesse quadro que todos os antidepressivos tricíclicos apresentam alguns efeitos colaterais, e esse é o seu maior inconveniente. Os efeitos colaterais mais comuns incluem sonolência, boca seca, um leve tremor nas mãos, tontura temporária ao se levantar de repente, ganho de peso e prisão de ventre. Eles também podem provocar transpiração excessiva, problemas sexuais, espasmos ou contrações musculares ao adormecer à noite, além de uma série de outros efeitos relacionados no Quadro 60. A maioria desses efeitos colaterais não apresenta perigo, mas eles podem ser incômodos.

Já vimos anteriormente que os efeitos colaterais dos antidepressivos são previsíveis se soubermos o quanto eles bloqueiam os receptores histamínicos, os receptores alfa-adrenérgicos e os receptores muscarínicos (também chamados de receptores colinérgicos) do cérebro. Podemos ver no Quadro 60 que cada antidepressivo tem um pefil diferente de efeitos colaterais, dependendo de sua ação sobre esses três sistemas receptores cerebrais.

O bloqueio dos receptores histamínicos do cérebro faz você sentir fome e sonolência. O Quadro 60 indica que quatro dos antidepressivos tricíclicos (amitriptilina, clomipramina, doxepina e trimipramina) têm efeitos bem fortes sobre os receptores de histamina. Consequentemente, é mais provável que esses quatro antidepressivos o façam sentir-se faminto e sonolento. Se você está tendo dificuldades para dormir, esse efeito colateral pode ser um benefício, mas se já está se sentindo desmotivado e sem energia, esses remédios podem piorar as coisas. Se você anda emagrecendo por causa da depressão, o aumento do apetite pode ser benéfico. No entanto, se está acima do peso, talvez precise controlar melhor a sua alimentação e fazer mais exercícios para evitar ganho de peso, o que pode ser desanimador. Como hoje em dia existem muitos antidepressivos que não provocam aumento de peso, talvez seja melhor mudar para um desses. Podemos ver no Quadro 60 que três tricíclicos (desipramina, nortriptilina e protriptilina) têm apenas efeitos fracos sobre os receptores de histamina. Esses antidepressivos têm menos probabilidade de causar sonolência e ganho de peso. Há também muitos antidepressivos de outras categorias que não provocam nenhum dos dois efeitos.

Você pode lembrar-se também de que o bloqueio dos receptores alfa-adrenérgicos do cérebro provoca uma queda da pressão arterial. Isso pode resultar em tontura ou vertigem temporária ao se levantar de repente, porque as veias das pernas ficam mais relaxadas e o sangue se acumula temporariamente nelas. Quando isso acontece, o coração não recebe sangue suficiente para bombear até o cérebro, então sua visão pode escurecer e você pode ficar tonto ou zonzo por alguns segundos. Os antidepressivos com efeitos relativamente fortes sobre os receptores alfa-adrenérgicos do cérebro terão maiores chances de causar tontura quando levantar-se de repente.

Você verá no QUADRO 60 que muitos tricíclicos têm efeitos fortes sobre os receptores alfa-adrenérgicos, mas dois deles (a desipramina e a nortriptilina) têm apenas efeitos fracos. Consequentemente, esses dois medicamentos têm menos probabilidade de causar tontura ou uma queda na pressão arterial.

Por fim, o bloqueio dos receptores muscarínicos do cérebro pode causar efeitos colaterais como boca seca, prisão de ventre, visão turva, dificuldade de urinar e taquicardia, mesmo estando em repouso. Por causa desses efeitos sobre o coração, os medicamentos tricíclicos do QUADRO 60 com os maiores efeitos sobre os receptores muscarínicos podem não ser aconselháveis para pacientes com problemas cardíacos. Remédios com fortes efeitos anticolinérgicos também podem causar problemas de memória. Muitos pacientes já me disseram que não conseguem se lembrar de uma determinada palavra, ou que esquecem o nome de alguém quando tomam esses remédios. Os efeitos sobre a memória têm relação com a dosagem e devem desaparecer ao interromper a medicação.

Podemos ver que dois medicamentos tricíclicos do QUADRO 60 (a desipramina e a nortriptilina) têm efeitos anticolinérgicos relativamente fracos. Esses dois remédios apresentam menor chance de causar efeitos colaterais como boca seca e esquecimento. Eles também costumam ter efeitos mais fracos sobre os receptores histamínicos e alfa-adrenérgicos. Como têm menos efeitos colaterais, estão entre os antidepressivos tricíclicos mais populares.

Os efeitos dos antidepressivos sobre esses três sistemas receptores cerebrais não explicam completamente todos os seus efeitos colaterais. Na coluna à direita, relacionei vários dos efeitos colaterais mais comuns ou significativos de cada medicamento. Você verá, por exemplo, que alguns deles podem causar erupções cutâneas. Alguns tricíclicos, em especial a clomipramina (Anafranil), podem provocar convulsões, portanto esse medicamento não seria uma boa escolha para as pessoas com epilepsia.

Se você e o seu médico estiverem escolhendo um dos antidepressivos relacionados no QUADRO 60, talvez queiram considerar o perfil de efeitos colaterais ao fazer sua escolha. Isso porque todos esses medicamentos são equivalentes em termos de eficácia, portanto seus efeitos colaterais podem ser o critério mais importante ao se decidir entre eles. Então, se você está tendo dificuldades para dormir à noite, um dos antidepressivos de efeito mais sedativo pode ser útil. Esses agentes sedativos também são ligeiramente calmantes, portanto podem ajudar se você estiver sentindo ansiedade.

Muitos efeitos colaterais dos antidepressivos tricíclicos relacionados no QUADRO 60 ocorrem nos primeiros dias. Com exceção da boca seca e do ganho de peso, esses efeitos colaterais frequentemente diminuem à medida que se acostuma ao remédio. Se você conseguir tolerar os efeitos colaterais, muitos deles vão desaparecer depois de alguns dias. Se os efeitos forem fortes o suficiente para causar desconforto, talvez seu médico decida reduzir a dose, o que geralmente ajuda.

Alguns efeitos colaterais sugerem que você esteja tomando uma dose excessiva. Eles incluem dificuldade de urinar, visão turva, confusão, tremor grave, tontura forte ou aumento da transpiração. No caso desses sintomas, uma redução na dose certamente é indicada. Um emoliente fecal ou laxante pode ajudar se ocorrer prisão de ventre. Como observado antes, é mais provável ocorrer tontura quando se levanta de repente, pois o fluxo sanguíneo para o cérebro é temporariamente reduzido. Em geral, a sensação dura apenas alguns segundos. Se você se levantar mais devagar e com cuidado, ou movimentar as pernas antes de ficar de pé (contraindo e relaxando os músculos da perna, como quando você corre sem sair do lugar), não deve ter problemas. O movimento faz os músculos das suas pernas "bombearem" o sangue de volta para o cérebro. O uso de meias elásticas também pode ajudar.

Alguns pacientes afirmam que se sentem "estranhos", "distantes" ou "fora da realidade" por vários dias quando tomam um antidepressivo tricíclico pela primeira vez. Pela minha experiência, um tricíclico chamado doxepina (Sinequan) parece ter mais probabilidade de causar esse efeito. Quando os pacientes dizem se sentir estranhos no primeiro ou segundo dia tomando um antidepressivo, geralmente aconselho-os a continuar com ele. Em quase todos os casos, a sensação desaparece completamente em alguns dias.

Se você administrar aos pacientes comprimidos de açúcar (placebos), os quais eles acreditam serem antidepressivos, também relatarão efeitos colaterais semelhantes aos mencionados por pacientes que tomam antidepressivos. Por exemplo, em um estudo, 25% dos pacientes que tomavam clomipramina afirmavam ter dificuldades para dormir, logo você pode concluir que esse medicamento provoca insônia em um quarto dos pessoas que o consomem. No entanto, 15% dos pacientes do mesmo estudo que recebiam apenas placebo também relataram insônia. Portanto, a probabilidade da insônia efetivamente provocada pela clomipramina seria de 25% menos 15%, ou 10%. Obviamente, esse efeito colateral é "real", mas é um pouco menos comum do que se poderia esperar a princípio.

Esses estudos indicam que muitos "efeitos colaterais" podem não ser realmente causados pelo medicamento que você está tomando. Alguns podem resultar de temores em relação ao medicamento, da própria depressão ou de outros eventos estressantes da sua vida, como um conflito conjugal, e não do remédio em si.

QUADRO 60*
Efeitos colaterais dos antidepressivos tricíclicos[a]

Efeito colateral[b] Receptor cerebral	Sedação e ganho de peso[c] Receptores de histamina (H_1)	Tontura e vertigem Receptores alfa-adrenérgicos (α_1)	Visão turva, prisão de ventre, boca seca, taquicardia, retenção urinária Receptores muscarínicos (M_1)	Efeitos colaterais comuns ou importantes
Amitriptilina (Tryptanol)	+ + +	+ + +	+ + +	tontura; taquicardia; ECG (eletrocardiograma) alterado; boca seca; prisão de ventre; ganho de peso; dificuldade de urinar; visão turva; zumbido nos ouvidos; sudorese; fraqueza; dor de cabeça; tremor; cansaço; insônia; confusão
Clomipramina (Anafranil)	+ + a + + +	+ + +	+ + a + + +	tontura; taquicardia; ECG alterado; boca seca; indisposição estomacal; perda de apetite; prisão de ventre; ganho de peso; dificuldade de urinar; alterações menstruais; disfunção sexual; visão turva; sudorese; fraqueza; espasmos musculares; tremor; cansaço; insônia; ansiedade; dor de cabeça; erupções; convulsões
Desipramina (Norpramin, Pertofrane)**	+	+	+ a + +	boca seca; erupções; agitação; ansiedade; dor de cabeça; insônia; estimulação
Doxepina (Adapin, Sinequan)**	+ + +	+ + +	+ + a + + +	tontura; taquicardia; boca seca; prisão de ventre; ganho de peso; visão turva; sudorese; sonolência
Imipramina (Tofranil)	+ +	+ + a + + +	+ + a + + +	tontura; taquicardia; ECG alterado; boca seca; prisão de ventre; ganho de peso; dificuldade de urinar; visão turva; sudorese; fraqueza; dor de cabeça; cansaço; insônia; ansiedade; estimulação; erupções; convulsões; sensibilidade à luz
Nortriptilina (Pamelor)	+ a + +	+	+ +	boca seca; prisão de ventre; tremor; fraqueza; confusão; ansiedade ou estimulação
Protriptilina (Vivactil)**	0 a +	+ a + +	+ + +	tontura; aumento ou diminuição da pressão arterial; ECG alterado; náusea; prisão de ventre; visão turva; sudorese; fraqueza; insônia; estimulação; dor de cabeça

Efeito colateral[b] Receptor cerebral	Sedação e ganho de peso[c] Receptores de histamina (H_1)	Tontura e vertigem Receptores alfa-adrenérgicos (α_1)	Visão turva, prisão de ventre, boca seca, taquicardia, retenção urinária Receptores muscarínicos (M_1)	Efeitos colaterais comuns ou importantes
Trimipramina (Surmontil)**	+ + +	+ + a + + +	+ + a + + +	tontura; aumento ou diminuição da pressão arterial; ECG alterado; boca seca; prisão de ventre; ganho de peso; visão turva; sudorese; fraqueza; dor de cabeça; tremor; sonolência; confusão; intolerância ao calor ou frio

*. Esta lista não é exaustiva. Em geral, são relacionados os efeitos colaterais que ocorrem em 5% a 10% dos pacientes ou mais, além de efeitos colaterais raros, mas perigosos.
**.Produtos não comercializados no Brasil. (N.R.T.)
a. A classificação de + a + + + neste quadro se refere à probabilidade de ocorrer um determinado efeito colateral. A intensidade real do efeito variará de uma pessoa para outra e dependerá também do tamanho da dose. Muitas vezes, reduzir a dose pode minimizar os efeitos colaterais sem comprometer a eficácia.
b. Muitos efeitos colaterais, se problemáticos, podem ser diminuídos por uma redução na dosagem. Os efeitos colaterais costumam são maiores nos primeiros dias e tendem a desaparecer depois.
c. Os remédios mais sedativos também podem ter maiores efeitos ansiolíticos. Em outras palavras, eles podem acalmá-lo e e deixá-lo menos nervoso. Quando administrados à noite, os agentes sedativos ajudam a reduzir a insônia.

EFEITOS COLATERAIS DOS ANTIDEPRESSIVOS TETRACÍCLICOS

Podemos ver no Quadro 61, a seguir, que os efeitos colaterais dos antidepressivos tetracíclicos são semelhantes aos dos tricíclicos. Entretanto, eles têm alguns efeitos colaterais próprios que devem ser considerados se você estiver tomando um desses remédios. A maprotilina (Ludiomil) parece ter mais probabilidade de provocar convulsões quando comparado aos oito antidepressivos tricíclicos, um efeito colateral particularmente problemático. Embora a probabilidade de convulsões seja baixa, os pacientes com histórico de convulsões ou trauma na cabeça devem evitar esse medicamento. Estudos recentes sugerem que a probabilidade de convulsões com a maprotilina é consideravelmente maior quando a dose é aumentada muito rápido, ou quando os pacientes são submetidos a doses acima do recomendado (225 a 400 mg por dia) por mais de seis semanas.[44] Portanto, foi sugerido pelo fabricante que a marprotilina deve ser iniciada e aumentada bem devagar, e que a dose deve ser mantida em no máximo 175 mg por dia se os pacientes tomarem esse medicamento por mais de seis semanas.

---

44. DESSAIN, E. C.; SCHATZBERG, A. F.; WOODS, B. T. Maprotiline treatment in depression: a perspective on seizures. *Archives of General Psychiatry*, 43, p. 86-90, 1986.

QUADRO 61*
Efeitos colaterais dos antidepressivos tricíclicos[a]

Efeito colateral Receptor cerebral	Sedação e ganho de peso Receptores de histamina (H_1)	Tontura e vertigem Receptores alfa- -adrenérgicos (α_1)	Visão turva, prisão de ventre, boca seca, taquicardia, retenção urinária Receptores muscarínicos (M_1)	Efeitos colaterais comuns ou importantes
Amoxapina (Asendin)**	+ +	+ +	+ a + +	tontura; taquicardia; boca seca; indisposição estomacal; prisão de ventre; dificuldade de urinar; visão turva; erupções; tremor; cansaço; insônia; SEP[b]; lactação; inquietação; estimulação excessiva; discinesia tardia; galactorreia; SNM[c]
Maprotilina (Ludiomil)	+ +	+		+	boca seca; prisão de ventre; ganho de peso; visão turva; erupções; sonolência; convulsões; estimulação; sensibilidade à luz; edema (inchaço dos tornozelos)

*. Esta lista não é exaustiva. Em geral, são relacionados os efeitos colaterais que ocorrem em 5% a 10% dos pacientes ou mais, além de efeitos colaterais raros, mas perigosos.
**.Produto não comercializado no Brasil. (N.R.T.)
a. A classificação de + a + + + neste quadro refere-se à probabilidade de ocorrer um determinado efeito colateral. A intensidade real do efeito variará de uma pessoa para outra e dependerá também do tamanho da dose. Muitas vezes, diminuir a dose pode reduzir os efeitos colaterais sem comprometer a eficácia.
b. SEP = sintomas extrapiramidais (descritos no texto) que incluem a acatisia, reações distônicas e discinesia tardia.
c. SNM = síndrome neuroléptica maligna. Esta é uma reação potencialmente fatal que também ocorre em resposta ao uso de drogas antipsicóticas (também conhecidas como neurolépticos). Os sintomas incluem febre alta, rigidez muscular, estado mental alterado, pulsação ou pressão arterial irregular, coração acelerado, transpiração abundante e ritmo cardíaco alterado.

A amoxapina (Asendin) apresenta um tipo distinto e problemático de efeito colateral não compartilhado pela maioria dos outros antidepressivos. É que um de seus metabólitos bloqueia os receptores de dopamina do cérebro, semelhante a drogas antipsicóticas como a clorpromazina (Thorazine) e muitas outras que são usadas no tratamento da esquizofrenia. Desse modo, pacientes que tomam amoxapina podem, em casos raros, apresentar alguns dos mesmos tipos de efeito colateral que ocorrem em pacientes que tomam antipsicóticos. As mulheres, por exemplo, podem apresentar galactorreia (secreção de leite pela mama). Qualquer uma das várias reações denominadas "extrapiramidais" também pode ocorrer. Uma delas, chamada acatisia, é uma síndrome de inquietação motora. É um tipo incomum de "comichão" muscular – seus braços ou pernas ficam extremamente inquietos, por isso você não consegue ficar parado. Sente necessidade de ficar andando ou se mexendo. A acatisia é desconfortável, mas não perigosa.

Em casos raros, a amoxapina também pode provocar sintomas que se assemelham aos do mal de Parkinson. Entre eles, inatividade passiva, um tremor de repouso no polegar e nos demais dedos das mãos como um movimento de "contar dinheiro", menor movimentação dos braços ao andar, rigidez, postura recurvada e outros. Se esses sintomas surgirem, informe o seu médico imediatamente. Ele provavelmente vai querer que você interrompa o remédio e experimente um medicamento alternativo. Embora alarmantes, esses sintomas não são perigosos e devem desaparecer quando você parar de tomar a amoxapina.

No entanto, um efeito colateral mais grave da amoxapina (e de muitas outras drogas antipsicóticas) chama-se "discinesia tardia". Os pacientes com discinesia tardia apresentam movimentos faciais involuntários e repetitivos, especialmente dos lábios e da língua. Os movimentos anormais também podem envolver os braços e as pernas. Uma vez que começa, a discinesia tardia às vezes torna-se irreversível ou difícil de ser tratada. O risco parece ser mais elevado entre mulheres idosas, mas pode ocorrer com qualquer paciente. O risco de discinesia tardia também aumenta com o tempo de uso do medicamento, mas pode surgir depois de apenas um breve período de tratamento com uma dose baixa.

Finalmente, como se isso tudo não bastasse para assustá-lo, a amoxapina pode, em casos raros, provocar uma terrível complicação conhecida como síndrome neuroléptica maligna, ou SNM. Ela consiste em febre alta, delírio e rigidez muscular, junto a alterações na pressão arterial, frequência e ritmo cardíacos, e às vezes morte. Obviamente, todos esses riscos devem ser cuidadosamente ponderados diante de qualquer potencial benefício da amoxapina; às vezes pode ser difícil justificar o uso desse medicamento quando há tantos remédios mais seguros e igualmente eficazes disponíveis.

INTERAÇÕES MEDICAMENTOSAS DOS ANTIDEPRESSIVOS TRICÍCLICOS E TETRACÍCLICOS (ADT)

O problema das interações medicamentosas já foi descrito no Capítulo XIX. Para resumir, quando se toma mais de um remédio, existe uma chance de que eles possam interagir de forma prejudicial. Um remédio pode fazer o nível sanguíneo do segundo aumentar ou diminuir. Consequentemente, o segundo remédio pode causar um excesso de efeitos colaterais (se o nível sanguíneo ficar muito elevado) ou não fazer efeito (se o nível sanguíneo baixar). Além disso, às vezes a interação dos dois medicamentos pode provocar reações tóxicas muito perigosas.

Algumas interações medicamentosas dos antidepressivos tricíclicos e tetracíclicos são relacionadas no Quadro 62, p. 436-9. Essa lista não é exaustiva, mas inclui várias das interações mais comuns ou importantes. Se você está tomando algum outro medicamento junto a um ADT, seria bom consultar esse quadro. Observe que são relacionados medicamentos vendidos com ou sem receita médica, que incluem drogas psiquiátricas e não psiquiátricas. Além disso, você deve perguntar ao seu médico e ao farmacêutico se existe alguma interação entre os medicamentos que você está tomando.

Você pode ver no Quadro 62 que tanto o cigarro como o álcool podem fazer o nível sanguíneo de um ADT baixar, reduzindo assim a probabilidade de o remédio fazer efeito. Talvez o seu médico precise fazer um exame de sangue para descobrir se o seu nível sanguíneo está adequado. Além disso, o álcool pode aumentar o efeito sedativo dos antidepressivos tricíclicos, uma combinação que pode ser muito arriscada se você estiver dirigindo ou operando equipamentos perigosos.

Certos antidepressivos podem ser particularmente arriscados para pessoas com determinados problemas de saúde. Em particular, os tricíclicos podem ser perigosos para pessoas com doença cardiovascular, incluindo aquelas com histórico de ataque cardíaco, alterações no ritmo do coração ou pressão alta. Precauções especiais devem ser tomadas no caso de pessoas com problemas de tireoide. Não deixe de informar seu médico sobre qualquer problema de saúde que você tenha, para que ele possa tomar as devidas precauções.

Como observado antes, vários antidepressivos tricíclicos e tetracíclicos podem provocar convulsões em casos raros. Foi relatada uma taxa de incidência de convulsões de até 1% a 3% para a clomipramina, a imipramina e a maprotilina.[45] Essas estimativas podem ser excessivamente altas. Em todo o caso, o risco pode ser reduzido se a dose for mantida num nível adequado e elevada gradualmente. Mesmo assim, esses medicamentos devem ser usados com cautela, se necessário, em indivíduos com histórico de distúrbios convulsivos, trauma na cabeça ou outros distúrbios neurológicos associados a convulsões. Deve-se também ter cautela se esses medicamentos forem combinados a outros que possam diminuir o limiar convulsivo, como tranquilizantes maiores (neurolépticos) e outros. A interrupção repentina de agentes sedativos como álcool, tranquilizantes menores e barbitúricos também pode desencadear convulsões, por isso a clomipramina, a imipramina e a maprotilina devem ser usadas com grande cautela em conjunto com esses agentes.

---

45. MAXMEN, J. S.; WARD, N. G. *Psychotropic Drugs Fast Facts*. 2. ed. Nova York: W. W. Norton & Company, 1995. [Dados da edição brasileira: MAXMEN, J. S.; WARD, N. G. *Psicotrópicos*: consulta rápida. 2. ed. Porto Alegre: Artmed, 1998. OBS.: Este livro parece ter sido substituído no catálogo da editora Artmed por: CORDIOLI, Aristides V. *Psicofármacos*: consulta rápida. 4. ed. Porto Alegre: Artmed, 2011. (N.T.)]

QUADRO 62*
Guia de interações medicamentosas
dos antidepressivos tricíclicos e tetracíclicos (ADTs)[a]

Droga	Comentário
Antidepressivos	
Antidepressivos tricíclicos e tetracíclicos (ADTs podem interagir com outros ADTs)	a desipramina provoca ↑ em outros ADTs – podem ocorrer arritmias cardíacas
ISRSs	os níveis do ADT podem ↑ (de 2 a 10 vezes); podem ocorrer arritmias cardíacas; os níveis do ISRS também podem ↑
IMAOs	síndrome serotoninérgica[b] [especialmente clomipramina (Anafranil)]; pressão baixa; reações hipertensivas
Antagonistas da serotonina, incluindo a trazodona (Donarem) e a nefazodona (Serzone)	a nefazodona pode diminuir a pressão arterial
Bupropiona (Wellbutrin)	↑ no risco de convulsões; requer extrema cautela
Venlafaxina (Effexor)	provavelmente normal; em tese, o ADT poderia provocar ↑ nos níveis sanguíneos de venlafaxina
Mirtazapina (Remeron)	informações ainda não disponíveis
Antibióticos	
Cloranfenicol (Quemicetina)	os níveis e a toxicidade do ADT podem ↑
Doxiciclina (Vibramicina)	os níveis e a eficácia do ADT podem ↓
Isoniazida (FURP- Isoniazida + Rifampicina)	os níveis e a toxicidade do ADT podem ↑
Antifúngicos	
Imidazóis como o fluconazol (Diflucan), itraconazol (Sporanox), cetoconazol (Nizoral) e miconazol (supositório ou creme vaginal Monistat)	os níveis do ADT podem ↑, especialmente da nortiptilina
Griseofulvina (Fulvicin)	os níveis do ADT podem ↓
Remédios para diabetes	
Insulina	redução da glicemia acima do esperado
Hipoglicemiantes orais	redução da glicemia acima do esperado
Problemas de saúde	
Glaucoma	um ADT altamente anticolinérgico pode desencadear crises de glaucoma de ângulo fechado; os sintomas incluem dor nos olhos, visão turva e halos ao redor das luzes
Problemas cardíacos	use o ADT com extrema cautela; pode desencadear arritmias cardíacas
Problemas de fígado	use o ADT com cautela; o metabolismo do fígado pode ser prejudicado, com níveis sanguíneos excessivamente altos e maior incidência de efeitos colaterais e tóxicos

(*cont.*)

Distúrbio convulsivo	use o ADT com cautela; o ADT pode provocar ↑ das convulsões (o ADT reduz o "limiar" convulsivo)
Problemas de tireoide	use o ADT com cautela em pacientes com problemas de tireoide ou que estejam tomando remédios para tireoide; pode desencadear arritmias cardíacas
Remédios para arritmias cardíacas	
Disopiramida (Norpace)	arritmias cardíacas
Epinefrina	o ADT pode aumentar os efeitos, fazendo o coração acelerar, causando arritmias cardíacas e ↑ da PA
Quinidina	os níveis sanguíneos da quinidina e do ADT podem ↑; as arritmias cardíacas e o enfraquecimento do músculo cardíaco podem causar insuficiência cardíaca congestiva
Remédios para pressão alta	
Betabloqueadores como o propranolol (Rebaten)	os betabloqueadores podem fazer a depressão aumentar; o ADT pode causar uma redução da PA acima da esperada
Clonidina (Atensina)	o ADT [ex.: desipramina (Norpramin)] pode reduzir a eficácia da clonidina porque os níveis sanguíneos ↑
Bloqueadores dos canais de cálcio	a redução da PA pode ser maior do que a esperada
Guanetidina (Ismelin)	pode perder o efeito anti-hipertensivo quando combinada a um ADT [ex.: desipramina (Norpramin)]
Metildopa (Aldomet)	a redução da PA pode ser maior do que a esperada, especialmente com a amitriptilina (Tryptanol); alguns ADTs [ex.: desipramina (Norpramin)] podem reduzir o efeito anti-hipertensivo
Prazosina (Minipress)	a PA pode ↑ porque os níveis de prazosina podem ↓
Reserpina (Serpasil)	pode causar uma redução da PA acima do esperado; pode causar também estimulação excessiva
Diuréticos tiazídicos como a hidroclorotiazida (Dyazide)	a redução da pressão arterial pode ser maior que o esperado; os efeitos do ADT podem aumentar
Remédios para pressão baixa (para pacientes em estado de choque)	
Epinefrina	o ADT pode aumentar os efeitos, fazendo o coração acelerar, causando arritmias cardíacas e ↑ da PA
Estabilizadores do humor e anticonvulsivantes	
Carbamazepina (Tegretol)	os níveis sanguíneos do ADT e da carbamazepina podem ↓; o ADT pode aumentar a possibilidade de convulsões
Lítio (Carbolitium)	pode aumentar os efeitos antidepressivos
Fenitoína (Hidantal)	os níveis sanguíneos do ADT podem ↑ ou ↓; o ADT pode aumentar a possibilidade de convulsões
Ácido valproico (Depakene)	↑ dos níveis sanguíneos de amitriptilina (Tryptanol) e ácido valproico
Analgésicos e anestésicos	
Paracetamol (Tylenol)	os níveis do ADT podem ↑; os níveis do paracetamol podem ↓
Aspirina	os níveis do ADT podem ↑
Halotano	os níveis do ADT podem ↑; um ADT com efeitos anticolinérgicos pode causar arritmias cardíacas

(*cont.*)

Ciclobenzaprina (Miosan) (um relaxante muscular usado para tratar espasmos musculares)	pode causar arritmias cardíacas
Metadona (Dolophine)	pode ter efeito narcótico acima do esperado; por exemplo, a desipramina (Norpramin) pode duplicar o nível sanguíneo da metadona
Meperidina (Demerol)	efeito narcótico acima do esperado; podem ser necessárias doses menores de meperidina ou outro analgésico
Morfina (MS Contin)	efeito narcótico e sedação acima do esperado; os níveis do ADT podem ↓
Pancurônio (Pavulon)	arritmias cardíacas, especialmente um ADT com fortes efeitos anticolinérgicos
Sedativos e tranquilizantes	
Álcool	Pode ter maiores efeitos sedativos. Isso pode ser arriscado ao dirigir ou operar equipamentos perigosos. Pode fazer os níveis do ADT ↓
Barbitúricos (como o fenobarbital)	maiores efeitos sedativos; pode fazer os níveis do ADT ↓
Buspirona (BuSpar)	maiores efeitos sedativos conforme descrito acima
Hidrato de cloral (Noctec)	os níveis do ADT podem ↓
Etclorvinol (Placidyl)	Houve relato de confusão mental temporária quando combinado a amitriptilina (Tryptanol), mas é possível que isso também ocorresse com outros ADTs
Tranquilizantes maiores (neurolépticos)	os níveis do ADT e dos neurolépticos fenotiazínicos [como a clorpromazina (Thorazine)] podem ↑, causando mais efeitos colaterais e aumentando a potência; foram observadas arritmias cardíacas com a tioridazina (Mellaril), a clozapina (Clozaril) e a pimozida (Orap)
Tranquilizantes menores (neurolépticos)	maiores efeitos sedativos
Estimulantes e drogas ilícitas	
Anfetaminas ("rebite" ou "bolinha")	Essas drogas podem aumentar os níveis sanguíneos e os efeitos de alguns ADTs [(ex.: imipramina (Tofranil), clomipramina (Anafranil), desipramina (Norpramin)] e vice-versa; foram observadas arritmias cardíacas e aumento da pressão arterial com a cocaína, mas isso parece ser possível quando o ADT é combinado a qualquer estimulante
Cocaína	″
Benzedrina	″
Benzofetamina (Didrex)	″
Dextroanfetamina (Dexedrine)	″
Metanfetamina (Desoxyn)	″
Metilfenidato (Ritalin)	″
Remédios para emagrecer e inibir o apetite	
Fenfluramina (Pondimin)	Possível síndrome serotoninérgica quando combinada à clomipramina; aumento nos níveis do ADT
Outros medicamentos	
Anti-histamínicos	maior sonolência; é mais seguro usar anti-histamínicos que não tenham efeito sedativo

(*cont.*)

Acetazolamida (Diamox)	os níveis sanguíneos do ADT podem ↑; a pressão arterial pode cair
Anticoncepcionais e outros medicamentos contendo estrogênio	os níveis sanguíneos do ADT podem ↑, com maiores efeitos colaterais; doses mais elevadas de estrogênio podem reduzir os efeitos do ADT
Cafeína (presente no café, chá, refrigerante, chocolate)	os níveis sanguíneos do ADT podem ↑
Comprimidos de carvão vegetal	os níveis sanguíneos do ADT podem ↓ devido à má absorção no estômago e trato intestinal
Colestiramina (Questran)	os níveis sanguíneos do ADT podem ↓
Cimetidina (Tagamet)	os níveis sanguíneos do ADT podem ↑ (maiores efeitos colaterais)
Dissulfiram (Antietanol)	os níveis sanguíneos do ADT podem ↑ (maiores efeitos colaterais); em dois casos relatados, a combinação de dissulfiram e amitriptilina (Tryptanol) provocou uma reação cerebral grave (síndrome cerebral orgânica) com confusão mental e desorientação.
Efedrina (pode ser encontrada nas gotas nasais Bronkaid, Marax, Primatene, Quadrinal e Vick Vatronol, e em vários outros remédios para asma e resfriado)	o ADT pode bloquear o ↑ da PA normalmente causado pela efedrina; os níveis e os efeitos da efedrina podem ↓
Dieta rica em fibras	os níveis sanguíneos do ADT podem ↓ devido à fraca absorção no estômago e trato intestinal
Triodotironina (T3, Cytomel)	pode aumentar os efeitos do ADT; podem ocorrer arritmias cardíacas; os níveis sanguíneos do ADT podem ↑
Proclorperazina (Compazine)	os níveis sanguíneos do ADT podem ↑, com maiores efeitos colaterais e efeitos tóxicos
Psílio (Metamucil)	os níveis sanguíneos do ADT podem ↓ devido à má absorção no estômago e trato intestinal
Escopolamina (Buscopam)	pode provocar ↑ nos níveis sanguíneos do ADT
Levodopa (Sinemet)	a absorção do ADT no estômago e trato intestinal para a corrente sanguínea pode ↓; os efeitos do ADT e da levodopa podem ↓
Teofilina (Teolong)	os níveis sanguíneos do ADT podem ↑
Tabaco (cigarro)	os níveis sanguíneos do ADT podem ↓

*. As drogas da coluna à esquerda podem interagir com os ADTs. Os comentários descrevem os tipos de interação. Esta lista não é exaustiva; frequentemente surgem novas informações sobre interações entre medicamentos. Se você está tomando um ADT e qualquer outro remédio, pergunte ao seu médico e ao farmacêutico se há alguma interação medicamentosa sobre a qual você deva saber.

a. As informações deste quadro foram obtidas a partir de várias fontes, como Manual of Clinical Psychopharmacology (ver nota 24) e Psychotropic Drugs Fast Facts (ver nota 45). Essas excelentes obras de referência são altamente recomendadas.

b. Esta é uma síndrome perigosa e potencialmente fatal que inclui alterações bruscas nos sinais vitais (febre, oscilações na pressão arterial), transpiração, náusea, vômito, rigidez muscular, mioclonia, agitação, delírio, convulsões e coma.

INIBIDORES SELETIVOS DA RECAPTAÇÃO DE SEROTONINA (ISRSs)

Hoje em dia, os antidepressivos mais populares são os inibidores seletivos da recaptação de serotonina, ou ISRSs. Atualmente, seis ISRSs são prescritos nos Estados Unidos. Entre eles estão o citalopram (Cipramil), o ISRS mais recente, que foi lançado nos EUA em 1998; a fluoxetina (Prozac) o primeiro ISRS, que foi lançado em 1988; a fluvoxamina (Luvox); a paroxetina (Aropax); e a sertralina (Zoloft). Os efeitos desses ISRSs no cérebro são bem mais específicos e seletivos que os dos remédios tricíclicos e tetracíclicos mais antigos discutidos antes. Em vez de interagir com vários sistemas cerebrais diferentes, essas drogas têm efeitos seletivos sobre os neurônios que usam a serotonina como substância transmissora.

Quando ele surgiu no mercado, houve grande entusiasmo em relação ao Prozac porque, quimicamente, ele era bem diferente dos antidepressivos mais antigos. Ao contrário dos remédios tricíclicos e tetracíclicos, ele tem efeitos específicos sobre os neurônios serotoninérgicos do cérebro. Como foi levantada a hipótese de que uma deficiência de serotonina pudesse ser a causa da depressão, esperava-se que o Prozac fosse radicalmente mais eficaz do que as drogas tricíclicas e tetracíclicas, que pareciam afetar tantos sistemas cerebrais diferentes de maneira menos específica. Esperava-se também que o Prozac (e os demais ISRSs) tivessem menos efeitos colaterais do que os remédios tricíclicos e tetracíclicos. É que o Prozac não tem efeitos tão fortes sobre os receptores histamínicos, alfa-adrenérgicos e muscarínicos.

Apenas uma dessas expectativas foi atingida. O Prozac e os outros quatro ISRSs produzem bem menos efeitos colaterais do que os antidepressivos tricíclicos e tetracíclicos e são mais agradáveis de serem tomados. Por exemplo, eles têm menor probabilidade de causar sonolência, ganho de peso, boca seca, tontura etc. Também são bem mais seguros, por serem menos propensos a ter efeitos adversos sobre o coração e terem uma probabilidade bem menor de levar à morte se um paciente tomar uma dose excessiva, intencionalmente ou não. Os bioquímicos que criaram essas novas drogas merecem crédito por isso.

Infelizmente, os ISRSs não são mais eficazes que os remédios mais antigos. Cerca de 60% a 70% dos pacientes deprimidos melhoram ao serem tratados com ISRSs, e esses percentuais não são melhores do que os dos remédios mais antigos. Entre os pacientes com depressão crônica, a probabilidade de resposta parece ser menor. Os ISRSs também parecem ser ligeiramente menos eficazes que os antidepressivos tricíclicos mais antigos para os pacientes com depressão mais grave. Além disso, muitas vezes a melhora é apenas parcial – o paciente pode ficar menos deprimido, mas não recuperar totalmente sua autoestima e alegria cotidiana. Esse é um problema de todos os antidepressivos, e não só dos ISRSs. Embora não sejam mais eficazes, os ISRSs são drasticamente mais caros que os remédios mais antigos. Além disso, apresentam alguns efeitos colaterais novos e diferentes, descritos a seguir, que não foram divulgados na época do seu lançamento.

Por causa de seu histórico favorável em termos de segurança e por terem menos efeitos colaterais, os ISRSs realmente conquistaram o mercado de antidepressivos. Gastou-se mais dinheiro com Prozac em 1995 (2,5 bilhões de dólares) do que se gastou com todos os antidepressivos em 1991 (2 bilhões de dólares). Uma das razões para sua grande popularidade vem do fato de que agora os clínicos gerais sentem-se à vontade para prescrever antidepressivos, uma vez que os ISRSs serão tão seguros. Por conseguinte, muitos pacientes deprimidos que não pensariam em procurar um psiquiatra ou psicólogo são tratados com ISRSs pelo médico da família.

Por serem tão consumidos e receberem tanta atenção da mídia, muitas pessoas acreditam que os ISRSs são incrivelmente poderosos e têm um efeito quase milagroso. Mas não se trata disso, como observado antes. Para algumas pessoas deprimidas, os ISRSs podem ser muito eficazes. Para muitas outras, eles têm uma eficácia apenas limitada. E muitas vezes parecem não ter nenhum efeito antidepressivo. É o mesmo caso de todos os antidepressivos disponíveis atualmente – são ferramentas valiosas para combater a depressão, porém muitas vezes não resolvem totalmente o problema e, com certeza, não podem curar todos os males que o afligem.

O fato de os ISRSs não serem mais eficazes do que os remédios mais antigos fez que os cientistas reconsiderassem a legitimidade da teoria "serotoninérgica" da depressão descrita no Capítulo XVII. Você deve se recordar que, segundo essa teoria, a depressão é causada por uma deficiência de serotonina no cérebro, e um aumento da serotonina deveria revertê-la. Se essa teoria tivesse fundamento, os ISRSs deveriam fazer os pacientes deprimidos se livrarem da depressão quase imediatamente – mas o Prozac pode levar cerca de cinco a oito semanas para fazer efeito. Seja qual for a causa da depressão, ou a razão pela qual os antidepressivos funcionam, os ISRSs já foram úteis para muitos indivíduos deprimidos.

DOSAGEM DOS ISRSs

A dosagem dos cinco ISRSs é mostrada no Quadro 59, p. 422. Ao contrário dos antidepressivos mais antigos, que muitas vezes são prescritos em doses baixas demais, os ISRSs costumam ser prescritos em doses desnecessariamente altas. Pelo fato de terem tão poucos efeitos colaterais, os médicos sentem-se à vontade para prescrever doses elevadas e podem até receitar mais do que é realmente necessário. Por exemplo, embora a faixa de dosagem inicialmente recomendada para o Prozac fosse de 20 mg a 80 mg por dia, uma dose única de 10 mg por dia seria suficiente para muitos pacientes. Depois que já estão se sentindo melhor, muitos pacientes precisam de apenas 5 mg por dia, ou até menos. Essas doses menores são bem mais baratas e produzem menos efeitos colaterais.

Essas doses baixas são eficazes porque o Prozac permanece no organismo por um período de tempo bem mais longo do que o da maioria dos outros remédios – chegando a várias semanas. Quando você toma Prozac, seu nível sanguíneo continua aumentando a cada dia porque o Prozac é eliminado do organismo bem devagar. Depois de algum tempo, seu nível sanguíneo fica bastante elevado. É por isso que você pode precisar apenas de uma dose mínima se já tomou Prozac por várias semanas ou mais.

Para entender melhor isso, vamos voltar à analogia da banheira que apresentei no Capítulo XIX a fim de explicar as interações entre os medicamentos. Imagine que o Prozac que você está tomando é como a água que entra na banheira, mas que o ralo no fundo da banheira é muito pequeno. Com o tempo, o nível da água aumenta, porque entra mais água na banheira do que sai. O nível da água pode ser comparado ao nível do Prozac na sua corrente sanguínea. Depois de quatro a cinco semanas, o nível da água finalmente atinge a faixa terapêutica correta. Agora você já pode fechar um pouco a torneira para que o nível da banheira não continue subindo e transborde. Isso seria como reduzir a dose do Prozac depois de tomá-lo por várias semanas. Paradoxalmente, você agora está tomando doses bem menores do que quando começou a ingeri-lo, mas seu nível sanguíneo é bem mais elevado.

Tecnicamente, dizemos que se atingiu o "*steady-state*" (estado de equilíbrio estável). Isso significa que o nível sanguíneo permanece mais ou menos constante, pois a quantidade que você toma a cada dia é semelhante à quantidade que o seu corpo elimina diariamente. Os outros quatro ISRSs não têm essa propriedade, porque são eliminados bem mais depressa que o Prozac. Em geral, não se pode reduzir as doses depois de várias semanas.

Hoje a eficácia de doses bastante reduzidas de Prozac é bem conhecida entre os profissionais da área psiquiátrica, mas eu aprendi isso com meus pacientes logo depois que o Prozac foi lançado no mercado. Muitos deles afirmavam que, após um mês ou dois tomando Prozac, pareciam precisar apenas de minúsculas doses, como um décimo de um comprimido por dia, ou até menos. No início eu achava que esses pacientes tinham muita imaginação, mas logo vários deles estavam relatando a mesma coisa. Aconselhei que pegassem um comprimido de Prozac, triturassem e dissolvessem em água ou suco de maçã para guardarem na geladeira. Então eles ajustavam sua dose de Prozac bebendo uma certa quantidade do líquido por dia. Dessa forma, se você dissolvesse um comprimido de 20 mg em um pouco de suco e tomasse um décimo do suco a cada dia, por exemplo, isso corresponderia a uma dose de 2 mg por dia. Mas, se você tentar fazer isso, não deixe de identificar o suco claramente com uma etiqueta para que ninguém tome seu Prozac no café da manhã! Certifique-se também de falar sobre isso com seu médico para confirmar se ele aprova o que você está fazendo.

Também é importante saber que, depois que você parar de tomar Prozac, ele vai permanecer no seu organismo por um bom tempo, porque é eliminado bem devagar. Seria como uma banheira que leva um tempo extremamente longo para esvaziar depois que você tira a tampa porque o ralo está entupido. Depois que você não estiver mais tomando Prozac, um nível considerável do remédio permanecerá em sua corrente sanguínea por cinco semanas ou mais, até que ele seja totalmente eliminado do seu sistema. Muitos medicamentos podem ser perigosos se misturados ao Prozac. Você não deve tomar esses medicamentos até que tenha parado totalmente com o Prozac por cinco semanas pelo menos. Por exemplo, a tranilcipromina (Parnate) é um antidepressivo conhecido como inibidor da MAO que será discutido em breve. A tranilcipromina (assim como outros inibidores da MAO) pode provocar reações perigosas e potencialmente fatais se for misturada ao Prozac. Depois que você interromper o uso do Prozac, será necessária uma pausa de pelo menos cinco a oito semanas antes que possa começar a tomar tranilcipromina com segurança.

Os outros ISRSs, como o citalopram (Cipramil), a fluvoxamina (Luvox), a sertralina (Zoloft) e a paroxetina (Aropax), são eliminados pelo organismo mais depressa que o Prozac, mas ainda são metabolizados bem devagar. Por exemplo, se você parar de tomar um desses remédios, seu corpo vai levar aproximadamente um dia para eliminar metade da quantidade presente no seu organismo. Vai levar cerca de quatro a sete dias para que todo o remédio ou a maior parte dele seja eliminada. Isso é bem mais rápido do que o Prozac. Portanto, esses outros remédios ISRSs não se acumulam no seu sangue em níveis tão elevados após serem tomados por mais de algumas semanas. Como eles entram e saem mais depressa da sua corrente sanguínea, geralmente são tomados várias vezes por dia, enquanto o Prozac pode ser tomado uma vez ao dia.

A idade também pode influenciar na sua dosagem se você estiver tomando um ISRS. Por exemplo, os níveis de citalopram (Cipramil), fluoxetina (Prozac) e paroxetina (Aropax) são aproximadamente duas vezes mais elevados nas pessoas mais velhas (acima dos 65 anos de idade) do que nas mais jovens. Se você tem mais de 65 anos e estiver tomando um desses remédios, vai precisar de uma dose menor. Os níveis sanguíneos da sertralina (Zoloft) também são mais elevados nas pessoas mais velhas, embora as diferenças não sejam tão pronunciadas. Por sua vez, os níveis sanguíneos da fluvoxamina (Luvox) não parecem ser afetados pela idade.

Às vezes o sexo também pode fazer diferença. Por exemplo, os níveis sanguíneos da fluoxetina (Prozac) são 40% a 50% mais baixos nos homens do que nas mulheres. Do mesmo modo, homens jovens apresentam níveis sanguíneos de sertralina (Zoloft) que são 30% a 40% mais baixos, em média, do que em mulheres jovens. Os homens podem precisar de doses relativamente maiores desses medicamentos, enquanto as mulheres talvez precisem de doses relativamente menores.

Problemas de saúde também podem influenciar a sua dosagem. Pessoas com problemas de fígado, rim ou coração podem não eliminar os ISRSs tão rapidamente e, portanto, precisar de doses menores. Não deixe de consultar seu médico a respeito se estiver fazendo tratamento para alguma doença hepática, renal ou cardíaca.

EFEITOS COLATERAIS DOS ISRSs

Os efeitos colaterais mais frequentes dos cinco ISRSs estão relacionados no Quadro 63, a seguir. Como observado anteriormente, os efeitos colaterais dos ISRSs são mais leves do que os dos medicamentos mais antigos, e essa é a razão de sua enorme popularidade. Eles são menos propensos que os antidepressivos tricíclicos a provocar boca seca, prisão de ventre ou tontura. Não estimulam o apetite quando se começa a tomá-los; alguns pacientes que tomam ISRSs chegam a perder peso no começo. Infelizmente, quando eles são ingeridos por um período de tempo prolongado, seus efeitos colaterais às vezes aumentam. Por exemplo, alguns pacientes que tomam esses remédios mencionam aumento do apetite e ganho de peso depois de algum tempo, embora tenham perdido peso no início.

Alguns dos efeitos colaterais mais comuns e problemáticos dos ISRSs são náusea, diarreia, cólica, azia e outros sinais de indisposição estomacal. Aproximadamente 20% a 30% dos pacientes relataram esses sintomas nos primeiros estudos feitos com os ISRSs.[46] Você verá no Quadro 63 que a fluvoxamina (Luvox) tem maior probabilidade de causar prisão de ventre, enquanto a sertralina (Zoloft) tem maior probabilidade causar diarreia. Os pacientes que tomam paroxetina (Aropax) e sertralina (Zoloft) são mais propensos a se queixar de boca seca por causa dos efeitos anticolinérgicos desses medicamentos. Em alguns estudos, até 20% dos pacientes que tomavam paroxetina relataram boca seca. (Entretanto, os percentuais do quadro são bem menores porque foram deduzidos os efeitos do placebo.)

---

46. Você vai perceber que os percentuais dos pacientes que relatam indisposição estomacal no Quadro 63 são um pouco inferiores aos 20% a 30% da média. É que os percentuais do quadro representam as diferenças entre as taxas efetivas do medicamento e as taxas dos pacientes tratados com placebos.

QUADRO 63*
Efeitos colaterais dos antidepressivos ISRS

	Fluoxetina (Prozac)	Fluvoxamina (Luvox)	Paroxetina (Aropax)	Sertralina (Zoloft)	Citalopram (Cipramil)
Nº de pacientes tratados com o remédio	1.730	222	421	861	1.063
Nº de pacientes tratados com placebo	799	192	421	853	466
Sintomas gerais					
Dor de cabeça	5%	3%	0%	1%	–[a]
Tontura	4%	1%	**8%**	5%	–
Nervosismo	**10%**	8%	5%	4%	1%
Cansaço	6%	**17%**	14%	8%	8%
Dificuldade para dormir	7%	4%	7%	**8%**	1%
Fraqueza ou fadiga muscular	6%	6%	**10%**	3%	–
Tremor	6%	6%	6%	**8%**	2%
Boca, estômago e trato intestinal					
Boca seca	4%	2%	6%	**7%**	6%
Perda de apetite	7%	**9%**	5%	1%	2%
Náusea ou indisposição estomacal	11%	**26%**	16%	14%	7%
Diarreia	5%	0%	4%	**8%**	3%
Prisão de ventre	7%	**11%**	5%	2%	–
Outros					
Transpiração excessiva	5%	0%	**9%**	6%	2%
Sexuais					
Perda de interesse sexual	Não existem dados comparativos disponíveis sobre os efeitos colaterais sexuais dos ISRSs especificamente. Entretanto, parece que 30% a 40% dos pacientes tratados com ISRSs apresentam algum efeito colateral sexual.[b]				
Orgasmo tardio ou anorgasmia					

*. Este quadro foi adaptado com permissão a partir de Preskorn (ver nota 58) e da bula do citalopram. Somente os efeitos colaterais mais comuns de cada medicamento são relacionados. Os números no quadro representam o percentual de pacientes tratados com o medicamento que relataram cada efeito colateral menos o percentual de pacientes tratados com placebo que relataram o mesmo efeito. Por exemplo, se 20% dos pacientes tratados com Prozac relatassem nervosismo como efeito colateral e 10% dos pacientes tratados com placebo relatassem esse mesmo efeito, o valor de 10% apareceria neste quadro. Isso seria uma estimativa do nervosismo "real" efetivamente provocado pelo Prozac. Para cada efeito colateral, o(s) remédio(s) com os percentuais mais elevados estão indicados em negrito.
a. Um traço indica que a incidência desse efeito colateral não foi maior do que nos pacientes tratados com placebo.
b. Durante os testes iniciais do medicamentos, os pacientes não foram explicitamente questionados quanto a efeitos colaterais de ordem sexual. Consequentemente, as estimativas dos efeitos colaterais sexuais no PDR são muito baixas.

A maioria desses efeitos sobre o estômago e o trato intestinal tende a ocorrer na primeira ou segunda semana de tratamento e depois desaparecer à medida que o organismo se adapta ao remédio. Além disso, se você iniciar o ISRS com uma dose baixa e depois aumentá-la gradualmente, há uma probabilidade menor de ocorrerem esses efeitos colaterais. Tomar o remédio às refeições também pode ajudar. (Os remédios tricíclicos e tetracíclicos discutidos no capítulo anterior também podem ser tomados às refeições para minimizar qualquer efeito colateral sobre o estômago e o trato intestinal.)

Ocasionalmente, os medicamentos ISRSs podem causar dores de cabeça quando você começa a tomá-los. No Quadro 63 as maiores taxas de incidência de dor de cabeça parecem ocorrer com a fluoxetina (Prozac) e a fluvoxamina (Luvox); por sua vez, as taxas de incidência com o citalopram (Cipramil), a paroxetina (Aropax) e a sertralina (Zoloft) parecem não ser maiores do que as relatadas pelos pacientes tratados com placebos. Também houve relatos de transpiração excessiva, especialmente com a paroxetina (Aropax), mas isso geralmente não é grave. Os pacientes que tomam doses elevadas de ISRSs também podem se queixar de tremor, e esse efeito colateral parece ser comum a todos os medicamentos do tipo ISRS.

Embora relatado inicialmente como um efeito colateral "raro", hoje está claro que a demora para atingir o orgasmo é muito comum em homens e mulheres que tomam ISRSs. Alguns pacientes também se queixam de perda de interesse sexual ou incapacidade de conseguir uma ereção. Esses efeitos colaterais foram relatados em menos de 5% dos pacientes durante as pesquisas experimentais pré-comercialização. No entanto, agora que os remédios são amplamente consumidos, ficou claro que esses efeitos colaterais são bem mais comuns do que o relatado nos testes clínicos e podem ocorrer em 30% ou mais dos pacientes. Os efeitos colaterais sexuais podem ser um preço razoável a pagar caso o medicamento o ajude a superar sua depressão. Lembre-se de que a perda de interesse sexual também pode ser um sintoma da própria depressão. Além disso, provavelmente você não precisará ficar tomando o remédio por tempo indeterminado. Depois que estiver se sentindo melhor e parar de tomar o ISRS, seu desempenho sexual deve voltar ao normal.

Você deve se perguntar por que esses efeitos colaterais não foram observados nas pesquisas pré-comercialização. Na Conferência de Psicofarmacologia de Stanford em 1998, um dos palestrantes mencionou em tom de brincadeira que os laboratórios farmacêuticos parecem ter uma política do tipo "não diga nada, não faça perguntas" sobre certos tipos de efeitos adversos, entre eles os efeitos colaterais de ordem sexual. Acho que a ideia é a de que "o que você não sabe não vai lhe fazer mal". Considero essa política lamentável, pois o FDA* (e os potenciais consumidores) pode ter uma

---

*. Food and Drug Administration, órgão do governo responsável pelo controle dos medicamentos nos Estados Unidos. (N.T.)

visão demasiado otimista sobre a eficácia, o perfil de efeitos colaterais e a segurança de um novo medicamento. Depois que ele é usado em larga escala por vários anos, muitas vezes passa a ter uma imagem diferente.

Os efeitos sexuais são tão previsíveis que um desses medicamentos, a paroxetina (Aropax), é hoje reconhecido como um tratamento eficaz para homens que sofrem de ejaculação precoce (atingir o orgasmo rápido demais durante o sexo). Algumas pessoas não apresentam orgasmo tardio durante o tratamento com ISRSs. Outras apresentam mas não se incomodam, e algumas veem isso como um benefício. O importante é que, se você considera isso um problema, deve discutir o assunto com seu médico antes de interromper o medicamento por conta própria. Talvez seja possível reduzir a dose sem perda dos efeitos antidepressivos.

Vários medicamentos podem ser combinados a um ISRS para tentar combater os problemas sexuais. Quatro que se mostram promissores são a bupropiona (Wellbutrin, em doses de até 225 mg a 300 mg por dia), a buspirona (BuSpar; 15 mg a 30 mg), a ioimbina (5 mg três vezes ao dia) ou a amantadina (100 mg três vezes ao dia).

O citalopram (Cipramil), um dos ISRSs mais recentes no mercado norte-americano, pode ter menos efeitos colaterais sexuais do que os outros. Podemos ver no Quadro 63 que ele parece ter menos efeitos colaterais em geral do que os outros quatro ISRSs. Além disso, há esperança de que ele venha a ser mais eficaz para depressões graves do que os ISRSs. Será interessante ver se o citalopram (Cipramil) é mais eficaz e realmente tem menos efeitos colaterais depois que o remédio tiver sido usado em larga escala por algum tempo. Às vezes o que a propaganda promete quando os remédios são lançados não encontra respaldo na experiência clínica ou em estudos posteriores feitos por pesquisadores independentes.

Entre os ISRSs, a fluoxetina (Prozac) aparenta ser o mais ativante (estimulante), embora a fluvoxamina (Luvox) pareça ter quase a mesma probabilidade de causar esse efeito colateral. Pelo fato de ser estimulante, às vezes a fluoxetina (Prozac) é administrada pela manhã e na hora do almoço, em vez de antes de dormir. Muitas vezes, a estimulação pode ser um benefício para pacientes deprimidos que se sentem cansados, preguiçosos e desmotivados. Por outro lado, a fluoxetina (Prozac) e a fluvoxamina (Luvox) também podem causar ansiedade ou agitação em cerca de 10% a 20% dos pacientes. Esses efeitos colaterais às vezes podem ocasionar mais problemas para pacientes deprimidos que já apresentam esse tipo de sintomas.

Os efeitos estimulantes da fluoxetina (Prozac) não são necessariamente ruins, mesmo para pacientes ansiosos. A ansiedade e a depressão quase sempre caminham lado a lado até certo ponto, e muitos pacientes precisam de tratamento para os dois tipos de problema. Os pacientes com ansiedade considerável, como preocupação crônica, crises de pânico ou agorafobia, são muitas vezes os que reclamam que a fluoxetina (Prozac) faz que se sintam mais nervosos no início. Costumo dizer a esses pacientes que o nervosismo que eles sentem é uma coisa boa, pois mostra que o remédio está agindo no cérebro. Eu os incentivo a continuar tomando, pois em poucas semanas ou menos eles podem perceber uma melhora significativa da sua depressão, e também da sua ansiedade. A maioria dos pacientes ansiosos tem conseguido prosseguir com a fluoxetina (Prozac), e a melhora prevista geralmente ocorre. Isso ilustra como uma atitude positiva às vezes pode ajudar os pacientes a superarem os efeitos colaterais do remédio.

Embora alguns ISRSs possam atrapalhar o sono, nem todos eles são tão estimulantes quanto a fluoxetina (Prozac). Na verdade, a paroxetina (Aropax) e a fluvoxamina (Luvox) podem ter um efeito bastante sedativo para alguns pacientes. Em outras palavras, essas drogas tendem a deixá-lo relaxado ou cansado, em vez de estimular você do jeito que a fluoxetina (Prozac) faz. De fato, às vezes a paroxetina (Aropax) é administrada duas horas antes de deitar para que a maior sonolência ocorra no horário em que você normalmente vai dormir. A paroxetina (Aropax) e a fluvoxamina (Luvox) podem ser boas escolhas se a insônia for um aspecto importante da sua depressão. Observe, porém, que os pacientes que tomam paroxetina (Aropax) também são um pouco mais propensos a reclamar de fraqueza ou fadiga muscular. O citalopram (Cipramil) e a sertralina (Zoloft) parecem ficar no meio-termo – normalmente não causam estimulação excessiva nem sedação, sendo mais neutros nesse aspecto.

Na seção Antagonistas da serotonina (p. 477) descreverei um antidepressivo chamado trazodona (comercializado com o nome de Donarem) que tem propriedades calmantes e sedativas. A trazodona pode ser administrada em pequenas doses (50 a 100 mg antes de deitar) a pacientes que estejam tomando ISRSs. Isso apresenta três potenciais benefícios: (1) os efeitos calmantes da trazodona vão diminuir o nervosismo provocado pelos ISRSs; (2) a trazodona pode ser administrada antes de deitar para melhorar o sono; (3) a trazodona pode, às vezes, reforçar os efeitos antidepressivos dos ISRSs e aumentar as chances de recuperação.

Apesar dessas vantagens, em geral procuro tratar os pacientes com um remédio de cada vez. Isso evita qualquer efeito colateral extra e diminui a possibilidade de interações medicamentosas adversas. Pela minha experiência, o tratamento com um remédio por vez costuma ser bem-sucedido. Se você reduz a dose de qualquer ISRS, muitas vezes pode minimizar os efeitos colaterais sem ter de acrescentar outros remédios. Abordarei o problema de usar mais de um remédio ao mesmo tempo até o fim deste capítulo.

Por exemplo, se você está começando a tomar fluoxetina (Prozac) e se sente incomodado pelo nervosismo, insônia ou indisposição estomacal, pode tomar uma dose menor e aumentá-la gradualmente. Além disso, se já está tomando a fluoxetina

(Prozac) há várias semanas ou mais, há uma excelente chance de que você possa reduzir a dose, muitas vezes drasticamente. Isso deve minimizar os efeitos colaterais sem interferir nos efeitos antidepressivos desse medicamento. Como observado antes, isso ocorre porque os níveis de fluoxetina (Prozac) se acumulam depois de um período, portanto a mesma dose pode causar muito mais efeitos colaterais porque o seu nível sanguíneo tornou-se bem mais elevado. Na verdade, não há necessidade de grandes doses ou níveis sanguíneos excessivamente altos de qualquer ISRS, pois já foi comprovado que as baixas dosagens são tão eficazes quanto as altas.

INTERAÇÕES MEDICAMENTOSAS DOS ISRSs

Uma série de interações medicamentosas comuns dos ISRSs estão relacionadas no Quadro 64, p. 451-2. Você verá no quadro que muitas outras drogas psiquiátricas podem interagir com os ISRSs, entre elas antidepressivos, tranquilizantes menores e maiores e estabilizadores do humor. Interações importantes com drogas não psiquiátricas também são relacionadas. Se você está tomando um ISRS e um ou mais remédios adicionais ao mesmo tempo, seria bom consultar esse quadro. Não deixe também de perguntar ao seu médico e ao farmacêutico se há alguma interação medicamentosa da qual você deva ter conhecimento. Isso inclui os medicamentos controlados e também os que são vendidos livremente sem receita médica.

Como se pode ver, os ISRSs têm uma tendência a fazer os níveis sanguíneos dos outros antidepressivos aumentarem. É porque os ISRSs retardam o metabolismo desses outros medicamentos no fígado, como discutido no Capítulo XIX. Em alguns casos, isso pode ser perigoso. A combinação de um ISRS com um antidepressivo tricíclico, por exemplo, pode provocar arritmias cardíacas. Embora essa complicação seja rara, os efeitos sobre o coração podem ser graves. A combinação de um ISRS com a bupropiona (Wellbutrin) pode aumentar o risco de convulsões – um efeito colateral incomum, mas grave da bupropiona. Entretanto, como observado antes, muitas vezes a bupropiona é acrescentada a um ISRS em baixas dosagens para tentar minimizar os efeitos colaterais sexuais dos ISRS. Em geral, isso pode ser feito com segurança. Não deixe de informar ao seu médico se você tem algum histórico de trauma na cabeça ou convulsões, pois talvez essa combinação de medicamentos em particular não seja aconselhável para você.

Como mencionado no Capítulo XIX, a interação de um ISRS com um antidepressivo IMAO é extremamente perigosa, independentemente da dose de cada medicamento. Essa combinação deve ser evitada porque pode resultar na "síndrome serotoninérgica" descrita no Capítulo XIX, a qual é potencialmente letal. Além disso, lembre-se de que tanto os ISRSs como os IMAOs podem levar um período de tempo considerável para serem eliminados do seu organismo depois que você para de tomá-los. Se você parasse de tomar Prozac e iniciasse um IMAO várias semanas depois, isso poderia desencadear uma síndrome serotoninérgica porque o Prozac ainda estaria presente na sua corrente sanguínea. Do mesmo modo, se você fosse iniciar o Prozac até duas semanas depois de parar com um IMAO, isso também poderia desencadear uma síndrome serotoninérgica. Os efeitos dos IMAOs duram somente uma ou duas semanas, por isso você não terá de esperar tanto para passar de um IMAO a um ISRS quanto precisaria no sentido inverso.

Uma série de outras interações importantes que são relacionadas no quadro envolve remédios comuns que muitas pessoas poderiam tomar para uma gripe ou resfriado, diabetes, pressão alta, alergias e assim por diante. Por exemplo, o dextrometorfano é um antitussígeno usado em muitos remédios contra resfriado vendidos sem receita médica. Quando combinado a um ISRS, o dextrometorfano pode provocar alucinações visuais. Isso já foi relatado com a fluoxetina (Prozac), mas teoricamente poderia ocorrer com qualquer ISRS. Você também verá que dois anti-histamínicos comuns, a terfenadina (Seldane) e o astemizol (Hismanal), podem provocar arritmias cardíacas potencialmente fatais quando combinados a certos ISRSs, e um terceiro anti-histamínico chamado ciproeptadina (Periactin) pode bloquear os efeitos antidepressivos de um ISRS.

Não deixe de consultar esse quadro se estiver tomando um ISRS. Se tiver alguma dúvida, converse com seu médico e com o farmacêutico. Os ISRSs são seguros para a grande maioria das pessoas. Com um bom entrosamento entre você e o seu médico, sua experiência com um ISRS pode ser positiva.

INIBIDORES DA MAO

O QUADRO DE ANTIDEPRESSIVOS, p. 418, relaciona quatro medicamentos conhecidos como inibidores da monoaminoxidase (IMAOs). Eles incluem a isocarboxazida (Marplan), a fenelzina (Nardil), a selegilina (Jumexil) e a tranilcipromina (Parnate). Talvez você se lembre de ter lido no CAPÍTULO XVII que os IMAOs caíram relativamente em desuso quando os compostos mais modernos e seguros foram desenvolvidos. Provavelmente, eles são muito pouco utilizados, porque podem ser muito perigosos se forem misturados a uma série de alimentos (como o queijo) e remédios comuns (entre eles, vários que são vendidos sem receita médica contra resfriado, tosse e rinite alérgica) e por exigirem grande conhecimento por parte do médico que o prescreve.

QUADRO 64
Guia de interações medicamentosas dos antidepressivos ISRS[a]

Droga	Comentário
Antidepressivos	
Antidepressivos tricíclicos e tetracíclicos	os ISRSs podem fazer os níveis dos ADTs ↑; podem ocorrer arritmias cardíacas
Antidepressivos ISRS	não costumam ser combinados; pode ocorrer ↑ dos níveis sanguíneos dos ISRSs
Inibidores da monoaminoxidase (IMAOs)	síndrome serotoninérgica[b]
Antagonistas da serotonina [trazodona (Donarem) e nefazodona (Serzone)]	os níveis sanguíneos da nefazodona ou trazodona e seus metabólitos (mCPP) podem ↑ e causar ansiedade
Bupropiona (Wellbutrin)	↑ no risco de convulsões; requer cautela
Venlafaxina (Effexor)	pode provocar ↑ nos níveis de venlafaxina
Mirtazapina (Remeron)	ainda não há informações disponíveis
Anti-histamínicos	
Terfenadina (Seldane) e astemizol (Hismanal)	a fluvoxamina (Luvox) pode ↑ os níveis de terfenadina e astemizol; podem ocorrer arritmias fatais
Ciproeptadina (Periactin)	pode reverter os efeitos dos ISRSs
Remédios para diabetes	
Tolbutamida (Orinase)	a fluvoxamina (Luvox) pode ↑ os níveis de tolbutamida; pode ocorrer hipoglicemia
Insulina	a fluvoxamina (Luvox) pode causar ↓ da glicemia; pode ser necessário ajustar os níveis de insulina
Remédios para coração e pressão	
Digoxina (Lanoxin) e digitoxina (Crystodigin)	↑ nos níveis sanguíneos de digitoxina e potenciais efeitos tóxicos, incluindo confusão mental
Remédios para pressão alta	os níveis de betabloqueadores usados também para angina como o metoprolol (Lopressor) e o propranolol (Rebaten) podem ↑, levando a uma desaceleração cardíaca excessiva e alterações no ECG; os bloqueadores dos canais de cálcio como a nifedipina (Procardia) e o verapamil (Calan) também podem ↑, levando a efeitos mais fortes sobre a pressão arterial
Remédios para arritmias cardíacas	o ISRS pode ↑ o risco de arritmias cardíacas quando combinado a medicamentos para controlar o ritmo cardíaco, como a flecainida (Tambocor), a encainida, a mexiletina (Mexitil) e a propafenona (Rythmol)
Outras drogas psiquiátricas	
Benzodiazepínicos (tranquilizantes menores) como o alprazolam (Xanax), o diazepam (Valium) e outras	os níveis dos benzodiazepínicos podem ↑; sonolência excessiva ou confusão; podem ser necessárias doses menores dos benzodiazepínicos, a fluvoxamina (Luvox) tem o efeito mais forte, mas também foram relatados problemas com a fluoxetina (Prozac); o clonazepam (Klonopin) e o temazepam (Restoril) podem ser mais seguros que o alprazolam (Xanax) e o diazepam (Valium)

(cont.)

Droga	Comentário
Buspirona (BuSpar)	pode aumentar os efeitos dos ISRSs; entretanto, a fluoxetina pode reduzir a eficácia do BuSpar; alguns pacientes com transtorno obsessivo-compulsivo que receberam essa combinação apresentaram uma piora dos sintomas
Lítio	os níveis podem ↑ ou ↓; pode levar a uma intoxicação por lítio com níveis de lítio normais
L-triptofano	pode causar agitação, inquietação e indisposição estomacal, além de síndrome serotoninérgica
Tranquilizantes maiores (neurolépticos) como o haloperidol (Haldol), a perfenazina (Trilafon) e a tioridazina (Mellaril)	os níveis sanguíneos dos tranquilizantes maiores podem ↑, levando a maiores efeitos colaterais; a fluvoxamina (Luvox) pode ser o ISRS mais seguro a ser combinado com os neurolépticos; a risperidona (Risperdal) e a clozapina (Clorazil) podem bloquear os efeitos antidepressivos dos ISRSs
Metadona (Dolophine)	a fluvoxamina (Luvox) leva a um ↑ nos níveis sanguíneos
Estabilizadores do humor e anticonvulsivantes	os ISRSs, especialmente a fluvoxamina (Luvox) e a fluoxetina (Prozac), podem provocar ↑ nos níveis de carbamazepina (Tegretol) e fenitoína (Dilantin). A combinação de qualquer um desses ISRS com a fenitoína pode causar intoxicação por fenitoína
Outros medicamentos	
Álcool	maior sonolência
Cafeína (presente no café, chá, refrigerante, chocolate)	a fluvoxamina (Luvox) faz os níveis ↑; pode causar excesso de nervosismo
Cisaprida (Propulsid)	a fluvoxamina (Luvox) pode ↑ os níveis de cisaprida; podem ocorrer arritmias fatais
Ciclosporina (Sandimmune; Neoral) (imunossupressor usado em transplantes de órgãos)	os níveis de ciclosporina podem ↑
Dextrometorfano (antitussígeno presente em muitos medicamentos vendidos sem receita médica)	há relatos de alucinações com a fluoxetina (Prozac), possíveis com qualquer ISRS
Tacrina (Cognex)	a fluvoxamina (Luvox) leva a um ↑ nos níveis sanguíneos
Tabaco (cigarro)	os níveis de fluvoxamina (Luvox) podem ↓
Teofilina (Bronkaid)	a fluvoxamina (Luvox) leva a um ↑ nos níveis sanguíneos e pode produzir efeitos tóxicos, como o excesso de nervosismo
Varfarina (Coumadin) (anticoagulante)	a fluvoxamina (Luvox) pode ↑ os níveis de varfarina (Coumadin); pode ocorrer maior sangramento. O aumento do sangramento também pode ocorrer sem que haja qualquer alteração no teste de protrombina (esse teste de sangramento é usado para monitorar a dosagem da varfarina). Isso porque os ISRSs também podem prejudicar a coagulação por meio de seus efeitos sobre as plaquetas sanguíneas, enquanto a varfarina afeta as proteínas coagulantes.

a. As informações deste quadro foram obtidas a partir de várias fontes, como o *Manual of Clinical Psychopharmacology* (ver nota 24) e *Psychotropic Drugs Fast Facts* (ver nota 45). Essas excelentes obras de referência são altamente recomendadas.
b. Esta é uma síndrome perigosa e potencialmente fatal que inclui alterações bruscas nos sinais vitais (febre, oscilações na pressão arterial), transpiração, náusea, vômito, rigidez muscular, mioclonia, agitação, delírio, convulsões e coma.

Nos últimos anos, os IMAOs têm recuperado merecidamente sua popularidade por apresentarem grande eficácia em pacientes que não respondem a outros tipos de antidepressivos. Muitos desses pacientes passaram tantos anos sofrendo de depressão crônica que sua doença tornou-se um indesejável estilo de vida. Em alguns casos, os efeitos benéficos dos IMAOs podem ser impressionantes.

Os IMAOs também podem ser particularmente eficazes numa "depressão atípica" caracterizada pelos seguintes tipos de sintomas:
- alimentação excessiva (em oposição à perda de apetite da depressão clássica);
- fadiga e excesso de sono (em vez de dificuldades para dormir);
- irritabilidade ou hostilidade (além da depressão);
- extrema sensibilidade à rejeição.

Os pacientes com essa forma de depressão às vezes também ressaltam sensações crônicas de fadiga, além de "paralisia de chumbo" (sensação de peso nos membros). Não está claro se isso representa realmente um subtipo de depressão ou apenas um determinado grupo de sintomas que qualquer indivíduo deprimido pode apresentar.

Mesmo assim, estudos conduzidos na Universidade de Colúmbia sugerem que os IMAOs possam realmente ser melhores que os antidepressivos cíclicos para pacientes com esses tipos de sintomas. Os IMAOs também podem ser extremamente eficazes quando a depressão é acompanhada por um alto nível de ansiedade, incluindo fobias (como a fobia social), crises de pânico ou queixas hipocondríacas. Os pacientes com pensamentos obsessivos recorrentes e rituais compulsivos sem sentido (como lavar as mãos repetidamente ou conferir várias vezes se as portas estão trancadas) também podem encontrar alívio no tratamento com IMAOs.

Os IMAOs também podem ser úteis quando a depressão é acompanhada de raiva crônica ou comportamento impulsivo autodestrutivo. Os pacientes com essas características às vezes são diagnosticados como tendo "transtorno de personalidade *borderline*". Embora esses indivíduos possam ser bem difíceis de tratar, já vi muitos melhorarem drasticamente com o uso de IMAOs. Claro, todos os pacientes que tomam IMAOs devem concordar em seguir religiosamente as restrições alimentares e as recomendações do medicamento. Se um paciente for pouco confiável ou não concordar com isso, é preciso usar outros tipos de medicamento.

O mecanismo de ação dos IMAOs é diferente em relação ao dos outros antidepressivos. Você aprendeu no Capítulo XVII que a maioria dos antidepressivos age bloqueando as bombas dos neurotransmissores nas terminações neuronais. Consequentemente, os níveis dos transmissores químicos como a serotonina, a norepinefrina ou a dopamina acumulam-se nas regiões sinápticas. Por sua vez, os IMAOs parecem agir impedindo a quebra dos mensageiros químicos no interior dos neurônios. Por conseguinte, os níveis de serotonina, norepinefrina e dopamina acumulam-se dentro dos terminais neuronais, e esses mensageiros são liberados nas sinapses em concentrações bem mais elevadas quando os neurônios disparam. Isso provoca uma estimulação maior dos neurônios do outro lado das junções sinápticas.

Os IMAOs exigem uma conduta terapêutica cuidadosa e um estreito relacionamento com seu médico. O esforço vale a pena, pois às vezes eles podem levar a profundas transformações no humor, até mesmo quando outros remédios já se mostraram ineficazes. Como podem provocar aumento da pressão arterial, geralmente não são recomendados a pessoas com mais de 60 anos ou com problemas cardíacos. Além disso, não costumam ser prescritos para pessoas com distúrbios cerebrovasculares significativos, como derrames ou aneurismas, ou aquelas com tumores cerebrais. Porém, paradoxalmente, podem ser usados às vezes em pessoas com pressão alta, pois costumam fazer a pressão baixar.[47] Seria necessário fazer uma consulta a um cardiologista para ter certeza de que não existem interações medicamentosas com seus outros remédios para a pressão.

Como outros antidepressivos, os IMAOs costumam precisar de pelo menos duas ou três semanas para fazer efeito. Seu médico provavelmente vai querer uma avaliação médica antes de iniciar seu tratamento com esse tipo de remédio. Essa avaliação pode incluir um exame clínico, uma radiografia do tórax, um eletrocardiograma, um hemograma, análises do sangue e da urina.

DOSAGEM DOS IMAOs

A dosagem dos IMAOs é mostrada no Quadro 59, p. 422. Os dois medicamentos mais prescritos para depressão e ansiedade são a tranilcipromina (Parnate) e a fenelzina (Nardil). Um dos IMAOs, a isocarboxazida (Marplan), não está mais disponível nos Estados Unidos, mas pode ser encontrada em alguns outros países, entre eles o Canadá. Além desses, a selegilina (Jumexil) raramente é usada para depressão, mas costuma ser usada em pequenas doses (5 mg a 10 mg por dia) no tratamento do mal de Parkinson. Ela está apenas começando a ser usada para depressão e alguns outros distúrbios psiquiátricos, porém em doses maiores do que as indicadas para o mal de Parkinson, como mostrado no Quadro 59. Embora o FDA ainda não tenha aprovado o uso da selegilina para distúrbios psiquiátricos, estudos recentes indicam que ela também pode ser eficaz para pacientes com depressão atípica, bem como para aqueles com depressão crônica grave.

---

47. Você irá descobrir a seguir que os IMAOs podem causar perigosas elevações da pressão arterial, mas somente se você ingerir um dos alimentos ou medicamentos proibidos. Normalmente, os IMAOs podem provocar uma leve queda na pressão arterial.

Um erro comum ao prescrever os IMAOs é administrar logo uma dose grande demais. Por exemplo, você verá no Quadro 59, p. 422, que a faixa de dosagem usual da tranilcipromina (Parnate) é de 10 mg a 50 mg por dia. Alguns médicos prescrevem doses maiores, mas já vi muitos pacientes responderem a apenas um ou dois comprimidos diários. Como os IMAOs podem ter alguns efeitos colaterais tóxicos, acredito que seja aconselhável começar com doses baixas e ir aumentando bem devagar, sem exagerar. Em geral, inicio o tratamento com apenas um comprimido por dia de um IMAO na primeira semana, depois aumento para dois comprimidos diários. Se o paciente não responder a uma dose razoável, digamos três ou quatro comprimidos por dia de tranilcipromina ou fenelzina, não costumo aumentar mais a dose, mas sim tentar um medicamento alternativo juntamente a uma estratégia psicoterapêutica diferente.

Quando tempo você deve continuar a tomar um IMAO se ele não parecer estar fazendo efeito? Parece óbvio para mim que, se você não obteve uma resposta drástica após três ou quatro semanas, como confirmado pela sua pontuação semanal no teste de humor do Capítulo II, provavelmente já deu ao medicamento uma chance razoável. Talvez responda melhor a um outro tipo de medicamento ou às técnicas de terapia cognitiva descritas neste livro.

Quando tempo você deve ficar tomando um IMAO se a sua resposta for favorável? Como no caso de qualquer outro medicamento, você terá de discutir isso com seu médico, e muitas abordagens diferentes estão em voga atualmente. Alguns médicos acreditam que os pacientes precisam tomar antidepressivos indefinidamente para corrigir um "desequilíbrio químico", mas em geral não tenho considerado necessário manter o uso de IMAOs ou outros antidepressivos por tempo indeterminado. Descobri que os pacientes quase sempre fazem bem em interromper seus IMAOs após um tempo razoável em que se sentem melhor. Às vezes isso pode levar apenas três meses, às vezes de seis a doze meses.

Como ocorre com a maioria dos antidepressivos, você deve parar com o IMAO aos poucos para não sofrer os efeitos causados pela abstinência. Parar rápido demais já provocou reações maníacas súbitas em alguns pacientes. A interrupção brusca da selegilina pode causar náusea, tontura e alucinações, portanto é preciso ter muita cautela e parar aos poucos.

E se você interromper o IMAO e ficar deprimido outra vez? Se você respondeu a um IMAO no passado, pode ter uma resposta mais rápida se tomar o mesmo IMAO novamente no futuro. Na minha clínica, já vi muitos pacientes que tiveram uma resposta positiva a um IMAO (geralmente o Parnate) e continuaram livres da depressão por muitos anos depois que pararam de tomar o medicamento. Alguns deles acabaram ficando deprimidos novamente e voltaram para uma "revisão". Eu sempre oferecia a eles os primeiros horários disponíveis. Se parecessem muito deprimidos, eu dizia para iniciarem a medicação outra vez. Falava também para iniciarem mais uma vez a fazer a lição de casa da psicoterapia, especialmente o exercício de anotar e contestar seus pensamentos negativos. Quando via-os alguns dias depois, muitos deles já estavam se sentindo melhor. Alguns me diziam que começavam a melhorar em um dia ou menos ao tomar o IMAO pela segunda vez. Acredito que o medicamento e também a terapia cognitiva contribuíram para essa rápida melhora.

Não tenho visto essa resposta rápida com outros tipos de antidepressivos e não sei por que isso acontece às vezes com os IMAOs. Vários pacientes explicaram que seu corpo parecia "reconhecer" os efeitos do IMAO na mesma hora, especialmente a estimulação agradável provocada pela tranilcipromina (Parnate). Isso ajudou-os a se "lembrar" como era não se sentir deprimido. Em alguns casos, a melhora do humor ocorreu uma ou duas horas depois de tomar os primeiros comprimidos. Na maioria dos casos, uma ou duas sessões de terapia cognitiva pareciam reverter a recaída da depressão.

EFEITOS COLATERAIS DOS IMAOs

Os efeitos colaterais mais frequentes estão relacionados no QUADRO 65, p. 459. Como observado antes, a tranilcipromina (Parnate) tende a ser estimulante. Os efeitos estimulantes da tranilcipromina (Parnate) podem ser especialmente úteis para pessoas deprimidas que se sentem cansadas, letárgicas e desmotivadas. A tranilcipromina (Parnate) pode lhes proporcionar um pouco da "energia" de que tanto necessitam. Como a tranilcipromina tende a ser estimulante, ela também pode provocar insônia. Para minimizar a insônia, pode-se tomar a dose inteira uma vez ao dia pela manhã ou em doses divididas pela manhã e na hora do almoço. O último horário recomendado para tomar a tranilcipromina (Parnate) é às seis horas da tarde. A fenelzina (Nardil) é menos estimulante que a tranilcipromina (Parnate) e pode ser uma opção atraente para pacientes que se sentem muito estimulados pela tranilcipromina (Parnate).

Os outros efeitos colaterais dos IMAOs são semelhantes aos dos remédios tricíclicos e tetracíclicos descritos anteriormente, mas em geral são leves, especialmente quando os IMAOs são tomados em pequenas doses. Como se pode ver no QUADRO 65, os IMAOs não têm efeitos colaterais fortes sobre os receptores muscarínicos (você deve lembrar que eles também são chamados de receptores colinérgicos). Consequentemente, não são propensos a causar boca seca, visão turva, prisão de ventre ou dificuldade para urinar. O ganho de peso também não parece ser um grande problema com esses medicamentos, embora alguns pacientes sintam mais apetite. O ganho de peso parece ser menos problemático com a tranilcipromina (Parnate) do que com a fenelzina (Nardil). Como a tranilcipromina é estimulante, na verdade pode reduzir o seu apetite, como fazem alguns ISRSs como a fluoxetina (Prozac).

Alguns pacientes sentem tontura ao se levantar de repente porque esses medicamentos têm efeitos relativamente fortes sobre os receptores alfa-adrenérgicos. No caso desse sintoma, as intervenções descritas anteriormente podem ajudar. Elas incluem: (1) perguntar ao seu médico se você pode reduzir a dose – muitas vezes ainda é possível manter o efeito antidepressivo; (2) levantar-se mais devagar e exercitar as pernas assim que ficar em pé, como se estivesse andando sem sair do lugar; (3) usar meias elásticas; (4) beber bastante líquido e comer alimentos com sal em quantidade suficiente para manter o equilíbrio de eletrólitos no seu organismo.

Como a maioria dos antidepressivos, os IMAOs podem causar erupções de pele, embora eu não me lembre de ter visto isso alguma vez. Eles também podem soltar ou prender o intestino. Alguns pacientes relatam indisposição estomacal. Tomar o medicamento às refeições pode aliviar isso. Alguns pacientes relatam espasmos musculares, mas isso não costuma ser perigoso. Se você sentir dores musculares, cãibras ou formigamento nos dedos – efeitos colaterais que nunca observei –, uma dose diária de 50 mg a 100 mg de vitamina B_6 (piridoxina) pode ajudar. Isso porque os medicamentos IMAOs podem interferir no metabolismo da piridoxina, então um suplemento de piridoxina pode compensar esse efeito. Alguns médicos recomendam tomar vitamina B_6 regularmente se estiver usando um IMAO.

Às vezes os IMAOs podem interferir na função sexual, especialmente em doses elevadas. Alguns pacientes apresentam menor interesse sexual e dificuldade de manter uma ereção ou atingir o orgasmo. Nesse aspecto, os IMAOs são muito parecidos com os ISRSs descritos anteriormente. Os efeitos colaterais de ordem sexual podem resultar de seus efeitos sobre os receptores cerebrais de serotonina, mas não se tem certeza disso. Embora os efeitos colaterais sexuais possam ser perturbadores, as dificuldades podem valer a pena se a medicação estiver tendo um efeito benéfico sobre o seu humor. Lembre-se de que os efeitos colaterais sexuais estão relacionados à dose e costumam desaparecer totalmente quando você para de tomar o IMAO.

Um rapaz que tratei achou esses efeitos colaterais sexuais úteis. Ele relatou que sempre havia tido problemas de ejaculação precoce. Depois que começou a tomar tranilcipromina (Parnate), o problema desapareceu. Na verdade, ele declarou que podia fazer amor por períodos prolongados sem o menor risco de ter um orgasmo precoce. Disse que sua namorada considerava isso um grande milagre e me aconselhou a comprar ações da empresa que fabricava o remédio!

Um efeito colateral agradável dos IMAOs é uma reação excessivamente positiva ao medicamento. Em outras palavras, um grande número de pacientes não apenas supera sua depressão, como passa a se sentir eufórico ou "nas nuvens". Isso não é necessariamente ruim, mas em alguns casos pode se tornar tão extremo que os pacientes apresentam leves sintomas de mania. Nos raros pacientes com histórico de doença maníaco-depressiva bipolar (pacientes com episódios anteriores de extremos altos e baixos que não foram causados por drogas nem por álcool), existe a possibilidade de que um IMAO possa desencadear um verdadeiro episódio maníaco. Na verdade, isso se aplica à maioria dos antidepressivos, e não apenas aos IMAOs.

Se você começar a se sentir excepcionalmente feliz, seria bom manter contato com o médico que prescreveu o remédio para garantir que essa sensação não fuja do controle. Pela minha experiência, isso não costuma ser um problema grave – a sensação de euforia proporciona um alívio providencial da depressão e tende a diminuir em cerca de uma semana. Esse sintoma também responde a uma redução na dose.

O dr. Alan F. Schatzberg e seus colegas[48] ressaltaram que alguns pacientes podem parecer bêbados ou intoxicados quando tomam IMAOs. Podem também sentir-se confusos e ter problemas de coordenação. Essas reações adversas são mais prováveis quando as doses são elevadas a níveis muito altos. Obviamente, a dose deve ser reduzida de imediato se surgirem esses efeitos tóxicos. Pessoalmente, nunca vi esses efeitos porque nunca administrei IMAOs em doses tão elevadas.

Dois medicamentos IMAO, a fenelzina (Nardil) e a isocarboxazida (Marplan) podem ter efeitos negativos sobre o fígado. Portanto, talvez o seu médico queira fazer um exame de sangue para monitorar os níveis de certas enzimas que refletem a função hepática antes de iniciar esses medicamentos, e repeti-lo a cada poucos meses enquanto estiver tomando-os. Os pacientes com problemas de fígado ou exames de função hepática alterados geralmente são aconselhados a não tomar nenhum dos IMAOs, incluindo a tranilcipromina (Parnate).

O dr. Alan F. Schatzberg e seus colegas[49] ressaltaram que a selegilina (Jumexil) pode ter menos efeitos colaterais que os outros medicamentos IMAO, ao menos em baixas dosagens. Em doses baixas, a selegilina parece ter menos probabilidade de causar tontura ao se levantar, problemas sexuais ou dificuldade para dormir. Entretanto, a selegilina é bem mais cara do que os outros IMAOs, e na maioria dos casos os outros IMAOs cumprirão seu papel com a mesma eficácia. Além disso, os efeitos colaterais de todos antidepressivos IMAOs tendem a ser mínimos em doses

---

48. Ver nota 24.

49. Ver nota 24.

QUADRO 65*
Efeitos colaterais dos inibidores da monoaminoxidase[a]

Efeito colateral Receptor cerebral	Sedação e ganho de peso[c] Receptores de histamina (h_1)	Tontura e vertigem Receptores alfa-adrenérgicos (α_1)	Visão turva, prisão de ventre, boca seca, taquicardia, retenção urinária Receptores Muscarínicos (m_1)	Efeitos colaterais comuns ou importantes[b]
Isocarboxazida (Marplan)**	+	+ + +	0 a +	dor de cabeça; alterações no ritmo e na frequência cardíaca; hiperatividade ou mania; tremor; agitação; confusão; problemas de memória; insônia; edema; fraqueza; sudorese; indisposição estomacal; orgasmo tardio
Fenelzina (Nardil)**	+	+ + +	0 a +	tontura; dor de cabeça; fadiga; dificuldade para dormir; fraqueza; tremor; contrações; boca seca; indisposição estomacal; prisão de ventre; ganho de peso; orgasmo tardio; agitação; euforia; dificuldade para urinar; inchaço; sudorese; erupções
Selegilina (Jumexil)	0	+	+	(pouca informação disponível)[c]; náusea; perda de peso; orgasmo tardio; confusão; boca seca; tontura; outros possíveis efeitos colaterais
Tranilcipromina (Parnate)	0 a +	+ + +	0 a +	hiperestimulação; sensação de euforia ou mania; inquietação; ansiedade; dificuldade para dormir; cansaço ou fraqueza; contrações; tremor; espasmos musculares; indisposição estomacal; perda de apetite; prisão de ventre; diarreia; dor de cabeça; orgasmo tardio; dormência ou formigamento; inchaço; taquicardia; visão turva

*. Esta lista não é genérica. Em geral, são relacionados os efeitos colaterais que ocorrem em 5% a 10% dos pacientes ou mais, além de efeitos colaterais raros, mas perigosos.
**. Produtos não comercializados no Brasil. (N.R.T.)
a. A classificação de + a + + + neste quadro refere-se à probabilidade de um determinado efeito colateral ocorrer. A intensidade real do efeito variará de uma pessoa para outra e dependerá também do tamanho da dose. Muitas vezes, reduzir a dose pode diminuir os efeitos colaterais sem comprometer a eficácia.
b. Muitos efeitos colaterais dos IMAOs frequentemente podem ser minimizados ou eliminados reduzindo-se a dose. Em geral, eles têm pouquíssimos efeitos colaterais e podem ser bastante eficazes em pequenas doses.
c. Isso se deve ao fato de que esse medicamento costuma ser prescrito para pacientes com doença de Parkinson que tomam muitos outros remédios, e também apresentam muitos sintomas devidos à sua doença. Portanto, é difícil determinar com que frequência a selegilina provocaria efeitos colaterais em pessoas com depressão. Em doses mais elevadas, os efeitos colaterais da selegilina provavelmente são muito semelhantes aos dos outros IMAOs.

reduzidas. Na minha experiência, muitos pacientes apresentaram uma resposta favorável com doses baixas dos IMAOs, portanto a selegilina pode não ter nenhuma vantagem significativa sobre os dois medicamentos mais antigos e baratos.

Como você descobrirá a seguir, todos os IMAOs podem causar perigosas elevações da pressão arterial quando os pacientes ingerem os alimentos proibidos. A selegilina é menos propensa a ter esse efeito, mas somente se for tomada em pequenas doses (10 mg por dia ou menos). Muitas vezes são necessárias doses maiores de selegilina para problemas psiquiátricos. Nessas dosagens elevadas é preciso observar as mesmas precauções alimentares que você teria com qualquer outro IMAO. Isso é uma pena, pois no início esperava-se que os pacientes com depressão pudessem tomar selegilina sem precisar restringir tão rigorosamente a sua alimentação.

CRISES HIPERTENSIVAS E HIPERPIRÉTICAS

Em casos raros, os IMAOs podem provocar dois tipos de reações tóxicas graves se não forem usados adequadamente. É por isso que tantos médicos evitam usá-los. Com uma boa orientação e medicação preventiva, os IMAOs podem ser administrados com segurança, mas você precisará ler cuidadosamente este capítulo se estiver tomando um IMAO.

Uma das reações perigosas é chamada de "crise hipertensiva". "Hiper" significa alta e "tensiva" se refere à pressão arterial, portanto uma crise hipertensiva é um aumento repentino da sua pressão arterial. Aumentos da pressão não costumam ser perigosos e podem ocorrer em muitas situações normais, mesmo que você não esteja tomando remédios. Quando você levanta peso, por exemplo, sua pressão arterial pode facilmente chegar à faixa dos 180/100 ou mais no momento em que está se esticando e fazendo o máximo de esforço para levantar a barra. Nosso organismo está acostumado a essas elevações temporárias na pressão arterial. No entanto, se você estivesse tomando um IMAO e comesse um dos alimentos proibidos, sua pressão poderia aumentar a um nível perigoso e continuar elevada por uma hora ou mais. Se você continuasse a comer os alimentos proibidos que interagem com os IMAOs, mais cedo ou mais tarde um vaso do seu cérebro poderia romper-se por causa da tensão mecânica. Isso provocaria um derrame, certamente um preço muito alto a ser pago por tomar um antidepressivo.

Os sintomas iniciais de um vaso rompido ou danificado no interior do seu cérebro podem incluir uma dor de cabeça insuportável, rigidez na nuca, náusea, vômito e transpiração. Se o sangramento persistir, podem ocorrer paralisia, coma e morte. Por causa do risco de reações hipertensivas, seu médico irá verificar a sua pressão arterial a cada sessão. O risco de um derrame é maior em pessoas com mais de 60 anos porque as nossas artérias tornam-se menos resistentes com a idade e mais propensas a se rasgar ou romper quando submetidas à tensão de um aumento repentino na pressão arterial. Seja qual for a sua idade, você precisará monitorar a sua pressão arterial e controlar cuidadosamente a sua alimentação ao tomar um IMAO.

Essas crises hipertensivas são às vezes chamadas de "crises noradrenérgicas", pois acredita-se que sejam devidas a uma liberação excessiva de norepinefrina. A norepinefrina é uma substância transmissora usada pelos neurônios do seu cérebro e do restante do seu corpo. As crises hipertensivas normalmente ocorrem se você come certos alimentos proibidos contendo uma substância chamada tiramina ou se toma um dos medicamentos proibidos que descreverei em detalhes a seguir. Se você tomar cuidado, o risco de uma crise hipertensiva grave é muito pequeno.

A outra reação perigosa a um IMAO é chamada de "crise hiperpirética". "Pirética" se refere a fogo, ou febre. O paciente com uma crise hiperpirética pode apresentar febre alta junto a uma série de sintomas alarmantes que podem incluir sensibilidade à luz, alterações bruscas na pressão arterial, respiração acelerada, transpiração, náusea, vômito, rigidez muscular, espasmos e contrações, confusão, agitação, delírio, convulsões, choque, coma e morte. Uma crise hiperpirética às vezes também é chamada de "síndrome serotoninérgica", porque se deve a um aumento perigoso e fora do normal do nível de serotonina no cérebro. Uma crise hiperpirética ocorre quando o paciente toma certos medicamentos proibidos que não podem ser combinados aos IMAOs. Esses remédios provocam um aumento do nível de serotonina no cérebro. Obviamente, uma crise hiperpirética exige a interrupção imediata do IMAO e tratamento médico de emergência. Isso pode incluir o uso de fluidos intravenosos e tratamento com um antagonista da serotonina, a ciproeptadina (Periactin), a uma dosagem de 4 mg a 12 mg.

Várias décadas atrás, quando surgiram os IMAOs, os médicos não estavam tão cientes das elevações na pressão arterial resultantes da ingestão de alimentos contendo tiramina ou dos tipos de remédio descritos a seguir, e portanto essas reações hipertensivas eram mais graves e comuns. Hoje médicos e pacientes estão bem mais cientes dos problema, e os riscos são bem menores. Na verdade, reações hipertensivas e hiperpiréticas extremas são bastante raras. Pessoalmente, tenho conhecimento de apenas um paciente, tratado por um colega de Boston, que apresentou um derrame devido a uma crise hipertensiva (síndrome noradrenérgica) enquanto tomava um IMAO. Já tive cerca de meia dúzia de pacientes ao longo desses anos que me contataram por causa de uma elevação repentina da pressão arterial. Eu disse a cada um deles para ir até um pronto-socorro local para observação. Em todos os casos, a pressão diminuiu rapidamente sem qualquer tratamento além da observação. Nenhum desses pacientes apresentou qualquer efeito adverso. Nunca vi um paciente que desenvolvesse uma crise hiperpirética (síndrome serotoninérgica) durante o uso de um IMAO.

É que sabemos bastante sobre o que causa esses dois tipos de reação e como elas podem ser evitadas. Se você estiver tomando um IMAO, precisará se informar lendo cuidadosamente os trechos a seguir. Terá de evitar tomar certos tipos de remédio e usar um pouco de autodisciplina na sua alimentação para se manter seguro. Você vai descobrir que vale a pena fazer esse esforço extra para se proteger.

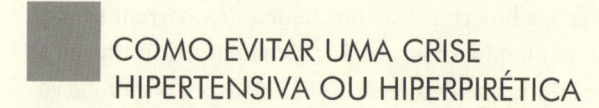

COMO EVITAR UMA CRISE HIPERTENSIVA OU HIPERPIRÉTICA

Existem dois pontos importantes para prevenir uma crise hipertensiva ou hiperpirética se você estiver tomando um IMAO. Em primeiro lugar, é preciso obter um aparelho de medição da pressão para monitorá-la atentamente. Em segundo lugar, deve evitar cuidadosamente certos alimentos ou medicamentos (incluindo algumas drogas ilícitas) que irão desencadear essas reações de forma previsível. Descreverei esses alimentos e remédios proibidos em detalhes a seguir. Você verá que as substâncias que podem desencadear uma crise hipertensiva são um pouco diferentes daquelas que podem provocar uma crise hiperpirética.

Você pode obter um medidor de pressão na farmácia mais próxima para poder verificar a sua pressão arterial sempre que quiser. Acostume-se a usar o aparelho. Embora possa parecer meio confuso e desajeitado no início, você vai achar muito fácil medir sua pressão depois que praticar algumas vezes. Na minha clínica, exijo que todos os pacientes que tomam um IMAO façam isso. Na rara situação em que um paciente não quis se dar ao trabalho de obter um medidor de pressão e aprender a usá-lo, eu me recusei a prescrever um IMAO.

No começo, você pode verificar sua pressão uma vez, ou até duas vezes por dia, se estiver disposto. Depois que estiver tomando o IMAO há duas semanas, não precisará medir sua pressão com tanta frequência. Em geral, uma vez por semana será suficiente. Você pode verificar sua pressão se esquecer e comer um dos alimentos proibidos. Também pode conferi-la caso sinta tontura ou enjoo, ou se tiver uma dor de cabeça muito forte. Todo mundo tem dor de cabeça de vez em quando, e elas quase nunca são sinais de um derrame. Porém, se você tiver um medidor de pressão, pode verificar sua pressão arterial e ter certeza de que não está perigosamente alta.

Se a sua pressão ficar alta demais, você deve ligar para o seu médico ou ir para um pronto-socorro. Quanto é alta demais? A pressão arterial é composta de dois números. O número maior é chamado de pressão "sistólica" e o menor é chamado de pressão "diastólica". Um valor de 12 por 8, por exemplo, seria considerado normal para a maior parte das pessoas. A maioria dos médicos que trabalham em prontos-socorros não ficariam muito preocupados enquanto esses números não atingissem a faixa dos 19 a 20 por 10,5 a 11. A essa altura, eles poderiam observá-lo atentamente e monitorar sua pressão arterial a cada poucos minutos. Na maior parte das vezes, a pressão elevada irá diminuir sem tratamento. Se a sua pressão continuar aumentando, o médico do PS pode administrar um antídoto (como a fentolamina ou a prazosina) para baixar sua pressão novamente até uma faixa segura.

O melhor momento para medir a pressão é cerca de uma hora ou uma hora e meia depois que você tomou o remédio. Aproximadamente 25% dos meus pacientes observaram sutis elevações de pressão arterial nesse momento, mesmo sem ter ingerido nenhum dos alimentos proibidos do Quadro 66, a seguir, ou tomado os remédios do Quadro 67, p. 467-70. Em geral, esses aumentos não eram extremos nem perigosos – uma elevação de 2 ou 3 pontos na pressão sistólica era comum. Mesmo assim, nesses casos, recomendei que parassem com o medicamento porque esses pacientes pareciam muito sensíveis aos efeitos do IMAO sobre a sua pressão arterial. O risco e a preocupação não pareciam valer a pena, especialmente ao se considerar que um outro antidepressivo poderia ser igualmente eficaz.

ALIMENTOS A SEREM EVITADOS

As crises hipertensivas podem ocorrer se você comer alimentos (ver Quadro 66) que contenham uma substância conhecida como tiramina. Se estiver tomando um IMAO, o excesso de tiramina pode interferir na capacidade do seu cérebro de regular sua pressão arterial. A tiramina faz os neurônios liberarem mais norepinefrina nas regiões sinápticas que os separam dos neurônios pós-sinápticos. Esses neurônios pós-sinápticos podem ficar excessivamente estimulados quando há uma liberação muito grande de norepinefrina. Como esses neurônios ajudam a regular a pressão arterial, toda essa norepinefrina liberada a mais pode causar um aumento brusco e perigoso da pressão arterial.

Você leu no Capítulo XVII que uma enzima chamada monoaminoxidase (MAO) é encontrada no interior dos neurônios pré-sinápticos. Em geral, essa enzima destrói qualquer excesso de norepinefrina que se acumule dentro desses neurônios e impede que eles liberem uma quantidade muito grande de norepinefrina ao dispararem. Mas os medicamentos IMAO bloqueiam essa enzima, então os níveis de norepinefrina dentro desses neurônios aumenta consideravelmente. Quando você come alimentos contendo tiramina, toda essa norepinefrina adicional vai para a região sináptica, provocando uma intensa estimulação dos neurônios que regulam sua pressão arterial.

QUADRO 66
Alimentos e bebidas a serem evitados se você estiver tomando um inibidor da monoaminoxidase (IMAO)[a]

Alimentos a serem totalmente evitados
Queijo, principalmente os fortes ou curados (o fresco e o cremoso são permitidos)
Cerveja, principalmente o chope, as cervejas artesanais e as *strong ales* (mais fortes, com alto teor alcoólico)
Vinho tinto, especialmente o Chianti
Comprimidos de levedo de cerveja ou extratos de levedura (pães e outras formas de levedura cozidas são seguros. Os extratos de levedura encontrados em lojas de produtos naturais são perigosos. Tais extratos também podem ser encontrados em certas sopas. Alguns suplementos de proteína em pó contêm extratos de levedura.)
Vagem de fava, também chamada de feijão-fava (as vagens comuns são seguras)
Carne ou peixe defumados, secos, fermentados, sem refrigeração ou deteriorados, incluindo: • embutidos fermentados ou secos ao sol, como salame e mortadela (alguns especialistas afirmam que certos tipos de embutidos e carnes salgadas são seguros)* • arenque salgado ou em conserva • fígado (bovino ou de galinha), especialmente se não estiver fresco (o fígado de galinha fresco é seguro)
Banana ou abacate muito maduros (a maioria das frutas é totalmente segura)
Chucrute (repolho em conserva)
Algumas sopas, como as feitas com caldo de carne concentrado ou caldos orientais (ex.: sopa de missô, ou missoshiro). (As sopas em lata ou em pacote são consideradas seguras, a menos que sejam feitas com caldo ou extrato de carne.)
Alimentos ou bebidas que podem causar problemas em grandes quantidades
Vinho branco ou bebidas alcoólicas transparentes, como vodca ou gim
Creme de leite azedo (*sour cream*)
Iogurte: deve ser pasteurizado e fresco (menos de cinco dias) para ser seguro
Molho de soja (*shoyu*)
Aspartame (um adoçante artificial)
Chocolate
Bebidas que contêm cafeína (café, chá e refrigerantes) ou chocolate
Alimentos ou bebidas que já foram considerados perigosos e provavelmente são seguros em pequenas quantidades
Figo (evite os figos muito maduros)
Amaciantes de carne
Caviar, caracol (escargô), peixe enlatado, patês
Uvas-passas

*. Ver nota 45.
a. Adaptado a partir de McCABE, B.; TSUANG, M. T. Dietary Considerations in MAO Inhibitor Regimens. *Journal of Clinical Psychiatry*, 43, p. 178-81, 1982.

Se você controlar cuidadosamente a sua alimentação, é bem provável que não tenha nenhuma elevação indesejada na pressão arterial. O gatilho mais comum é o queijo, especialmente os fortes. Você terá de abrir mão da pizza e dos sanduíches de queijo quente por algum tempo, se estiver tomando um IMAO.

A maioria dos alimentos proibidos contém substâncias resultantes da decomposição de proteínas – como a tiramina. Assim, por exemplo, um frango que acabou de ser preparado é perfeitamente seguro, mas as sobras do frango de dois dias atrás podem ser perigosas porque a tiramina se forma quando a carne se decompõe. Um dos meus pacientes tratados com tranilcipromina (Parnate) comeu sobras de frango que haviam passado vários dias na geladeira. Logo depois de comer, ele teve uma elevação significativa na pressão arterial. É que o frango já estava entrando em decomposição devido à ação das bactérias. Felizmente, ele não sofreu nenhum dano, mas essa experiência serviu de alerta para tomar mais cuidado. As carnes fermentadas ou parcialmente decompostas mencionadas no QUADRO 66, como embutidos ou peixe defumado, assim como os queijos fortes, podem conter uma grande quantidade de tiramina e ser especialmente perigosas. Alguns especialistas também advertem contra o consumo de comida chinesa ao tomar IMAOs. Pode ser por causa do molho de soja, do glutamato monossódico ou de outros ingredientes.

Qual é a quantidade de tiramina necessária para provocar uma reação hipertensiva? Isso varia um pouco de pessoa para pessoa. Em média, 10 mg de tiramina, no mínimo, em um alimento serão o bastante para causar uma crise hipertensiva se você estiver tomando fenelzina (Nardil). Até 5 mg de tiramina podem ser suficientes se estiver tomando tranilcipromina (Parnate). Que alimentos contêm essa quantidade de tiramina? Bem, a maioria das cervejas contém menos de 1,5 mg de tiramina, e muitas contêm menos de 1 mg, portanto você teria de tomar várias cervejas para correr um risco significativo. Entretanto, algumas cervejas mais fortes do tipo *ale* contêm 3 mg de tiramina por porção, e alguns chopes também podem ser particularmente arriscados. Por exemplo, uma porção de cerveja Kronenbourg, Rotterdam's Lager, Rotterdam's Pilsner ou Upper Canada Lager contém entre 9 e 38 mg de tiamina[50]. Portanto, até mesmo um copo dessas cervejas poderia ser perigoso.

Os queijos também podem variar bastante. O queijo americano processado tradicional contém apenas cerca de 1 mg de tiramina por porção, mas o Liederkranz, o cheddar nova-iorquino, o inglês Stilton, o queijo suíço, o Camembert, o queijo branco curado e os queijos azuis como o gorgonzola contêm mais de 10 mg numa única porção[51].

Suponhamos que você coma sem querer um dos alimentos proibidos, depois verifique sua pressão e descubra que ela não está subindo. O que isso significa? A sensibilidade de cada um aos efeitos dos alimentos proibidos varia muito. Talvez você seja uma daquelas pessoas com uma probabilidade bem menor de ter como reação um aumento da pressão arterial. Entretanto, não deve relaxar, porque essas reações hipertensivas são imprevisíveis. Se você trapacear e comer os alimentos proibidos de vez em quando, será como brincar de roleta-russa. Pode sair impune por algum

---

50. Ver nota 45.
51. Ver nota 45.

tempo e depois acabar descobrindo que exagerou. Por exemplo, você pode comer um pedaço de pizza em nove ocasiões diferentes sem ter nenhum aumento de pressão, e concluir que é seguro comer pizza. Mas isso pode ser uma grande ilusão, se na décima vez em que comer um pedaço de pizza você tiver um aumento brusco e acentuado da pressão arterial. Não se sabe por que isso acontece, mas isso mostra a importância de manter uma autodisciplina constante se estiver tomando um IMAO.

MEDICAMENTOS E OUTRAS DROGAS A SEREM EVITADAS

Uma série de medicamentos controlados, remédios vendidos sem receita médica e drogas ilícitas que podem causar uma crise hipertensiva ou hiperpirética quando combinados aos IMAOs estão relacionados no Quadro 67, a seguir. Essas reações são especialmente perigosas, portanto você deve evitar cuidadosamente essas substâncias. Alguns dos medicamentos que interagem com os IMAOs não provocam reações tão graves. Por exemplo, a cafeína pode deixar você mais nervoso e agitado do que o normal. No entanto, quantidades moderadas de cafeína são razoavelmente seguras. (Você pode achar que a cafeína está mais para alimento do que para droga, mas ela é um estimulante leve.)

A lista de substâncias que interagem com os IMAOs inclui:
- a maioria dos antidepressivos – praticamente qualquer um deles pode ser perigoso;
- muitos remédios contra asma;
- muitos remédios contra resfriados comuns, tosse alérgica, sinusite, rinite e descongestionantes que contêm agentes simpatomiméticos (discutidos em detalhes a seguir) ou dextrometorfano, um antitussígeno. Você terá de conferir atentamente as embalagens, pois muitos remédios vendidos sem receita médica contêm essas substâncias;
- remédios usados para tratamento de diabetes – podem tornar-se mais potentes que o normal se você estiver tomando um IMAO, e fazer sua glicemia baixar mais do que o esperado;
- alguns remédios usados para tratamento de pressão alta ou baixa – os dois tipos de medicamentos podem, em alguns casos, provocar elevações da pressão arterial quando combinados aos IMAOs;
- estabilizadores do humor e anticonvulsivantes;
- alguns analgésicos, incluindo certos anestésicos locais e gerais;
- sedativos (incluindo o álcool) e tranquilizantes – podem ter efeitos mais acentuados do que o normal quando se está tomando um IMAO. O aumento da sonolência pode ser perigoso se você estiver dirigindo;

QUADRO 67*
*Medicamentos controlados e remédios
vendidos sem receita médica a serem evitados se você estiver tomando
um Inibidor da Monoaminoxidase (IMAO)[a]*

Droga	Comentário
Antidepressivos	
Antidepressivos tricíclicos[b], especialmente a desipramina (Norpramina, Pertofrane)** e a clomipramina (Anafranil)	Alguns (ex.: clomipramina) podem provocar uma crise hiperpirética ou convulsões; outros (ex.: desipramina) podem provocar uma crise hipertensiva
Antidepressivos tetracíclicos, especialmente a bupropiona (Wellbutrin)	crise hipertensiva (síndrome noradrenérgica)
ISRSs (todos são extremamente perigosos)	crise hiperpirética (síndrome serotoninérgica)
Outros IMAOs	crise hiperpirética (síndrome serotoninérgica); crise hipertensiva (síndrome noradrenérgica)
Antagonistas da serotonina, incluindo a trazodona (Donarem) e a nefazodona (Serzone)	crise hiperpirética (síndrome serotoninérgica)
Mirtazapina (Remeron)	crise hipertensiva (síndrome noradrenérgica)
Venlafaxina (Effexor)	crise hipertensiva (síndrome noradrenérgica)
Remédios para asma	
Efedrina, um broncodilatador contido no Efedrin, no Quadrinal e em outros remédios contra asma	crise hipertensiva
Inalantes que contenham albuterol (Aerolin), metaproterenol (Alupent, Metaprel) ou outros broncodilatadores beta-adrenérgicos	elevações da pressão arterial e aceleração cardíaca; a beclometasona e outros inalantes esteroides não sistêmicos geralmente são mais seguros
Teofilina (Teolong), um componente comum dos remédios contra asma	aceleração cardíaca e ansiedade
Remédios para resfriado, tosse, alergia, sinusite, rinite e descongestionantes (incluindo comprimidos, gotas ou *sprays*)	
Anti-histamínicos: terfenadina (Seldane-D)	pode provocar aumento nos níveis sanguíneos do IMAO
Dextrometorfano pode ser encontrado em vários remédios contra tosse e resfriado, especialmente Mentovick, Tecnogrip, Bronolex**	crise hiperpirética (síndrome serotoninérgica); pode também causar breves episódios de psicose ou comportamento bizarro
Efedrina pode ser encontrada no Efedrin, no Primatene, nas gotas nasais Vick Vatronol e em vários outros remédios para asma e resfriado	crise hipertensiva (síndrome noradrenérgica)

(*cont.*)

Droga	Comentário
Oximetazolina (Afrin), gotas nasais ou *sprays* usados para tratar congestão nasal	crise hipertensiva (síndrome noradrenérgica)
Fenilefrina pode ser encontrada no Decadron, no descongestionante Naldecon, no *spray* e nas gotas nasais Decongex e em vários outros remédios, inclusive em alguns colírios	crise hipertensiva (síndrome noradrenérgica)
Fenilpropanolamina está presente nos remédios Alka-Seltzer Plus Cold e Night-Time Cold, Allerest, descongestionantes Contac e Coricidin D, comprimidos para tirar o apetite Dexatrim, xarope Dimetane-DC Cough, Ornade Spansules, Robitussin-CF, Sinarest, St. Joseph Cold Tablets, Tylenol Cold e em muitos outros***	crise hipertensiva (síndrome noradrenérgica)
Pseudoefedrina pode ser encontrada noDimetapp e inúmeras versões de Tylenol para alergia, sinusite, gripe e resfriado, além de vários produtos Vick como o NyQuil, para citar apenas alguns	crise hipertensiva (síndrome noradrenérgica)
Remédios para diabetes	
Insulina	pode causar maior redução da glicemia
Hipoglicemiantes orais	conforme descrito antes
Remédios para pressão baixa (para pacientes em estado de choque)	
Aminas simpatomiméticas incluindo: • **dopamina (Dopacris)** • **epinefrina (Drenalin)** • **isoproterenol (Isuprel)** • **metaraminol (Aramin)** • **metildopa (Aldomet)** • **norepinefrina (Hyponor)**	crise hipertensiva (síndrome noradrenérgica) porque esses medicamentos podem provocar constrição dos vasos sanguíneos
Remédios para pressão alta	
Guanadrel (Hylorel)** **Guanetidina (Ismelin)** **Hidralazina (Apresolina)** **Metildopa (Aldomet)** **Reserpina (Higroton)**	Estes remédios para a pressão podem provocar um aumento contraditório na pressão arterial quando combinados aos IMAOs.
Betabloqueadores	podem ficar mais potentes quando combinados aos IMAOs, causando uma queda acima do esperado na pressão arterial e tontura ao se levantar
Bloqueadores dos canais de cálcio	parecem ser razoavelmente seguros quando combinados aos IMAOs. Consulte o seu médico e controle rigorosamente a pressão arterial. Fique atento a uma queda na pressão acima do esperado.

(cont.)

Droga	Comentário
Diuréticos	fique atento a uma queda na pressão acima do esperado. Pode aumentar o nível sanguíneo do IMAO
Estabilizadores do humor	
Carbamazepina (Tegretol)	crise hiperpirética (síndrome serotoninérgica); os IMAOs podem fazer os níveis de carbamazepina baixarem, por isso os epiléticos podem apresentar convulsões
Lítio (Carbolitium)	pode causar crise hiperpirética (síndrome serotoninérgica) em estudos com animais
Analgésicos e anestésicos	
Anestésicos gerais	Informe ao seu anestesista que você está tomando um IMAO. Se possível, interrompa o IMAO duas antes de uma cirurgia eletiva
Anestésicos gerais	Relaxantes musculares como a succinilcolina e a tubocurarina podem ter um efeito mais acentuado ou prolongado. Anestésicos gerais como o halotano podem causar excitação, depressão excessiva do cérebro ou reações hiperpiréticas
Anestésicos locais	Alguns contêm epinefrina ou outros simpatomiméticos – não deixe de informar ao seu dentista se estiver tomando um IMAO
Ciclobenzaprina (Miosan) (um relaxante muscular usado para tratar espasmos musculares)	crise hiperpirética (síndrome serotoninérgica) ou convulsões graves
Meperidina (Dolantina)	Uma única injeção pode causar convulsões, coma e morte (síndrome serotoninérgica). A maioria dos outros narcóticos, como a morfina e a codeína, tem sido usada com segurança com os IMAOs
Sedativos e tranquilizantes	
Álcool	Pode ter maiores efeitos sedativos, especialmente quando combinado à fenelzina (Nardil). Isso pode ser arriscado ao dirigir ou operar equipamentos perigosos.
Barbitúricos (como o fenobarbital)	maiores efeitos sedativos conforme descrito antes
Buspirona (BuSpar)	maiores efeitos sedativos conforme descrito antes
Tranquilizantes maiores (neurolépticos)	maiores efeitos sedativos conforme descrito antes; alguns neurolépticos podem provocar uma queda da pressão arterial quando combinados aos IMAOs
Tranquilizantes menores (benzodiazepínicos) como o alprazolam (Frontal), o diazepam (Valium) e outros	maiores efeitos sedativos conforme descrito antes
Soníferos	maiores efeitos sedativos conforme descrito antes
L-triptofano	crise hiperpirética (síndrome serotoninérgica); elevações da pressão arterial; desorientação, perda de memória e outras alterações neurológicas
Estimulantes e drogas ilícitas	
Anfetaminas ("rebite" ou "bolinha") Cocaína Benzedrina Benzofetamina (Didrex) Dextroanfetamina (Dexedrine)**** Metanfetamina (Deprilan) Metilfenidato (Ritalina)	a crise hipertensiva (síndrome noradrenérgica) é possível; o metilfenidato é considerado um pouco menos arriscado do que as anfetaminas

(*cont.*)

Droga	Comentário
Remédios para emagrecer e inibir o apetite	
Pemolina (Cylert)**	as interações medicamentosas não foram estudadas em seres humanos; deve-se ter grande cautela; alguns especialistas relatam que a pemolina já foi combinada a IMAOs em alguns casos*****
Fenfluramina (Lipese)******	crise hiperpirética (síndrome serotoninérgica)
Fendimetrazina (Plegine)**	crise hipertensiva (síndrome noradrenérgica)
Fentermina e alguns remédios vendidos sem receita médica	crise hipertensiva (síndrome noradrenérgica)
Fenilpropanolamina (Decongex)	crise hipertensiva (síndrome noradrenérgica)
Estimulantes (listados antes)	crise hipertensiva (síndrome noradrenérgica)
Outras interações medicamentosas dos IMAOs	
Cafeína (presente no café, chá, refrigerante, chocolate)	Provavelmente segura em doses moderadas; evite grandes quantidades; pode provocar elevações da pressão arterial, aceleração cardíaca e ansiedade
Dissulfiram (Antietanol)	Reações graves quando misturado a um IMAO
Levodopa (Sinemet) (usada no tratamento do mal de Parkinson)	crise hipertensiva (síndrome noradrenérgica)

*. Esta lista não é genérica; frequentemente surgem novas informações sobre interações entre medicamentos. Se você está tomando um IMAO e qualquer outro remédio, pergunte ao seu médico e ao farmacêutico se há alguma interação medicamentosa.
**. Produtos não comercializados no Brasil. (N.R.T.)
***. Foi proibida a venda de medicamentos contendo essa substância no Brasil. (N.R.T.)
****. É proibida a comercialização de anfetaminas no Brasil desde 2011. (N.R.T.)
*****. Ver nota 24.
******. Comercialização proibida no Brasil. (N.R.T.)
a. As informações deste quadro foram obtidas a partir de várias fontes, como o *Manual of Clinical Psychopharmacology* (ver nota 24) e *Psychotropic Drugs Fast Facts* (ver nota 45). Essas excelentes obras de referência são altamente recomendadas.
b. Muitos pacientes tiveram um tratamento bem-sucedido com uma combinação de um IMAO e um antidepressivo tricíclico sob rigorosa observação, mas essas combinações são perigosas e exigem um alto grau de supervisão especializada.

- L-triptofano – um aminoácido natural;
- estimulantes e drogas ilícitas;
- vários remédios para emagrecer (inibidores de apetite);
- cafeína, que está presente no café, no chá, em vários refrigerantes e no chocolate. A cafeína também está presente em uma série de medicamentos vendidos com ou sem receita médica, como Cafergot em supositórios e comprimidos, Darvon Compound-65, NoDoz, Fiorinal, Excedrin e muitos outros remédios para dor ou resfriado;
- Dissulfiram (Antabuse), usado para tratar o alcoolismo;
- Levodopa, usada no tratamento do mal de Parkinson.

Os medicamentos classificados como simpatomiméticos são particularmente perigosos porque estão presentes em muitos remédios de venda livre para problemas comuns como resfriados. Eles são chamados de simpatomiméticos porque tendem a simular os efeitos do sistema nervoso simpático, que está envolvido no controle da pressão arterial.

Várias drogas simpatomiméticas são encontradas num grande número de medicamentos vendidos com ou sem receita médica contra resfriado, tosse, descongestionantes e remédios para rinite alérgica. Elas incluem a efedrina, a fenilefrina, a fenilpropamina e a pseudoefedrina. A **efedrina**, por exemplo, pode ser encontrada no Bronkaid, no Primatene, nas gotas nasais Vick Vatronol e em vários outros remédios para resfriado e asma. A **fenilefrina** pode ser encontrada no Dimetane, no descongestionante Dristan, no *spray* e nas gotas nasais Neo-Synephrine e em vários outros remédios semelhantes. A **fenilpropanolamina** está presente nos remédios Alka-Seltzer Plus Cold, descongestionantes Contac e Coricidin D, inibidores de apetite Dexatrim, xarope Dimetane-DC Cough, Ornade Spansules, Robitussin-CF, Sinarest, St. Joseph Cold Tablets e em muitos outros. A **pseudoefedrina** pode ser encontrada nos remédios Actifed, Advil Cold & Sinus, fórmula Allerest No Drowsiness, combinações do Benadryl, xarope Dimetane-DC Cough, Dristan Cold Maximum Strength, xarope Robitussin-DAC, Robitussin-PE, comprimidos Seldane-D, Sinarest No Drowsiness, Sinutab, Sudafed, Triaminic Nite Light e inúmeras versões de Tylenol para alergia, sinusite, gripe e resfriado, além de vários produtos Vick como o NyQuil, para citar apenas alguns.

Alguns remédios para resfriado e tosse contêm **dextrometorfano**. Isso não é um simpatomimético, e sim um antitussígeno. O dextrometorfano está na lista dos medicamentos proibidos porque pode causar uma crise hiperpirética. O dextrometorfano pode ser encontrado em qualquer remédio com "DM" ou "Tuss" no nome, assim como em muitos outros sem esses sufixos. Alguns exemplos são Bromarest-DM ou -DX, xarope Dimetane-DX Cough, Dristan Cold & Flu, Phenergan com Dextrometorfano, Robitussin-DM, vários tipos de Tylenol contra tosse, gripe e resfriado, e também em muitos outros remédios.

Pelo fato de tantos remédios comuns de venda livre conterem simpatomiméticos ou dextrometorfano, é quase impossível acompanhar todos eles. A melhor maneira de se proteger é ler os rótulos de advertência que vêm nesses medicamentos e consultar seu médico ou farmacêutico antes de combinar qualquer um deles com um IMAO.

Os diabéticos que tomam IMAOs precisam saber que esses medicamentos também podem fazer aumentar os níveis sanguíneos de insulina e de alguns hipoglicemiantes orais. Por conseguinte, sua glicemia pode baixar mais do que o esperado. Isso pode causar uma reação hipoglicêmica, com tontura, desmaio, transpiração e assim por diante, porque seu cérebro não consegue obter açúcar suficiente do seu sangue. Talvez o seu médico precise ajudar as doses dos seus remédios para diabetes se você estiver tomando um IMAO.

Qualquer um dos IMAOs pode baixar sua pressão arterial e, portanto, intensificar os efeitos de outros remédios para pressão que o seu médico tenha receitado, incluindo diuréticos e betabloqueadores. Os IMAOs também podem fazer aumentarem os níveis sanguíneos de alguns remédios para a pressão. Isso também tende a intensificar seus efeitos. Como observado antes, alguns medicamentos para pressão podem ter o efeito contraditório de aumentá-la se você estiver tomando um IMAO. Não deixe de informar ao seu médico sobre o IMAO. Muitos tranquilizantes maiores (neurolépticos) podem igualmente fazer a pressão arterial cair, e os IMAOs podem aumentar este efeito também.

Alguns analgésicos devem ser evitados se você estiver tomando um IMAO. Por exemplo, sabe-se que uma única injeção do analgésico meperidina (Demerol) pode causar convulsões, coma e morte em pacientes que tomam IMAOs. Outros opiáceos, como a morfina, são considerados mais seguros. A maioria dos analgésicos leves vendidos sem receita médica, como a aspirina ou o Tylenol, também é considerada segura desde que não contenha cafeína. Porém, a ciclobenzaprina (Flexeril), que é muito usada para tratar espasmos musculares localizados, pode causar febre, convulsões e morte. Esse medicamento deve ser totalmente evitado.

Muitos anestésicos locais e gerais também podem interagir com os IMAOs. Alguns anestésicos locais contêm epinefrina ou outros simpatomiméticos que podem causar reações hipertensivas. Informe ao seu dentista se estiver tomando um IMAO, para que ele possa escolher um anestésico local que seja seguro para você. Se precisar de uma cirurgia eletiva enquanto estiver usando um IMAO, seria melhor interromper o IMAO por uma ou duas semanas antes da cirurgia. Alguns anestésicos gerais, como o halotano, podem causar excitação ou sedação excessiva e também reações antipiréticas quando combinados a um IMAO. Os relaxantes musculares usados pelos anestesistas, como a succinilcolina ou a tubocurarina, também podem ter efeitos mais potentes. Não deixe de informar ao seu anestesista se estiver tomando um IMAO.

As drogas sedativas, entre elas o álcool, os tranquilizantes maiores (neurolépticos) e os menores, os barbitúricos e os soníferos, podem interagir com os IMAOs. Isso se aplica principalmente à fenelzina (Nardil). Como a fenelzina também tende a produzir sedação, pode aumentar os efeitos de outros sedativos. Procure evitar combinar IMAOs com medicamentos sedativos, pois a sonolência causada pode ser arriscada, especialmente se você estiver dirigindo ou operando equipamentos perigosos.

O L-triptofano é outro agente sedativo que não deve ser combinado aos IMAOs, pois pode causar uma crise hiperpirética (síndrome serotoninérgica). O L-triptofano é um aminoácido essencial que está presente em certos alimentos como carnes e laticínios. Costumava ser encontrado em lojas de produtos naturais e tem sido ativamente promovido como um sedativo natural para ajudar pessoas com insônia. Também tem sido usado no tratamento da depressão, mas as evidências de seus efeitos antidepressivos são, no mínimo, escassas. Após a ingestão, o L-triptofano acumula-se rapidamente no cérebro, onde se transforma em serotonina. Se a dose de L-triptofano for grande o suficiente, você começará a se sentir sonolento. Se estiver tomando um IMAO, o aumento da serotonina no cérebro pode ser enorme. É que o seu cérebro não consegue metabolizar o excesso de serotonina quando você está usando um IMAO, por isso os níveis de serotonina podem subir a um nível perigoso, desencadeando a síndrome serotoninérgica.

No entanto, alguns pesquisadores trataram propositalmente alguns pacientes deprimidos com um IMAO junto a mais 2 a 6 gramas por dia de L-triptofano, numa tentativa de tornar o tratamento com o IMAO mais eficaz. O propósito dessas estratégias de potencialização é transformar um "não respondedor" em um "respondedor" ao medicamento. Alguns estudos indicaram que esta combinação pode ser mais potente que o tratamento apenas com um IMAO. Um tratamento como esse é um tanto perigoso, e provavelmente deve ser administrado por especialistas e reservado a pacientes com depressões muito complicadas e resistentes.[52] O dr. Johnathan Cole e seus colegas administraram doses de 3 a 6 gramas de L-triptofano a pacientes que estavam tomando um IMAO há várias semanas ou mais.[53] Eles observaram alguns sinais precoces de síndrome serotoninérgica nesses pacientes, sugerindo que os potenciais benefícios dessa combinação de medicamentos podem não compensar o risco.

---

52. O paciente com uma depressão "complicada" ou "resistente" é, simplesmente, aquele que não responde de imediato aos tratamentos comuns. Se o seu médico experimentar vários antidepressivos e você não melhorar, ele vai concluir naturalmente que a sua depressão é mais difícil de ser tratada do que o normal. Entretanto, você pode responder bem a um outro tipo de tratamento. Já tratei de um grande número de pacientes que enfrentaram anos e anos de tratamento sem resultado com uma grande variedade de remédios antes de me consultarem. Muitos desses pacientes "complicados" se recuperaram quando usei técnicas de terapia cognitiva como as descritas neste livro. Nenhum tratamento isolado funciona com todo mundo. É por isso que é importante ter muitas abordagens à disposição, entre elas vários tipos de remédios e vários tipos de métodos psicoterapêuticos também. A expressão "cada um na sua" é bem apropriada no que se refere ao tratamento da depressão!

53. Ver nota 24.

Em estudos com animais, a combinação de lítio com um IMAO também pode provocar síndrome serotoninérgica. É que o lítio faz o L-triptofano penetrar mais depressa no cérebro. O L-triptofano está presente nos alimentos que comemos, e uma refeição farta pode conter até 1 grama de L-triptofano. Se você combinar o lítio a um IMAO, pode ter um grande aumento de serotonina no seu cérebro após as refeições. No entanto, alguns médicos têm acrescentado lítio a um IMAO quando ele não se mostra eficaz, do mesmo modo que poderiam acrescentar L-triptofano para tentar aumentar o efeito antidepressivo do IMAO. Se você for tratado com lítio e com um IMAO, precisa ser acompanhado de perto para garantir que não apresente nenhum sintoma de síndrome serotoninérgica, como febre, tremor, espasmos musculares ou confusão.

Os IMAOs são muitas vezes combinados ao lítio por um outro motivo. Os pacientes bipolares com elevações anormais e esporádicas do humor e também depressão costumam ser submetidos por tempo indeterminado ao lítio ou a outro estabilizador do humor, como descrito a seguir. Durante a fase deprimida do ciclo, muitos pacientes bipolares precisarão de um antidepressivo e também de lítio para reverter a depressão. Os IMAOs, assim como vários outros tipos de antidepressivos, têm sido usados de forma segura e bem-sucedida dessa maneira. Contudo, os pacientes precisam ser acompanhados de perto para monitorar sinais de crise hiperpirética e episódios maníacos, que podem ocorrer em raras ocasiões quando os pacientes bipolares recebem antidepressivos.

Os estimulantes, as anfetaminas e os remédios para emagrecer são especialmente perigosos quando combinados a IMAOs. Algumas dessas drogas são classificadas como simpatomiméticas e podem provocar crises hipertensivas. O metilfenidato (Ritalin), por exemplo, que é largamente utilizado para tratamento do transtorno do déficit de atenção em crianças e adultos, é um simpatomimético que poderia ter esse efeito. Várias drogas de abuso comuns ilícitas ou de uso controlado também são simpatomiméticas. Elas incluem as anfetaminas como Benzedrine, Dexedrine e Methedrine (também conhecidas como "rebite" ou "bolinha") e a cocaína. As anfetaminas costumavam ser prescritas para emagrecimento, mas seu potencial de dependência é tão elevado que a maioria dos médicos não as prescreve mais para essa finalidade. Entretanto, alguns remédios para emagrecer mais recentes e populares também podem ser muito perigosos quando misturados aos IMAOs. Por exemplo, a fentermina (Adipex; Fastin) pode causar reações hipertensivas, e a fenfluramina (Pondimin), o polêmico remédio para emagrecer que esteve na moda recentemente,* pode levar a crises hiperpiréticas.

---

*. Na época da publicação da edição em inglês. (N.E.)

Como você sabe, a cafeína também é um estimulante leve. Ela pode provocar aceleração cardíaca, batimentos cardíacos irregulares ou aumento da pressão arterial se você estiver tomando um IMAO. Embora o café, o chá, os refrigerantes e o chocolate contenham cafeína, eles não são terminantemente proibidos, sobretudo em quantidades moderadas, pois seus efeitos costumam ser leves. Mesmo assim, você deveria evitar cafeína em grande quantidade porque poderia precipitar uma crise hipertensiva. Alguns especialistas recomendam uma quantidade diária limitada a duas xícaras de café ou chá por dia, ou dois refrigerantes. Além disso, se controlar sua pressão usando seu medidor pessoal, como descrito antes, poderá ver se aquela uma ou duas xícaras de café que você adora tomar de manhã estão mesmo causando um aumento da pressão arterial. Se estiverem, você deve reduzir ou abandonar a cafeína completamente enquanto estiver tomando o IMAO.

Podemos ver no QUADRO 67 que a levodopa (ou L-dopa), usada no tratamento do mal de Parkinson, também pode provocar aumentos de pressão quando combinada a um IMAO. Porém, os pacientes com mal de Parkinson às vezes são tratados com o IMAO selegilina, além de outros remédios. Se esses pacientes receberem um IMAO junto à levodopa, esta deve ser iniciada numa dose bem pequena e aumentada lentamente, controlando-se a pressão arterial.

Como observado antes, a maioria dos remédios proibidos apresentam rótulos de advertência para indicar que podem ser perigosos quando combinados a algum medicamento antidepressivo. Se estiver tomando um IMAO, confira atentamente os rótulos antes de tomar qualquer remédio novo, e sempre consulte o seu médico ou farmacêutico também. Para obter uma lista detalhada dos medicamentos que podem causar reações hipertensas em pacientes que tomam IMAOs, veja as p. 157-60 do livro *Psychotropic Drugs Fast Facts*, dos doutores Jerrold S. Maxmen e Nicholas G. Ward.[54] O *Physician's Desk Reference (PDR)*[55] também traz uma lista das interações perigosas de qualquer medicamento controlado que você possa estar tomando. Ele está disponível em qualquer biblioteca, farmácia ou consultório médico.

As listas de alimentos e remédios proibidos podem parecer um tanto confusas ou complicadas. Se o seu médico prescrever um IMAO, ele pode lhe dar um cartão para carregar na carteira com uma lista dos alimentos e remédios a serem evitados. Quando tiver dúvidas, você pode conferir o cartão. Alguns especialistas aconselham os pacientes que tomam IMAOs a carregar um cartão contendo suas informações

---

54. Ver nota 45.
55. ARKY, R. (Consultor Médico). *Physician's Desk Reference*. 52. ed. Montvale, NJ: Medical Economics Company Inc, 1998. [OBS.: No Brasil, a fonte mais utilizada para consultas sobre medicamentos é: EPUC. *Dicionário de Especialidades Farmacêuticas*: DEF 2014. 42. ed. Rio de Janeiro: EPUC, 2013. (N.T.)]

médicas, para que os médicos de qualquer pronto-socorro saibam que estão tomando um IMAO caso sofram um acidente ou sejam encontrados inconscientes e precisem de um tratamento de emergência. Assim os médicos podem tomar as precauções adequadas ao administrar anestesia ou prescrever outros medicamentos para você.

Lembre-se de que os efeitos químicos de um IMAO continuam no seu organismo por até uma ou duas semanas depois que você para de tomá-los. É por isso que você deve continuar observando as devidas precauções em relação aos remédios e alimentos por pelo menos duas semanas depois que tomou seu último IMAO. Na verdade, eu sugiro que você espere um pouco mais. Depois poderá começar a consumir os alimentos proibidos, como queijo, em pequenas quantidades no início, sempre controlando a pressão arterial. Se a sua pressão não for afetada, você pode aumentar aos poucos a quantidade ingerida até a sua alimentação voltar ao normal. Do mesmo modo, se estiver passando de um IMAO para outro antidepressivo, terá de ficar totalmente "limpo" por duas semanas depois de tomar seu último IMAO antes de iniciar o novo antidepressivo.

O mesmo aplica-se se estiver iniciando um IMAO depois de tomar outro medicamento – terá de esperar por um determinado período, dependendo do medicamento que tomou. Você deve lembrar-se de que precisa esperar pelo menos cinco semanas antes de iniciar um IMAO depois de parar com o Prozac, pois esse remédio permanece no seu organismo por um tempo prolongado. A maioria dos outros ISRSs é eliminada mais depressa do organismo, e por isso um período de espera de duas semanas costuma ser suficiente. Alguns antidepressivos, como a nefazodona (Serzone) e a trazodona (Donarem), saem do organismo mais rápido ainda, e talvez você só precise esperar uma semana depois de tomá-los antes de iniciar um IMAO. Consulte sempre o seu médico antes de fazer qualquer alteração na sua medicação.

Bem, a essa altura você pode estar se perguntando se vale a pena tomar um remédio como um IMAO, que pode parecer tão complicado e perigoso. Essa pergunta é especialmente relevante nos dias de hoje, quando há tantos remédios mais modernos e seguros disponíveis. Normalmente, eu tentaria pelo menos dois outros remédios primeiro. Os medicamentos ISRS, em especial, muitas vezes favorecem os mesmos tipos de pacientes que costumavam se beneficiar dos IMAOs. Entretanto, gostaria de ressaltar que, pela minha experiência, os IMAOs geralmente podem ser administrados de forma segura. Já os prescrevi a muitos pacientes ao longo desses anos. Quando as doses são mantidas num nível moderado, os efeitos colaterais tendem a ser mínimos. E quando os IMAOs realmente funcionam, seus efeitos podem ser fenomenais.

Na verdade, alguns dos meus casos mais impressionantes de sucesso com medicamentos ocorreram com esses remédios IMAO, especialmente a tranilcipromina (Parnate). Além disso, usei-os com pacientes complicados que já haviam passado por vários tratamentos malsucedidos com remédios e também com psicoterapia. Quando esses indivíduos apresentavam melhora, às vezes esta era radical. Essas experiências positivas com os IMAOs me deixaram muito impressionado. Acredito que o entusiasmo dos médicos que usam o IMAO é totalmente justificado. Se o seu médico sugere um medicamento desse tipo, pode muito bem valer a pena o esforço extra (medir a pressão diariamente), o sacrifício (nada de pizza!) e a autodisciplina (evitar certos alimentos e remédios) necessários.

Uma última observação é que um IMAO mais moderno e seguro, a moclobemida, está sendo comercializado* em outras partes do mundo, como o Canadá, a Europa e a América do Sul. Diferentemente dos IMAOs descritos antes, os efeitos da moclobemida não persistem depois que você para de tomá-la. Além disso, ela não parece interagir com a tiramina da alimentação quase na mesma medida. O dr. Alan F. Schatzberg e seus colegas[56] ressaltaram que a moclobemida parece ter bem menos efeitos colaterais, e que o risco de interações medicamentosas graves é relativamente baixo. Os psiquiatras esperam que a moclobemida ou um outro novo IMAO chamado brofaromina acabe sendo comercializado nos Estados Unidos.

ANTAGONISTAS DA SEROTONINA

Dois medicamentos antidepressivos contidos no quadro da p. 418 são classificados como "antagonistas da serotonina": a trazodona (Donarem) e a nefazodona (Serzone). Seu mecanismo de ação parece ser um pouco diferente do da maioria dos outros antidepressivos. A trazodona e a nefazodona podem aumentar a serotonina bloqueando sua recaptação nas sinapses neuronais, mais ou menos como os ISRSs descritos antes. Entretanto, essas drogas têm efeitos menos potentes sobre a bomba de serotonina do que os ISRSs, ou até mesmo que os antidepressivos tricíclicos mais antigos, e provavelmente não é assim que esses remédios agem.

Como descrito no Capítulo XVII, a trazodona e a nefazodona parecem bloquear alguns dos pontos receptores de serotonina nas membranas dos neurônios pós-sinápticos. Pelo menos 15 tipos diferentes de receptores de serotonina já foram des-

---

*. No Brasil, a Moclobemida é comercializada com o nome de Aurorix, e faz parte da classe de IMAOs reversíveis e seletivos da MAO A, o que a diferencia dos IMAOs tradicionais. É uma droga mais segura que os IMAOs tradicionais por causar menor risco de crise hipertensiva. (N.R.T.)

56. Ver nota 24.

cobertos no cérebro. Os dois receptores que são bloqueados pela trazodona e pela nefazodona são chamados de receptores 5-HT_{2A} e 5-HT_{2C}. A designação 5-HT é apenas uma sigla para a serotonina; o número e a letra depois de 5-HT identificam o tipo específico de receptor. A trazodona e a nefazodona estimulam indiretamente um outro tipo de receptor de serotonina chamado receptor 5-HT_{1A}. Acredita-se que esse receptor tenha um papel importante na depressão, ansiedade e violência. Segundo uma das teorias, a estimulação desses pontos receptores 5-HT_{1A} poderia explicar os efeitos antidepressivos da da trazodona e da nefazodona. Além disso, a trazodona e a nefazodona são ansiolíticos eficazes. Se você tende a ficar nervoso e preocupado, como muitas pessoas deprimidas, esses medicamentos podem ser especialmente úteis para você.

DOSAGEM DA TRAZODONA E DA NEFAZODONA

A dose inicial da trazodona é 50 mg a 100 mg por dia. A maioria dos pacientes vai se dar bem com 150 mg a 300 mg por dia. A dose inicial da nefazodona é 50 mg duas vezes ao dia. A doses dos dois medicamentos podem ser aumentadas de forma bastante lenta, ao longo de várias semanas, até o limite máximo de 600 mg por dia.

A nefazodona e a trazodona têm meias-vidas curtas. A meia-vida é o tempo que o seu organismo leva para eliminar metade da substância presente no seu sistema. Um medicamento com uma meia-vida curta sai do seu sangue muito rapidamente e deve ser tomado duas ou três vezes por dia. Por sua vez, um remédio como o Prozac, com uma meia-vida extremamente longa, sai do seu organismo lentamente e só precisa ser tomado uma vez por dia.

Como acontece com qualquer antidepressivo, você deve monitorar seu humor com um teste como o do Capítulo II enquanto estiver tomando trazodona ou nefazodona. Isso vai indicar se os remédios estão fazendo efeito, e em que medida. Se você não tiver apresentado uma melhora considerável depois de três ou quatro semanas, talvez seja melhor trocar de remédio. Embora seja muito raro ocorrerem sintomas de abstinência com esses medicamentos, é aconselhável reduzir a nefazodona e a trazodona aos poucos, em vez de interrompê-las bruscamente. Esse é um bom conselho ao tomar qualquer antidepressivo.

EFEITOS COLATERAIS DA TRAZODONA E DA NEFAZODONA

Os efeitos colaterais mais comuns desses dois medicamentos são relacionados no Quadro 68, a seguir. Um efeito colateral comum é a indisposição estomacal (como as náuseas). Esse efeito também é comum com os ISRSs e outros medicamentos que estimulam os sistemas serotonínicos do cérebro. A indisposição estomacal é mais provável quando a nefazodona e a trazodona são ingeridas com o estômago vazio, portanto pode ser útil tomá-las junto com a comida, como os ISRSs.

A trazodona e a nefazodona também podem deixar a boca seca em alguns pacientes. Os dois medicamentos também podem provocar uma queda temporária na pressão arterial ao se levantar, resultando em tontura ou vertigem. A trazodona é bem mais propensa a causar esses problemas que a nefazodona. As pessoas idosas são mais suscetíveis à tontura e ao desmaio, portanto a nefazodona pode ser uma opção melhor para elas. Como discutido antes, várias coisas podem aliviar esse problema: levantar-se mais devagar; caminhar sem sair do lugar ao ficar de pé, para "bombear" o sangue das pernas de volta para o coração; usar meias elásticas; e ingerir uma quantidade adequada de líquido e sal para evitar desidratação. Fale com seu médico se tiver problemas com tontura ou outros efeitos colaterais; talvez ele possa reduzir a dose.

QUADRO 68*
Efeitos colaterais dos antagonistas da serotonina[a]

Efeito colateral Receptor cerebral	Sedação e ganho de peso[c] Receptores de histamina (h_1)	Tontura e vertigem Receptores alfa-adrenérgicos ($α_1$)	Visão turva, prisão de ventre, boca seca, taquicardia, retenção urinária Receptores muscarínicos (m_1)	Efeitos colaterais comuns ou importantes
Nefazodona (Serzone)	+ A ++	++	+	boca e garganta secas; dor de cabeça; cansaço; insônia; náusea; prisão de ventre; fraqueza; tontura; visão turva; alterações visuais; confusão
Trazodona (Donarem)	+++	++ A +++	0	tontura; boca e garganta secas; indisposição estomacal; prisão de ventre; visão turva; dor de cabeça; fadiga; sonolência; confusão; ansiedade; priapismo (raro; ver texto)

*. Esta lista não é genérica. Em geral, são relacionados os efeitos colaterais que ocorrem em 5% a 10% dos pacientes ou mais, além de efeitos colaterais raros, mas perigosos.

a. A classificação de + a +++ neste quadro refere-se à probabilidade de um determinado efeito colateral ocorrer. A intensidade real do efeito variará de uma pessoa para outra e dependerá também do tamanho da dose. Muitas vezes, reduzir a dose pode diminuir os efeitos colaterais sem comprometer a eficácia.

Um outro efeito colateral importante da trazodona é que ela o deixa sonolento. Por isso é recomendável que seja tomada à noite. Se você estiver tomando um outro depressivo, seu médico pode prescrever também uma pequena dose de trazodona antes de dormir, para estimular o sono. Isso porque alguns depressivos, como o Prozac e os IMAOs, tendem a ser estimulantes e podem atrapalhar o sono. A trazodona não é viciante nem vai causar dependência ou deixá-lo viciado, como fazem alguns soníferos. Os efeitos calmantes e sedativos da trazodona também ajudam a reduzir a ansiedade. Se você tem tendência a ficar preocupado e tenso, esse pode ser um bom remédio para você. A nefazodona tem um efeito bem menos sedativo do que a trazodona, e não é um medicamento útil para insônia. Na verdade, às vezes ele pode ter o efeito oposto e causar inquietação, do mesmo modo que os ISRSs.

Um outro efeito colateral adverso da trazodona chama-se "priapismo". O priapismo é uma ereção involuntária do pênis. Felizmente, esse efeito colateral é bastante raro, ocorrendo aproximadamente em um paciente do sexo masculino para cada 6 mil. Ele foi relatado em apenas algumas centenas de casos até hoje. Pessoalmente, nunca vi um caso de priapismo, mas os homens que tomarem trazodona devem ficar cientes de que isso é uma possibilidade remota. Se o priapismo não for tratado imediatamente, pode causar danos no pênis e impotência permanente (incapacidade de conseguir uma ereção). Alguns pacientes precisam de cirurgia para corrigir o priapismo. Injetar uma droga como a epinefrina diretamente no pênis pode, às vezes, combater o priapismo se você agir depressa. Se esse efeito colateral incomum ocorrer, ou se estiver começando a perceber uma ereção que não cessa, entre em contato com o seu médico ou vá para um pronto-socorro imediatamente. A nefazodona, por sua vez, não causa priapismo.

O priapismo parece assustador, mas não pretendo desencorajar os homens a tomarem esse medicamento. Se você ler o *Physician's Desk Reference* com atenção, verá que há uma chance remota de um efeito colateral perigoso com quase todo remédio que possa tomar, inclusive a aspirina. O priapismo é um efeito colateral muito improvável da trazodona e pode ser tratado em qualquer pronto-socorro se você agir rapidamente quando os sintomas começarem a surgir.

Alguns pacientes que tomam esses remédios mencionam "rastros" visuais ou imagens persistentes quando olham para objetos em movimento. Este efeito colateral também é bastante incomum e semelhante em alguns aspectos às imagens visuais relatadas por indivíduos que tomam LSD, mas não é perigoso. Esses rastros visuais são mais comuns com a nefazodona que com a trazodona e ocorrem em pouco mais de 10% dos pacientes que tomam esse medicamento. Eles costumam melhorar com o tempo.

INTERAÇÕES MEDICAMENTOSAS DA TRAZODONA E DA NEFAZODONA

Como já observado, algumas combinações de medicamentos podem ser perigosas porque um dos remédios faz que o nível do outro remédio no seu sangue se torne excessivamente alto. A nefazodona tem o efeito de elevar o nível sanguíneo de uma série de medicamentos. Eles incluem remédios normalmente prescritos para ansiedade, incluindo vários tranquilizantes menores como o alprazolam (Xanax), o triazolam (Halcion), a buspirona (BuSpar) e outros. Por conseguinte, você deve ter muita cautela ao combinar esses remédios com a nefazodona, pois poderia ficar excessivamente sonolento.

A trazodona também vai aumentar o efeito sedativo de outros sedativos, pois a própria trazodona irá deixá-lo sonolento. Consequentemente, a trazodona ou a nefazodona podem aumentar o efeito sedativo de qualquer droga que faça você sentir sono, como álcool, barbitúricos, soníferos, analgésicos, alguns tranquilizantes maiores (neurolépticos) e alguns antidepressivos. Tenha muito cuidado se for combinar algum sedativo com a nefazodona ou a trazodona, especialmente se estiver dirigindo ou operando equipamentos perigosos.

A nefazodona pode aumentar os níveis sanguíneos de vários antidepressivos tricíclicos, especialmente a amitriptilina (Tryptanol), a clomipramina (Anafranil) e a imipramina (Tofranil), portanto as doses desses remédios talvez precisem ser menores do que o normal.

Se a nefazodona for combinada a um dos ISRSs, existe a possibilidade de que um metabólito da nefazodona chamado mCPP (metaclorofenilpiperazina) possa se acumular no seu sangue. Essa substância pode causar agitação ou sensação de pânico ou tristeza. Se você estiver trocando um ISRS pela nefazodona, o mCPP também poderia se acumular porque os efeitos dos ISRSs podem permanecer no seu organismo por várias semanas depois que você para de tomá-los. Nem a trazodona nem a nefazodona devem ser combinadas a um antidepressivo IMAO, porque essa combinação poderia desencadear a síndrome serotoninérgica (crise hiperpirética) descrita anteriormente.

Se você estiver tomando nefazodona, não deixe de informar seu psiquiatra sobre qualquer remédio para pressão que esteja tomando, e avise também o seu clínico-geral. A sua pressão arterial pode baixar mais do que o esperado se você combinar a trazodona a um remédio para pressão. Se a sua pressão cair demais, você pode sentir tontura ao se levantar de repente. Muitos remédios psiquiátricos também podem diminuir a pressão arterial, entre eles muitos antidepressivos tricíclicos e também alguns tranquilizantes maiores (neurolépticos). Se esses remédios forem combinados à trazodona ou à nefazodona, a queda na pressão arterial pode ser acentuada.

A trazodona também pode aumentar os níveis sanguíneos do anticonvulsivante fenitoína (Dilantin) e do remédio para o coração digoxina (Lanoxin). Essas combinações podem causar intoxicação por fenitoína ou digoxina. É importante que seu médico controle atentamente os níveis de fenitoína ou digoxina no seu sangue se você tomar trazodona, pois níveis excessivamente altos podem ser perigosos.

Os efeitos da trazodona sobre o anticoagulante varfarina (Coumadin) são imprevisíveis. Os níveis de varfarina podem aumentar ou diminuir. Se os níveis de varfarina aumentarem, você pode ter mais tendência a sangramento, e se a varfarina diminuir, seu sangue pode ter mais tendência a coagular. Seu médico pode monitorar qualquer alteração com exames de sangue e ajustar a dose de varfarina se necessário.

Ainda mais perigosas são as interações já descritas entre a nefazodona e dois anti-histamínicos comuns administrados para alergias, a terfenadina (comercializada com o nome de Seldane) e o astemizol (comercializado com o nome de Hismanal). A nefazodona faz que os níveis desses dois anti-histamínicos aumentem, o que pode resultar em arritmias potencialmente fatais. A nefazodona não deve ser combinada à cisaprida (comercializada com o nome de Propulsid, um estimulante do trato gastrointestinal) pelo mesmo motivo – pode causar uma insuficiência cardíaca súbita e fatal.

BUPROPIONA (WELLBUTRIN)

Três outros tipos de medicamentos antidepressivos são relacionados no QUADRO DE ANTIDEPRESSIVOS da p. 418: a bupropiona (Wellbutrin), a venlafaxina (Effexor) e a mirtazapina (Remeron). Eles são um pouco diferentes uns dos outros e dos antidepressivos já discutidos.

A bupropiona era para ter sido introduzida nos Estados Unidos em 1986, mas sua liberação foi adiada até 1989 porque alguns pacientes com bulimia (compulsão alimentar seguida de vômito) que eram tratados com esse medicamento tinham convulsões. Novos estudos indicaram que o risco de convulsões estava relacionado à dose de bupropiona e que o risco era bem menor em pacientes que não tinham distúrbios alimentares, por isso o medicamento foi liberado novamente. Por causa do maior risco de convulsão com a bupropiona, o fabricante recomenda que esse medicamento não seja prescrito a ninguém que tenha histórico de epilepsia, lesão grave na cabeça, tumor cerebral, bulimia ou anorexia nervosa.

A bupropiona não afeta o sistema serotonínico do cérebro. Em vez disso, parece agir potencializando o sistema norepinefrínico, como o antidepressivo tricíclico chamado desipramina (Norpramin). Há também algumas evidências de que ela possa estimular o sistema dopamínico do cérebro, mas esses efeitos são bem mais fracos e não está claro se eles podem contribuir para os efeitos antidepressivos da bupropiona. Mesmo assim, a bupropiona às vezes é classificada como um "antidepressivo combinado noradrenérgico e dopaminérgico", por causa de seus efeitos sobre os sistemas da norepinefrina e da dopamina.

A bupropiona é usada para tratar pacientes com depressão, tanto internados como ambulatoriais com todo tipo de gravidade. Estudos preliminares sugerem que ela também pode ser útil para uma série de outros problemas, como parar de fumar, fobia social e transtorno do déficit de atenção. No entanto, esses efeitos abrangentes da bupropiona não significam que o medicamento tenha algo de especial. Quase todos os antidepressivos já foram descritos como sendo ao menos parcialmente eficazes para uma grande variedade de problemas que incluem a depressão, todos os transtornos de ansiedade, distúrbios alimentares, raiva e violência, dor crônica e muitos outros. Uma possível interpretação para essas resultados é a de que esses medicamentos podem não ser especificamente antidepressivos. Em vez disso, eles podem ter efeitos generalizados por todo o cérebro.

Um novo uso para a bupropiona é o de aumentar os efeitos dos antidepressivos ISRS. Suponhamos, por exemplo, que você esteja tomando um remédio como o Prozac mas não tenha apresentado uma resposta adequada. Em vez de trocá-lo por um outro remédio, seu médico pode acrescentar uma pequena dose de bupropiona para tentar aumentar o efeito do Prozac. A bupropiona, em doses de até 225 mg a 300 mg por dia, já foi acrescentada a antidepressivos ISRS para tentar combater os efeitos colaterais sexuais dos ISRS, como perda de libido e dificuldade de ter orgasmos.

Na minha experiência clínica, os efeitos dessas combinações de medicamentos foram muitas vezes desanimadores. Em geral, eu prefiro experimentar outro medicamento em vez de combinar remédios quando um medicamento não funciona. Pessoalmente, receio que em alguns casos os pacientes corram o risco de ser excessivamente medicados por doutores um tanto entusiasmados com a ideia de acrescentar cada vez mais remédios em doses cada vez maiores. Além disso, por confiar tanto nas intervenções psicoterapêuticas da minha própria atividade clínica, não me sinto tão pressionado a encontrar uma solução apenas com medicamentos. Portanto, não fico tão preocupado quando um ou mais remédios deixam de fazer efeito. Simplesmente troco por outro e continuo a experimentar uma série de novas estratégias psicoterapêuticas, uma combinação que acredito ter mais resultados positivos.

DOSAGEM DA BUPROPIONA

Podemos ver no Quadro 59, p. 422-5, que a faixa de dosagem usual da bupropiona é de 200 mg a 450 mg por dia. Em doses inferiores a 450 mg por dia, o risco de convulsões parece ser de aproximadamente quatro pacientes em cada mil. Entretanto, o risco é dez vezes mais elevado em doses superiores a 450 mg por dia – quatro pacientes em cada cem apresentarão convulsões. Sempre que possível, é bom manter a dose baixa para diminuir a chance de convulsões. Além disso, nenhuma dose única jamais deve ser superior a 150 mg.

EFEITOS COLATERAIS DA BUPROPIONA

Os efeitos colaterais mais comuns da bupropiona são relacionados no Quadro 69, a seguir. Ao contrário dos tricíclicos, a bupropiona não causa boca seca, prisão de ventre, tontura ou cansaço. Ela também não estimula o apetite. Essa é uma grande vantagem para pacientes que se sentem incomodados com o ganho de peso. Porém, alguns pacientes relataram indisposição estomacal (náusea).

A bupropiona também é um tanto estimulante e pode provocar insônia. Portanto, ela pode ser relativamente mais eficaz para pacientes deprimidos com tendência a se sentirem cansados, letárgicos e desmotivados – o efeito estimulante pode ajudar a fazer você se mexer. Nesse aspecto, ela se assemelha a alguns antidepressivos tricíclicos (por exemplo, a desipramina), ISRSs (por exemplo, o Prozac) e IMAOs (por exemplo, a tranilcipromina).

INTERAÇÕES MEDICAMENTOSAS DA BUPROPIONA

Como a bupropiona pode aumentar consideravelmente o risco de convulsões, não deve ser combinada a outros remédios que também possam deixar uma pessoa mais vulnerável a estas. Isso inclui vários medicamentos psiquiátricos, como os antidepressivos tricíclicos e tetracíclicos, os ISRSs, os dois antagonistas da serotonina (trazodona e nefazodona) e vários tranquilizantes maiores (neurolépticos). Além disso, há um risco muito maior de convulsões quando alcoólatras param subitamente de beber ou quando as pessoas interrompem abruptamente a ingestão de tranquilizantes menores (benzodiazepínicos como Xanax ou Valium), barbitúricos ou soníferos. A bupropiona é, portanto, especialmente arriscada para alcoólatras e para pessoas que tomam sedativos ou tranquilizantes regularmente.

QUADRO 69*
*Efeitos colaterais de outros antidepressivos*ᵃ

Efeito colateral Receptor cerebral	Sedação e ganho de peso Receptores de histamina (h_1)	Tontura e vertigem Receptores alfa-adrenérgicos (α_1)	Visão turva, prisão de ventre, boca seca, taquicardia, retenção urinária Receptores muscarínicos (m_1)	Efeitos colaterais comuns ou importantes
Bupropiona (Wellbutrin)	0 a +	0 a +	0 a +	boca seca; dor de garganta; indisposição estomacal; perda de apetite; dor de estômago; sudorese; dor de cabeça; insônia; inquietação; tremor; ansiedade; tontura; erupções; zumbido nos ouvidos; convulsões
Venlafaxina (Effexor)	0	0	0	tontura; boca e garganta secas; indisposição estomacal; perda de apetite; prisão de ventre; sudorese; dor de cabeça; sonolência; insônia; ansiedade; fraqueza; tremor; visão turva; problemas de orgasmo; perda de interesse sexual; sonhos anormais; aumento da pressão arterial
Mirtazapina (Remeron)	+ + +	+ +	+ a + +	boca seca; aumento de apetite e ganho de peso; prisão de ventre; sono; tontura. Atenção: consulte o seu médico se você apresentar sinais de alguma infecção (como febre). Isso pode indicar uma queda na contagem de glóbulos brancos, um efeito colateral raro, mas perigoso. Também pode provocar aumento do colesterol e triglicérides

*. Esta lista não é genérica. Em geral, são relacionados os efeitos colaterais que ocorrem em 5% a 10% dos pacientes ou mais, além de efeitos colaterais raros, mas perigosos.

a. A classificação de + a + + + neste quadro refere-se à probabilidade de um determinado efeito colateral ocorrer. A intensidade real do efeito variará de uma pessoa para outra e dependerá também do tamanho da dose. Muitas vezes, reduzir a dose pode diminuir os efeitos colaterais sem comprometer a eficácia.

Muitos remédios não psiquiátricos (por exemplo, corticoides) também podem aumentar o risco de convulsões. Portanto, é preciso ter muito cuidado se a bupropiona for combinada a um desses remédios, especialmente se a dose de bupropiona for elevada. Não deixe de consultar seu farmacêutico sobre interações medicamentosas se estiver tomando qualquer outro medicamento junto à bupropiona.

Há vários outros tipos de interações medicamentosas que você precisa considerar se estiver tomando bupropiona:

- Os barbitúricos podem fazer o nível de bupropiona no sangue diminuir. Isso poderia fazê-la perder a eficácia;
- A fenitoína (Dilantin) também pode fazer os níveis de bupropiona diminuírem, tornando-a menos eficaz. Porém, a fenitoína é mais frequentemente receitada para epilepsia, portanto não é provável que os pacientes que tomam fenitoína recebam bupropiona;
- A cimetidina (Tagamet) pode aumentar os níveis de bupropiona no sangue. Isso pode aumentar a probabilidade de efeitos colaterais ou tóxicos, como convulsões;
- A bupropiona não deve ser combinada aos IMAOs por causa do risco de uma crise hipertensiva;
- A levodopa aumenta os efeitos colaterais da bupropiona; é preciso ter cautela quando esses medicamentos são combinados.

VENLAFAXINA (EFFEXOR)

Este é um antidepressivo relativamente novo que se encontra numa categoria distinta dos demais medicamentos antidepressivos. Liberado em 1994, é denominado inibidor de recaptação "duplo" ou "misto". Isso tem um significado muito simples. Ele provoca aumento em dois tipos de mensageiros químicos (também chamados de neurotransmissores) do cérebro – a serotonina e a norepinefrina – ao bloquear as bombas que as transportam de volta aos neurônios pré-sinápticos depois que elas são liberadas nas sinapses.

Como você leu no Capítulo XVII, essa capacidade de aumentar os níveis de dois mensageiros químicos diferentes não é novidade. Muitos dos mais antigos e baratos antidepressivos tricíclicos, como o Tryptanol (amitriptilina), também fazem isso. O diferencial mais importante da venlafaxina é que ela tem menos efeitos colaterais, porque não estimula os receptores histamínicos, alfa-adrenérgicos e muscarínicos que provocam cansaço, tontura, boca seca e assim por diante. Entretanto, como você verá a seguir, a venlafaxina tem seus próprios efeitos colaterais. Alguns deles, como náusea, insônia e problemas sexuais, são semelhantes aos dos antidepressivos ISRS, e alguns (como cansaço) são similares aos dos antidepressivos tricíclicos. Alega-se que a venlafaxina pode ter uma ação mais rápida por causa de seu efeito duplo sobre os receptores de serotonina e norepinefrina. Isso não parece provável, porque os antigos antidepressivos tricíclicos também têm efeito duplo sobre os receptores cerebrais de serotonina e norepinefrina, mas não têm efeitos antidepressivos de imediato. Existem pesquisas em andamento para tentar determinar se a venlafaxina realmente age mais rápido.

Embora um antidepressivo de ação rápida representasse um importante avanço, é provável que não devemos ficar muito otimistas em relação a isso. As alegações feitas sobre as propriedades superiores dos novos antidepressivos muitas vezes não são fundamentadas por uma pesquisa cuidadosa, sistemática e independente depois que os medicamentos já estão disponíveis no mercado por um certo período. Além disso, você verá a seguir que a venlafaxina deve ser iniciada em doses baixas e aumentada bem devagar para prevenir o surgimento de efeitos colaterais. Na maioria dos pacientes, isso evitará que o remédio tenha efeitos depressivos de ação rápida.

Existem estudos em andamento para analisar a questão mais importante, isto é, se os medicamentos com dupla ação têm efeitos antidepressivos mais fortes do que os dos ISRSs para certos tipos de pacientes, especialmente aqueles com depressão grave que estejam hospitalizados. Isso é importante porque os ISRSs (como o Prozac) que hoje são tão populares não têm sido muito eficazes para esses pacientes. Em um estudo, a venlafaxina foi mais eficaz que o Prozac no tratamento de pacientes internados com depressão "melancólica". Essa depressão refere-se a uma depressão mais grave com muitas características orgânicas, como acordar cedo demais e ter perda de apetite e de desejo sexual. Os indivíduos com depressão melancólica também podem apresentar anedonia, juntamente a sentimentos de culpa que podem tornar-se extremos ou até delirantes. Anedonia diz respeito a uma perda grave da capacidade de sentir prazer ou satisfação.

Como todos os antidepressivos, a venlafaxina está começando a ser usada também para uma série de outros distúrbios, como a dor crônica e o transtorno do déficit de atenção (TDA) em adultos. Lembre-se de que todos, ou quase todos os antidepressivos, têm sido usados para uma grande variedade de distúrbios, portanto não é provável que os efeitos da venlafaxina sejam superiores para a dor crônica ou o TDA.

DOSAGEM DA VENLAFAXINA

Alguns especialistas recomendam iniciar a venlafaxina com 18,75 mg duas vezes ao dia, que é apenas a metade da dose inicial recomendada pelo fabricante, a fim de minimizar a probabilidade de ocorrerem náuseas.[57] Depois a dose diária pode ser aumentada lentamente em 37,5 mg a cada três dias, até se atingir a dose total de 150 mg por dia ou mais. A maioria dos pacientes responde a uma dose total de 75 mg a 225 mg por dia. Doses mais elevadas tendem a ser mais eficazes, mas estão associadas a mais efeitos colaterais.

---

57. Ver nota 24.

Anteriormente, ao discorrer sobre os ISRSs, falamos sobre a meia-vida dos medicamentos – o tempo necessário para o organismo eliminar metade da substância presente no seu corpo. A venlafaxina tem uma meia-vida curta – o que significa que ela sai do seu organismo em questão de horas. Portanto, você deve tomar o medicamento duas ou três vezes por dia para manter um nível adequado na sua corrente sanguínea.

Recentemente o fabricante comercializou uma versão de venlafaxina (chamada Effexor XR) de liberação prolongada (lenta) que só precisa ser tomada uma vez por dia, o que é mais conveniente. Como se pode ver no Quadro 59, p. 422, as cápsulas de liberação prolongada parecem ser mais caras, mas na verdade isso é uma ilusão. Por exemplo, podemos ver no quadro que o preço médio de atacado de cem cápsulas de 75 mg de Effexor é US$ 118,66, enquanto o preço de cem cápsulas de 75 mg de liberação prolongada é US$ 217,14, ou quase duas vezes mais. Quando vi esses números pela primeira vez, concluí naturalmente que as cápsulas de liberação prolongada eram duas vezes mais caras do que os comprimidos comuns.

Mas vejamos o que acontece numa situação real. Vamos supor que a sua dose seja 75 mg por dia. Você pode tomar um comprimido comum de 37,5 mg de manhã e um segundo comprimido de 37,5 mg à noite, por um custo total de US$ 2,17 por dia, ou então um comprimido de 75 mg de liberação prolongada uma vez ao dia. De qualquer maneira, o Effexor é bem caro, pois a dose diária pode chegar a 375 mg por dia. O preço elevado é especialmente impressionante quando comparamos o custo do Effexor com o custo de vários antidepressivos tricíclicos genéricos que são igualmente eficazes e estão disponíveis por menos de dez cents por dia.

Como qualquer antidepressivo, é melhor que a venlafaxina seja reduzida aos poucos. Recomenda-se pelo menos duas semanas, e alguns pacientes podem precisar de até quatro semanas.

EFEITOS COLATERAIS DA VENLAFAXINA

Os efeitos colaterais da venlafaxina estão relacionados no Quadro 69, p. 485. Como é possível ver, eles são semelhantes aos dos compostos ISRS descritos antes. Os efeitos colaterais mais comuns da venlafaxina são náusea, dor de cabeça, sonolência, insônia, sonhos anormais, sudorese, nervosismo e tremor. A venlafaxina também pode causar os mesmos tipos de problemas sexuais que os ISRSs, como perda de interesse e dificuldade para atingir o orgasmo. Esses efeitos colaterais sexuais tendem a ser bastante comuns, como ocorre com os ISRSs. Apesar da alegação de que a venlafaxina tem menos efeitos colaterais que os antidepressivos tricíclicos mais antigos, ainda assim esse medicamento pode deixar a boca seca e provocar tontura em alguns pacientes. A tontura é provável principalmente se você parar muito depressa com o remédio.

Um tipo distinto de efeito colateral visto com a venlafaxina é um aumento da pressão arterial. Entretanto, os aumentos de pressão costumam ser vistos apenas em doses mais elevadas (225 mg por dia ou mais). Mesmo assim, se tiver problemas de pressão, você e o seu médico devem controlá-la cuidadosamente, e talvez esse medicamento não seja uma boa escolha para você. Em doses inferiores a 200 mg por dia, a probabilidade de um aumento da pressão arterial é de apenas cerca de 5%. A probabilidade aumenta para 10% ou 15% em doses superiores a 300 mg por dia. Foram observados aumentos na pressão de 20 mm a 30 mm de mercúrio, por exemplo.

INTERAÇÕES MEDICAMENTOSAS DA VENLAFAXINA

Como a venlafaxina é relativamente nova, as informações sobre suas interações com outros medicamentos ainda são relativamente limitadas. Parece ser menos provável que a venlafaxina interaja de maneiras adversas com outros remédios que você esteja tomando. Vários medicamentos podem fazer o nível sanguíneo de venlafaxina aumentar, podendo ser necessárias doses menores de venlafaxina. Eles incluem:
- alguns antidepressivos tricíclicos;
- os antidepressivos ISRS;
- cimetidina (Tagamet).

A venlafaxina pode aumentar os níveis sanguíneos de vários tranquilizantes maiores. Entre eles, estão a trifluoperazina (Stelazine), o haloperidol (Haldol) e a risperidona (Risperdal), podendo ser necessárias doses menores desses medicamentos. Teoricamente, essas drogas também podem fazer o nível sanguíneo de Venlafaxina aumentar.

A venlafaxina não deve ser combinada a antidepressivos IMAO por causa do risco de síndrome serotoninérgica (crise hiperpirética) descrito na p. 461. Lembre-se de que leva até duas semanas para que os efeitos de um IMAO sejam eliminados do organismo, portanto será necessário ficar "limpo" por um período de duas semanas se você parar de tomar um IMAO e depois começar a ingerir venlafaxina. Por outro lado, se você parar com a venlafaxina e depois começar a tomar um IMAO, um período de uma semana sem os remédios deve ser suficiente, porque a venlafaxina é eliminada do organismo de forma bastante rápida.

MIRTAZAPINA (REMERON)

A mirtazapina (Remeron) foi liberada nos Estados Unidos em 1996. Ela também aumenta a atividade da norepinefrina e da serotonina, mas por meio de um mecanismo diferente do da venlafaxina. Estudos pré-comercialização sugerem que a mirtazapina possa ser eficaz para pacientes ambulatoriais com depressão leve e também para os internados com depressão grave. Ela também pode ser particularmente útil para aqueles deprimidos que estejam muito ansiosos ou nervosos.

DOSAGEM DA MIRTAZAPINA

A faixa de dosagem da mirtazapina é de 15 mg a 45 mg por dia. A maioria dos médicos vai prescrever uma dosagem menor no início (7,5 mg por dia) e depois aumentá-la aos poucos. Como a mirtazapina provoca sonolência em mais de 50% das pessoas que a tomam, ela pode ser administrada uma vez ao dia antes de dormir, geralmente em doses de 15 mg a 45 mg por dia. Alguns médicos afirmam que a mirtazapina é menos propensa a causar sonolência quando a dose é aumentada. Isso é o contrário do que se poderia esperar intuitivamente. É que a droga pode ter alguns efeitos estimulantes em doses mais elevadas. Teremos de esperar até que haja mais experiências clínicas com esse medicamento para saber se isso é mesmo verdade.

EFEITOS COLATERAIS DA MIRTAZAPINA

Os efeitos colaterais da mirtazapina estão relacionados no Quadro 69, p. 485. Podemos ver que ela bloqueia os receptores histamínicos, alfa-adrenérgicos e muscarínicos, do mesmo modo que os antidepressivos tricíclicos mais antigos. Portanto, o perfil de efeitos colaterais da mirtazapina é muito semelhante ao dos tricíclicos, especialmente a amitriptilina, a clomipramina, a doxepina, a imipramina e a trimipramina (ver Quadro 60). Entre os efeitos colaterais mais comuns estão o cansaço (54% dos pacientes) mencionado antes, aumento do apetite (17%), ganho de peso (12%), boca seca (25%), prisão de ventre (13%) e tontura (7%). Lembre-se de que esses números estão um tanto inflacionados porque não levam em conta o efeito placebo. Por exemplo, 2% dos pacientes que tomam placebo também relatam ganho de peso, portanto a verdadeira incidência de ganho de peso que pode ser atribuída à mirtazapina seria de 12% menos 2%, ou 10%. A mirtazapina não é propensa a causar a indisposição estomacal, a insônia, o nervosismo e os problemas sexuais comumente vistos com os ISRSs como o Prozac.

A mirtazapina tem alguns efeitos adversos únicos, não compartilhados com outros antidepressivos. Em casos raros, ela pode fazer sua contagem de glóbulos brancos diminuir. Como essas células estão envolvidas no combate a infecções, isso pode deixá-lo mais vulnerável a uma variedade de infecções. Se você tiver febre enquanto estiver tomando esse medicamento, não deixe de entrar em contato com seu médico imediatamente, para que ele possa obter um hemograma completo. Às vezes a mirtazapina pode provocar um aumento no nível sanguíneo de gorduras, como o colesterol e os triglicérides. Isso pode ser um problema se você estiver acima do peso ou tiver um problema cardíaco, ou se o seus níveis de colesterol e triglicérides já estiverem elevados.

INTERAÇÕES MEDICAMENTOSAS DA MIRTAZAPINA

Como a mirtazapina é relativamente nova, há muito poucas informações disponíveis sobre suas interações medicamentosas. Ela não deve ser combinada a antidepressivos IMAO por causa do risco de síndrome serotoninérgica (crise hiperpirética). Pelo fato de poder causar forte sedação, aumentará os efeitos de outros sedativos. Eles incluem o álcool, tranquilizantes maiores e menores, soníferos, alguns anti-histamínicos, barbitúricos, vários outros antidepressivos e o ansiolítico buspirona (BuSpar). A maior sonolência que se sente quando essas substâncias são combinadas à mirtazapina poderiam causar dificuldades de coordenação e concentração. Isso poderia ser arriscado ao dirigir ou operar equipamentos perigosos.

ESTABILIZADORES DO HUMOR

LÍTIO

Em 1949, um psiquiatra australiano chamado John Cade observou que o lítio, um sal comum, causava sedação em cobaias. Ele administrou lítio a um paciente com sintomas maníacos e observou efeitos calmantes drásticos. Testes dos efeitos do lítio em outros pacientes maníacos produziram resultados semelhantes. Desde então, o lítio vem aos poucos ganhando popularidade no mundo todo. Ele tem sido usado com sucesso no tratamento de uma série de problemas, como:
- Estados maníacos agudos. Embora o lítio seja usado para tratar pacientes com mania grave, eles geralmente serão tratados com medicamentos de ação rápida mais potentes até que os sintomas graves de mania tenham di-

minuído. Esses outros medicamentos incluem os antipsicóticos (também conhecidos como tranquilizantes maiores ou neurolépticos), como a clorpromazina (Thorazine), e também os benzodiazepínicos (também chamados de "tranquilizantes menores"), como o clonazepam (Klonopin) ou o lorazepam (Ativan). Esses medicamentos adicionais são usados até que a mania esteja sob controle. Depois que os sintomas maníacos graves diminuem, os outros remédios são interrompidos e o paciente continua a tomar o lítio para prevenir futuras oscilações de humor;

- Oscilações de humor maníacas e depressivas recorrentes em pessoas com doença maníaco-depressiva bipolar. O lítio tem um efeito preventivo significativo, e assim a probabilidade de episódios maníacos futuros é reduzida;
- Episódios isolados de depressão. Às vezes o lítio é acrescentado em doses menores a um antidepressivo que não esteja fazendo efeito para tentar melhorar sua eficácia. Descreverei essa e outras estratégias de potencialização mais adiante neste capítulo;
- Episódios recorrentes de depressão em pacientes sem oscilações de humor maníacas. A manutenção do lítio pode ajudar a prevenir recaídas da depressão após a recuperação. Alguns estudos indicam que os efeitos preventivos do tratamento de longo prazo com lítio podem ser semelhantes aos efeitos do tratamento de longo prazo com um antidepressivo como a imipramina. Entretanto, esse efeito preventivo sobre a depressão pode não funcionar com todos os pacientes. O lítio provavelmente tem mais chance de prevenir a depressão em pacientes com um histórico familiar forte de doença bipolar (maníaco-depressiva);
- Pessoas com raiva e irritabilidade ocasionais ou ataques violentos de fúria;
- Pessoas com esquizofrenia. O lítio pode ser combinado a um medicamento antipsicótico, e a combinação pode ser mais eficaz do que o antipsicótico isoladamente. A melhora parece ocorrer em pacientes esquizofrênicos que também apresentam mania ou depressão e nos esquizofrênicos sem nenhum sintoma dessas duas doenças.

Deve-se ter em mente que, em todos esses casos, o lítio às vezes ajuda, mas raramente tem poder de cura. Como a maioria dos remédios, é um instrumento valioso mas não pode curar todos os males.

Como observado antes, a doença maníaco-depressiva às vezes também é chamada de doença bipolar. "Bipolar" significa simplesmente "dois polos". Os pacientes com doença bipolar apresentam oscilações de humor eufóricas incontroláveis, as quais, muitas vezes, alternam-se com depressões graves. A fase maníaca é caracterizada por um estado de êxtase extremo, euforia, níveis inadequados de autoconfiança e grandiosidade, fala ininterrupta, hiperatividade incessante, aumento da atividade sexual, menor necessidade de sono, maior irritabilidade e agressividade e comportamento impulsivo autodestrutivo, como gastar dinheiro exageradamente. Essa doença incomum geralmente evolui para um padrão crônico de altos e baixos incontroláveis que podem surgir inesperadamente durante a vida toda, por isso é possível que seu médico recomende que você continue tomando lítio (ou outro estabilizador do humor) pelo restante da vida.

Se você já apresentou elevações de humor anormais juntamente à sua depressão, é quase certo que o seu médico irá prescrever lítio ou algum outro medicamento semelhante, um estabilizador do humor. Alguns estudos sugerem que, se você está deprimido e tem um histórico familiar de mania, pode beneficiar-se com o uso do lítio mesmo que nunca tenha tido episódios maníacos. Entretanto, a maioria dos médicos prescreveria primeiro um antidepressivo comum e observaria você cuidadosamente. Embora os antidepressivos não costumem causar euforia ou mania em pessoas com depressão, ocasionalmente eles podem ter esse efeito em indivíduos com doença maníaco-depressiva bipolar. A mania pode manifestar-se rapidamente, de 24 a 48 horas após iniciar o antidepressivo.

Na minha atividade clínica, o surgimento repentino de um episódio maníaco perigoso após iniciar o tratamento com um antidepressivo tem sido bastante raro, até em pacientes com doença bipolar. Mesmo assim, se você tem um histórico pessoal ou familiar de mania, é possível que apresente esse efeito colateral. Não deixe de informar seu médico sobre isso para que possa receber um acompanhamento cuidadoso após iniciar um antidepressivo. Sua família também deve ser alertada quanto a essa possibilidade. Muitas vezes os membros da família têm consciência do surgimento de um episódio maníaco antes que o paciente perceba o que está acontecendo, e podem alertar o médico a respeito do problema. É que às vezes pode ser difícil para o paciente distinguir entre a alegria normal e o início da mania. Além do mais, a mania produz uma sensação tão boa no início que você pode não perceber que se trata de um efeito colateral perigoso do medicamento que está tomando.

DOSAGEM DO LÍTIO

Como você verá no Quadro 59, o lítio vem em doses de 300 mg, e normalmente são necessários três a seis comprimidos por dia, em porções divididas. Seu médico irá orientá-lo. Inicialmente, você pode tomar o lítio três ou quatro vezes ao dia. Depois que tiver se estabilizado, talvez possa tomar metade da dose diária pela manhã e metade antes de dormir. Esse esquema dividido em duas vezes por dia será mais conveniente.

Também estão disponíveis cápsulas de liberação sustentada contendo 450 mg. Como esses remédios são liberados de forma mais lenta no estômago e no trato gastrointestinal, eles podem causar menos efeitos colaterais e são mais convenientes porque não precisam ser tomados com tanta frequência. Porém, seu maior custo comparado ao do lítio genérico talvez não justifique o uso. Além do mais, vários pacientes relataram que os efeitos colaterais das versões genéricas de lítio, mais baratas, não apresentam nenhuma diferença em relação às demais versões mais caras.

Assim como os outros medicamentos usados para tratar transtornos de humor, o lítio geralmente requer entre duas e três semanas para fazer efeito. Quando ingerido por um período de tempo prolongado, sua eficácia clínica parece aumentar. Assim, se você tomá-lo por vários anos, ele pode ajudá-lo cada vez mais.

Infelizmente, parece haver um grupo de indivíduos que se dão bem com o lítio, param de tomá-lo, voltam a apresentar os sintomas e constatam que o lítio é menos eficaz quando começam a tomá-lo novamente. Essa é uma das razões pelas quais você não deveria parar de tomar o lítio, ou qualquer outro medicamento, sem primeiro consultar o seu médico.

EXAME DE LITEMIA

O excesso de lítio no sangue pode causar efeitos colaterais perigosos. Por outro lado, se o seu nível sanguíneo for muito baixo, o remédio não vai ajudá-lo. Como existe uma estreita "margem" de eficácia do lítio, é necessário um exame de dosagem sanguínea para ter certeza de que a sua dose não está muito alta nem muito baixa. No início, seu médico vai pedir exames de sangue mais frequentes a fim de determinar qual deve ser a dose apropriada. Posteriormente, quando a dose e os sintomas tiverem se estabilizado, você não precisará fazer exames de sangue com a mesma frequência.

Se você é um paciente ambulatorial e não está apresentando mania grave, talvez seu médico peça exames de litemia uma ou duas vezes por semana nos primeiros quinze dias, depois uma vez por mês. No final, um exame de sangue a cada três meses pode ser suficiente.

Se você está fazendo tratamento por causa de um episódio maníaco mais grave, precisará de exames de sangue mais frequentes. Isso porque geralmente são necessários níveis sanguíneos mais elevados de lítio para controlar os sintomas graves. Além disso, seu organismo tende a eliminar o lítio mais depressa durante um episódio maníaco, por isso pode precisar de doses maiores para manter o nível sanguíneo adequado. Como observado antes, durante um episódio maníaco é quase certo que o seu médico irá querer combinar o lítio com medicamentos mais potentes durante as primeiras semanas, até os seus sintomas diminuírem.

Seu sangue deve ser colhido oito a doze horas depois do seu último comprimido de lítio. O melhor horário para fazer um exame de sangue é logo no início da manhã. Se você esquecer e tomar seu comprimido de lítio na manhã do exame, *não o faça!* Tente novamente outro dia. Do contrário, os resultados poderão induzir seu médico ao erro.

A constituição física, a função renal, as condições do tempo e outros fatores podem afetar a dose de lítio necessária, por isso exames de sangue devem ser feitos regularmente se você estiver fazendo tratamento de manutenção com lítio. Seu médico provavelmente tentará manter seu nível sanguíneo em algum ponto entre 0,6 e 1,2 mg/cm^3, mas isso vai variar de acordo com o seu grau de sintomas. Durante um episódio maníaco agudo, seu médico provavelmente vai querer manter seu nível sanguíneo mais perto do limite superior da faixa terapêutica. Alguns médicos acreditam que níveis de apenas 0,4 a 0,6 mg/cm^3 podem ser eficazes para ajudar a prevenir um episódio depressivo ou maníaco quando você está se sentindo bem.

Pacientes com irritabilidade e raiva crônica também podem responder ao lítio em níveis sanguíneos assim baixos, mesmo que não apresentem sintomas claros de doença maníaco-depressiva. A vantagem desses níveis baixos é que há menos efeitos colaterais.

OUTROS EXAMES MÉDICOS

Antes do tratamento, o médico irá avaliar seu estado de saúde e pedir uma série de exames de sangue e urina. Esses exames de sangue geralmente incluirão um hemograma completo, exames de função renal e de tireoide, eletrólitos e glicemia. O funcionamento da sua tireoide deve ser avaliado com intervalos de seis meses ou um ano enquanto você estiver tomando lítio, porque alguns pacientes tratados com essa substância desenvolvem bócio (um inchaço ou caroço na glândula tireoide) ou hipotireoidismo. Sua função renal também deve ser avaliada de tempos em tempos, por causa das alterações renais observadas em alguns pacientes que fazem uso de lítio. Seu médico pode pedir um eletrocardiograma (ECG) antes de iniciar a medicação, especialmente se você tiver mais de 40 anos ou algum histórico de problemas cardíacos. Seu médico também precisará saber sobre qualquer outro remédio que você possa estar tomando, pois alguns deles podem provocar elevações no seu nível sanguíneo de lítio. Eles incluem certos diuréticos e também alguns anti-inflamatórios, como o ibuprofeno, o naproxeno e a indometacina. Você vai aprender a seguir que alguns remédios podem ter o efeito oposto de fazer o seu nível de lítio cair.

EFEITOS COLATERAIS DO LÍTIO

Os efeitos colaterais do lítio são relacionados no QUADRO 70 e comparados aos de dois outros estabilizadores do humor que discutirei abaixo. Como é possível ver, o lítio costuma ter vários efeitos colaterais. A maioria deles são ligeiramente incômodos, mas não graves.

QUADRO 70
Efeitos colaterais dos estabilizadores do humor[a]

Categoria	Lítio	Ácido valproico	Carbamazepina
Musculatura e sistema nervoso	tremor problemas de coordenação cansaço lentidão ou torpor mental perda de memória	tremor problemas de coordenação cansaço fraqueza	tontura problemas de coordenação cansaço fraqueza
Estômago e trato gastrointestinal	indisposição estomacal ganho de peso diarreia	indisposição estomacal ganho de peso alterações na função hepática pancreatite	indisposição estomacal alterações na função hepática boca seca
Rins	diabetes insípido nefrogênico (excesso de urina e sede) nefrite intersticial, levando à insuficiência renal (geralmente leve)		síndrome da secreção inadequada do hormônio antidiurético (SIADH)
Pele	erupções queda de cabelo acne	erupções queda de cabelo	erupções
Coração	alterações no ECG		arritmias cardíacas
Sangue	aumento da contagem de glóbulos brancos	redução do número de plaquetas, com sangramento anormal	redução do número de plaquetas, com sangramento anormal falência da medula óssea (rara)
Hormônios	hipotireoidismo	alterações menstruais	redução do nível de hormônios da tireoide (T3 e T4)

a. As informações deste quadro foram obtidas em parte de o *Manual of Clinical Psychopharmacology* (ver nota 24) e do *Psychotropic Drugs Fast Facts* (ver nota 45). Essas excelentes obras de referência são altamente recomendadas.

Ao começar pelos efeitos sobre a musculatura e o sistema nervoso, você verá que o lítio pode causar um leve tremor das mãos e dedos em 30% a 50% dos pacientes. Esse tremor está presente quando as mãos estão em repouso e costuma piorar quando se faz algo com elas intencionalmente. Por exemplo, o tremor pode tornar mais difícil segurar uma xícara de café ou escrever com clareza. A gravidade do tremor está relacionada à dose e pode ser mais grave quando o lítio é prescrito juntamente a um dos antidepressivos tricíclicos, que também podem provocar tremor.

Esse tremor é uma das principais razões pelas quais alguns pacientes param de tomar o lítio. Um medicamento antitremor chamado propranolol (Rebaten) pode ser administrado se o tremor for particularmente grave e problemático, mas a minha política é evitar prescrever qualquer remédio adicional se possível. Uma redução da dose também pode ajudar.

Se o seu médico prescrever o propranolol, a dosagem habitual para reduzir um tremor causado por lítio é de 20 mg a 160 mg por dia, administrada em várias doses. É melhor começar com doses pequenas e ir aumentando aos poucos. O ideal é tomar a menor dose eficaz possível. É que o propranolol pode ter outros efeitos, como redução dos batimentos cardíacos, queda na pressão arterial, fraqueza e fadiga, confusão mental e indisposição estomacal. O propranolol também pode provocar dificuldades respiratórias e não deve ser administrado a pacientes com asma. Também é contraindicado para pacientes com doença de Raynauld. O metoprolol (25 mg a 50 mg) e o nadolol (20 mg a 40 mg), medicamentos similares ao propranolol, também têm sido usados para tratar o tremor causado pelo lítio.

O lítio pode provocar cansaço e fadiga no início, mas esses efeitos normalmente desaparecerão com o tempo. Alguns pacientes queixam-se de lentidão mental ou esquecimento, principalmente indivíduos mais jovens. O esquecimento já foi confirmado por testes de memória. Outros antidepressivos que têm propriedades anticolinérgicas, como o Tryptanol, também podem provocar esquecimento. Queixas sobre essas alterações mentais são muito comuns e fazem vários pacientes pararem de tomar o lítio. Os problemas de memória parecem ser mais acentuados quando os níveis sanguíneos de lítio estão mais elevados, como era de se esperar, e costumam melhorar quando a dose é reduzida.

Do mesmo modo, alguns pacientes reclamam de fraqueza e fadiga consideráveis. Esses sintomas costumam indicar um nível excessivo de lítio e talvez seja indicado reduzir a dose. Extrema sonolência com confusão mental, perda de coordenação ou fala enrolada sugerem um nível de lítio perigosamente elevado. Interrompa o medicamento e procure atendimento médico imediato se surgirem esses sintomas.

Alguns pacientes temem que possam perder sua criatividade quando começam a tomar lítio. Isso é uma preocupação especialmente para artistas e escritores que já usaram seus altos e baixos como uma dolorosa fonte de inspiração para a expressão criativa. De fato, ao longo dos séculos, muitos pintores e poetas sofreram de doença maníaco-depressiva, e seus estados de humor refletiram-se claramente em sua obra. Porém, três quartos dos pacientes tratados com lítio relatam que ele não parece reduzir sua criatividade, e em alguns casos esta até aumenta.[58]

Passando agora para o sistema digestório, o lítio pode causar indisposição estomacal ou diarreia, que é mais problemática durante os primeiros dias de tratamento. Esses efeitos colaterais normalmente desaparecerão com o tempo. Tomar o lítio junto à comida ou em três ou quatro doses divididas ao longo do dia pode ajudar, assim o seu estômago não será atingido com uma dose grande de uma só vez. Aumentar a dose de lítio de forma mais lenta também pode ser útil. Em casos raros o lítio pode provocar vômito e também diarreia, e o seu corpo pode ficar desidratado por causa de toda essa perda de líquido. Isso pode fazer o seu nível sanguíneo de lítio aumentar, tornando o medicamento mais tóxico – o que, por sua vez, pode provocar mais náusea e diarreia, criando um círculo vicioso. Você pode precisar de atendimento médico para garantir que fique devidamente hidratado até que o episódio tenha passado.

Infelizmente, muitos pacientes que tomam lítio apresentam ganho de peso; essa é uma outra razão comum pela qual os pacientes param de tomar o medicamento. O dr. Alan F. Schatzberg[59] sugeriu que esse problema pode se tornar maior se você já estiver acima do peso. O ganho de peso resulta da estimulação do seu apetite. Muitas vezes, isso é bastante difícil de ser controlado. Obviamente, se você fizer mais exercícios e comer menos, o ganho de peso pode ser evitado ou revertido, mas é mais fácil falar do que fazer! Se o ganho de peso for excessivo ou problemático, talvez seja melhor trocar por um outro estabilizador do humor, como a carbamazepina.

Também podem ocorrer aumento da sede e da frequência de urinar quando se toma lítio. Em alguns casos, os pacientes desenvolvem sede intensa em consequência da urina, que é tão frequente e volumosa que o lítio precisa ser interrompido. Esse problema, conhecido como diabetes insípido nefrogênico (DIN), é resultante dos efeitos do lítio nos rins. Costuma ser reversível quando o lítio é interrompido. Em alguns casos, acrescentar certos tipos de diuréticos também pode ajudar. No entanto, é preciso fazer um acompanhamento cuidadoso, porque esses diuréticos podem aumentar o nível plasmático de lítio. Aumentos mais moderados da urina provavelmente ocorrem em metade a três quartos dos pacientes que tomam lítio.

O lítio pode causar uma forma de lesão renal chamada "nefrite intersticial". Esse termo significa simplesmente uma inflamação ou irritação do tecido. Quando foi

---

58. Ver nota 24.

59. Ver nota 24.

relatada pela primeira vez, os psiquiatras ficaram muito alarmados com essa complicação. A experiência posterior indicou que, embora o problema possa ocorrer em 5% ou mais dos pacientes que tomam lítio por muitos anos, o grau de comprometimento renal geralmente é discreto. Seu médico, porém, irá querer monitorar sua função renal periodicamente enquanto você estiver usando lítio. Ele vai pedir dois exames de sangue chamados exame de creatinina e nitrogênio ureico sanguíneo (NUS) uma ou duas vezes por ano. Esses exames podem ser realizados ao mesmo tempo que você faz seu exame de litemia habitual. Se o exame indicar alterações na função renal, seu médico pode solicitar uma consulta com um urologista e pedir um exame de *clearance* de creatinina por 24 horas. Esse é um exame mais preciso da função renal e exigirá que você guarde toda a sua urina por 24 horas num frasco especial fornecido pelo laboratório de análises clínicas. Os resultados vão ajudar o médico a avaliar se é seguro você continuar tomando lítio.

Ocasionalmente, um paciente pode apresentar erupções de pele, e aqueles com psoríase que tomarem lítio muitas vezes apresentarão uma piora da sua condição. Isso pode exigir uma consulta a um dermatologista, a substituição por uma outra marca de lítio, a interrupção temporária do lítio ou a troca por um outro medicamento estabilizador do humor. A acne também pode piorar durante o tratamento com lítio. Isso pode ser tratado com antibióticos ou ácido retinoico, mas em alguns casos talvez seja necessário interromper o lítio. Alguns pacientes queixam-se de queda de cabelo, mas ele geralmente volta a crescer, mesmo que o paciente continue tomando lítio. É interessante observar que a queda de cabelo relacionada ao lítio ocorre principalmente em mulheres, e podem desaparecer pelos de qualquer parte do corpo. A queda de cabelo às vezes é um sinal de hipotireoidismo (ver abaixo), por isso o médico talvez peça um exame de sangue para avaliar a função da tireoide se o problema persistir.

O lítio pode causar uma série de alterações no eletrocardiograma (ECG), mas elas geralmente não são graves. Os pacientes mais velhos, como aqueles com problemas de coração, devem fazer um ECG antes de iniciar o lítio, como observado antes. O ECG pode ser repetido depois que você tiver se estabilizado com o lítio para ver se há alguma alteração no ritmo cardíaco que possa ser motivo de preocupação.

Podemos ver no Quadro 70 que o lítio também pode provocar aumento da contagem de glóbulos brancos. Essas são as células que normalmente combatem infecções. A contagem normal de glóbulos brancos encontra-se na faixa dos 6 mil a 10 mil. Em geral, a contagem de glóbulos brancos nos pacientes que usam lítio aumenta para 12 mil a 15 mil por cm^3, elevação que não é considerada perigosa. Contudo, se você ficar doente e for ao médico, não deixe de lembrá-lo de que você está tomando lítio, o qual pode provocar uma falsa elevação da sua contagem de glóbulos brancos. Do contrário, seu médico pode considerar indevidamente que você tem uma infecção grave, mesmo que não a tenha realmente.

Por fim, o lítio pode afetar o funcionamento da tireoide em até 20% dos pacientes. Como observado antes, um efeito comum é um aumento no tamanho da glândula tireoide (chamado de "bócio") sem qualquer alteração na função tireoidiana. Outros pacientes apresentam aumento no nível sanguíneo de hormônio estimulante da tireoide (na sigla em inglês, TSH). Isso indica que o organismo está se esforçando mais para estimular a glândula tireoide. Até 5% dos pacientes que usam lítio desenvolverão hipotireoidismo, e isso pode exigir tratamento com tiroxina (0,05 mg a 0,2 mg por dia), a reposição de um hormônio da tireoide.

INTERAÇÕES MEDICAMENTOSAS DO LÍTIO

Como se pode ver no Quadro 71, a seguir, o lítio interage com muitos outros medicamentos. Não deixe de repassar essa lista com seu médico se estiver tomando outros medicamentos durante o tratamento com lítio.

Os medicamentos na parte superior do quadro podem fazer o nível de lítio no sangue aumentar. Isso pode provocar mais efeitos colaterais, inclusive intoxicação por lítio. Talvez a dose de lítio precise ser reduzida para manter o nível sanguíneo dentro da faixa adequada. Esses medicamentos incluem vários remédios muito usados no tratamento da pressão alta, como os chamados inibidores da ECA, os bloqueadores dos canais de cálcio e a metildopa (Aldomet). Os bloqueadores dos canais de cálcio, em particular, podem aumentar a toxicidade do lítio, provocando sintomas como tremor, perda de coordenação, náusea e vômito, diarreia e zumbido nos ouvidos. É necessário ter cautela se for combinar o lítio a um desses medicamentos.

Muitos anti-inflamatórios não esteroides (AINEs) comuns como o ibuprofeno (Advil, Motrin e outras designações comerciais) também podem fazer o nível de lítio aumentar. Vários antibióticos aumentam o nível de lítio, assim como o antifúngico comum metronidazol (Flagyl), que costuma ser usado para tratar infecções vaginais. Vários anticonvulsivantes também estão relacionados na parte superior do Quadro 71. Se você estiver tomando qualquer um desses medicamentos, pode precisar de doses menores de lítio.

Se você tem pressão alta, talvez tome também um diurético. Alguns diuréticos fazem o nível de lítio aumentar. Os diuréticos de alça e os diuréticos poupadores de potássio do Quadro 71 não aumentam tanto o nível de lítio quanto os diuréticos tiazídicos ali relacionados. Nem todos os diuréticos fazem o nível de lítio aumentar. Por exemplo, podemos ver no Quadro 71 que os diuréticos osmóticos, que agem de forma um pouco diferente, podem ter o efeito oposto e fazer o nível de lítio cair.

QUADRO 71*
Interações medicamentosas do lítio[a]

Drogas que podem provocar aumento do nível de lítio no sangue ou de seus efeitos tóxicos

inibidores da ECA (enzima de conversão da angiotensina) • benazepril (Lotensin) • catopril (Capoten) • enalapril (Enalapril) • fosinopril (Monopril) • lisinopril (Zestril) • quinapril (Accupril) • ramipril (Triatec)	álcool antibióticos • ampicilina (Ampicilina) • espectinomicina (Trobicin) • tetraciclina (Parenzyme tetraciclina) anticonvulsivantes • carbamazepina (Tegretol) • fenitoína (Hidantal) • ácido valproico (Depakene)	antifúngicos • metronidazol (Flagyl) bloqueadores dos canais de cálcio • diltiazem (Cardizem) • nifedipina (Adalat) • verapamil (Dilacoron) diuréticos (de alça) • ácido etacrínico (Edecrin) • furosemida (Lasix)	diuréticos (tiazídicos) • clorotiazida (Diuril) • hidroclorotiazida (Clorana) diuréticos (poupadores de potássio) • amilorida (Moduretic) • espironolactona (presente no Aldactone) cetamina dieta com baixo teor de sal	mazindol (Fagolipo) metildopa (Aldomet) anti-inflamatórios não esteroides • diclofenaco (Voltaren) • ibuprofeno (Advil) • indometacina (Indocin) • cetoprofeno (Profenid) • piroxicam (Feldene) • fenilbutazona (Butazona calcica)

Drogas que podem provocar redução do nível de lítio no sangue ou de seus efeitos tóxicos

acetazolamida (Diamox) broncodilatadores • albuterol (Aerolin) • aminofilina (Minoton) • teofilina (Teolong)	cafeína (presente no café, chá, refrigerante, chocolate) corticoides • hidrocortizona (Stiefcortil) • metilprednisolona (Solumedrol)	diuréticos osmóticos bicarbonato de sódio alimentos salgados ureia

Outras interações medicamentosas do lítio

Droga	Efeito
agentes antipsicóticos • clorpromazina (Amplictil) • haloperidol (Haldol) • tioridazina (Melleril)	pode aumentar a toxicidade do lítio ou o risco de síndrome neuroléptica maligna (SNM) (muito rara)

Droga	Efeito
digitális (Crystodigin; Lanoxin)	arritmias cardíacas e redução dos batimentos cardíacos
hidroxizina (Hixizine)	arritmias cardíacas
antidepressivos tricíclicos	maior probabilidade de tremor

*. Esta lista não é genérica; frequentemente surgem novas informações sobre interações entre medicamentos. Se você está tomando lítio e qualquer outro remédio, pergunte ao seu médico e ao farmacêutico se há alguma interação medicamentosa.

a. Algumas informações deste quadro foram obtidas a partir do *Psychotropic Drugs Fast Facts*, p. 213-5 (ver nota 45). Esse livro é uma excelente fonte de informação sobre medicamentos psiquiátricos.

Talvez o seu médico prescreva uma dieta com baixo teor de sal, se você tem pressão alta. Entretanto, essa dieta pode fazer o nível de lítio aumentar. É que os seus rins vão excretar menos sal para tentar preservá-lo. Uma vez que o lítio também é um sal, quimicamente muito semelhante ao sal de cozinha, seus rins também vão excretar menos lítio. Do mesmo modo, se você transpirar muito durante o verão, isso pode ter o mesmo efeito de eliminar o sal do seu organismo e fazer o nível de lítio aumentar. Novamente, seus rins tentarão preservar o sal e também o lítio. É importante manter uma ingestão adequada de sal para compensar a quantidade que irá perder se estiver transpirando muito.

O efeito contrário também pode ocorrer. Podemos ver no Quadro 71 que, se você ingerir muito sal, isso pode fazer o nível de lítio cair. É que os seus rins sentirão que há sal demais no seu sangue e tentarão eliminá-lo. Eles excretarão mais lítio junto ao excesso de sal.

Por sua vez, as drogas relacionadas na parte intermediária do Quadro 71 têm o efeito oposto de fazer o nível de lítio no sangue diminuir. Por conseguinte, o lítio pode perder sua eficácia. Podemos ver que vários remédios usados no tratamento da asma reduzem o nível sérico de lítio. A cafeína também tem o mesmo efeito; portanto, se você é um bebedor de café inveterado, talvez precise reduzir seu consumo ou tomar doses maiores de lítio. Os corticoides, que são usados para tratar muitas doenças, inclusive intoxicações por plantas venenosas, também podem fazer o nível de lítio cair. Talvez seja necessário aumentar a dose de lítio para manter o nível sanguíneo dentro da faixa adequada se você estiver tomando algum desses remédios.

Várias outras interações medicamentosas são relacionadas no Quadro 71. Os psiquiatras costumavam achar que a combinação do lítio com certos medicamentos antipsicóticos (especialmente o haloperidol) aumentava muito o risco de um efeito tóxico chamado SNM (síndrome neuroléptica maligna). A SNM consiste em rigidez muscular acentuada e confusão mental, além de temperatura elevada, transpiração abundante, aumento da pressão arterial, aceleração dos batimentos cardíacos e da respiração, dificuldade de engolir, alteração das funções renal e hepática, entre outros sintomas. Porém, embora qualquer paciente que tome antipsicóticos corra um pequeno risco de desenvolver SNM, a experiência clínica recente indicou que a combinação de antipsicóticos com o lítio poderia causar apenas um ligeiro aumento nesse risco. Atualmente, o lítio é usado com frequência combinado a antipsicóticos e pode aumentar seus efeitos no tratamento da esquizofrenia, como descrito antes.

Como ocorre com a maioria das drogas psiquiátricas, as mulheres grávidas devem evitar o lítio, se possível, pois seu uso tem sido associado a defeitos congênitos que envolvem o coração. Esta não é uma posição radical, e os potenciais benefícios devem ser ponderados diante dos potenciais riscos. A probabilidade de ocorrer uma cardiopatia conhecida como anomalia de Ebstein é 20 vezes maior em mães que tomam lítio, mas seu risco ainda é inferior a 1%. Outros defeitos congênitos também podem ocorrer, especialmente quando o lítio é usado durante o primeiro trimestre de gravidez. Além disso, o lítio (assim como outras drogas psiquiátricas) é secretado no leite materno e deve ser evitado por mulheres que estejam amamentando. Se o uso do lítio for necessário, a amamentação deve ser evitada.

Se você ou o seu médico tiver alguma pergunta sobre o lítio (ou sobre os demais estabilizadores do humor descritos em breve), o centro de informações sobre o lítio do Madison Institute of Medicine, em Madison, Wisconsin, muitas vezes pode ajudar.[60]

ÁCIDO VALPROICO

O ácido valproico geralmente é usado no tratamento da epilepsia, mas recentemente* obteve aprovação do FDA para tratamento do transtorno bipolar, especialmente em crises maníacas agudas. Podemos ver no Quadro 59, p. 422, que esse medicamento pode ser prescrito de duas formas: como ácido valproico (Depakene) ou na forma de divalproato de sódio (Depakote), ligeiramente mais caro. Ambas são igualmente eficazes. Estudos comparando o ácido valproico e o lítio indicam que os dois medicamentos têm eficácia semelhante e parecem ser duas vezes mais eficazes que um placebo. O ácido valproico, como o lítio, também parece ser eficaz para a prevenção ou redução de futuros episódios maníacos. A droga pode ser especialmente útil no tratamento do transtorno bipolar de ciclagem rápida. Pode ajudar os pacientes que apresentam mania e depressão ao mesmo tempo (os chamados "estados mistos") e também aqueles que possuem as formas mais comuns de transtorno bipolar. Provavelmente é menos eficaz na prevenção e tratamento da depressão do que da mania.

DOSAGEM DO ÁCIDO VALPROICO

É melhor iniciar o ácido valproico aos poucos, para minimizar os efeitos colaterais. No primeiro dia a dose pode ser de 250 mg, administrada juntamente a uma das

---

60. O telefone do Madison Institute of Medicine é 1 608 827-2470; o fax é 1 608 827-2479; e o endereço é 7617 Mineral Point Road, Suite 300, Madison, Wisconsin, 53717, EUA. Eles podem fazer pesquisas bibliográficas e fornecer folhetos, reimpressões e outras informações a preços módicos.

*. Na época da publicação em inglês. (N.E.)

refeições. Durante a primeira semana, a dosagem pode ser elevada gradualmente até 250 mg, administradas três vezes ao dia. Como qualquer medicamento, a dose recebida pode variar ligeiramente de acordo com o tamanho, o sexo e os sintomas clínicos do paciente. Por exemplo, um homem com cerca de 70 quilos poderia começar com 500 mg duas vezes ao dia.

Durante a segunda e a terceira semanas, a dose pode ser aumentada lentamente um pouco mais. A maioria dos pacientes acaba com uma dose diária total na faixa dos 1.200 a 1.500 mg, administrada em doses divididas (por exemplo, 400 mg três vezes por dia). As doses individuais podem variar bastante. Alguns pacientes respondem a apenas 750 mg por dia e outros chegam a precisar de 3.000 mg por dia. Como qualquer medicamento, às vezes são necessárias doses que excedem a faixa normal.

Deve-se observar alguma melhora até duas semanas depois de se atingir um nível sanguíneo terapêutico. Se você responder ao ácido valproico, seu médico pode sugerir que continue tomando-o por um período prolongado, assim como o lítio.

EXAMES DE SANGUE

Seu médico vai pedir exames de sangue para ajustar sua dose de ácido valproico. No início, ele pedirá um exame por semana até que a dose e o nível sanguíneo tenham se estabilizado. Depois disso, você só precisará fazer exames de sangue uma vez por mês ou a cada dois meses.

O sangue deve ser colhido aproximadamente doze horas depois da sua última dose, assim como no exame de litemia. A maioria dos pacientes toma ácido valproico em doses divididas duas vezes por dia. Se for esse o seu caso, o sangue deve ser colhido pela manhã, antes de tomar a sua primeira dose diária. A maioria dos médicos acha que um nível sanguíneo de 50 a 100 mcg/ml é terapêutico, mas outros consideram adequados níveis sanguíneos de até 125 mcg/ml, especialmente em caso de mania aguda. Evidentemente, com níveis sanguíneos mais elevados são observados mais efeitos colaterais.

Antes do tratamento, seu médico provavelmente vai pedir um exame de sangue para verificar suas enzimas hepáticas, um teste de sangramento e um hemograma completo (que inclui uma contagem de plaquetas). Esses exames de sangue adicionais são realizados porque, em casos raros, o ácido valproico pode causar hepatite (uma inflamação do fígado) e sangramento anormal. Depois que você estiver usando o ácido valproico, de tempos em tempos o seu médico vai repetir esses exames para ter certeza de que não houve nenhuma alteração. Muitos médicos acreditam que, provavelmente, seja necessário verificar a contagem sanguínea e as enzimas hepáticas apenas em intervalos de seis a doze meses, especialmente se o paciente tiver sido orientado a informar imediatamente qualquer sinal ou sintoma que indique uma inflamação no fígado, conforme descrito a seguir. Você também deve informar ao seu médico se observar algum sangramento excessivo ou manchas roxas frequentes.

Aumentos temporários nas enzimas hepáticas foram relatados em 15% a 20% dos pacientes durante os primeiros três meses de tratamento. Na maioria dos casos, essas elevações não são consideradas graves. Mesmo assim, se as suas enzimas hepáticas apresentarem alterações, seu médico provavelmente vai reduzir a dose de ácido valproico e continuar monitorando as enzimas. Ele também vai querer que você seja orientado sobre os sintomas da hepatite para que possa informá-lo imediatamente caso esses sintomas surjam. A icterícia é o sintoma clássico. Esta é uma condição em que a urina torna-se escura e a pele e os olhos ganham uma coloração amarelada. Além disso, as fezes ficam esbranquiçadas. Quando o fígado inflama, o pigmento que normalmente confere às fezes sua cor característica acumula-se no sangue, provocando o amarelamento dos olhos, da pele e da urina. Outros sintomas da hepatite incluem fadiga, náusea, perda de apetite, cansaço e fraqueza. Felizmente, a hepatite quase nunca dificulta o tratamento com ácido valproico e geralmente pode ser tratada com sucesso, sobretudo se o seu médico for informado sem demora.

Embora a inflamação no fígado quase sempre seja leve, é importante observar esses sintomas com atenção, pois, teoricamente, eles podem evoluir para uma insuficiência hepática fatal. Essa complicação já foi observada em bebês e raramente é vista em adultos. Costuma ocorrer em indivíduos que tomam outros anticonvulsivantes ao mesmo tempo. Na verdade, alguns especialistas afirmam que ela não foi observada em adultos que tomam apenas um anticonvulsivante.[61]

EFEITOS COLATERAIS DO ÁCIDO VALPROICO

Os efeitos colaterais do ácido valproico estão relacionados no QUADRO 70, p. 496. Em geral, o ácido valproico costuma ser mais bem tolerado pelos pacientes do que o lítio por ter menos efeitos colaterais. A sonolência é um efeito colateral comum. Tomar uma quantidade maior da sua dose diária à noite, antes de dormir, pode evitar que isso se torne um problema. O ácido valproico também pode provocar indisposição estomacal, a qual pode se manifestar na forma de náusea, vômito, cólica ou diarreia. Esses efeitos sobre o trato gastrointestinal são menos comuns e muitas vezes podem ser aliviados tomando-se um remédio como Pepcid duas vezes ao dia. Os doutores J. S. Maxmen e N. G. Ward indicam que a indisposição estomacal ocor-

---

61. Ver nota 45.

re mais frequentemente com o ácido valproico (15% a 20%) do que com os comprimidos revestidos de divalproato de sódio (10%). Portanto, se esses sintomas se tornarem incômodos, a substituição pelo divalproato de sódio pode ajudar.[62]

Podemos ver no QUADRO 70 que o ácido valproico também pode causar tremor. Como ocorre com o lítio, esse efeito às vezes pode ser aliviado com uma redução da dose ou com o acréscimo de um dos medicamentos betabloqueadores (veja a discussão anterior sobre o tremor causado pelo lítio). Outros efeitos colaterais incomuns incluem a perda de coordenação e o ganho de peso.

O ácido valproico pode causar erupções em 5% dos pacientes, assim como os outros dois estabilizadores do humor relacionados no QUADRO 70. Alguns pacientes também relataram queda de cabelo, e se isso acontecer você deve parar com o medicamento (depois de discutir o assunto com seu médico, é claro), pois é possível que demore vários meses para voltar a crescer. Acredita-se que a queda de cabelo se deva ao fato de que o ácido valproico pode interferir no metabolismo do zinco e do selênio. Você pode tomar suplementos vitamínicos contendo esses dois metais para tentar evitar isso. O dr. Alan F. Schatzberg e seus colegas recomendam o suplemento vitamínico Centrum Silver para essa finalidade.[63]

Até 20% das mulheres relataram alterações menstruais durante o uso de ácido valproico. Talvez isso se deva ao fato de que o ácido valproico pode fazer os níveis sanguíneos dos hormônios pertinentes diminuírem, prejudicando a ovulação. Paradoxalmente, o ácido valproico também pode fazer certos contraceptivos orais falharem, portanto, teoricamente, você poderia engravidar. Não deixe de discutir essa possibilidade com seu médico se estiver tomando contraceptivos orais.

Como alguns outros anticonvulsivantes, o ácido valproico pode causar defeitos congênitos e normalmente não deve ser tomado durante a gravidez. As malformações incluem lábio leporino, problemas de coagulação, espinha bífida e outras. Durante os estágios finais da gravidez (o terceiro trimestre), o ácido valproico pode causar intoxicação no fígado do feto em desenvolvimento, especialmente quando os níveis sanguíneos são superiores a 60 mcg/ml. Não deixe de informar seu médico se achar que existe alguma chance de você engravidar enquanto estiver tomando esse medicamento.

Precauções especiais são indicadas para mulheres com menos de 20 anos que fizerem tratamento prolongado com ácido valproico. Alguns estudos sugeriram que elas podem ser mais propensas a desenvolver ovários policísticos e maiores níveis de hormônios sexuais masculinos, mas a real incidência dessa complicação ainda não é conhecida.[64]

---

62. Ver nota 45.

63. Ver nota 24.

64. Ver nota 45.

INTERAÇÕES MEDICAMENTOSAS DO ÁCIDO VALPROICO

O ácido valproico não parece ter tantas interações medicamentosas quanto o lítio ou a carbamazepina. Como ele pode causar sonolência, há a chance de aumentar os efeitos de outras drogas sedativas como o álcool, tranquilizantes maiores e menores, barbitúricos ou soníferos. Essas combinações podem ser arriscadas, especialmente ao dirigir ou operar equipamentos perigosos. Além disso, o ácido valproico pode provocar um aumento considerável no nível sanguíneo dos barbitúricos, causando sedação extrema ou intoxicação. O ácido valproico também é capaz de elevar os níveis de diazepam (Valium). A consequente depressão do sistema nervoso central pode ser grave, portanto deve-se tomar muito cuidado se essas drogas forem combinadas ao ácido valproico.

Como observado antes, o ácido valproico pode interferir no sangramento e coagulação, portanto é preciso cautela se ele for combinado a outros medicamentos que afetam o sangramento ou a coagulação, como a varfarina (Coumadin) ou a aspirina. Além disso, o ácido valproico pode provocar aumento dos níveis sanguíneos de varfarina. Isso também pode aumentar a tendência ao sangramento.

Deve-se tomar um certo cuidado quando o ácido valproico é combinado a um antidepressivo tricíclico (especialmente a nortriptilina e a amitriptilina), porque os níveis sanguíneos do antidepressivo podem aumentar. Talvez o seu médico queira pedir um exame de sangue para verificar o nível do antidepressivo, de modo que a dose possa ser ajustada se necessário.

Vários tipos de medicamentos podem fazer os níveis de ácido valproico aumentarem. Eles incluem:
- antiácidos;
- anti-inflamatórios não esteroides como a aspirina, o ibuprofeno (Advil, Motrin) e outros;
- cimetidina (Tagamet);
- eritromicina (Erythrocin);
- felbamato (Felbatol), um anticonvulsivante;
- lítio. O ácido valproico também faz os níveis de lítio subirem, e portanto os efeitos tóxicos dos dois medicamentos podem aumentar;
- alguns antipsicóticos, especialmente os fenotiazínicos como a clorpromazina (Thorazine);
- antidepressivos ISRS como a fluoxetina (Prozac) e a fluvoxamina (Luvox).

Se você estiver tomando algum desses medicamentos com o ácido valproico, talvez o seu médico precise reduzir a dose deste último.

Alguns anticonvulsivantes, como a carbamazepina (Tegretol), a etossuximida (Zarontin), a fenitoína (Dilantin) e possivelmente o fenobarbital (Donnatal) podem fazer os níveis sanguíneos do ácido valproico baixarem, e portanto as doses de ácido valproico talvez precisem ser aumentadas. Ao mesmo tempo, o ácido valproico pode fazer os níveis de carbamazepina, fenitoína, fenobarbital e primidona (Mysolina) aumentarem, e portanto as doses desses remédios talvez precisem ser reduzidas quando eles forem combinados ao ácido valproico. Os pacientes com casos complicados de doença bipolar podem ser tratados com mais de um estabilizador do humor, e será necessária uma atenção especial a essas complexas interações medicamentosas.

Por fim, o antibiótico rifampicina (Rifadin) pode fazer os níveis sanguíneos do ácido valproico baixarem. Esse antibiótico é usado no tratamento da tuberculose, e também como um tratamento preventivo de dois a quatro dias para indivíduos que ficaram expostos a pacientes com certos tipos de meningite.

CARBAMAZEPINA

A carbamazepina (Tegretol) foi introduzida na década de 1960 como tratamento para um certo tipo de epilepsia que se origina nos lobos temporais do cérebro. Na década de 1970, pesquisadores japoneses descobriram que a carbamazepina era útil no tratamento de pacientes maníaco-depressivos que não respondiam ao lítio. Embora o FDA ainda não tenha aprovado* oficialmente a carbamazepina para o tratamento da mania e da depressão, ela parece ser útil para 50% dos pacientes bipolares (maníaco--depressivos) que não responderam ao lítio. A carbamazepina pode ser combinada ao lítio ou a um dos tranquilizantes maiores (também conhecidos como neurolépticos) a fim de aumentar os efeitos desses remédios no tratamento da mania.

A carbamazepina também pode ser útil para alguns maníaco-depressivos de ciclagem rápida. Esses indivíduos têm mais de quatro episódios maníacos por ano, e seu tratamento às vezes pode ser um desafio. Alguns estudos sugeriram que a carbamazepina pode ser útil para pacientes maníaco-depressivos que apresentam raiva e paranoia durante suas fases de "euforia". Por fim, alguns psiquiatras relatam que a carbamazepina pode ser útil no tratamento de pacientes com transtorno de personalidade *borderline* quando ansiedade grave, depressão e raiva coexistem com um comportamento impulsivo e autodestrutivo como cortar os pulsos. Porém, num dos estudos os terapeutas, mas não os pacientes, relataram que a carbazepina havia sido útil. É difícil saber como interpretar esses resultados.

---

*.   Atualmente a carbamazepina está aprovada para tratamento do Transtorno Afetivo Bipolar (TAB). (N.R.T.)

Muitos dos estudos feitos com a carbamazepina foram conduzidos em pacientes que também estavam tomando outros medicamentos ao mesmo tempo, como o lítio ou um neuroléptico. Esse remédios também podem ter efeitos sobre a mania. O dr. Alan F. Schatzberg e seus colegas ressaltaram que isso dificulta a descoberta dos verdadeiros efeitos da carbamazepina.[65] Os dados limitados e questões de patentes podem explicar por que a droga ainda não foi aprovada como tratamento primário para a mania – porque a sua segurança e eficácia no tratamento da mania ainda não foram demonstradas de modo convincente por meio de estudos bem controlados de grande porte.

DOSAGEM DA CARBAMAZEPINA

A dose inicial da carbamazepina é 200 mg duas vezes ao dia por dois dias. Em seguida, ela pode ser aumentada para 200 mg três vezes ao dia por cinco dias. Depois disso, a dose é aumentada gradualmente em 200 mg por dia a cada cinco dias até um limite máximo diário de 1.200 mg a 1.600 mg.

Em geral, a carbamazepina leva pelo menos uma a duas semanas para fazer efeito, como muitos medicamentos psiquiátricos. Se ela estiver ajudando, provavelmente o seu médico vai sugerir que você continue com o remédio por um período mais prolongado para evitar uma recaída da mania.

EXAMES DE SANGUE

O exame de dosagem sanguínea da carbamazepina é necessário, assim como o dos demais estabilizadores do humor discutidos antes (o lítio e o ácido valproico). Você precisará fazer um exame de sangue toda semana durante os primeiros dois meses. Depois disso, precisará realizá-lo uma vez por mês ou a cada dois meses. Os resultados vão orientar o seu médico em relação à quantidade a ser prescrita. Em geral, o nível sanguíneo eficaz da carbamazepina está na faixa de 6 mg/ml a 12 mcg/ml, mas alguns especialistas recomendam níveis sanguíneos na faixa de 6 mg/ml a 8 mcg/ml para a maioria dos pacientes com depressão ou mania. Como qualquer medicamento, ela apresenta menos efeitos colaterais em doses menores, mas se o nível sanguíneo ficar muito baixo, o remédio perderá sua eficácia.

Os níveis de outros medicamentos na sua corrente sanguínea podem cair se você estiver tomando carbamazepina. Isso porque ela estimula certas enzimas hepáticas, por isso seu fígado elimina esses medicamentos do seu sistema mais rápido do que o

---

65. Ver nota 24.

normal. Um dos remédios afetados pela carbamazepina é a própria carbamazepina! Em outras palavras, depois de ter tomado o medicamento por várias semanas, você pode achar que precisa de uma dose maior para manter o mesmo nível sanguíneo. É que o seu fígado começa a metabolizar a carbamazepina mais rapidamente, por isso é eliminado do seu organismo mais depressa.

Seu médico provavelmente vai querer verificar os níveis sanguíneos de certas enzimas hepáticas antes de iniciar a carbamazepina, e periodicamente depois que você a estiver tomando. Isso porque a carbamazepina pode provocar uma elevação das enzimas hepáticas na sua corrente sanguínea, indicando uma possível inflamação ou lesão no fígado. Você já aprendeu anteriormente que o ácido valproico pode ter efeitos semelhantes no fígado. Uma certa elevação das enzimas hepáticas ocorre na maioria dos pacientes que tomam carbamazepina, mas isso não costuma ser motivo de preocupação. Mesmo assim, você deve ficar atento aos sintomas de hepatite descritos na seção anterior sobre o ácido valproico.

Seu médico também vai pedir hemogramas completos com frequência enquanto você estiver tomando carbamazepina. É que a carbamazepina pode provocar uma queda nos glóbulos vermelhos, nos glóbulos brancos ou nas plaquetas. Essas células são todas produzidas pela medula óssea, e às vezes a carbamazepina pode diminuir a atividade da medula. Os glóbulos brancos ajudam a combater infecções. Se você não tivesse glóbulos brancos suficientes, ficaria mais vulnerável a infecções. Como observado antes, uma contagem de glóbulos brancos com um valor normal fica entre 6.000 e 10.000. Se a sua contagem de glóbulos brancos cair para menos de 3.000, seu médico imediatamente consultará um hematologista (especialista em sangue). Aproximadamente 10% dos pacientes que tomam carbamazepina apresentam uma queda na contagem de glóbulos brancos, e níveis inferiores a 3.500 são comuns. Mas você deve ficar mais tranquilo ao saber que uma queda na contagem de glóbulos brancos raramente evolui para um problema mais grave. Se a carbamazepina estiver sendo útil para você, a maioria dos médicos continuará a prescrevê-la desde que a sua contagem de glóbulos brancos esteja acima de 1.000. No entanto, uma contagem abaixo desse nível pode ser extremamente perigosa, portanto seu médico pedirá exames de sangue mais frequentes se a sua contagem de glóbulos brancos começar a cair.

Os níveis de glóbulos vermelhos e de plaquetas também podem cair se você estiver tomando carbamazepina. Os glóbulos vermelhos transportam o oxigênio, e as plaquetas fazem parar os sangramentos. Se os seus glóbulos vermelhos caírem a níveis muito baixos, você pode apresentar anemia. É provável que fique pálido e se sinta fatigado. Se as suas plaquetas chegarem a níveis baixos, você pode apresentar maior tendência a sangramentos. O dr. Alan F. Schatzberg e seus colegas[66] afir-

---

66. Ver nota 24.

mam que essas alterações na contagem sanguínea são esperadas. Eles enfatizam que uma boa orientação do paciente e hemogramas de rotina são as melhores formas de controlá-las.[67] Se você estiver tomando carbamazepina, não deixe de informar imediatamente ao seu médico caso desenvolva algum sintoma que sugira uma alteração nos seus glóbulos brancos, plaquetas ou glóbulos vermelhos. Eles incluem febre, dor de garganta ou feridas na boca (indicando uma possível infecção), hematomas ou sangramentos (sinais de uma possível redução nas plaquetas sanguíneas), ou fadiga juntamente a lábios e unhas esbranquiçados (possível anemia).

Em situações extremamente raras, a carbamazepina pode causar uma falência perigosa e potencialmente fatal da medula óssea. Nesses casos, todas as suas células sanguíneas podem cair a níveis perigosamente baixos. Estimativas recentes de casos graves e perigosos de falência da medula óssea variam de aproximadamente um paciente a cada 10.000 para um a cada 125.000, logo é possível ver que essa complicação é bastante rara.

Quando a carbamazepina foi introduzida pela primeira vez, essa possibilidade assustou muitos médicos, os quais ficaram compreensivelmente relutantes em usar o medicamento. Os neurologistas têm sido, de longe, o maior grupo de médicos a prescrever carbamazepina, pelo fato de ser tão valiosa no tratamento da epilepsia e também da nevralgia do trigêmeo (dor no nervo da face). Hoje os neurologistas já têm uma vasta experiência com esse remédio e estão bastante familiarizados com o seu uso. Mais psiquiatras também estão começando a reconhecer que esse medicamento pode ser usado de forma segura.

EFEITOS COLATERAIS DA CARBAMAZEPINA

Uma série de efeitos colaterais comuns ou importantes da carbamazepina são relacionados no QUADRO 70, p. 496. O cansaço é o efeito colateral mais comum, especialmente no início do tratamento. Um terço dos pacientes apresentam esse sintoma, e alguns (5%) também se queixam de fraqueza. Aumentar a dose mais devagar pode minizar esses efeitos. A sonolência normalmente passa com o tempo. Em geral, ela não se deve à anemia, apenas às propriedades sedativas do medicamento.

Cerca de 10% dos pacientes afirmam sentir tontura, especialmente ao se levantar. Isso é devido a uma queda temporária na pressão arterial, porque o sangue tende a se acumular nas pernas quando você se levanta. Por conseguinte, não há sangue suficiente para o coração bombear até o cérebro, e você fica tonto. Em geral, isso pode ser minimizado ao se levantar mais devagar e exercitar as pernas (como se estivesse andando sem sair do lugar) imediatamente ao se levantar. Isso "esguicha"

---

67. Ver nota 24.

o sangue das suas pernas para o seu coração, de modo que ele possa ser bombeado ao seu cérebro.

Você verá que a carbamazepina pode causar problemas de coordenação. Isso foi relatado em até 25% dos pacientes. Esses pacientes podem parecer meio embriagados e tendem a cambalear quando andam. Às vezes isso indica que a dose é muito elevada. Outros sintomas de uma dose excessiva incluem visão dupla, fala enrolada, confusão mental, espasmos musculares, tremor, inquietação e náusea, juntamente a uma respiração lenta ou irregular, batimentos cardíacos acelerados e alterações na pressão arterial. É necessário um atendimento médico imediato se ocorrerem esses sintomas, pois em casos extremos as superdosagens podem provocar estupor, coma e até morte.

Talvez você também apresente um pouco de náusea e vômito no início. Esses efeitos costumam ser temporários e normalmente podem ser controlados ao aumentar a dose mais devagar e tomar o medicamento junto à comida. Eles provavelmente são menos comuns do que no caso do ácido valproico ou do lítio. A maioria dos pacientes que já estão tomando a carbamazepina há várias semanas não relatam esses efeitos colaterais.

Assim como os antidepressivos tricíclicos, às vezes a carbamazepina pode deixar a boca seca ou a visão turva. Isso porque esse medicamento bloqueia os receptores colinérgicos (também chamados de receptores muscarínicos) do cérebro. Esses efeitos anticolinérgicos são motivo de especial preocupação para pacientes com glaucoma, que têm a pressão intraocular elevada, porque a a carbamazepina pode fazer o glaucoma piorar. Se você tem glaucoma, sua pressão intraocular deve ser controlada cuidadosamente enquanto estiver tomando carbamazepina (ou qualquer medicamento com propriedades anticolinérgicas).

Um efeito colateral que envolve os rins chama-se síndrome da secreção inadequada do hormônio antidiurético (SIADH), ou intoxicação hídrica. Os pacientes apresentam muita sede, além de confusão mental e queda no nível de sódio no sangue. Esse efeito colateral foi relatado em até 5% dos pacientes que tomam carbamazepina. Se você tiver sede excessiva, o seu médico pode pedir um exame de eletrólitos para ver se o seu sódio diminuiu. Talvez ele queira reduzir a dose, mudar para um medicamento diferente ou tratá-lo com um remédio chamado demeclociclina (Declomycin). Muitas vezes, esse remédio consegue corrigir o problema do baixo nível de sódio no sangue. Seu médico provavelmente vai monitorar a sua função renal de tempos em tempos, controlando seus níveis sanguíneos de nitrogênio ureico e creatinina.

A carbamazepina pode ter alguns efeitos adversos sobre o coração. Se você tem mais de 50 anos, deve fazer um ECG antes de iniciar o medicamento. O ECG deve ser repetido depois que você tiver se estabilizado com o remédio, para ter certeza de que não ocorreu nenhuma alteração grave. A carbamazepina muitas vezes provoca uma redução dos batimentos cardíacos. Essas alterações parecem ser mais comuns em mulheres mais velhas. Se você tem histórico de doença cardíaca, talvez seja melhor tomar um outro estabilizador do humor com menos efeitos sobre o coração, como o ácido valproico.

Cerca de 5% a 10% dos pacientes que tomam carbamazepina podem apresentar erupções de pele. Você verá no Q<small>UADRO</small> 70 que todos os estabilizadores do humor (assim como muitos antidepressivos) podem causar erupções, mas isso é um pouco mais frequente com a carbamazepina. Às vezes pode ajudar se você evitar a exposição direta ao sol (o que pode provocar a erupção em alguns casos), tomar um anti-histamínico ou mudar para uma marca diferente de carbamazepina. É que você pode ser alérgico a algum outro componente do comprimido que não à própria carbamazepina. Em situações extremamente raras, duas erupções de pele graves e potencialmente fatais (chamadas síndrome de Lyell e síndrome de Stevens-Johnson) foram relatadas em pacientes que tomavam carbamazepina. Não deixe de comunicar qualquer alteração grave na pele ao seu médico imediatamente.

Como muitas outras drogas psiquiátricas, a carbamazepina pode causar defeitos congênitos, especialmente espinha bífida. Uma série de outras anomalias fetais também foram relatadas recentemente, sobretudo quando o remédio é tomado durante o primeiro trimestre de gravidez. Portanto, o potencial benefício deve compensar muito esse risco se o remédio for tomado durante a gravidez. O risco parece ser consideravelmente mais elevado quando a carbamazepina é combinada a outros anticonvulsivantes. Se for absolutamente necessário que uma mulher grávida tome o medicamento, alguns especialistas recomendam o uso de suplementos de ácido fólico para diminuir a ameaça de defeitos congênitos.

A carbamazepina é secretada no leite materno. A concentração de carbamazepina no leite equivale a aproximadamente 60% da concentração no sangue da mãe, por isso a questão da amamentação deve ser discutida com o pediatra.

INTERAÇÕES MEDICAMENTOSAS DA CARBAMAZEPINA

Podemos ver no Q<small>UADRO</small> 72, p. 515, que muitas drogas podem afetar o nível sanguíneo de carbamazepina e vice-versa, por isso você e o seu médico precisarão tomar muito cuidado nesse sentido. No alto do quadro, estão relacionadas as drogas que fazem o nível da carbamazepina e a sua toxicidade aumentarem. Se você estiver tomando algum desses remédios, talvez o seu médico precise reduzir a dose de carbamazepina. Por exemplo, muitos dos antibióticos macrolídeos (a eritromicina é um exemplo comum) podem duplicar o nível sanguíneo e a toxicidade da carbamazepina.

Podemos ver também no QUADRO 72 que alguns remédios, como os diuréticos e outros medicamentos anticonvulsivantes, podem fazer o nível de carbamazepina diminuir. Talvez o seu médico precise lhe dar uma dose maior de carbamazepina para compensar isso.

Assim como certos remédios podem fazer o nível sanguíneo de carbamazepina aumentar ou diminuir, a carbamazepina também é capaz de alterar o nível de outros remédios que você esteja tomando. Os níveis sanguíneos dos remédios listados em seguida no quadro podem baixar quando combinados à carbamazepina. Isso porque ela estimula as enzimas hepáticas que metabolizam esses remédios. Por conseguinte, o fígado elimina esses medicamentos mais depressa do que o normal. Isso equivaleria a tirar a tampa do ralo enquanto você está tentando encher a banheira; a água pode não chegar ao nível adequado.

Um exemplo importante seriam as pílulas anticoncepcionais. A consequência da redução no nível sanguíneo é que as pílulas podem perder a eficácia, e você pode engravidar mesmo que esteja tomando-as regularmente. Entre os outros remédios listados no quadro que podem ter seu nível reduzido quando combinados à carbamazepina, estão alguns antidepressivos, antipsicóticos, anticonvulsivantes, antibióticos e hormônios da tireoide.

Às vezes as interações medicamentosas atuam nos dois sentidos. Um remédio pode fazer o nível sanguíneo da carbamazepina diminuir e, por sua vez, a carbamazepina pode fazer o nível sanguíneo do outro remédio diminuir. Por exemplo, se você estiver tomando um medicamento antipsicótico como o haloperidol (Haldol), que também costuma ser administrado em casos de mania, este pode fazer o nível da carbamazepina baixar. Ao mesmo tempo, a carbamazepina pode fazer o nível sanguíneo do haloperidol baixar consideravelmente. Como resultado, pode parecer que nenhum dos remédios está fazendo efeito, e é possível que a mania não seja devidamente controlada. Talvez o seu médico precise de exames de sangue para determinar os níveis dos dois remédios a fim de que as doses possam ser ajustadas corretamente. A carbamazepina provavelmente tem efeitos semelhantes sobre outros medicamentos antipsicóticos também.

Por fim, várias outras interações potencialmente perigosas com a carbamazepina são relacionadas na parte inferior do quadro. Em especial, a carbamazepina não

QUADRO 72*
Interações medicamentosas da carbamazepina[a]

	Drogas que podem provocar aumento do nível de carbamazepina ou de seus efeitos tóxicos
acetazolamida (Diamox) antibióticos (macrolídeos) • azitromicina (Zithromax) • claritromicina (Klaricid) • eritromicina (Ilosone) • troleandomicina (Tao) • outros macrolídeos	antibióticos (outros) • doxiciclina (Vibramicina) • tetraciclina (Tetraciclina) • cetoconazol (Nizoral) • isoniazida (FURP-Isoniazida) anticonvulsivantes • ácido valproico (Depakene, Depakote)	antidepressivos (ISRSs) • fluoxetina (Prozac) • fluvoxamina (Luvox) • sertralina (Zoloft) • outros antidepressivos (outros) • nefazodona (Serzone) cimetidina (Tagamet)	bloqueadores dos canais de cálcio • diltiazem (Cardizem) • verapamil (Dilacoron) danazol (Ladogal) dextropropoxifeno (Algifene) hipolipemiantes • genfibrozila (Lopid) • ácido isonicotínico • niacinamida • nicotinamida	lítio mexiletina (Mexitil) prednisolona (Predsim, Prelone) propoxifeno (Doloxene) terfenadina (Seldane) viloxazina	

	Drogas que podem provocar redução do nível de carbamazepina
anticonvulsivantes • etossuximida (Etoxin) • fenitoína (Hidantal) • primidona (Mysoline)	barbitúricos • fenobarbital • outros	diuréticos fentanil		tranquilizantes maiores (neurolépticos) • haloperidol (Haldol) metadona	

	O nível sanguíneo das drogas a seguir pode diminuir quando combinadas à carbamazepina
paracetamol (Tylenol) antibióticos • doxiciclina (Vibramicina) • ciclosporina (Ciclosporina; Neoral) anticonvulsivantes • fenobarbital • primidona (Mysoline) • fenitoína (Hidantal) • ácido valproico (Depakene, Depakote)	antidepressivos • bupropiona (Wellbutrin) • imipramina (Tofranil) • outros antipsicóticos (neurolépticos) • haloperidol (Haldol) • outros	benzodiazepínicos (tranquilizantes menores) • alprazolam (Frontal) • clonazepam (Rivotril) • outros corticoides • dexametazona (Decadron) • metilprednisolona (Solu-Medrol) • prednisolona (Predsim, Prelone)		drogas para intubação de emergência • pancurônio (Pancuron) • vecurônio (Norcuron) fentanil (Duragesic) mebendazol (Pantelmin) metadona (Mytedon) contraceptivos orais teofilina (Teolong) hormônios da tireoide varfarina (Marevan)	

	Outras interações medicamentosas da carbamazepina
Droga	Efeito
clozapina (Leponex)	maior possibilidade de supressão da medula óssea
digitális, digoxina (Digoxina)	aumento dos níveis sanguíneos, pode causar intoxicação, incluindo redução dos batimentos cardíacos
antidepressivos IMAO	síndrome serotoninérgica (febre, convulsões, coma)

*. Esta lista não é genérica; frequentemente surgem novas informações sobre interações entre medicamentos. Se você está tomando lítio e qualquer outro remédio, pergunte ao seu médico e ao farmacêutico se há alguma interação medicamentosa.

a. Algumas informações deste quadro foram obtidas a partir do *Psychotropic Drugs Fast Facts*, p. 213-5 (ver nota 45). Esse livro é uma excelente fonte de informação sobre medicamentos psiquiátricos.

deve ser combinada a nenhum dos IMAOs discutidos na p. 450 por causa do risco de síndrome serotoninérgica, potencialmente fatal.

Embora o Quadro 72 seja extenso, ele não é exaustivo porque constantemente surgem novos medicamentos e novas informações sobre interações medicamentosas. Como observado anteriormente, apenas uma pequena porcentagem das potenciais interações já foi estudada, e o nosso conhecimento sobre elas está se expandindo rapidamente. Outros remédios podem ter interações importantes com a carbamazepina, por isso é importante que o seu médico saiba todos os medicamentos que você está tomando. Pergunte especificamente se algum deles interage com a carbamazepina.

OUTROS AGENTES ESTABILIZADORES DO HUMOR

Até pouco tempo atrás, o lítio, o ácido valproico e a carbamazepina eram os principais medicamentos usados para o tratamento da doença bipolar. Recentemente, foram sintetizados novos medicamentos que logo podem estar disponíveis para tratar pacientes com esse transtorno. Muitos desses novos medicamentos são, na verdade, anticonvulsivantes que foram desenvolvidos para o tratamento da epilepsia. Pelo menos dois deles já estão sendo usados no tratamento da doença bipolar (maníaco-depressiva), e muitos outros certamente estarão disponíveis nos próximos anos. Parece provável que ao menos alguns deles forneçam novas ferramentas poderosas para o tratamento da doença bipolar e, possivelmente, de outros transtornos psiquiátricos também.*

Esses novos medicamentos (assim como os três estabilizadores do humor discutidos anteriormente) são bem diferentes dos antidepressivos porque não aumentam de forma significativa os níveis de serotonina, dopamina e norepinefrina no cérebro. Em vez disso, eles parecem estimular uma substância transmissora chamada Gaba (sigla em inglês para ácido gama-aminobutírico) ou inibir outra substância transmissora conhecida como glutamato. O Gaba e o glutamato são usados por uma grande porcentagem dos neurônios cerebrais. Os anticonvulsivantes que estimulam o Gaba tendem a provocar sonolência. Os medicamentos dessa categoria incluem o ácido valproico, discutido antes, e também a gabapentina (Neurontin), a tiagabina (Gabitril), a vigabatrina (Sabril) e vários outros. Os anticonvulsivantes que inibem o glutamato tendem a causar estimulação e ansiedade. Os medicamentos dessa categoria

---

*. O autor provavelmente está se referindo à Lamotrigina, um anticonvulsivante utilizado atualmente no tratamento e na prevenção de recaídas depressivas no TAB. (N.R.T.)

incluem o felbamato (Felbatol), a lamotrigina (Lamictal), o topiramato (Topamax) e vários outros.

Embora não se saiba ao certo como nem por que esses remédios previnem a epilepsia ou estabilizam a doença maníaco-depressiva, sabe-se que os sistemas cerebrais do Gama e do glutamato costumam competir entre si. Talvez seja por isso que os remédios que estimulam o Gama ou inibem o glutamato são úteis para epilepsia e doença bipolar.

A maioria dos anticonvulsivantes também inibe o transporte de sódio por meio das membranas neuronais do cérebro. O sódio, como você sabe, está presente no sal de cozinha. Ele é conhecido como um íon, porque carrega uma minúscula descarga elétrica positiva quando é dissolvido num líquido. Os impulsos elétricos dos neurônios ocorrem quando os canais iônicos das membranas neuronais se abrem e íons de carga positiva como o sódio e o potássio atravessam subitamente a membrana. Esses fluxos de íons produzem os impulsos elétricos nos neurônios. Como esses medicamentos inibem os canais de sódio, podem estabilizar a condução nervosa no cérebro tornando os neurônios menos excitáveis. Pelo fato de quase todos os anticonvulsivantes terem essa propriedade, às vezes eles são classificados como "bloqueadores de sódio". Os efeitos bloqueadores de sódio também podem explicar por que esses novos medicamentos podem prevenir convulsões e estabilizar a doença maníaco-depressiva.

Evidentemente, todo medicamento novo apresenta benefícios e riscos não previstos, e os novos anticonvulsivantes não são exceção. Muitos testes serão necessários antes que possamos identificar quais são os mais promissores para pacientes com epilepsia e doença bipolar. Há um entusiasmo considerável em relação a um dos medicamentos chamado gabapentina (Neurontin), porque ele parece ter pouquíssimos efeitos colaterais, um excelente nível de segurança e poucas interações tóxicas com outros medicamentos, se é que tem alguma. Além disso, não requer exames de sangue como os três estabilizadores do humor discutidos antes.

Por enquanto, o FDA só aprovou o uso da gabapentina para o tratamento da epilepsia. Embora ele ainda não tenha sido aprovado oficialmente para transtornos psiquiátricos, muitos psiquiatras estão começando a prescrever a gabapentina para pacientes com doença bipolar difícil de tratar que não tenham respondido a outros medicamentos. Seu papel definitivo terá de ser determinado pela experiência clínica e por estudos de resultado controlado.

Pelo menos oito estudos sobre o uso da gabapentina em transtornos de humor foram publicados em 1997, e muitos outros certamente serão publicados nos próximos anos. Nesses estudos, a gabapentina foi considerada eficaz para muitos pacientes com doença bipolar. Ela também pareceu ter propriedades antidepressivas e ansiolíticas, e pode ser útil no tratamento da dor crônica (incluindo as dores de cabeça provocadas pela enxaqueca), assim como da SPM (síndrome pré-menstrual), da síndrome do pânico e da fobia social.*

DOSAGEM DA GABAPENTINA

A dosagem atual da gabapentina para epilepsia é de 300 mg a 600 mg três vezes ao dia, para uma faixa de dosagem total diária de aproximadamente 900 mg a 2.000 mg. Em estudos com pacientes bipolares, a dosagem média era cerca de 1.700 mg por dia, com alguns pesquisadores administrando doses de até 3.600 mg por dia.

A absorção da gabapentina no estômago e trato intestinal não é afetada pelos alimentos. No entanto, o antiácido Maalox pode reduzir a absorção da gabapentina no estômago em cerca de 20%. Portanto, após tomar Maalox, você deve esperar pelo menos duas horas antes de ingerir a gabapentina.

Mais ou menos a metade de uma dose de gabapentina desaparece do corpo dentro de cinco a sete horas, portanto ela deve ser tomada várias vezes por dia e não toda de uma vez. Se você tomar uma dose elevada de gabapentina de uma só vez, uma proporção menor da dose será absorvida no estômago e trato intestinal para a sua corrente sanguínea. Por exemplo, apenas 75% de uma dose única de 400 mg é absorvida, comparada a 100% de uma dose de 100 mg. Do ponto de vista prático, isso não é motivo para preocupação se você estiver tomando gabapentina, uma vez que estará tomando o medicamento várias vezes por dia em doses divididas.

Não há evidências de que homens e mulheres precisem de dosagens diferentes por causa de diferenças no metabolismo, mas pessoas com mais de 70 anos podem precisar de apenas metade da dosagem usada para os mais jovens. Isso deve-se às alterações na função renal que ocorrem com a idade. Como os rins excretam a gabapentina, indivíduos com a função renal debilitada precisarão de doses menores.

Ao contrário do que ocorre com o lítio, a carbamazepina e o ácido valproico, não parecem ser necessários exames de sangue com a gabapentina. Essa é uma outra vantagem desse medicamento.

EFEITOS COLATERAIS DA GABAPENTINA

Os principais efeitos colaterais estão relacionados no Quadro 73, a seguir. Podemos ver que eles incluem sonolência, mencionada antes, juntamente à tontura,

---

*. A Gabapentina não demonstrou ser eficaz no tratamento do TAB, mas parece ter algum efeito ansiolítico podendo ser utilizado como adjuvante no tratamento de transtornos de ansiedade. Também é utilizada no tratamento de dor neuropática. (N.R.T.)

QUADRO 73*
Interações medicamentosas da gabapentina

	Gabapentina (n = 543)	Placebo (n = 378)
Sistema digestório		
Ganho de peso	2,9%	1,6%
Boca seca	1,7%	0,5%
Indisposição estomacal	2,2%	0,5%
Energia		
Fadiga	11,0%	5,0%
Sonolência	19,3%	8,7%
Sistema nervoso		
Tontura	17,1%	6,9%
Problemas de coordenação	12,5%	5,6%
Tremor	6,8%	3,2%
Fala enrolada	2,4%	0,5%
Problemas de memória	2,2%	0,0%
Olhos		
Nistagmo (tremor dos olhos)	8,3%	4,0%
Visão dupla	5,9%	1,9%
Visão turva	4,2%	1,1%

*. Algumas informações deste quadro foram adaptadas a partir do *Physician Desk Reference (PDR)* de 1998. Nesses estudos, foi administrada a gabapentina ou placebo a indivíduos com epilepsia que já estavam tomando pelo menos um outro remédio para epilepsia. Indivíduos que não tomam outros remédios provavelmente apresentam menos efeitos colaterais. Somente os efeitos colaterais mais comuns estão relacionados.

tremor, problemas de coordenação, ganho de peso e alguns efeitos colaterais visuais. Todos esses efeitos colaterais serão mais acentuados com doses mais elevadas e menos perceptíveis com doses menores. De um modo geral, o perfil de efeitos colaterais da gabapentina é bastante favorável, sobretudo quando comparado ao dos outros estabilizadores do humor disponíveis atualmente.

Nos estudos citados no QUADRO 73, a gabapentina foi administrada a pacientes com epilepsia que já estavam sendo tratados com um ou mais anticonvulsivantes. Portanto, nem todos os efeitos colaterais eram efetivamente devidos à gabapentina. A melhor maneira de obter uma estimativa mais realista de qualquer efeito colateral é subtrair o percentual verificado no grupo do placebo do percentual observado no grupo da gabapentina. Por exemplo, 11% do grupo da gabapentina apresentou fadiga, enquanto 5% do grupo do placebo apresentou esse efeito colateral. A diferença entre esses dois números é de 6%. Essa é uma estimativa melhor da real incidência da fadiga que possa ser atribuída à gabapentina.

Como quase todas as drogas psiquiátricas, a gabapentina deve ser usada com grande cautela em mulheres grávidas. Embora não haja estudos controlados dos efeitos da gabapentina sobre o feto em desenvolvimento em mulheres grávidas, foram observadas anomalias fetais quando a gabapentina foi administrada a ratas e coelhas prenhes. Embora os estudos com animais nem sempre possam prever as respostas humanas, a gabapentina só deve ser usada na gravidez se a necessidade for grande e o potencial benefício ultrapassar o potencial risco ao feto em desenvolvimento. Embora ainda não se saiba se a gabapentina é secretada no leite materno, muitos medicamentos o são; por conseguinte, a gabapentina provavelmente não deve ser usada por mulheres que estejam amamentando. Sem dúvida, você deve discutir esse risco com o seu médico.

INTERAÇÕES MEDICAMENTOSAS DA GABAPENTINA

A gabapentina tem uma propriedade incomum e conveniente: não é metabolizada pelo fígado, sendo excretada pelos rins inalterada diretamente na urina. Por esse motivo, não parece interagir de formas adversas com outros medicamentos. Como já foi discutido anteriormente, todos os antidepressivos e estabilizadores do humor apresentam interações bastante complexas com muitos outros medicamentos. É que essas drogas competem umas com as outras por certas enzimas metabólicas do fígado. Com a gabapentina, isso não é um problema, portanto é bem mais seguro combiná-la a outros medicamentos. Um dos benefícios é que a gabapentina pode ser combinada a outros estabilizadores do humor em pacientes com casos complicados de doença bipolar ou epilepsia que não responderam a outros medicamentos.

As propriedades da gabapentina certamente são muito interessantes. Há alguma desvantagem? Às vezes os problemas dos novos medicamentos vêm à tona depois de terem sido usados em larga escala por um período e de passado o entusiasmo inicial. Talvez a gabapentina não seja exceção. Uma preocupação já expressada por alguns neurologistas e psiquiatras é a de que a droga possa não ser especialmente eficaz nem para epilepsia, nem para a doença bipolar. Isso seria lamentável, uma vez que ela tem tão poucos efeitos colaterais ou interações com outros medicamentos. Uma colega que tem uma experiência considerável com a gabapentina disse-me que ela costuma utilizá-la principalmente para ajudar pacientes ansiosos com insônia, pois o remédio possui excelentes propriedades sedativas e relaxantes e não é viciante. Infelizmente, ela acredita que a droga talvez não seja potente o bastante para ser um estabilizador de humor preferencial para pacientes bipolares, mas pode ter valor quando usada em combinação com outros medicamentos.

Um outro anticonvulsivante, a lamotrigina (Lamictal), também foi aprovado pelo FDA para tratamento da epilepsia. Como a gabapentina, a lamotrigina tem sido usada em casos de doença bipolar resistente ao tratamento. O dr. Alan F. Schatzberg e seus colegas[68] ressaltaram que foram conduzidos muito poucos estudos formais sobre a lamotrigina em pacientes psiquiátricos, e por isso os relatos de sua eficácia ainda são basicamente informais. Além disso, a lamotrigina tem alguns efeitos colaterais significativos e problemáticos. Em especial, erupções e reações cutâneas ocorrem em 5% ou mais dos adultos que tomam lamotrigina. Embora a maioria dessas erupções não seja perigosa, a lamotrigina pode provocar uma reação cutânea grave com risco de morte conhecida, como a síndrome de Stevens-Johnson, em 1% a 2% dos casos. Essas reações cutâneas são mais comuns em pacientes pediátricos do que em adultos, e por isso a lamotrigina não deve ser administrada a indivíduos com menos de 16 anos. Tomar lamotrigina em doses elevadas ou combinada a outros medicamentos, como o ácido valproico, pode aumentar a probabilidade dessas temidas reações cutâneas. Em testes pré-comercialização, cinco pacientes que tomavam lamotrigina morreram de falência hepática ou falência múltipla de órgãos.

A lamotrigina provoca muitos outros efeitos colaterais, como dor de cabeça e pescoço, náusea e vômito, tontura, perda de coordenação, sonolência, problemas para dormir, tremor, depressão, ansiedade, irritabilidade, convulsões, problemas na fala, dificuldades de memória, corrimento nasal, erupções, coceira, visão dupla, visão turva, infecções vaginais e outros. A lamotrigina também apresenta uma série de interações com outros medicamentos porque é metabolizada pelo fígado. Como tem muitos efeitos colaterais, entre eles alguns perigosos, a lamotrigina deve ser usada com grande cautela. Até que saibamos mais sobre ela, provavelmente deve ser reservada a pacientes que não responderam aos estabilizadores de humor mais consagrados discutidos antes.

E SE O MEU ANTIDEPRESSIVO NÃO FIZER EFEITO?

Como já ressaltei, eu recomendaria fazer um teste de humor como o do Capítulo II para monitorar sua resposta a qualquer tratamento, seja com remédios ou com psicoterapia. Você pode fazer o teste uma vez por semana ou até com mais frequência, e manter um registro das suas pontuações. Elas indicarão se o tratamento está dando certo, e até que ponto. O objetivo do tratamento é fazer que a sua pontuação seja consideravelmente reduzida. Sem dúvida, você deseja que a sua pontuação se enquadre na faixa considerada normal e, de preferência, na faixa considerada feliz.

---

68. Ver nota 24.

Se um medicamento não está ajudando, ou só está ajudando um pouco, o que você deve fazer?
1. Certifique-se de que fez uma avaliação correta do medicamento:
    - A dose está adequada?
    - Você tomou o medicamento por um período adequado?
2. Certifique-se de que não haja interações medicamentosas que estejam impedindo o antidepressivo de fazer efeito. Lembre-se de que algumas outras drogas podem fazer o nível sanguíneo de um antidepressivo baixar, mesmo que você esteja tomando a dose correta. Informe o seu médico sobre qualquer outro remédio que você estiver tomando.
3. Você e o seu médico talvez queiram considerar uma das estratégias de potencialização discutidas antes.
4. Se esses procedimentos não tiverem êxito, você e o seu médico podem interromper a medicação e tentar um outro tipo de antidepressivo.
5. A psicoterapia nos moldes descritos neste livro, seja isolada ou combinada a um antidepressivo, muitas vezes pode ser mais eficaz do que o tratamento feito apenas com remédios.

Vamos analisar cada um desses princípios. Em primeiro lugar, você precisa ter certeza de que a dose é suficiente. Se por algum motivo o seu nível sanguíneo de um antidepressivo for muito baixo, a probabilidade de uma resposta positiva ao medicamento será menor. Entretanto, uma dose muito elevada também pode ser menos eficaz. Isso porque os efeitos colaterais em doses excessivamente altas podem neutralizar os efeitos antidepressivos. A preocupação com a dosagem dos antidepressivos é importante porque cada pessoa pode metabolizar esses medicamentos de uma forma bem diferente. Em outras palavras, o nível sanguíneo de um determinado medicamento, numa determinada dose, pode variar drasticamente de uma pessoa para outra. De fato, o nível de um antidepressivo tricíclico pode variar até 30 vezes em duas pessoas que tenham recebido doses semelhantes do mesmo medicamento. Isso pode acontecer mesmo que as duas pessoas sejam do mesmo sexo e tenham o mesmo peso e altura.

Essas diferenças nos níveis sanguíneos podem resultar de diferenças na forma como um medicamento é absorvido no trato gastrointestinal dessas pessoas ou na rapidez com que ele é eliminado do sangue delas. A genética também pode contribuir. Por exemplo, aproximadamente 5% a 10% da população branca da Europa ocidental e dos Estados Unidos carece da enzima hepática chamada de CYP2D6 (da família P450), e 20% da população asiática carece da enzima chamada de CYP2C19.[69]

---

69. PRESKORN, S. H. Clinically relevant pharmacology of selective serotonin reuptake inhibitors. *Clinical Pharmacokinetics*, Supl., 1, p. 1-21, 1997.

Essas enzimas ajudam a metabolizar uma grande variedade de medicamentos, entre eles vários antidepressivos. As pessoas que carecem de alguma dessas enzimas podem ter seus níveis sanguíneos de certos antidepressivos drasticamente elevados porque suas enzimas hepáticas não conseguem eliminar esses medicamentos tão depressa quanto as outras pessoas.

Problemas de saúde como doenças no fígado, rins ou coração podem ter impacto no nível sanguíneo dos antidepressivos. A idade também é importante. Em geral, crianças e idosos precisam de doses menores da maioria dos medicamentos, entre eles antidepressivos. Você deve se lembrar, por exemplo, que pessoas com mais de 65 anos podem apresentar níveis sanguíneos de vários ISRSs, como o citalopram (Cipramil), a fluoxetina (Prozac) e a paroxetina (Aropax), cerca de 100% maiores que os de pessoas mais jovens que tomem doses idênticas. Às vezes o sexo também pode fazer diferença. Como observado anteriormente, os homens podem apresentar níveis sanguíneos de fluoxetina (Prozac) ou sertralina (Zoloft) 30% a 50% mais baixos em comparação ao das mulheres que tomam doses semelhantes desses medicamentos.

O clima, seus hábitos pessoais ou outros medicamentos que você esteja tomando podem às vezes afetar os níveis sanguíneos dos antidepressivos ou estabilizadores do humor. Por exemplo, se você transpirar muito durante o verão, seu nível sanguíneo de lítio pode aumentar, por isso seu médico talvez precise reduzir a dose. Se você fuma, seu organismo irá decompor os antidepressivos tricíclicos mais rapidamente por causa dos efeitos da nicotina. Consequentemente, você pode precisar de uma dose mais elevada desses antidepressivos. Muitas outras drogas que também podem provocar uma decomposição rápida dos antidepressivos tricíclicos estão relacionadas no QUADRO 63. Por outro lado, algumas drogas contidas nesse quadro podem retardar o metabolismo dos antidepressivos tricíclicos pelo fígado, levando a níveis sanguíneos excessivamente altos dos antidepressivos. Lembre-se de que essas interações medicamentosas podem atuar nos dois sentidos: um antidepressivo ou estabilizador do humor pode afetar o nível ou a atividade de outros medicamentos que você esteja tomando, e vice-versa.

Antes que você e o seu médico se convençam de que um determinado medicamento não está fazendo efeito, é importante analisar com ele a dosagem. Pergunte sobre a possibilidade de interações medicamentosas se estiver tomando mais de um remédio. Talvez o seu médico queira pedir um exame de sangue para ter certeza de que o nível sanguíneo está adequado. O exame de dosagem sanguínea costuma ser realizado mais para os estabilizadores do humor e para os medicamentos tricíclicos e tetracíclicos do que para os outros tipos de antidepressivos listados no QUADRO 59.

Se o nível sanguíneo estiver adequado e você estiver tomando o medicamento há um tempo suficiente mas ele ainda não estiver fazendo efeito, seu médico pode tentar trocá-lo por um outro tipo de antidepressivo ou tentar uma estratégia de potencialização. Isso envolve o acréscimo de uma pequena dose de um medicamento diferente para tentar aumentar o efeito do antidepressivo. Vários tipos de estratégias de potencialização atualmente em uso são relacionados no Quadro 74, p. 526-9. Uma discussão completa sobre o assunto não faz parte dos objetivos deste livro; descreverei apenas algumas delas para lhe dar uma ideia de como funciona essa abordagem. Quem tiver interesse pode consultar a excelente referência bibliográfica de Schatzberg e seus colegas.[70]

Dois medicamentos comumente usados para potencialização de antidepressivos são o lítio, uma droga sobre a qual você já aprendeu neste capítulo, e um hormônio da tireoide chamado liotironina (também conhecido como Cytomel, ou T_3). Seu médico pode acrescentar 600 mg a 1.200 mg por dia de carbonato de lítio ou 25 a 50 mcg por dia de liotironina ao seu antidepressivo por várias semanas se ele não estiver funcionando adequadamente. Como observado antes, o lítio costuma ser usado para tratar doença bipolar (maníaco-depressiva), e a liotironina é empregada no tratamento de pessoas com atividade reduzida da glândula tireoide. Porém, nesse caso, o objetivo é diferente – o propósito de acrescentar uma pequena dose de lítio ou liotironina é tornar o antidepressivo mais eficaz. Não se sabe ao certo o motivo pelo qual o lítio e a liotironina às vezes apresentam esse efeito de aumentar a eficácia dos antidepressivos.

Um teste com liotironina normalmente dura de uma a quatro semanas. Se a sua resposta for positiva, talvez o seu médico continue com a liotironina por mais duas semanas. Depois ele provavelmente vai reduzir aos poucos o medicamento de potencialização ao longo de uma ou duas semanas.

A dose de lítio usada para potencialização será ajustada com um exame de sangue, de modo que o seu nível sanguíneo permaneça na faixa em torno de 0,5 a 0,8 mEq/L. Esses níveis são um pouco mais baixos do que os usados para tratar pacientes que estejam sofrendo de mania. Os níveis mais baixos têm a vantagem de apresentar menos efeitos colaterais. O teste de potencialização com lítio normalmente dura duas semanas. Foram registrados resultados positivos quando o lítio foi combinado a tricíclicos, ISRSs e IMAOs. Estudos sugerem que 50% a 70% dos pacientes que não respondem a um antidepressivo terão uma resposta mais favorável com o acréscimo de lítio. Se não houver melhora alguma na sua depressão, seu médico provavelmente vai interromper o lítio e também o antidepressivo para experimentar um outro medicamento.

Alguns médicos usam uma terapia combinada de antidepressivos para casos complicados de depressão. Por exemplo, uma nova abordagem é acrescentar um ISRS quando um tricíclico não funciona, ou acrescentar um tricíclico quando um ISRS não

---

70. Ver nota 24.

funciona. Essa combinação pode provocar um grande aumento no nível sanguíneo do medicamento tricíclico, então seu médico pode primeiramente diminuir o tricíclico e depois verificar o seu nível do tricíclico com um exame de sangue após iniciar o ISRS. Seu médico também pode pedir um ECG para ter certeza de que não há nenhum efeito adverso sobre o seu coração.

Um IMAO também pode ser acrescentado a um medicamento tricíclico numa estratégia de combinação de antidepressivos. Essa é uma forma avançada de tratamento a ser conduzida por um especialista e requer um cuidadoso trabalho em equipe entre você e o seu médico. Você deve se lembrar de que reações perigosas podem resultar da combinação de IMAOs com outros antidepressivos ou com lítio. Embora o *Physician Desk Reference* desaconselhe a combinar esses medicamentos, Schatzberg e seus colegas afirmam que a combinação pode ser segura e útil para alguns pacientes que não respondem aos medicamentos isolados.[71] Para maximizar a segurança, esses pesquisadores recomendam: (1) o IMAO e o tricíclico devem ser iniciados ao mesmo tempo; (2) deve-se evitar a clomipramina; (3) os tricíclicos mais seguros a serem combinados aos IMAOs parecem ser a amitriptilina (Tryptanol) e a trimipramina (Surmontil); (4) entre esses dois IMAOs comumente prescritos, a fenelzina (Nardil) parece ser mais segura que a tranilcipromina (Parnate) para uso em combinação com um tricíclico.

Você verá uma série de outras estratégias de potencialização relacionadas no QUADRO 74. Minha experiência com essas estratégias de combinação e potencialização de antidepressivos tem sido limitada, mas os resultados não têm me impressionado. Experimentei a potencialização com lítio ou hormônios da tireoide em alguns pacientes, mas nenhum deles pareceu melhorar. Não fiquei estimulado a continuar com essa abordagem. Entretanto, caso um paciente deprimido não tenha apresentado resposta a um teste adequado com vários antidepressivos, um por vez, de diferentes classes químicas, talvez valha a pena tentar uma combinação de antidepressivos ou uma estratégia de potencialização.

Se você já recebeu uma dose adequada de um antidepressivo por um período de tempo apropriado e não está respondendo, que antidepressivo você deve usar na próxima tentativa? Muitos médicos mudarão para um antidepressivo de uma classe totalmente diferente para maximizar a chance de uma resposta positiva. Essa ideia faz o maior sentido, já que cada antidepressivo tem um efeito um pouco diferente no cérebro. Se você não respondeu a um ISRS como a fluoxetina (Prozac), seu médico pode querer experimentar um tricíclico como a imipramina (Tofranil), por exemplo. O Prozac ativa de forma seletiva os sistemas serotonínicos do cérebro, enquanto a imipramina tem efeitos sobre vários sistemas diferentes.

---

71. Ver nota 24.

QUADRO 74*
Quadro de potencialização de antidepressivos

Droga de potencialização	Dose de potencialização	Tipo de antidepressivo			Comentários
		ADTs	ISRSs	IMAOs	
		Aminoácidos			
Inositol	6 mg duas vezes ao dia	ver comentário	ver comentário	ver comentário	O inositol é o precursor do sistema do fosfatidilinositol (PI) no cérebro. Ainda não existem relatos sobre o uso do inositol como droga de potencialização, mas ele parece ter propriedades antidepressivas e provavelmente logo será usado para essa finalidade.[72]
L-triptofano	2–6 mg por dia	X		X	O triptofano é o precursor da serotonina no cérebro. O L-triptofano + IMAOs ou ISRSs poderia provocar síndrome serononinérgica.
Fenilalanina	500 mg – 5 mg por dia	X			A fenilalanina é a precursora da dopamina e da norepinefrina no cérebro. Pelo menos uma autoridade não ficou impressionada com os efeitos desta droga na potencialização de antidepressivos.**
Bupropiona (Wellbutrin)	geralmente em doses baixas, mas já foram usadas doses de até 300 mg por dia.**		X		A bupropiona pode ser usada numa tentativa de combater os efeitos colaterais sexuais dos ISRSs. Existem relatos informais de que ela pode aumentar os ISRSs, mas não há nenhum estudo controlado.** Há pelo menos um caso documentado de convulsões com o uso de bupropiona + fluoxetina (Prozac).
Buspirona (BuSpar)	15 mg – 45 mg por dia		X		Já foi demonstrado que a buspirona (BuSpar) aumenta os efeitos da fluoxetina (Prozac) num teste às claras.[73] Entretanto, estudos duplos-cegos não confirmaram isso.** A buspirona também pode ser usada numa tentativa de combater os efeitos colaterais sexuais dos ISRSs.
IMAOs	15 mg (ou mais) de fenelzina (Nardil) diariamente e 150 mg (ou mais) de amitroptilina (Tryptanol)	X			O *PDR* afirma que a combinação de um IMAO e um tricíclico é proibida, mas ela pode ser relativamente segura nas mãos de especialistas, embora sua eficácia ainda não tenha sido documentada por estudos duplos-cegos. Os dois medicamentos devem ser iniciados ao mesmo tempo. A amitriptilina (Tryptanol) e a trimipramina (Surmontil) parecem ser os ADTs mais seguros a serem combinados com IMAOs, e a fenelzina (Nardil) e a isocarboxazida (Marplan) parecem ser os IMAOs mais seguros.**

(cont.)

Droga de potencialização	Dose de potencialização	ADTs	ISRSs	IMAOs	Comentários
ISRSs	Primeiro ↓ a dose do ADT; recomenda-se 30 mg por dia de nortriptil ou 50 – 75 mg de imipramina**	X			Ver comentários sobre os ADTs a seguir.
ADTs	Se acrescentar um ADT e o paciente estiver tomando um ISRS, inicie com 25 mg de nortriptilina ou 50 mg de imipramina; aumente 25 mg depois de 3 dias**		X	X	Ver nota sobre combinações entre IMAOs e ADTs antes. Vários relatos sugerem que a desipramina (Norpramin) aumenta os efeitos dos ISRSs.[74-75] Deve-se fazer um exame de dosagem sanguínea do ADT porque o ISRS pode causar um grande ↑ nos níveis de desipramina, efeitos colaterais e toxicidade. ECGs devem ser controlados atentamente durante combinações de ADTs e ISRSs.
Trazodona (Donarem)	25 mg – 300 mg por dia		X		A trazodona (100 mg antes de dormir) costuma ser acrescentada à fluoxetina (Prozac) ou à bupropiona (Wellbutrin) para ajudar no sono, uma vez que esses dois medicamentos podem provocar insônia. No entanto, a trazodona (Donarem) também pode aumentar os efeitos dos ISRSs.**,[76]
Inibidores de apetite					
Fenfluramina (Pondimin)	20 – 40 mg por dia**		X		Este é um anfetamínico que pode aumentar a liberação de serotonina no cérebro. Em alguns pacientes a estimulação pode ser excessiva.
Hormônios					
Estrogênio					O estrogênio tem sido usado há anos, sozinho ou combinado a outros antidepressivos, para tratar mulheres com depressão. As evidências de sua eficácia são, no mínimo, duvidosas, e a combinação não se justifica.**
Liotironina (Cytomel; T3)	12,5 mg – 25 mg por dia; aos poucos ↑ para 50 mg por dia	X	X	X	Alguns estudos relataram resultados positivos com ADTs,[77] mas outros relataram resultados negativos.** Pode ser mais eficaz para mulheres do que para homens. Estudos de caso também sugerem potencialização dos ISRSs e IMAOs.** As respostas devem ser verificadas dentro de uma a quatro semanas. Se a resposta for for positiva, você pode continuar por mais dois meses. Deve ser usada com cautela em pacientes com problemas cardíacos ou pressão alta.

(cont.)

Droga de potencialização	Dose de potencialização	ADTs	ISRSs	IMAOs	Comentários
		Estabilizadores do humor			
Lítio	600 mg – 1.200 mg por dia em doses divididas	X	X		Vários estudos às claras e estudos duplos-cegos sugerem que o lítio em pequenas doses pode aumentar os efeitos dos antidepressivos cerca de 50% do tempo. O teste dura cerca de duas ou três semanas, mas a combinação pode ser mantida se fizer efeito. Ela também pode ajudar a prevenir recaídas. O lítio também pode ser combinado à carbamazepina (Tegretol) ou ao ácido valproico (Depakene) em pacientes com casos complicados de doença maníaco-depressiva bipolar, especialmente os de "ciclagem rápida" (vários episódios por ano).
		Estimulantes			
Anfetamina (Dexedrine)	iniciar com 5 mg por dia			X	Num dos estudos, anfetamina ou pemolina foi acrescentada a um IMAO em pacientes com depressões graves refratárias ao tratamento.[78] Alguns pacientes responderam, mas um em cinco desenvolveu sintomas de mania (euforia anormal). Essas combinações são potencialmente perigosas e podem desencadear crises hipertensivas. Ver também o comentário sobre a metanfetamina.
Metanfetamina (Desoxyn)	iniciar com 5 mg por dia	X			Qualquer estimulante pode causar dependência. Esse medicamento é extremamente viciante e potencialmente perigoso em combinação com antidepressivos. Seu uso em qualquer outro transtorno psiquiátrico, sozinho ou combinado a outros medicamentos, é controverso. Doses grandes por períodos prolongados podem provocar fúria e uma psicose que se assemelha à esquizofrenia paranoide.
Metilfenidato	iniciar com 5 mg por dia	X			Essa combinação produz um ↑ nos níveis sanguíneos do ADT, por isso devem ser realizados exames de dosagem sanguínea. Ver também o comentário sobre a metanfetamina.

(cont.)

Droga de potencialização	Dose de potencialização	ADTs	ISRSs	IMAOs	Comentários
Pemolina (Cylert)	iniciar com 37,5 mg por dia ou com 18,75 mg por dia			X	Ver o comentário sobre a metanfetamina.
Betabloqueadores					
Pindolol (Visken)	2,5 mg duas vezes ao dia por uma semana; depois ↑ para 5 mg duas vezes ao dia; continuar por três semanas**		X		O pindolol bloqueia os receptores beta e estimula os receptores 5-HT$_{1A}$. Ele é usado no tratamento da hipertensão, portanto a pressão arterial deve ser monitorada. Os efeitos colaterais incluem tontura, fadiga e agitação, com ansiedade, irritabilidade e insônia.

*. A primeira e a segunda colunas relacionam vários tipos de medicamentos que já foram acrescentados em pequenas doses a antidepressivos numa tentativa de aumentar sua eficácia. As três colunas seguintes relacionam as três principais classes de antidepressivos. Um X indica que pelo menos uma pesquisa favorável sobre essa estratégia de potencialização já foi publicada em revistas científicas de psiquiatria. Algumas combinações são perigosas e, de preferência, devem ser administradas por especialistas em ambientes de pesquisa. Parte das informações deste quadro foi obtida no *Manual of Clinical Psychopharmacology*.

**. Ver nota 24.

72. LEVINE, J. et al. Double-blind controlled trial of inositol treatment of major depression. *American Journal of Psychiatry*, 152, p. 792-4, 1995.
73. JOFFEE, R. T.; SHULLER, D R. An open study of buspirone augmentation of serotonin reuptake inhibitors. *Journal of Clinical Psychiatry*, 54, p. 269-71, 1993.
74. NELSON, J. C.; PRICE, L. H. Lithium or desipramine augmentation of fluoxetine treatment (carta). *American Journal of Psychiatry*, 152, p. 1.538-9, 1995.
75. WEILBURG, J. B. et al. Fluoxetine added to non-MAOI antidepressants converts nonresponders to responders: a preliminary report. *Journal of Clinical Psychiatry*, 50, p. 447-9, 1989.
76. NIRENBERG, A. A.; COLE, J. O.; GLASS, L. Possible trazodone potentiation of fluoxetine: a case series. *Journal of Clinical Psychiatry*, 53, p. 83-5, 1992.
77. JOFFEE, R. T. et al. Predictors of response to lithium and triodothyronine: augmentation of antidepressants in tricyclic non-responders. *British Journal of Psychiatry*, 163, p. 574-8, 1993.
78. FAWCETT, J. et al. CNS stimulant potentiation of monoamine oxidase inhibitors in treatment of refractory depression. *Journal of Clinical Psychopharmacology*, 11, p. 127-32, 1991.

Se você for trocar de remédio, normalmente precisará reduzir sua dose atual aos poucos para evitar qualquer efeito causado pela abstinência. Os antidepressivos não causam dependência nem provocam desejo compulsivo quando você para de tomá-los. Entretanto, seu uso precisa ser interrompido aos poucos para evitar reações desagradáveis. Por exemplo, os tricíclicos podem provocar insônia e indisposição estomacal se forem interrompidos de maneira brusca, como observado anteriormente.

Além disso, como observado antes, pode haver um período de espera obrigatório quando se muda de um remédio para outro. É que os dois remédios podem ser perigosos se forem misturados, e os efeitos do primeiro podem persistir por algum tempo depois que você parar de tomá-lo. O exemplo clássico seria trocar um ISRS como a fluoxetina (Prozac) por um IMAO como a tranilcipromina (Parnate). A combinação desses dois medicamentos pode causar a já descrita síndrome serotoninérgica, que às vezes é fatal. Além disso, os dois tipos de medicamentos são eliminados do organismo lentamente, por isso é necessário ficar um tempo sem remédios antes de passar de um para outro. Se for trocar o Prozac, um ISRS, pelo Parnate, um IMAO, esse período de espera pode ser de cinco semanas ou mais. Se trocar o Parnate pelo Prozac, o período de espera será de pelo menos duas semanas. No caso de certas combinações de medicamentos, porém, não é necessário um período de espera. Consulte o seu médico a esse respeito.

Suponhamos que nenhuma dessas estratégias produza uma resposta adequada aos antidepressivos. O que fazer? Pela minha experiência, isso não é incomum. Já vi muitos pacientes que fizeram tratamento durante anos com todos os tipos de medicamentos e, mesmo assim, continuavam gravemente deprimidos. Logo no início da minha carreira percebi que, para muitas pessoas, os remédios não resolviam o problema. É por isso que dediquei grande parte da minha carreira ao desenvolvimento de novas técnicas psicoterapêuticas, como as descritas neste livro. Eu queria ter outras ferramentas à mão além dos remédios apenas.

Pela minha experiência, a ideia de que um simples comprimido vai resolver os seus problemas e lhe trazer alegria não é produtiva. Por outro lado, a disposição para usar essas ferramentas de terapia cognitiva, muitas vezes em conjunto com um terapeuta compreensivo, persistente e criativo, geralmente leva a uma melhora considerável.

OUTROS REMÉDIOS QUE O SEU MÉDICO PODE PRESCREVER

Os vários tipos de antidepressivos que citei anteriormente são os que, na minha opinião, apresentam uma indicação clara para o tratamento da depressão. Descreverei a seguir vários tipos de remédios que você pode querer evitar, embora haja exceções a essa regra.

TRANQUILIZANTES MENORES (BENZODIAZEPÍNICOS)

Alguns médicos usam tranquilizantes menores (chamados de benzodiazepínicos) ou sedativos para tratar o nervosismo e a ansiedade. Os benzodiazepínicos incluem muitos remédios conhecidos, como o alprazolam (Frontal), o clordiazepóxido (Librium), o clonazepam (Klonopin), o clorazepato (Tranxene), o diazepam (Valium), o lorazepam (Lorax), o oxazepam (Serax) e o prazepam (Centrax). Talvez sejam acrescentados tranquilizantes menores à mistura de remédios que o seu médico prescrever se você estiver deprimido. Como a maioria dos pacientes com depressão também apresenta ansiedade, infelizmente essa prática é bastante comum.

Em geral, eu não recomendo os tranquilizantes menores porque eles podem causar dependência, e a sedação que produzem pode piorar a sua depressão. Pela minha experiência, a ansiedade quase sempre pode ser tratada com êxito sem o uso desses medicamentos. Duas colegas altamente respeitadas, a dra. Henny A. Westra do Centro de Ciências da Saúde Queen Elizabeth II, e a dra. Sherry H. Stewart, da Universidade Dalhousie, revisaram recentemente a literatura mundial sobre o tratamento dos transtornos de ansiedade com terapia cognitiva comportamental comparada aos medicamentos. Baseados na sua revisão cuidadosa dos resultados de vários estudos clínicos, as autoras recomendaram o tratamento dos transtornos de ansiedade com a terapia cognitiva comportamental em vez dos medicamentos. Elas concluíram que a terapia cognitiva comportamental sem o uso de remédios é um tratamento extremamente eficaz e duradouro contra a ansiedade. Comparativamente, elas ressaltam que os benzodiazepínicos podem oferecer um certo alívio mas apenas por um breve período; tendem a perder sua eficácia com o tempo e são muito difíceis de serem interrompidos. Se você tiver muito interesse por esse tema, valeria a pena ler o artigo acadêmico da dra. Westra e da dra. Stewart.[79]

Embora os benzodiazepínicos como Ativan, Librium, Rivotril (disponível no Canadá), Valium, Xanax e outros possam ter maravilhosos efeitos calmantes quase imediatamente após terem sido tomados, o maior problema é que esses efeitos relaxantes não duram. Assim que o medicamento é eliminado do organismo depois de algumas horas, há uma grande probabilidade de você sentir-se nervoso outra vez. Além disso, se tomar esses remédios diariamente por mais de algumas semanas,

---

79. WESTRA, H. A.; STEWART, S. H. Cognitive behavioral therapy and pharmacotherapy: Complementary or contradictory approaches to the treatment of anxiety?. *Clinical Psychology Review*, 18, 3, p. 307-40, 1998.

você pode sofrer efeitos causados pela abstinência ao tentar interromper seu uso. Os sintomas mais comuns de abstinência são ansiedade, nervosismo e problemas para dormir. Ironicamente, esses são os mesmos motivos pelos quais você começou a tomar o remédio no início. Esses sintomas o induzem a pensar que você ainda precisa dele, e por isso você começa a tomá-lo outra vez. É assim que se desenvolve o padrão da farmacodependência. Felizmente, os antidepressivos também são eficazes no tratamento da ansiedade, assim como as técnicas de terapia cognitiva e comportamental descritas neste livro, e esses tratamentos não causam dependência. É por isso que eu evito os benzodiazepínicos no tratamento de pessoas com depressão ou ansiedade.

Há outras razões para evitar os tranquilizantes menores no tratamento da ansiedade. Um dos princípios fundamentais do tratamento é que os indivíduos ansiosos precisam enfrentar seus medos e renunciar a eles para poder superá-los. Por exemplo, se você tem medo de altura, talvez tenha de subir até o alto de uma escada e ficar lá até a ansiedade passar. Eu poderia dar-lhe dezenas de exemplos de pacientes que apresentaram uma melhora drástica ou até se recuperaram totalmente ao enfrentarem seus medos dessa maneira. As pessoas ansiosas que enfrentam seus medos costumam sentir um alívio tremendo porque descobrem, em primeiro lugar, que seus medos não eram realistas. Essa percepção pode não ocorrer se você estiver apenas tomando tranquilizantes e não enfrentando seus medos. Mesmo que consiga enfrentar seus medos com a ajuda de tranquilizantes, o medicamento tenderá a reduzir a eficácia dos seus esforços. Na verdade, quando os médicos prescrevem tranquilizantes para pacientes ansiosos, há risco de que isso reforce a ideia de que os medos são mesmo perigosos e devem ser evitados, e que os sintomas desagradáveis devem ser suprimidos. Essas mensagens são a verdadeira antítese das terapias de exposição mais modernas que têm se mostrado tão promissoras no tratamento da ansiedade.

Se o seu médico vem prescrevendo um diazepínico, ou está sugerindo esse tipo de medicamento, seria indicado discutir os prós e os contras. Lembre-se de que você é o consumidor, para quem o seu médico está trabalhando. Você tem todo o direito de discutir o tratamento de uma maneira franca e respeitosa. Esse senso de colaboração e trabalho em equipe é muito importante.

SEDATIVOS

Muitos comprimidos para dormir vendidos sob prescrição médica também podem causar dependência e ser de fácil abuso. Eles podem perder sua eficácia depois de apenas alguns dias de uso regular. Então podem ser necessárias doses cada vez maiores para fazer você dormir. Isso pode levar a um padrão de tolerância ao medicamento e à dependência. Se forem tomados diariamente, esses comprimidos podem perturbar seus padrões normais de sono. Graves crises de insônia são um sintoma da abstinência de soníferos, por isso toda vez que você tentar parar de tomar os comprimidos, concluirá indevidamente que precisa deles ainda mais. Portanto, eles podem piorar bastante sua dificuldade para dormir.

Por outro lado, existem vários medicamentos sedativos que melhoram o sono sem precisar de doses maiores. Na minha opinião, esses remédios constituem uma abordagem melhor para tratar a insônia em indivíduos deprimidos. Três que costumam ser prescritos para esse propósito são trazodona (Donarem) ou doxepina (Sinequan), 25 mg a 100 mg, ou difenidramina (Benadryl), 25 mg a 50 mg. Os dois primeiros são antidepressivos que precisam de receita médica. O Benadryl é um medicamento antialérgico que atualmente é vendido sem receita. Não deixe de consultar o seu médico antes de tomar qualquer medicamento, mesmo que seja vendido livremente, para ter certeza de que não existem interações medicamentosas com outros remédios que você esteja tomando. Lembre-se de que muitos remédios de venda livre, como o Benadryl, já foram vendidos apenas sob prescrição médica, portanto podem ser tão perigosos quanto os controlados. O novo anticonvulsivante gabapentina também possui efeitos sedativos e ansiolíticos sem ser viciante, e alguns médicos a estão prescrevendo para essa finalidade.

Se você está tendo problemas para dormir, talvez esteja com problemas pessoais que tornem mais difícil pegar no sono. Pode ser qualquer coisa – um problema na escola ou no trabalho, ou um conflito com um parente ou amigo. Algumas pessoas varrem esses problemas para debaixo do tapete para não ter de enfrentá-los. Depois acabam desenvolvendo uma série de sintomas. Uns ficam ansiosos, outros têm problemas para dormir, e alguns apresentam dores que não têm nenhuma causa orgânica.

Eu sempre acreditei que é melhor tentar identificar e resolver o problema do que mascará-lo com tranquilizantes ou remédios para dormir. Em nossa cultura, a ideia de uma cura rápida tem um tremendo apelo tanto para os pacientes como para os médicos. É fácil receitar um remédio que vai fazer o problema desaparecer. Isso contribui muito para a enorme popularidade dos soníferos e tranquilizantes menores.

ESTIMULANTES

E as "bolinhas" (estimulantes) como o metilfenidato (Ritalin) e as anfetaminas que costumavam ser tão receitadas para emagrecer? É verdade que essas drogas podem produzir uma estimulação ou euforia temporária (semelhante à da cocaína), mas elas também podem ser perigosamente viciantes. Quando você cair das nuvens, pode se espatifar e ter uma sensação de desespero ainda mais profunda. Quando são administrados de forma crônica, esses medicamentos às vezes podem provocar uma reação agressiva, violenta e paranoica que se assemelha à esquizofrenia.

Não tenho receitado estimulantes para pacientes com depressão (ou qualquer outro problema) por causa das minhas preocupações acerca desses medicamentos, mas com certeza essa é uma questão controversa. Alguns psiquiatras prescrevem estimulantes para pacientes idosos com depressão sob certas circunstâncias, e eles são muito populares no tratamento de crianças e adolescentes hiperativos. Se o seu médico recomendar esses comprimidos, sem dúvida vocês devem discutir os prós e os contras. Você também pode querer ouvir uma segunda opinião caso não se sinta à vontade quanto ao tratamento.

Como toda regra, essa também tem exceções. Por causa de suas propriedades energizantes, alguns médicos acrescentam o metilfenidato (Ritalin) a um antidepressivo tricíclico. Essa combinação pode ser útil para alguns pacientes demasiado lerdos e desmotivados. Contudo, o metilfenidato também inibe a decomposição da maioria dos antidepressivos tricíclicos pelo fígado, e por isso o nível sanguíneo desses outros antidepressivos vai aumentar. Isso pode provocar mais efeitos colaterais e exigir uma redução na dose do antidepressivo.

MEDICAMENTOS ANTIPSICÓTICOS (NEUROLÉPTICOS)

E quanto aos antipsicóticos (também chamados de neurolépticos ou "tranquilizantes maiores")? Entre os medicamentos mais antigos dessa categoria estão a clorpromazina (Thorazine), o clorprotixeno (Taractan), o haloperidol (Haldol), a flufenazina (Prolixin), a loxapina (Loxitane), a mesoridazina (Serentil), a molindona (Moban), a perfenazina (Trilafon), a pimozida (Orap), o tiotixeno (Navane), a tioridazina (Mellaril) e a trifluoperazina (Stelazine). Entre os mais modernos estão a clozapina (Clozaril), a olanzapina (Zyprexa), a quetiapina (Seroquel), a risperidona (Risperdal), o sertindol (Serlect) e a ziprasidona (Geodon). Esses agentes geralmente são reservados a pacientes com esquizofrenia, mania ou outros transtornos psicóticos. Eles não desempenham um papel importante no tratamento da maioria dos pacientes com depressão ou ansiedade. No passado já foram comercializados e promovidos comprimidos que combinavam um medicamento antidepressivo a um antipsicótico, mas a maioria dos estudos clínicos não documentou nenhuma superioridade em termos de eficácia por parte dessas fórmulas no tratamento da depressão.

Apenas uma minoria das pessoas deprimidas beneficia-se de agentes antipsicóticos. Elas incluem pacientes deprimidos que apresentam delírios – ou seja, aqueles que tiram conclusões falsas e nada realistas sobre a realidade exterior. Por exemplo, um paciente deprimido pode ter a ilusão de que há vermes dentro do seu corpo ou de que existe uma conspiração contra ele. Pacientes idosos com depressão parecem mais propensos a apresentar delírios paranoicos. Pacientes deprimidos que ficam extremamente agitados e não conseguem parar quietos às vezes também se beneficiam dos agentes antipsicóticos. Entretanto, os tranquilizantes maiores também pode fazer a depressão piorar por causa de sua tendência a provocar sonolência e fadiga.

Além disso, ao contrário da maioria dos antidepressivos, muitos medicamentos antipsicóticos acarretam o risco de um efeito colateral irreversível chamado discinesia tardia. A discinesia tardia é uma alteração do rosto, dos lábios e da língua; ela envolve movimentos involuntários repetitivos como estalar os lábios sem parar ou fazer caretas. Os movimentos anormais às vezes podem incluir os braços, as pernas e o tronco. Os tranquilizantes maiores também podem provocar uma série de outros efeitos colaterais alarmantes, mas reversíveis. Portanto, esses remédios só devem ser usados quando forem visivelmente necessários e seus potenciais benefícios ultrapassarem os potenciais riscos.

POLIFARMÁCIA

A polifarmácia refere-se à prática de prescrever mais de um remédio psiquiátrico ao mesmo tempo a um determinado paciente. A ideia é a de que, se um remédio é bom, dois, três ou mais serão ainda melhores. Os médicos podem combinar um medicamento antidepressivo com outros tipos de antidepressivos e também outros tipos de medicamentos, como tranquilizantes menores e maiores. O paciente acaba tomando um coquetel formado por vários tipos de remédios diferentes.

A polifarmácia costumava ser vista com maus olhos. Hoje em dia, a prática tem sido mais aceita, e muitos psiquiatras prescrevem sistematicamente dois ou mais remédios para muitos de seus pacientes psiquiátricos. Por outro lado, se a sua depressão estiver sendo tratada pelo médico da família, é bem menos provável que ele prescreva mais de um medicamento psiquiátrico por vez. Isso porque os clínicos gerais costumam se preocupar mais com os seus problemas de saúde e ser bem menos agressivos no tratamento de problemas emocionais.

Em alguns casos, a polifarmácia pode ser útil no tratamento dos transtornos de humor. Por exemplo, eu descrevi várias estratégias de potencialização que podem aumentar a eficácia de um antidepressivo. Também já descrevi como o uso eventual de um segundo medicamento pode combater um efeito colateral. A polifarmácia racional também pode ser útil quando um paciente apresenta diferentes transtornos que exigem tratamento. Por exemplo, um paciente com esquizofrenia também pode ficar deprimido e se beneficiar da combinação de um medicamento antipsicótico com um antidepressivo. Um paciente bipolar (maníaco-depressivo) pode ser tratado com um antidepressivo acrescentado ao lítio durante um episódio de depressão. Durante um episódio maníaco, o médico pode receitar um neuroléptico ou um benzodiazepínico além do lítio para combater os sintomas agudos, como descrito anteriormente.

Embora existam casos específicos como esses em que a combinação dos medicamentos é indicada, geralmente não sou a favor da polifarmácia no tratamento da depressão ou da ansiedade por causa do aumento dos efeitos colaterais, das interações medicamentosas e do custo. Além disso, a polifarmácia tende a transmitir a mensagem de que todos os problemas do pacientes podem ser resolvidos com remédios. Ele pode tomar um ou dois remédios para depressão, mais um ou dois para combater os efeitos colaterais dos antidepressivos, outro para tratar a ansiedade e assim por diante. E se o paciente ficar com raiva, ainda pode tomar outro remédio, como um estabilizador do humor, para cuidar da raiva.

O paciente pode acabar ficando com um papel muito passivo, uma espécie de tubo de ensaio humano. Você pode achar que estou exagerando, mas já vi inúmeros pacientes que ficaram exatamente assim. Eles estavam tomando uma porção de remédios com um monte de efeitos colaterais, mas obtinham pouquíssimos benefícios com isso. Eu tive bons resultados no tratamento desses pacientes por meio de terapia cognitiva sem o uso de remédios, ou de terapia cognitiva com apenas um antidepressivo.

Acredito que alguns psiquiatras recorrem demais aos medicamentos. Por que isso acontece? Um dos problemas é que a maioria dos programas de treinamento psiquiátrico dá muita ênfase a teorias biológicas sobre depressão e acentua a importância do tratamento medicamentoso para depressão e outros transtornos. Além disso, muitos programas de educação continuada para psiquiatras em atividade são patrocinados por laboratórios farmacêuticos, e o foco dessas palestras concentra-se quase sempre nos medicamentos. As publicações científicas sobre psiquiatria também estão cheias de anúncios caros de laboratórios farmacêuticos promovendo os benefícios dos últimos remédios contra depressão ou ansiedade, mas nunca vi um anúncio promovendo a mais recente técnica psicoterapêutica. É que simplesmente não há dinheiro para pagar um anúncio desses! Os laboratórios também financiam boa parte das pesquisas sobre medicamentos que aparecem nas revistas científicas, e já se questionou o potencial conflito de interesses inerente a esses acordos.

Não estou querendo fazer demagogia! Essa não é uma questão inequívoca. Sem dúvida, as excelentes pesquisas conduzidas pela indústria farmacêutica trouxeram enormes benefícios à profissão psiquiátrica e às pessoas que sofrem de transtornos psiquiátricos. O que me preocupa é que a ênfase nos remédios às vezes me parece exagerada. Infelizmente, alguns psiquiatras não têm um bom treinamento nas formas mais modernas de psicoterapia, entre elas a terapia cognitiva, que podem ser muito úteis para indivíduos que sofrem de depressão e ansiedade. Quando um paciente não responder a medicamentos, a principal reação do psiquiatra talvez seja aumentar a dose ou acrescentar outro medicamento, pois é para isso que ele foi treinado. E quando um paciente queixar-se de um efeito colateral adverso, talvez o psiquiatra decida acrescentar algum outro remédio como antídoto – pois é para isso que ele foi treinado. O resultado em alguns casos é o de que o paciente acaba tomando cada vez mais remédios, em doses cada vez maiores – sem qualquer benefício real. É quando a polifarmácia pode ficar fora de controle.

Quando eu era residente de psiquiatria, costumava acreditar que, se conseguisse encontrar a "fórmula mágica" (em outras palavras, o comprimido certo), poderia ajudar todos os pacientes. Naquele tempo, tratávamos os nossos pacientes com um comprimido atrás do outro, mas com pouquíssima psicoterapia. Minha experiência clínica ensinou-me várias vezes que esse modelo não era o bastante – muitos pacientes meus simplesmente não se recuperavam, não importava quantos remédios eu usasse, isoladamente ou em combinações.

Para piorar as coisas, a maioria dos psiquiatras não exige que os pacientes façam teste de humor, como o do Capítulo II, entre as sessões de terapia para acompanhar o progresso. Consequentemente, o psiquiatra pode concluir que o paciente está sendo "ajudado" por um remédio quando, na verdade, o paciente não apresentou nenhuma melhora significativa. No meu modo de pensar, tratar pacientes sem avaliações a cada sessão é anticientífico e constitui um obstáculo a um bom tratamento e ao progresso na área.

Alguns psiquiatras e muitos pacientes estão concentrados quase exclusivamente nessas teorias biológicas e tratamentos para depressão. Eles podem ignorar o valor de outras abordagens, às vezes com um fervor religioso. Vários psiquiatras renomados são muito francos a esse respeito. Às vezes a intensidade desses debates em torno da comparação entre a psicoterapia e a terapia medicamentosa lembra mais uma disputa de poder por controle territorial do que uma busca intelectual pela verdade. Felizmente, existe uma tendência crescente e saudável a se reconhecer que todas as nossas drogas psiquiátricas atuais têm uma eficácia limitada. Além disso, há um reconhecimento cada vez maior de que a combinação de medicamentos com as formas mais modernas de psicoterapia (como a terapia cognitiva comportamental e outras) geralmente oferece um resultado mais satisfatório do que o tratamento apenas com remédios.

Está claro que os antidepressivos podem ajudar algumas pessoas, mas também está evidente que muitos pacientes não respondem adequadamente. Quando os pacientes não responderem, eu prefiro mudar o esquema e usar a terapia cognitiva, ou uma combinação de terapia cognitiva com um medicamento antidepressivo por vez.

A maioria das pessoas com depressão tem problemas concretos na vida, e quase todos nós precisamos de uma relação compreensiva e curadora com outro ser humano para colocar tudo isso para fora de vez em quando. A ideia de que os medicamentos podem curar sozinhos a depressão e a ansiedade pode ser muito atraente, mas essa abordagem muitas vezes não funciona.

Para ser justo, concentrar-se exclusivamente na psicoterapia apenas pode ser igualmente tendencioso. Já vi pacientes que não respondiam a várias intervenções psicoterapêuticas que eu mesmo administrava – semana após semana, sua pontuação no teste de depressão do Capítulo II não se alterava. Às vezes prescrevia um antidepressivo enquanto continuávamos aplicando uma série de estratégias psicoterapêuticas. Em algumas semanas, muitas vezes a depressão e a ansiedade começavam a melhorar, e de repente a psicoterapia passava a dar mais resultado. Nesses casos, eu ficava feliz por ter os medicamentos à disposição.

Um último problema que contribui para a polifarmácia é que muitos pacientes não fazem valer o seu ponto de vista. Embora sintam-se incomodados com a quantidade de remédios que estão tomando, eles podem achar às vezes que "o médico sabe o que é melhor". Isso é compreensível. O médico tem uma longa formação, e o conhecimento do paciente geralmente é limitado. Além disso, muitas vezes o paciente admira o médico e respeita os seus conselhos. Mas em psiquiatria e psicologia, as abordagens terapêuticas são bem mais subjetivas e variadas do que na medicina interna, cujos tratamentos são bem mais precisos e uniformes. Os seus sentimentos em relação ao tratamento são importantes, e você tem todo o direito de compartilhá-los com o seu médico.

Evidentemente, essa revisão das práticas de prescrição de medicamentos representa a minha própria abordagem. As ideias do seu médico podem ser diferentes. A psiquiatria ainda é uma mistura de ciência e arte. Talvez algum dia a "arte" não seja mais um componente tão importante. Se você se sente inseguro quanto ao seu tratamento, faça perguntas ao seu médico. Exponha suas preocupações e insista para que ele que explique o tratamento de uma forma simples, que você consiga compreender. Afinal, são o seu cérebro e o seu corpo que estão em risco, e não os do médico. O senso de colaboração e trabalho em equipe é importante para o sucesso do tratamento. Se vocês dois chegarem a um acordo quanto a uma estratégia racional, compreensível e que possa ser aceita pelas duas partes quanto ao seu tratamento, você terá uma excelente chance de se beneficiar dos esforços feitos pelo seu médico para ajudá-lo.

ÍNDICE REMISSIVO*

abordagens da ciência médica à doença depressiva, 327-8.
acabar com o sentimento de culpa, 182-99.
    aprender a se manter firme aos seus princípios, 192-5.
    desenvolver a perspectiva, 197-8.
    Método Moorey contra lamentadores, 196-7.
    Registro diário de pensamentos disfuncionais, 184-5.
    técnica antirreclamão, 195-6.
    técnicas para acabar com as cobranças, 186-92.
ação, motivação e, 124-5.
ácido valproico (Depakene), 425q e 503.
    dosagem, 503-4.
    efeitos colaterais, 505-6.
    exames de sangue, 504-5.
    interações medicamentosas, 507-8.
Adapin,
    efeitos colaterais, 431.
adivinhar o futuro, 56 e 60q.
Adler, Alfred, 34n10.
Agras, Stuart, 23.
álcool, 271.
amitriptilina (Tryptanol), 360-1 e 422.
    efeitos colaterais, 405-6 e 431.
amor, 237.
    necessidade de, 257-67.
    pontuação no DAS e, 237.
amoxapina (Asendin), 423.
    efeitos colaterais, 433.

Anafranil, 392 e 422.
    efeitos colaterais, 431.
Análise custo-benefício da raiva, 154q.
anedonia, 98.
anfetaminas, 271.
antagonistas da serotonina, 418q e 477-8.
    dosagem, 478.
    efeitos colaterais, 479q.
    interações medicamentosas, 481-2.
    nomes, doses e custos, 424.
anti-histamínicos, 406.
Antidepressão (Burns), 29-30.
antidepressivos, 22, 328, 343, 354 e 385-7.
    antagonistas da serotonina, 418q, 424 e 477-82.
    bupropiona (Wellbutrin), 482-3.
    como eles agem, 356-65.
    como saber se estão fazendo efeito, 391-2.
    custo dos, 417-21.
    decisão sobre tomar ou não, 388-9.
    efeitos colaterais dos, 399-404.
    eficiência dos, 391-2.
    estabilizadores do humor, 418q, 424-5 e 491-521.
    estratégia de potencialização para, 524-30.
    genéricos, 419.
    guia do consumidor de, 417-538.
    ineficazes, 521-30.
    inibidores da MAO, 357-60, 418q, 423 e 450-77.

---

*. Os itens presentes neste índice cuja paginação menciona as letras *q*, *g* e *n* referem-se às indicações, respectivamente, de *quadros*, *gráficos* e *notas de rodapé*. (N.E.)

Inibidores Seletivos da Recaptação de Serotonina (ISRS), 361-2, 418*q*, 423 e 440-50.
  interações com outros medicamentos, 409-15.
  mais eficazes, 392-3.
  melhora de humor e, 394.
  mirtazapina (Remeron), 490-1.
  mitos sobre, 375-8.
  nomes, dosagens e custos, 422-5*q*.
  por quanto tempo esperar resultados, 394-5.
  por quanto tempo tomar, 395-6.
  evitar ou minimizar efeitos colaterais, 406-9.
  quadro de, 418*q*.
  quadro de potencialização, 526-9.
  quando não fizerem efeito, 395-7.
  quem se beneficia com, 390-1.
  razões dos efeitos colaterais, 404-6.
  redução gradual, 398.
  ser tratado com, 388.
  supervisão médica dos, 389-90.
  tetracíclicos, 418*q*, 423, 426-7 e 432-9.
  tomar por tempo prolongado, 397-8.
  tomar vários ao mesmo tempo, 394.
  tratamento de pacientes suicidas, 313-4.
  tricíclicos, 360-1, 406, 418*q*, 422-3, 426-32 e 434-9.
  venlafaxina (Effexor), 486-9.
  ver também nomes individuais dos medicamentos.
Antonuccio, David O., 21-2 e 373.
apoiar a si mesmo, 111-2.
aprender que alguns fazem loucuras, 160-1.
aprovação, 241-56.
  autoaprovação, 255-6.
  independência e respeito por si mesmo, 246-55.
  necessidade de, 241-2.
  origem do problema, 243-5.
  pontuação no teste DAS, 236-7.
Archives of General Psychiatry, 369.
armadilha da realização, 283-6.
Aropax, 423.
Asendin, 423.
  efeitos colaterais, 433.
Associação Americana de Psiquiatria, 26.
Authoritative Guide to Self-Help Books, 29.
autoacusação, 101.
autoaprovação, 255-6.
autoavaliação negativa, 69-70.
autocrítica, 76-81, 87, 130, 212 e 225.
  técnica das três colunas para, 77*q*.

autodefesa, 76-81, 130, 134, 213 e 215-6.
autoestima, 207*g* e 225-6.
  a armadilha da realização, 283-6.
  conquistas e, 269-79.
  levantar a, 69-89.
  métodos específicos para a, 75-89.
  Planilha de previsão de prazer, 286.
  quatro caminhos para a, 279-83.
autonomia, pontuação no teste DAS e, 240.
autorrespeito, 246-55.
  análise custo-benefício, 246 e 247*q*.
  desaprovação e, 250-5.
  projeto de, 247-9.
  rejeição e, 250-5.
  técnicas verbais, 249-50.
autorrotulagem, 98.

Baxter, Lewis R., Jr., 22 e 369.
BDC. *Ver* Checklist de depressão de Burns.
BDI. *Ver* Inventário de Depressão de Beck.
Beck, Aaron T., 41n13, 69, 79, 116, 298, 313, 334 e 339.
  interpretação, 43-8.
  prefácio de, 17-8.
benzodiazepínicos, 531-2.
Bergman, Kenneth S., 22 e 369.
betabloqueadores, 407.
biblioterapia, 24-9.
  estudos sobre, 24-9.
Brown, Helen Gurley, 274.
bupropiona (Wellbutrin), 424 e 482-3.
  dosagem, 484.
  efeitos colaterais, 484 e 485*q*.
  interações medicamentosas, 484-6.
Buspirona (BuSpar), 362.

Cade, John, 491.
Campbell, Barbara D., 29.
carbamazepina (Tegretol), 424 e 508-9.
  dosagem, 509.
  efeitos colaterais, 511-3.
  exames de sangue, 509-11.
  interações medicamentosas, 513-6.
Carbolitium, 424.
Centro de Terapia Cognitiva, 36 e 43n14.
Centro Médico da Universidade de Stanford, 221.
Centro Médico dos Veteranos de Tuskegee, 28.
cérebro,
  biologia do, 347-52.
  pesquisas sobre o, 365.

Checklist de depressão de Burns (BDC), 42-3.
Ciclo de Letargia, 96*q*.
citalopram (Cipramil), 423.
Clínica Cleveland, 374.
Clínica do Humor (Universidade da Pensilvânia), 33-4 e 333-4.
clomipramina (Anafranil), 392 e 422.
    efeitos colaterais, 431.
cobranças do tipo "devia", 58, 60*q*, 161*q*, 165*q* e 186-7.
cobranças irracionais, 149.
coerção, 100 e 116-7.
coisas positivas, desqualificar as, 54-5 e 60*q*.
comportamento autodestrutivo, 93-4.
conquistas, autoestima e, 269-72.
    desvantagens, 270.
    trabalha = tem valor, 272-9.
    vantagens, 269-70.
controlador de tráfego aéreo, 331.
controlar seus hábitos, 121.
Cosmopolitan, 274.
crise da meia-idade, 325.
crise hiperpirética, 460-2.
    como evitar, 462-3.
    medicamentos e outras drogas a serem evitadas, 464-77.
crise hipertensiva, 460-2.
    alimentos a serem evitados, 463-6.
    como evitar a, 462-3.
    medicamentos e outras drogas a serem evitadas, 464-77.
críticas,
    enfrentar as, 138.
    medo de, 100.
    superar o medo de, 127-37.
culpa, 101-2 e 177-99.
    acabar com o sentimento de, 184-99.
    ciclo da, 181-2.
    cobranças indevidas do tipo "devia", 179-81.
    distorções que causam a, 178.
    irresponsabilidade da, 182-4.
    pensamentos que levam à, 177-8.

Danton, William G., 21 e 373.
DAS. *Ver* Escala de atitudes disfuncionais.
deficiências físicas, 207-10.
DeNelsky, Gurland Y., 21 e 374.
Depakene, 425*q*.
Depakote, 425*q*.
dependência, 257.
    necessidade de amor e, 257-60 e 266-7.

depressão, 21 e 30.
    abordagem da ciência médica à, 327-8.
    autoavaliação negativa, 70-1.
    crônica leve, 45.
    desejo sexual e, 73.
    desequilíbrio químico no cérebro e, 20 e 22.
    efeitos da, 49.
    enquanto produto de um deslize mental, 36.
    esquizofrenia e, 72.
    estudo do National Institute of Mental Health, 39-40.
    falta de esperança e, 316 e 328.
    força de vontade e, 91.
    Inventário de Depressão de Beck (BDI), 25, 63, 80, 217, 315 e 319.
    método da seta vertical para identificar pressupostos silenciosos, 227-31.
    não gostar de si mesmo e, 69.
    nas palavras de Freud, 136-7.
    papel das influências ambientais na, 344-6.
    papel das influências genéticas na, 344-6 e 371-3.
    pensamento negativo e, 49-50, 64 e 72-3.
    pontuações no BDC, avaliação, 45-6.
    prevalência da, 33.
    psicoterapia para, 21-2.
    realista, 204.
    recaídas, 27-8 e 398-9.
    remédios como tratamento para, 21-2.
    sintomas físicos da, 46-7 e 347.
    suicídio e, 313.
    técnica antiprovocador, 137-8.
    terapia cognitiva como tratamento para, 35-40.
    terapia com antidepressivos e, 36-40.
    tristeza e, 203-4.
    ver também terapia com antidepressivos; suicidas.
"*Depression*: Causes and Treatment" (Beck), 69n15 e 313n22.
"*Depression*: Clinical, Experimental & Theoretical Aspects" (Beck), 69n15.
depressões realistas, 204-5.
desaprovação, 250-5.
    medo de, 241-2.
    respeito por si mesmo e, 250-5.
desarmar quem o critica, 132-5.
desatribuição, 197-8.
Descartes, René, 367.
desejo sexual, depressão e, 73.

desipramina (Norpramin, Pertofrane), 422.
    efeitos colaterais, 431.
desqualificar as coisas positivas, 54-5 e 60q.
Dez Mandamentos, 150.
diálogo interior, 51q.
diminuir a raiva, métodos para,
    aprender que alguns fazem loucuras, 160-2.
    desenvolver o desejo, 153-4.
    diminuir as cobranças, 164-5.
    empatia perfeita, 167-72.
    ensaio cognitivo, 172-4.
    esfriar a cabeça, 155-6.
    estratégias de negociação, 165-7.
    hierarquia da raiva, 172-3.
    interromper pensamentos, 158.
    juntando tudo, 172-4.
    manipulação esclarecida, 162-4.
    reescrever as regras, 158-60.
    técnicas imaginativas, 156-8.
direito, pontuação no teste DAS e, 238-9.
distorções cognitivas, 170, 209, 320 e 326-7.
    definições das, 52-9 e 60q.
    dos suicidas, 319-21 e 325.
distúrbios alimentares, terapia cognitiva para, 23.
divalproato de sódio (Depakote), 425q.
doença bipolar (maníaco-depressiva), 344-5 e 372-3.
    sintomas de, 345.
Donarem, 363, 393, 424 e 477.
    dosagem, 478.
    efeitos colaterais, 478-80.
    interações medicamentosas, 480-2.
doxepina (Adapin, Sinequan), 393 e 422.
    efeitos colaterais, 431.
DSM. *Ver Manual Diagnóstico e Estatístico.*
Dyer, Wayne, 151-2.

efeitos colaterais dos antidepressivos, 399-404.
    controle de, 401-3.
    evitar ou minimizar, 406-9.
    razões dos, 404-6.
Effexor, 362, 424 e 486-7.
    dosagem, 487-8.
    efeitos colaterais, 485q e 488-9.
    interações medicamentosas, 489.
Einstein, Albert, 149 e 151.
Ellis, Albert, 34n10 e 116.
empatia, 130-1 e 184.
    perfeita, 167-8.
empatia perfeita, 167-72.

emprego, perder o, 210-7.
enfrentar, 82-7.
    críticas, 136-7.
    falta de esperança, 338-9.
    hostilidade, 333-6.
    incerteza, 338-9.
    ingratidão, 336-8.
ensaio cognitivo, 172 e 174.
ente querido, perda de, 218-20.
Escala de atitudes disfuncionais (DAS), 231-40 e 246.
    como interpretar sua pontuação, 236-40.
    pontuação, 234-6.
Escala de depressão de Hamilton (HRSD), 25-7.
escala de produtividade, 207g.
Escala de raiva de Novaco, 142-3.
escala de valor humano, 207.
Escola de Medicina da Universidade da Califórnia (Los Angeles), 369.
Escola de Medicina da Universidade de Washington (St. Louis), 370.
esfriar a cabeça, 155-6.
esquizofrenia, depressão e, 72.
estabilizadores do humor, 418q.
    ácido valproico, 503-8.
    carbamazepina (Tegretol), 508-16.
    efeitos colaterais, 496q.
    gabapentina (Neurontin), 516-21.
    lítio (Carbolitium), 491-503.
    nomes, dosagens e custos, 424-5.
    tiagabina (Gabitril), 516-7.
    vigabatrina (Sabril), 516-7.
estimulantes, 533-4.
estratégia de potencialização, 394 e 524-8.

falta de esperança, 97 e 382.
    depressão e, 316-7 e 328.
    suicidas e, 315-6, 325 e 328.
fantasias incestuosas de Édipo, 177.
fatos, sentimentos e, 64-5.
feedback, 134-7.
Feeling Good Handbook (Burns), 29.
felicidade, sucesso e, 271-2.
fenelzina (Nardil), 357 e 423.
    efeitos colaterais, 459.
ficar sozinho,
    solidão e, 259-62.
    vantagens de, 266q.
filtro mental, 54 e 60q.
Floyd, Mark, 28.

fluoxetina (Prozac), 361-2, 392 e 423.
　efeitos colaterais, 407-9.
fluvoxamina (Luvox), 414 e 423.
força de vontade, depressão e, 91.
Formulário de prevenção de resposta, 294.
fracasso, medo do, 99.
Freud, Sigmund, 70-1, 136-7, 144 e 177.
frustração, 175-6.

gabapentina (Neurontin), 425q e 516-8.
　dosagem, 518.
　efeitos colaterais, 518-20.
　interações medicamentosas, 520-1.
Gabitril, 516-7.
Garfield, Sol L., 370.
generalização excessiva, 53 e 60q.
Goldstein, Mark K., 162.
gratificação, 261-2.
grávidas, antidepressivos e, 389-90.

heroína, 271.
hierarquia da raiva, 172-3.
Hitler, Adolf, 242 e 272.
Horney, Karen, 34n10.
hostilidade, lidar com, 333-6.
HRSD. *Ver* Escala de depressão de Hamilton.

ilusões, 51-2.
imipramina (Tofranil), 36, 360-1 e 422.
　efeitos colaterais, 431.
　versus Prozac, 419.
impulsos suicidas, avaliação dos, 315-7.
incerteza, lidar com, 338-9 e 340q.
independência, 246-55.
　análise custo-benefício, 246.
　desaprovação e, 250-4.
　necessidade de amor, 258-60 e 266-7.
　projeto de autorrespeito, 247-9.
　rejeição e, 250-4.
　técnicas verbais, 249-50.
influências ambientais, papel na depressão, 344-6.
influências genéticas, papel na depressão, 344-6 e 371-3.
ingratidão, lidar com, 336-8.
inibidores da MAO, 357, 418q, 423-4 e 450-4.
　alimentos a serem evitados ao tomar, 463-6.
　dosagem, 454-6.
　efeitos colaterais, 456-60.
　medicamentos e outras drogas a serem evitadas ao tomar, 466-77.

　nomes, dosagens e custos, 423-4.
　reações tóxicas causadas por, 460-3.
inibidores da monoaminoxidase. *Ver* inibidores da MAO.
Inibidores Seletivos da Recaptação de Serotonina (ISRSs), 361-2, 406, 418q e 440-1.
　dosagem, 441-4.
　efeitos colaterais, 444-9.
　interações medicamentosas, 449-52.
　nomes, dosagens e custos, 423.
interromper pensamentos, 158.
inutilidade, sensação de, 73-5.
Inventário de Depressão de Beck (BDI), 25, 63, 78, 217, 315 e 319.
iproniazida, 356-7.
isocarboxazida (Marplan), 459.
ISRS. *Ver* Inibidores Seletivos da Recaptação de Serotonina.

Jamison, Christine, 24 e 28.
Journal of Consulting and Clinical Psychology, 24.
jovens, suicídio entre, 313.
judeus, 242.
Jumexil, 357.
　efeitos colaterais, 459.
justiça, relatividade da, 149-51.

Kaiser, grupo de saúde, 43n14.

Lamictal, 425q e 521.
lamotrigina (Lamictal), 425q e 521.
Lazarus, Arnold, 34n10.
lentidão compulsiva, 292-3.
ler pensamentos, 55-6, 60q e 147-8.
levantar a autoestima, 69-89.
lítio (Carbolitium), 47, 424 e 491-3.
　dosagem, 493-4.
　efeitos colaterais, 407 e 496-500.
　exame de litemia, 494-5.
　exames médicos antes do tratamento com, 494-5.
　interações medicamentosas, 500-3.
Ludiomil, 423.
　efeitos colaterais, 433q.
"Luto e Melancolia" (Freud), 71.
Luvox, 392 e 423.

magnificação, 57, 60q e 148.
mania, sintomas de, 47.
manipulação esclarecida, 162-4.
Manson, Charles, 242-3.

Manual Diagnóstico e Estatístico (DSM), 26.
MAO, 352.
maprotilina (Ludiomil), 423.
    efeitos colaterais, 433*q*.
Marplan, 459.
medianidade, 287.
medicamentos antipsicóticos (neurolépticos), 534-5.
medicamentos genéricos, 419.
medo da desaprovação, 100 e 241-2.
medo das críticas, 100.
    superar o, 127-37.
medo do fracasso, 99.
medo do sucesso, 100.
melancolia de fim de semana/feriado, 104.
membro, perda de um, 207-10.
    atitudes distorcidas em relação a, 208.
menosprezar as recompensas, 98.
Método bate-rebate, 110-1.
método da empatia, 252-3.
método de "luto", 255.
método Moorey contra lamentadores, 196-7.
métodos de autoativação, resumo dos, 125-6*q*.
minimização, 57 e 60*q*.
Minnet, Ann M., 29.
mirtazapina (Remeron), 363, 424 e 490.
    dosagem, 490.
    efeitos colaterais, 485*q* e 490-1.
    interações medicamentosas, 491.
monoaminoxidase. *Ver* inibidores da MAO.
Monroe, Marilyn, 71.
Moorey, Stirling, 196.
motivação,
    ação e, 124-5.
    coerção e, 100 e 116-7.
Murphy, George E., 370.
*mus*turbation, 58 e 116.

não gostar de si mesmo, 69.
Nardil, 357 e 423.
    efeitos colaterais, 459.
National Institute of Mental Health, 39.
necessidade de amor, 257-67.
    dependência e, 257-60 e 266.
    independência e, 259-60.
    mudança de atitude, 265-7.
    Planilha de previsão de prazer, 262-6.
nefazodona (Serzone), 363-4, 424 e 477.
    dosagem, 478.
    efeitos colaterais, 478-80.
    interações medicamentosas, 481-2.

negociação, 135-7 e 165-7.
neurolépticos, 534-5.
Neurontin, 425*q* e 516-7.
    dosagem, 518.
    efeitos colaterais, 518-20.
    interações medicamentosas, 520-1.
niilismo, 321.
Norpramin, 422.
    efeitos colaterais, 431.
nortriptilina (Pamelor), 423.
    efeitos colaterais, 431.
Novaco, Raymond W., 142n17.

onipotência, pontuação no teste DAS e, 239-40.
operacionalização, 278.
oscilações de humor, 226, 314 e 324.

Pamelor, 423.
    efeitos colaterais, 431.
pamoato de imipramina (Tofranil-PM), 422.
paralisia motivacional, 95.
Parnate, 357 e 392.
    efeitos colaterais, 459.
Paroxetina (Aropax), 423.
passivo-agressivo, 94.
PDR. *Ver Physician's Desk Reference*.
pecado original, 177.
pensamento negativo, 214.
    depressão e, 49-50, 65 e 72-3.
pensamento "tudo ou nada", 52-3 e 60*q*.
pensamentos disfuncionais, Registro diário de, 78-80, 106-8, 110, 157*q* e 184-5.
perder a vida, 205-7.
    atitudes malignas em relação a, 205.
perder o emprego, 210-7.
perder um ente querido, 218-20.
perder um membro, 207-10.
    atitudes distorcidas em relação a, 208.
perfeccionismo, 99.
    pontuação no teste DAS e, 238.
    superar o, 287-309.
personalização, 59-60 e 179.
Pertofrane, efeitos colaterais, 431.
PET. *Ver* tomografia por emissão de pósitrons.
Physician's Desk Reference (PDR), 415.
Planilha antiperfeccionismo, 291*q*.
Planilha antiprocrastinação, 105*q*.
Planilha de previsão de prazer, 108-10, 262-5 e 286.
polifarmácia, 387 e 535-8.

pouca tolerância à frustração, 100-1.
pressupostos silenciosos, 226-7.
    Escala de atitudes disfuncionais, 231-40 e 246.
    método custo-benefício para avaliar, 247q.
    técnica da seta vertical, 226-31.
prevenção de resposta, 293.
Prinz, Freddie, 71.
procrastinação, 57, 92-3 e 95.
Programação do dia, 102-4.
propranolol (Rebaten), 407.
protriptilina (Vivactil), 423.
    efeitos colaterais, 431.
Prozac, 343, 361-2, 392, 406 e 423.
    efeitos colaterais, 407-8.
    estudos sobre, 368-71.
    mitos sobre, 379-83.
    psicoterapia, 35 e 327.
    "Psychotherapy *vs.* Medication for Depression: Challenging the Conventional Wisdom with Data", 21.
    versus imipramina, 419.
    versus tratamentos biológicos, 367-83.

quadro de potencialização, 526-9.
química cerebral, desequilíbrios na, 22-3, 346-7 e 388.
    teorias sobre, 352-6.
quimioterapia, 205.
Quociente de Irritabilidade, 141.
    cálculo do, 143-4.

raciocínio emocional, 57, 60q e 88.
raiva, 141-76.
    cobranças irracionais, 149.
    dez coisas a saber sobre a, 174-6.
    Escala de raiva de Novaco, 142-3.
    frustração e, 175-6.
    ler pensamentos, 147-8.
    magnificação, 148.
    nas palavras de Freud, 144.
    pensamentos e, 144-5.
    rotulagem, 147.
    terapia cognitiva e, 144.
raiva adaptativa, 152.
raiva internalizada, 144.
raiva mal adaptativa, 152.
raiva produtiva, 152.
realizações,
    pontuação no teste DAS e, 236.
    valor e, 269-79.

Rebaten, 497.
reescrever as regras, 158-60.
Registro diário de pensamentos disfuncionais, 78-80, 106-8, 110, 157q e 184-5.
rejeição, 250-4.
    recuperar-se da, 254-5.
rejeição com raiva, 251.
rejeição de adolescente, 250.
rejeição manipuladora, 251-2.
relatividade da justiça, 151.
Remeron, 363, 424 e 490.
    dosagem, 490.
    efeitos colaterais, 485q e 490-1.
    interações medicamentosas, 491.
remorso, 177.
respostas racionais (autodefesa), 213.
ressentimento, 100.
Rothko, Mark, 71.
rotulagem, 58-9, 60q e 147.
rotulagem deturpada, 58-9 e 60q.

Sabril, 516-7.
Santrock, John W., 29.
Schatzberg, Alan F., 458, 477, 498, 509-10, 521 e 524-5.
Schwartz, Jeffrey M., 22 e 369.
Scogin, Forest, 24-5 e 28.
sedativos, 532-3.
selegilina (Jumexil), 357.
    efeitos colaterais, 459.
sem valor,
    enquanto conceito, 279-82.
sensação de impotência, 97.
    lidar com, 338-9.
sensação de incompetência, 69-70.
sensação de inutilidade, superar a, 73-5.
sentimentos, fatos e, 64-5.
serotonina, 353-4.
sertralina (Zoloft), 423.
Serzone, 363, 424 e 477.
    dosagem, 478.
    efeitos colaterais, 478-80.
    interações medicamentosas, 481-2.
Simons, Anne D., 370.
Sinequan, 393 e 422.
    efeitos colaterais, 431.
Sistema "Não tem como perder", 123-4.
Smith, Nancy, 28.
sobrecarregar-se, 97.
solidão e estar só, diferença entre, 259-62.

sucesso,
    felicidade e, 271.
    medo do, 100.
    visualizar, 119-20.
suicidas,
    a falta de lógica do suicida, 317-25.
    antidepressivos no tratamento de, 313-4.
    avaliar impulsos, 315-7.
    convicção de enfrentar dilemas sem solução, 325.
    crise da meia-idade e, 325-7.
    desejo de automutilação, 318.
    distorções cognitivas dos, 320-1 e 326-7.
    grau de desespero, 316 e 328.
    perspectiva sombria dos, 314-5.
    teoria niilista dos, 321-4.
    terapia cognitiva no tratamento dos, 313-4 e 320-8.
suicídio, 218-22.
    depressão e, 313.
    entre os mais jovens, 313.
    falta de lógica do, 317-24.
    sensação irreal de não ter esperanças e, 314-5.
    taxa na população em geral, 313.
superar o perfeccionismo, 287-309.
    aprender a cometer erros, 301-2.
    aprender com os erros, 308-9.
    beneficiar-se do fracasso, 294-6.
    concentrar-se nas lembranças felizes, 307.
    concentrar-se no lado positivo, 302-3.
    definir limites de tempo para suas atividades, 301.
    dirigir o foco para o processo, 298-300.
    enquanto uma meta realista, 291-2.
    exposição pessoal, 304-6.
    Formulário de prevenção de resposta, 294.
    o absurdo do pensamento "tudo ou nada", 303.
    o papel do medo, 293.
    Planilha antiperfeccionismo, 290-1.
    ter critérios menos rigorosos, 288-9 e 308-9.
    vantagens e desvantagens, 288-9.
superempreendedores, 271.
Surmontil, 423.
    efeitos colaterais, 432*q*.

Tarefas Auxiliadas pelas Cognições (TACs), 114-5*q*.
Tarefas Inibidas pelas Cognições (TICs), 114-5*q*.
técnica antiprovocador, 137.
técnica da seta vertical para identificar pressupostos silenciosos, 226-31 e 246.
    técnica de desarmar, 117-9.

Técnica TIC-TAC, 113 e 114-5*q*.
técnicas de terapia cognitiva para controle do humor, 34.
técnicas imaginativas, 156-8.
Tegretol, 424 e 508-9.
    efeitos colaterais, 511-3.
    exames de sangue, 509-11.
    interações medicamentosas, 513-6.
terapia cognitiva, 19-22 e 72.
    autocrítica *versus* autodefesa, 75-80, 87*q*, 130*q*, 213*q* e 225.
    diálogo entre cliente e terapeuta, 332.
    eficácia da, 21.
    estudos sobre, 21-30 e 39-40.
    falta de esperança e, 338-9.
    hostilidade e, 333-6.
    incerteza e, 338-40.
    ingratidão e, 336-8.
    origem da, 33-4.
    para depressão, 36-40.
    para distúrbios alimentares, 23.
    para suicidas, 313-4 e 320-7.
    para transtornos de ansiedade, 23.
    para transtornos de personalidade, 23.
    princípios da, 35-6.
    raiva e, 144.
    técnicas para controle do humor, 33-4.
    teoria da, 19-21.
    terapia com antidepressivos e, 36-7.
terapia com antidepressivos, 33-9, 327 e 417n43.
    terapia cognitiva e, 33-40.
terapia não diretiva, 74.
testar o "eu não consigo", 122-3.
tetracíclicos, antidepressivos, 418*q* e 421-6.
    dosagem, 426-7.
    efeitos colaterais, 432-4.
    interações medicamentosas, 434-9.
    nomes, dosagens e custos, 423.
The Gerontologist, 24.
tiagabina (Gabitril), 516-7.
TICs. *Ver* Tarefas Inibidas pelas Cognições.
tirar conclusões precipitadas, 55, 60*q* e 98.
TOC. *Ver* transtorno obsessivo-compulsivo.
Tofranil, 36, 360-1 e 422.
    efeitos colaterais, 431.
Tofranil-PM, 422.
tomografia por emissão de pósitrons (PET), 22.
TPB. *Ver* transtorno de personalidade *borderline*.
trabalho, valor e, 272-9.
tranilcipromina (Parnate), 357 e 392.
    efeitos colaterais, 459.

tranquilizantes, 33.
    menores (benzodiazepínicos), 531-2.
transtorno de personalidade *borderline* (TPB), 393.
transtorno distímico, 45.
transtorno obsessivo-compulsivo (TOC), 392.
transtornos de ansiedade, 392.
    sintomas de, 47.
    terapia cognitiva para, 23.
transtornos de personalidade,
    terapia cognitiva para, 23.
transtornos mentais graves, sintomas de, 47.
tratamentos biológicos, 371-3.
    estudos sobre, 369-73.
    mitos sobre, 375-8.
    versus tratamentos psicológicos, 368-83.
trazodona (Donarem), 363, 393, 424 e 477.
    dosagem, 478.
    efeitos colaterais, 478-80.
    interações medicamentosas, 481-2.
tricíclicos, antidepressivos, 360-1, 406, 418 e 422-3.
    dosagem, 426-7.
    efeitos colaterais, 427-32.
    interações medicamentosas, 434-9.
    nomes, dosagens e custos, 422-3.
trimipramina (Surmontil), 423.
    efeitos colaterais, 432q.
tristeza,
    depressão e, 203-4.
    sem sofrimento, 220-2.
tristeza saudável, 220-1.
Tryptanol, 360-1 e 422.
    efeitos colaterais, 405 e 431.

Universidade da Califórnia (Irvine), 142n17.
Universidade da Pensilvânia,
    Escola de Medicina, 33, 211 e 318.
Universidade de Nevada, 21 e 373-4.
Universidade do Alabama, 24 e 28.
Universidade do Texas (Dallas), 29.

valor,
    enquanto conceito apenas, 279-81.
    Planilha de previsão de prazer, 286.
    quatro caminhos para a autoestima, 279-83.
    realizações e, 269-71.
    trabalho e, 272-9.
venlafaxina (Effexor), 362, 424 e 486-7.
    dosagem, 487-8.
    efeitos colaterais, 485q e 488-9.
    interações medicamentosas, 489.

viciado em amor, análise das supostas "vantagens" de ser um, 260.
viciado em trabalho, 270.
vida, perder a, 205-7.
    atitudes malignas em relação a, 205.
vigabatrina (Sabril), 516-7.
vingança, desenvolver desejo de, 153-4.
visualizar o sucesso, 119-20.
Vivactil, 423.
    efeitos colaterais, 431.
vontade de morrer, 315-6.
    ativa, 316.
    passiva, 315-6.
vontade de não fazer nada, 91-126.
    autoacusação, 101.
    autorrotular-se, 98.
    coerção, 100.
    exemplos de, 92-3.
    falta de esperança, 92.
    medo de desaprovação ou crítica, 100.
    medo do fracasso, 99.
    medo do sucesso, 100.
    menosprezar as recompensas, 98.
    métodos de autoativação, 102-26.
    perfeccionismo, 99.
    pouca tolerância à frustração, 100-1.
    ressentimento, 100.
    sentimento de culpa, 101.
    sobrecarregar-se, 97.
    tirar conclusões precipitadas, 98.

Weissman, Arlene, 231-4.
Wellbutrin, 424 e 482-3.
    dosagem, 484.
    efeitos colaterais, 484 e 485q.
    interações medicamentosas, 484-6.

Your Erroneous Zones (Dyer), 151n18.

Zoloft, 423.

PARA SABER MAIS*

OUTROS LIVROS DO DR. BURNS

The feeling good handboook (Nova York: Plume, 1990). O dr. Burns mostra como a terapia cognitiva pode ser usada para superar uma grande variedade de transtornos do humor como depressão, frustração, pânico, preocupação crônica e fobias, assim como problemas de relacionamento pessoal, como conflitos conjugais ou dificuldades no trabalho.

Intimate connections (Nova York: Signet, 1985). O dr. Burns mostra como demonstrar que está interessado por alguém, como lidar com pessoas que ficam te enrolando e como fazer que as pessoas do sexo oposto (ou do mesmo sexo, se for a sua preferência) se interessem por você.

Ten days to self-esteem e *Ten days to self-esteem: the leader's manual* (Nova York: Quill, 1993). Nesse programa em dez etapas, o dr. Burns oferece um esquema prático e funcional para sair daqueles estados de ânimo negativos que roubam a nossa autoestima. Ele fornece instruções claras, fáceis de entender e ferramentas específicas adquiridas em 20 anos de pesquisa sistemática e atividade como psiquiatra. O *Leader's manual* mostra como desenvolver esse programa em hospitais, clínicas, escolas e outras instituições.

---

* No site do Dr. Burns (www.feelinggood.com), você encontra a relação completa e atualizada dos livros publicados pelo autor, além de diversos conteúdos disponíveis tanto para profissionais quanto para interessados, como: *podcasts*, ferramentas, histórias de sucesso, artigos e diversos outros conteúdos em áudio e em vídeo. (N.E.)

WORKSHOPS E PALESTRAS DO DR. BURNS

O dr. Burns ministra workshops e conferências para profissionais de saúde mental e também palestras para o público em geral. Para obter uma lista com datas e locais, você está convidado a acessar o site do dr. Burns em www.feelinggood.com.

FERRAMENTAS DE TRATAMENTO E AVALIAÇÃO PARA PROFISSIONAIS DE SAÚDE MENTAL

Kit do terapeuta 2000
Inclui centenas de páginas com ferramentas avançadas de avaliação e tratamento para profissionais de saúde mental. A compra do kit inclui uma licença que permite a reprodução ilimitada do material para uso no seu consultório. Estão disponíveis também licenças para empresas.

SITE FEELING GOOD

Você está convidado a acessar o site do dr. Burns em www.feelinggood.com. Esse site contém informações sobre:
- datas e locais das próximas palestras e workshops do dr. Burns;
- materiais em áudio para o público em geral;
- materiais de treinamento para profissionais de saúde mental (incluindo créditos de educação continuada);
- links com indicações de terapeutas cognitivos de todo o país;
- descrição do novo *Kit do terapeuta* do dr. Burns;
- links de outros sites interessantes;
- novidades que possam interessar a pacientes, terapeutas e pesquisadores;
- Pergunte ao Guru. Você pode enviar perguntas sobre qualquer assunto relacionado à saúde mental. As respostas às perguntas selecionadas são postadas na forma de uma coluna.

Este livro foi impresso pela Gráfica Paym
nas fontes Futura e Minion Pro sobre papel Pólen Soft 70 g/m²
para a Cienbook no verão de 2021.